De engelenburcht

JÖRG KASTNER

De engelenburcht

Karakter Uitgevers B.V.

Oorspronkelijke titel: Der Engelsfluch
© 2005 by Droemersche Verlagsanstalt Th. Knaur Nachf. GmbH & Co. KG, Munich, Germany
Vertaling: Peter de Rijk
© 2007 Karakter Uitgevers B.V., Uithoorn
Omslag: Björn Goud
Opmaak binnenwerk: ZetSpiegel, Best

ISBN 978 90 6112 335 4
NUR 332

Dit boek is opgedragen aan iedereen
die me bij mijn werk ondersteund heeft.
Bijzondere dank ben ik verschuldigd aan Andrea en Roman Hocke,
met wie ik met veel genoegen Italië heb verkend,
signor Angelo Ciofi voor onverwacht diepe inzichten
in de Etruskische cultuur en mijn vrouw Corinna,
die het ontstaan en de voltooiing van deze roman met grote
kennis van zaken en veel begrip begeleid heeft.

JK

De echt belangrijke dingen zien wij over het hoofd.

Antoine de Saint-Exupéry

I

'Vandaag is de katholieke Kerk getroffen door misschien wel het grootst denkbare ongeluk, een vreselijke gebeurtenis zoals die al vele eeuwen lang niet meer voorgekomen is. Als we het woord schisma horen, denken we aan de middeleeuwen en aan Avignon. Maar vanaf vandaag heeft dit woord een nieuwe, uiterst actuele betekenis. De katholieke Kerk is niet meer dezelfde als gisteren. Ze heeft zich namelijk in twee zelfstandige kerken gesplitst!'

Giovanni Dottesio tuurde geboeid naar de televisie. Het glas rode wijn en het bord met witbrood, belegd met ham en rucola, bleven onaangeroerd op tafel staan. Zoals gewoonlijk had hij de afstandsbediening gepakt zodra hij was gaan zitten en de tv aangezet om naar het avondnieuws te kijken. Hij had niets bijzonders verwacht, behalve de gewone ellende. Hier een neergestort vliegtuig, daar een enorme kettingbotsing en ergens anders een zware bomaanslag; allemaal gebeurtenissen die in de eenentwintigste eeuw normaal waren, maar waarbij de slachtoffers en hun naasten toch hun twijfels aan God kenbaar maakten, zelfs als ze niet gelovig waren. Met gefronst voorhoofd had Dottesio gezien dat het geen gewoon journaal was, maar een speciale uitzending. Midden op het St.-Pietersplein stond een verslaggever met open jas die zeer gehaast in de microfoon sprak, alsof hij bang was het tempo van de gebeurtenissen niet bij te kunnen houden.

'Dit bericht is nog niet door het Vaticaan bevestigd. Maar het persbericht van de nieuw opgerichte' – de verslaggever haalde met zijn linkerhand een papiertje tevoorschijn en wierp er een korte blik op – 'Heilige Kerk van het Ware Geloof laat er geen misverstand over bestaan. Delen van de kerk, variërend van een kleine dorpspastoor met zijn gemeente tot invloedrijke kardinalen, hebben zich afgescheiden van het Vaticaan, van de paus. Het Vaticaan lijkt daardoor zelf verrast te zijn, zoals uit de opwinding om me heen blijkt.'

De camera zoomde uit en bracht tientallen limousines en taxi's in beeld die kerkelijke hoogwaardigheidsbekleders voor de poorten van het Vaticaan afzetten. Mannen in soutanes en donkere kostuums met witte boorden werden na een korte controle door de wachtposten van de Zwitserse Garde doorgelaten en liepen haastig verder, bijna in looppas. Dottesio herkende enkele van de gezichten, die slechts heel even in de camera keken, omdat de kardinalen en hun begeleiders niet bereid waren commentaar te leveren en dat misschien ook niet mochten. Geen twijfel mogelijk: de leiders van de kerk kwamen in het centrum van het katholicisme bijeen. Zo'n énorme drukte had hij alleen nog maar bij de verkiezing van een nieuwe paus meegemaakt. Natuurlijk had een eenvoudige pastoor uit Trastevere nauwelijks iets met de kerkelijke hoogwaardigheidsbekleders te maken, maar Dottesio kende hen nog uit zijn tijd in het Vaticaan. De verslaggever verscheen weer op het tv-scherm. 'Het is nog niet duidelijk hoe het Vaticaan op het schisma zal reageren. Het ziet er niet naar uit dat er de komende minuten iets gaat gebeuren, maar we blijven de ontwikkelingen hier uiteraard nauwkeurig volgen. Voorlopig terug naar Norina in de studio.'

Norina, getooid met donkerrode leeuwinnenmanen, droeg een groen pakje dat nogal detoneerde met de gele achtergrond in de tv-studio. De titel van de speciale uitzending stond onder in beeld te lezen: 'Crisis in het Vaticaan: scheuring in de kerk'. De presentatrice glimlachte alsof de verslaggever zojuist drie dagen zonnig weer had aangekondigd en zei: 'Roberto zal ons op de hoogte houden. Zodra er iets belangrijks gebeurt in het Vaticaan, schakelen we direct naar hem terug. Nu wil ik echter de verrassende scheuring in de kerk bespreken met twee gasten die uiterst competent zijn als het om het Vaticaan en de katholieke Kerk gaat.'

De beide gasten kwamen in beeld. Het waren een man en een vrouw die beiden nog jong waren. Dottesio herkende hen zodra hij hun gezicht zag. Geen wonder, want hun portretten waren enkele maanden geleden nog volop in de Romeinse pers te zien geweest, alsof ze tv-sterren of profvoetballers waren. De twee waren verwikkeld geweest in wat een vaticanist in een krantencommentaar als de grootste crisis in de katholieke Kerk van de moderne tijd betiteld had. Daarin had de Vaticaanjournalist zeker gelijk gehad, althans tot vandaag.

Dottesio luisterde maar half terwijl Norina haar gasten voorstelde. Hij dacht weer aan die ongelooflijke gebeurtenis begin mei, die door de media de gardemoord genoemd werd. De commandant van de Zwitserse Garde en zijn vrouw waren in hun woning midden in het Vaticaan vermoord.

De moordenaar zou een jonge gardist geweest zijn, wiens lijk eveneens in de woning van het echtpaar aangetroffen was. Aangenomen werd dat de gardist, een zekere Marcel Danegger, zijn superieur vanwege een conflict over de dienst vermoord had en vervolgens de hand aan zichzelf had geslagen. De echtgenote van de vermoorde man had eveneens moeten sterven, omdat ze toevallig aanwezig was. Tot zover de officiële lezing, die het Vaticaan in die tijd openbaar gemaakt had. De kerk had geen belang bij een schandaal, vooral niet omdat kort tevoren een nieuwe paus was verkozen, te weten Custos, wiens onorthodoxe opvattingen en gewoonten al voor genoeg ongewenste media-aandacht zorgden. Maar het werd al snel duidelijk dat de vermoedelijke moordenaar Danegger ook slechts een slachtoffer was en dat er iets veel omvangrijkers en afschuwelijkers achter de drievoudige moord stak. Dat was door de neef van de vermoorde gardecommandant, de gardist Alexander Rosin, en de Vaticaanjournaliste Elena Vida aan het licht gebracht. En deze twee zaten nu in de tv-studio bij de eeuwig glimlachende Norina.

Nog altijd liepen Giovanni Dottesio de rillingen over de rug als hij aan de onthullingen dacht die dat voorjaar niet alleen Rome en het Vaticaan, maar de gehele christelijke kerk diep geschokt hadden. Als dat zelfs voor hem als geestelijke al moeilijk te begrijpen was, hoe moest het de vele gelovigen over de hele wereld dan niet vergaan? Hij pakte het glas rode wijn op en nam een flinke slok, die hij ietwat gehaast doorslikte. Door de zoetige smaak van de wijn en de warmte die zich door de alcohol in hem verspreidde, kalmeerde hij een beetje. Hij zette het glas neer, ging achterover zitten in de versleten stoel en sloot zijn ogen om zijn gedachten te ordenen.

Een geheim genootschap – of liever gezegd twee, om de verwarring nog groter te maken – was verantwoordelijk geweest voor de moord op de gardist. Dat was de zogeheten Kring van Twaalf geweest, waarvan twaalf Zwitserse gardisten deel uitmaakten. Ze waakten over een geheim dat de Ware Gelijkenis van Christus werd genoemd. Dat was een smaragd waarop het echte gezicht van Jezus Christus te zien was. Van een dubbele Messias dus! Want aan de smaragd was een geheim verbonden, namelijk dat Jezus helemaal niet aan het kruis was gestorven, maar slechts schijndood was. Zijn vrienden hadden hem in het geheim naar de kust gebracht, waar hij per schip over zee naar Gallië gebracht was. De zogenaamde Verlosser die opgestaan was, was in werkelijkheid de tweelingbroer van de Heer,

Judah Toma, die de legende van de opstanding gebruikte om een nieuwe godsdienst te stichten.

Alsof dat allemaal nog niet genoeg was om de katholieke Kerk op haar grondvesten te doen schudden, had paus Custos zich ook nog eens als afstammeling van de geredde Jezus ontpopt. De wonderbaarlijke genezende krachten waarover de Heilige Vader beschikte, gaven deze bewering enig gewicht.

En de machtige katholieke organisatie Totus Tuus bleek nauwe banden met de Kring van Twaalf te onderhouden. Deze aartsconservatieve orde probeerde uit alle macht de traditionele leer en daarmee ook de eigen invloed te behouden. De leden ervan hadden de gardecommandant omgebracht omdat hij niet langer het geheim wilde bewaren, maar met de nieuwe paus wilde samenwerken en de kerk een nieuw verlicht tijdperk in wilde voeren. De Heilige Vader zelf moest door Totus Tuus vermoord worden, maar de aanslag was mislukt en de bende samenzweerders was opgerold. De leider van het geheime genootschap was niemand anders dan de broer van de vermoorde gardecommandant geweest, de ex-gardecommandant Markus Rosin, die tot dan toe dood gewaand was. Meer dan eens had Dottesio zich afgevraagd hoeveel moeite het Alexander Rosin gekost moest hebben om zich tegen zijn vader te keren.

Een geluid dat op het dichtslaan van een deur leek, deed Dottesio ineenkrimpen. Hij opende zijn ogen en keek om zich heen, maar hij was alleen. Natuurlijk was hij alleen. Lucilla, zijn huishoudster, had vanavond vrij. Ze was samen met haar man Alberto, de koster, naar haar vader in Viterbo.

Op de televisie wendde Norina zich tot Alexander Rosin: 'Signor Rosin, u weet veel over het leven in het Vaticaan. Tot voor kort was u nog lid van de Zwitserse Garde. Na de gebeurtenissen die met de moord op uw oom en tante samenhangen, bent u voortijdig de dienst uit gegaan. Nu werkt u als Vaticaanjournalist samen met signorina Vida bij de *Messaggero di Roma* en...'

Rosin onderbrak haar: 'Laten we het erop houden dat ik Elena een beetje bij haar werk hielp. Zij is een ervaren journaliste, terwijl ik net kom kijken.' De ernst en de oprechtheid waarmee Rosin de presentatrice corrigeerde bevielen Dottesio, en hij keek eens wat nauwkeuriger naar de jonge man. Hij had roodbruin, krullend haar en zijn gezicht bezat uitgesproken trekken, met een markante kin. Zijn gezicht gaf blijk van een rechtlijnig karakter en vastberadenheid. Tijdens de gebeurtenissen in mei had Rosin al bewezen dat hij over deze karaktereigenschappen beschikte. Norina zette haar ergernis over de onderbreking opzij en vroeg Rosin onomwonden of hij een verband zag tussen de scheuring en de gebeurtenissen die met de moord op zijn oom en de mislukte aanslag op de paus verband hielden.

Rosin nam even de tijd om over de vraag na te denken voordat hij antwoordde: 'Zolang we de motieven niet kennen van degenen die zich aaneengesloten hebben in de zogeheten Heilige Kerk van het Ware Geloof, valt daarover nauwelijks iets concreets te zeggen.'

'Maar de naam Heilige Kerk van het Ware Geloof impliceert toch dat de oprichters van deze kerk het niet eens zijn met de nieuwe verlichte koers van paus Custos?' drong de presentatrice aan.

'Zo zie ik het ook. De leiders van de nieuwe kerk zullen er zeker goede redenen voor hebben, anders hadden ze een dergelijk project niet ondernomen.'

Norina glimlachte weliswaar nog steeds, maar ze vertrok daarbij haar mondhoeken, waaruit Dottesio afleidde dat het haar ergerde dat haar gast zich niet tot speculaties liet verleiden. 'Dus u gelooft niet dat er een direct verband bestaat tussen de nieuwe kerk en Totus Tuus, signor Rosin?'

'Ik kan een dergelijk verband niet uitsluiten, maar ik kan dat op dit moment ook niet bevestigen.'

Norina boog zich naar Rosin toe; ze leek wel een leeuw met rode manen die zich opmaakt om zijn prooi te bespringen. 'Het zou toch kunnen dat uw vader u iets heeft laten weten over een dergelijk verband? Is het niet zo dat u uw vader twee dagen geleden nog bezocht hebt?'

Dottesio herinnerde zich dat Markus Rosin het licht in zijn ogen verloren had bij een nachtelijk gewapend treffen in de onderaardse gangen van het Vaticaan. Daarover was maar weinig in de publiciteit gekomen. Het Vaticaan, dat als zelfstandige staat ook over een eigen justitieapparaat beschikte, had Markus Rosin tot levenslange gevangenisstraf veroordeeld. Nu zat de voormalige leider van Totus Tuus in de nieuwe Vaticaanse gevangenis, evenals enkele andere leiders van de samenzwering. 'Ja, ik ben bij mijn vader geweest,' antwoordde Rosin op haar vraag.

'En heeft hij tegenover u enige toespeling gemaakt op die nieuwe kerk?'

'Nee. Als hij daar al iets van weet, heeft hij daar tegen mij in elk geval niets over verteld.'

'Waarover heeft hij dan met u gesproken?'

Rosin keek de presentatrice ernstig aan. 'We hebben over privézaken gesproken en die wil ik graag voor mezelf houden.'

Ietwat gepikeerd wendde Norina zich tot Elena Vida en vroeg haar naar haar beoordeling van de situatie. Terwijl de Vaticaanjournaliste zich opmaakte voor een antwoord, werd Dottesio opnieuw door lawaai opgeschrikt. Kwam het uit de sacristie? Hij aarzelde een moment, naar de telefoon kijkend, en vroeg zich af of hij de politie moest bellen. De afgelopen zes weken was er tweemaal ingebroken in de sacristie, maar daarbij was gelukkig slechts weinig schade aangericht. De daders waren blijkbaar jongeren, misschien drugsverslaafden, die gehoopt hadden dat Dottesio de collectezak met inhoud zomaar ergens had laten liggen. Dottesio had daarna nog overwogen de kerk, waardoor de inbrekers vermoedelijk naar binnen waren gekomen, alleen nog open te houden als de koster aanwezig was om een oogje in het zeil te houden. Maar hij had besloten dat niet te doen, want hij was van mening dat een godshuis van 's ochtends tot 's avonds voor iedereen toegankelijk moest zijn.

Nu was alles weer stil. Misschien sloeg er ergens een luik in de wind tegen het raam? Als hij voor zoiets de politie zou bellen, maakte hij zich alleen maar belachelijk. Dottesio stond met een ruk op en liep naar de sacristie. Nee, de luiken waren dicht. Door de spleten ervan viel genoeg licht om de ruimte in een vaag schemerlicht te hullen. De contouren van de kasten en de grote tafel in het midden waren in het diffuse licht vervaagd, alsof ze niet tot deze wereld behoorden. Achter in de ruimte, waar de smalle doorgang naar de kerk was, meende Dottesio een beweging te ontwaren. 'Is daar iemand?' vroeg hij voorzichtig, alsof hij een ongenode gast aan het schrikken kon brengen als hij te hard praatte.

Hij kreeg geen antwoord en liep langzaam naar de doorgang. Opgelucht stelde hij vast dat hij alleen was. Misschien was hij zo van streek geraakt door het bericht van de kerkscheuring dat hij spoken was gaan zien. Hij besloot nog een korte blik in de kerk te werpen en dan snel naar zijn woning terug te keren, naar de tv. Mocht er nog nieuws komen over de ongehoorde gebeurtenissen rond de scheuring – misschien wel het eerste commentaar van het Vaticaan – dan wilde hij daar beslist niets van missen.

Uit het halfdonker van de kerk kwam hem nu een kille tocht tegemoet, die hem deed huiveren, hoewel september in Rome tot nu toe vooral zomerse temperaturen had gekend. In kerken was het bijna altijd donker en koud, en voor het eerst in zijn lange loopbaan als katholiek geestelijke vroeg hij zich af waarom dat zo was. Kon het goddelijke mysterie niet zonder de diffuse sluier van de schemering en waren de rillingen noodzakelijk om de mensen met respect te vervullen? Als de mensen om wie het ging werkelijk gelovig waren, dan was dat eigenlijk niet nodig. Terwijl hij zich met dergelijke abstracte overwegingen bezighield, liep hij het kerkschip in, waar zo'n twintig offerkaarsen brandden. Er was niemand aan het bidden, wat hem niet verbaasde. Vermoedelijk zat heel Rome voor de tv.

Ook Dottesio wilde zo snel mogelijk weer verder kijken. Maar toen hij zich naar de sacristie omdraaide, zag hij iets vreemds. Een schaduw, nog donkerder dan de schemering in de kerk, maakte zich meester van Dottesio en trok hem de absolute duisternis in.

Sandrina Ciglio verbaasde zich erover dat ze zo weinig mensen tegenkwam terwijl ze door de oude steegjes van Trastevere slofte. Hoe langer ze onderweg was, des te minder mensen ze tegenkwam. En dat terwijl deze septemberavond bij uitstek geschikt leek om op het balkon of voor de huisdeur te zitten en over van alles en nog wat, maar vooral over de meest recente belastingverhogingen, te kletsen. Ze was dan wel een oude vrouw, maar ze kon zich niet herinneren de nauwe straatjes, waar de mensen zich normaal gesproken verdrongen, ooit zo leeg gezien te hebben. Toen ze langs een bar liep, zag ze door een groot raam met het opschrift NEW YORK CAFFÈ dat de mensen binnen rond de televisie geschaard stonden. Ze kon niet zien wat voor programma er op de buis was, maar vermoedelijk was het een belangrijke voetbalwedstrijd van Lazio of AS Roma. Wat anders zou de Romeinen er op deze zwoele zomeravond van kunnen weerhouden van de buitenlucht te genieten?

Sandrina had na de dood van haar man Ernesto, acht jaar geleden, nooit meer een voetbalwedstrijd bekeken, en daarom besteedde ze verder geen aandacht aan de menigte in de bar. Ze had een lange wandeling langs de Tiber gemaakt en had daarna Ernesto's graf bezocht, zoals elke avond. Nu voelde ze hoe haar oude benen pijn begonnen te doen. Maar ze wilde niet naar haar kleine woning aan de Piazza Mastai terugkeren zonder voor Ernesto een kaarsje aangestoken te hebben. Ook dat was een dagelijkse gewoonte, althans dat was het geworden. In het begin had het haar geholpen het verlies te verwerken, evenals de bezoekjes aan het kerkhof. Maar inmiddels waren het rituelen die bij haar leven hoorden als het

15

rozijnenbroodje bij het ontbijt of het zondagse bezoek aan haar dochter Arietta en haar familie.

De kleine Santo Stefanokerk in Trastevere dook pas voor haar op toen ze er al vlakbij was. Hij was bijna geheel door grote, massieve woonblokken omgeven en alleen een voorpleintje bood vrij uitzicht op het kerkje. Buiten Trastevere kende bijna niemand het, tot groot genoegen van Sandrina. De toeristen konden beter de beroemde Santa Maria in Trastevere met een bezoek vereren, zodat Sandrina niet gestoord werd bij haar gebeden. Hier in de Santo Stefano was ze vierenveertig jaar geleden met Ernesto getrouwd, hier was hun dochter gedoopt en had ze om Ernesto gehuild. Hier wilde ze in alle rust aan hem denken, totdat ze uiteindelijk naast hem op het kerkhof zou liggen.

Terwijl ze langzaam naar het donkere kerkportaal liep, dacht ze aan pastoor Dottesio. Toen hij vijf jaar geleden de parochie had overgenomen, waren de mensen daarover verbaasd geweest. Het gerucht ging dat de pastoor een belangrijke functie in het Vaticaan had gehad. Hoe was het dan mogelijk dat hij naar zo'n klein kerkje gestuurd werd? Er werd gefluisterd dat het om een overplaatsing als straf ging en dat Dottesio het hier zeker niet lang zou uithouden. Maar hij had zich aan zijn nieuwe omgeving aangepast, was bescheiden en altijd beleefd. Intussen beschouwden de parochieleden hem bijna als een van de hunnen.

De krakende kerkdeur was moeilijk te openen, in elk geval voor een oude vrouw. Terwijl Sandrina haar rechterhand in het wijwatervat doopte om een kruis te slaan, viel de deur weer achter haar dicht. Sandrina werd door kou en duisternis omsloten. De wierookgeur prikkelde haar neus en haar genies weerklonk overdreven luid in het kerkschip. Had ze iemand bij het gebed gestoord? Toen haar ogen aan het halfduister in de kerk gewend waren, stelde ze opgelucht vast dat ze alleen was. Natuurlijk, het voetbal!

Ze liep tussen de oude houten banken door en keek naar het offerblok, waar de kaarsjes flakkerden. Er waren ook grotere kaarsen, maar daarvan brandden er maar een paar. Ze kostten vijftig in plaats van twintig cent. Sandrina besloot vandaag een grote kaars aan te steken. Als zij al met pijnlijke voeten hierheen kwam, dan zou Ernesto daar vast ook last van hebben. Het geldstuk viel met een rinkelend geluid in het offerblok. Ze pakte een kaars, stak die aan en zette die recht onder de voeten van het grote standbeeld van St.-Stefanus neer, die gestenigd was omdat hij zijn geloof in Jezus Christus had beleden. Ze keek op naar de martelaar, die haar een

opmonterende knipoog leek te geven. Natuurlijk was dat slechts de weer-
schijn van het kaarslicht, dat in de tochtige kerk voortdurend flakkerde.
Toch was Sandrina er verheugd over en ze liep naar het altaar om onder
het enorme houten kruis met de manshoge Jezusfiguur haar gebed uit te
spreken. Met een eerbiedig neergeslagen blik liet ze zich onder de Heiland
op haar knieën zakken en begon het onzevader te fluisteren, zoals ze als
klein kind al van haar grootmoeder geleerd had.
Ze schrok op toen ze iets vochtigs tegen haar linkerwang voelde. Met een
zachte tik viel er iets op de stenen treden voor het altaar. Een rode druppel. Onwillekeurig bracht ze haar rechterhand naar haar linkerwang en
raakte ze de vochtige plek voorzichtig met haar wijsvinger aan. Aarzelend
hield ze haar vinger voor haar gezicht en ze keek naar het topje. Het was
rood, bloedrood.
Sandrina werd een beetje bang, en tegelijkertijd nam een griezelige gedachte bezit van haar: de gedachte aan een wonder. Het beeld van de Verlosser boven haar bloedde!
Maar toen ze haar hoofd in haar nek legde en naar boven keek, bemerkte
ze haar vergissing. Het was niet de Heiland die aan het kruis hing, maar
een man in een donker kostuum met een witte boord. Een geestelijke.
Precies zoals Jezus Christus tweeduizend jaar vóór hem, was pastoor Dot-
tésio hier aan het kruis genageld, en hij keek Sandrina met wijd opengesperde ogen aan.

'Gekruisigd, zeg je, net als Jezus? En we moeten daar direct naartoe? Maar
hoe zit het dan met het Vaticaan? Je zei dat we na ons optreden voor de
televisie naar... Ah, Emilio... ik begrijp het. Maar waarom kan Emilio dat
dan niet overnemen, zodat wij zoals afgesproken... Goed dan, we rijden
erheen.'
Met een wrevelige zucht liet Elena Vida haar mobiele telefoon zakken en
ze legde die achteloos in het handschoenenvakje van haar autootje. Haar
groene ogen fonkelden driftig, als van een opgewonden roofdier. Alexander Rosin, die op de passagiersstoel zat, kende zijn vriendin goed genoeg
om te weten dat het met haar op dit moment kwaad kersen eten was.
'Wat is er aan de hand?' vroeg hij voorzichtig. 'Hebben de grootmachten
per abuis alle atoombommen tot ontploffing gebracht of is er alleen een
wereldwijde pestepidemie uitgebroken?' Normaal gesproken was dat genoeg geweest om Elena een lachje te ontlokken, maar nu zette ze met een

bijna verbeten gezichtsuitdrukking de linker richtingaanwijzer van haar Fiat aan en stuurde die de weg op.

'Als we rechtdoor rijden, zijn we sneller in het Vaticaan,' zei Alexander.

'We rijden niet naar het Vaticaan.'

'Wie zegt dat?'

'Laura.'

Er klonk een enorme woede in de twee laatste lettergrepen door, alsof Laura Monicini, de nieuwe hoofdredactrice van de *Messaggero di Roma* de duivel in eigen persoon was. En dat terwijl de twee vrouwen toch altijd goed met elkaar overweg konden. Alexander had de indruk dat Laura in de twee maanden dat ze met elkaar samenwerkten voor Elena een soort moederlijke vriendin was geworden, misschien een soort vervanging voor de moeder die Elena nooit gekend had.

'Als je wat gekalmeerd bent, mag je me best in hele zinnen enige uitleg geven,' stelde Alexander voor. 'Of moet ik je met stomme vragen lastigvallen, net als dat mens van de televisie daarnet?'

Hij keek over zijn schouder naar achteren, waar de tv-studio net uit het zicht verdween. Huiverend dacht hij terug aan zijn optreden voor de camera en hij bezwoer dat hij zich nooit meer zo gemakkelijk voor zoiets zou lenen. De gebeurtenissen rond paus Custos en de Ware Gelijkenis van Christus waren nog te pijnlijk voor hem. Het was onvermijdelijk dat de journalisten hem telkens weer vragen over zijn vader stelden. En dat was een onderwerp waarover hij voor geen goud wilde praten, al helemaal niet voor de miezerige onkostenvergoeding die hij voor zijn tv-optreden ontvangen had. Laura had het hem en Elena opgedragen omdat ze meende dat het goede reclame voor de *Messaggero* was. Maar Alexander geloofde niet dat welke krant dan ook in Rome momenteel reclame nodig had: vanwege de sensationele kerkscheuring zouden de kioskuitbaters hun kranten morgen sneller verkocht hebben dan dat ze *buon giorno* konden zeggen. Misschien was hij gewoon te fijngevoelig, dacht Alexander. In elk geval was hij nu zelf ook journalist; hij probeerde dat althans te zijn. Moest hij dan geen begrip opbrengen voor de professionele nieuwsgierigheid van zijn collega's? Hoe het ook zij, vragen stellen was nog tot daaraan toe, maar antwoorden geven was veel moeilijker.

Nadat Elena op een kruising afgeslagen was, zei ze: 'Onze geachte collega Emilio Petti houdt in het Vaticaan de wacht, terwijl wij in Trastevere op zoek gaan naar een vermoorde priester.'

'Een moord op een priester, en dat uitgerekend vandaag?'

'Dat zei Laura ook al. Ze denkt dat elk verband tussen de moord en de kerkscheuring, hoe klein of onwaarschijnlijk ook, een geweldige kop zou opleveren.'

Alexander grijnsde. 'Zo langzamerhand begin ik te begrijpen wat er met sensatiejournalistiek bedoeld wordt.' Hij trok snel weer een ernstig gezicht. 'Je zei tegen Laura toch iets over een kruisiging? Wat bedoelde je daarmee?'

'Laura zei dat de vermoorde priester aan het kruis in zijn eigen kerk genageld is. Zo hebben ze hem gevonden.'

'Dat lijkt me inderdaad wel een vette kop waard. Maar toch was ik liever in het Vaticaan gebleven.'

Nu was het Elena die moest grijnzen. 'De journalist wikt en de hoofdredacteur beschikt. Dat is de eerste les die je als lid van ons gilde moet leren, beste vriend.'

Ze schoten goed op. Het was lang niet zo druk op straat als anders om deze tijd. Wie nu niet weg hoefde, zat thuis voor de tv en volgde op een van de vele zenders die het programma gewijzigd hadden de speciale uitzending over het schisma. Dankzij haar uitstekende stratenkennis wist Elena de Fiat trefzeker door de nauwe straatjes van Trastevere te sturen, totdat ze opeens niet meer verder kon.

Diverse auto's, waaronder surveillancewagens van de *carabinieri* en de *polizia municipale*, de gemeentepolitie, versperden de doorgang. Tussen de auto's verdrong zich een menigte op de weg en het trottoir. Het kostte de geüniformeerde politieagenten moeite de woedende menigte in toom te houden.

'Hier in Trastevere lijken de mensen zich helemaal niet rond de tv te scharen om elk nieuws uit het Vaticaan zo snel mogelijk te vernemen,' zei Alexander, terwijl Elena de Fiat naast een blauw-witte auto van de gemeentepolitie parkeerde.

'Geen wonder, als je bedenkt dat hun pastoor zojuist gekruisigd is.'

Alexander en Elena baanden zich een weg door de menigte en konden dankzij hun perskaarten door de politieafzetting glippen. Op het pleintje voor de kerk stonden naast elkaar een ambulance en een lijkwagen geparkeerd, alsof ze het stoffelijk overschot wilden delen. De laatste stralen van de ondergaande zon, die nog over de omliggende daken heen streken, werden door het bontgekleurde glas van de kerkvensters gereflecteerd, zodat Alexander even verblind werd. Toen hij weer kon zien, zag hij een enorme kleerkast van een carabiniere voor zich staan, een lid van het motorkorps, die door zijn donkere glinsterende helm nog krijgshaftiger leek. De uitgespreide armen van de politieman vormden een ware muur voor Elena en Alexander.

'Doorgang verboden,' deelde de Schwarzeneggerversie van een Italiaanse politieman mee.

'Krant,' antwoordde Elena, terwijl ze haar perskaart pakte.

'Dat maakt niet uit.' De carabiniere week geen millimeter. 'Ik moet me aan mijn orders houden.'

'Wie heeft u die orders gegeven?' snauwde Elena hem toe.

'*Commissario* Donati!'

Het antwoord kwam niet van de carabiniere, maar van Alexander. Hij had het luid geroepen en gebaarde naar een man met grijs haar die hij in het geopende kerkportaal ontwaard had. Toen Donati hem en Elena zag, gebaarde hij de carabiniere de twee door te laten.

'Ik zei toch "krant"!' merkte Elena spits op tegen de motoragent voordat ze zich langs hem wurmde. Samen met Alexander liep ze op Donati toe, die net afscheid nam van een jonge vrouw. Hij begroette zijn oude bekenden kort en keek toen zijn gesprekspartner na. 'Dat is mijn jonge collega Micaela, Micaela Mancori. Heel getalenteerd. Ik heb haar gevraagd haar oor eens bij de mensen te luisteren te leggen. En zoals ik zie is de *Messaggero* ook al ter plaatse. En dat terwijl ik dacht dat alle journalisten van Rome momenteel in het Vaticaan op nieuws staan te wachten.'

'Wij niet,' antwoordde Alexander met een zuur gezicht. 'Onze hoofdredactrice meent dat een gekruisigde priester interessanter is dan een kerkscheuring.'

Donati trok zijn wenkbrauwen op. 'Je bent verbazingwekkend goed op de hoogte. Iemand heeft zeker heimelijk de politieradio afgeluisterd?'

'Wij waren het niet,' verzekerde Alexander hem met een knipoog. 'Wij zijn allebei katholiek. Hoe zit het nou met die dode priester? En hoe komt het dat deze zaak uitgerekend aan u is toegewezen?'

'Sinds de zaak in het Vaticaan van enige tijd geleden geld ik bij onze politieleiding als specialist in klerikale zaken, en een gekruisigde priester valt daar zeker ook onder.'

'Dus het is waar van die kruisiging?' vroeg Elena nog eens.

'Dat klopt inderdaad. Er kwam een oude vrouw in de kerk om te bidden.

Toen ze de dode pastoor zag, rende ze gillend naar buiten. Ze verkeert nog altijd in shock. Gelukkig liep de vrouw in de armen van twee toeristen, die zich om haar bekommerden en de politie alarmeerden.'

'Toeristen bij de Santo Stefano in Trastevere, wat vreemd,' merkte Elena verbaasd op.

'Twee fanatieke Romegangers, die in een of andere obscure reisgids over deze kerk gelezen hadden,' legde Donati uit. 'Een Duits schrijverseechtpaar dat hier op studie- of onderzoeksreis is. Maar verder volledig onschuldig. Voor de zekerheid heb ik hen toch maar even voor verhoor laten meenemen. Misschien hebben ze iets verdachts gezien, misschien zelfs de daders. De moord moet kort voordat signora Ciglio de kerk in liep, gepleegd zijn.'

'Signora Ciglio?' vroeg Alexander.

'De oude vrouw die het lijk ontdekt heeft.'

'Heeft ze de moordenaars gezien?'

'Vermoedelijk niet, maar dat weten we nog niet precies. De schok was te groot voor haar. Er komt nauwelijks meer een verstandig woord uit. Voorlopig is ze aan de artsen overgeleverd.'

Elena wilde dolgraag een vraag stellen en liet de commissario nauwelijks uitspreken. 'Hoe weet u dat er verscheidene daders waren, als er tot nu toe geen ooggetuigen zijn?'

'Kom maar mee!' luidde het laconieke antwoord.

Donati draaide zich om en liep met stijve passen de kerk in. Sinds zijn vrouw en twee kinderen acht jaar geleden door een maffiabom in Milaan gedood waren, was Donati's leven niet meer hetzelfde. De gevreesde maffiajager had het er weliswaar levend afgebracht, maar de bom had zijn linkerbeen onder de knie verbrijzeld. Hij had met een prothese weer leren lopen, en de politie zette hem nu voornamelijk in bij het onderwijs en speciale opdrachten. Drie maanden geleden was hij voor Alexander en Elena van onschatbare waarde gebleken. Hij had aan de zijde van paus Custos gestaan en geholpen alle aanslagen op de nieuwe paus en zijn pontificaat te verijdelen.

Het grote kruisbeeld in de altaarruimte van de kerk was met bloed besmeurd. Met al dat bloed zag de uit hout gesneden Jezusfiguur eruit alsof hij zojuist gekruisigd was en zijn ogen keken onder de doornenkroon bedroefd neer op de mensen aan zijn voeten. Alleen was niet de houten Heiland de pas gekruisigde, maar de man in de zwarte soutane die op zijn rug op de grond lag en door een politiearts onderzocht werd. Alexander zag hoe zijn handen en voeten bebloed waren op de plekken waar de spijkers door de ledematen geslagen waren.

'Nu begrijp ik het,' zei hij. 'Het is onmogelijk dat één man de dode in zijn eentje aan het kruis genageld heeft. Er moeten meerdere daders geweest zijn. Minstens een van hen heeft de dode vastgehouden, terwijl een ander de hamer hanteerde. Tenminste, als de priester toen al dood was.'

De arts keek naar hen op. 'Hij was al dood. Natuurlijk kan ik op dit moment nog niets definitiefs zeggen, maar tot nu toe ben ik tot de volgende conclusie gekomen: eerst werd de priester neergeslagen, zoals blijkt uit de verse hoofdwond. Vermoedelijk raakte hij bewusteloos. In elk geval is hij gewurgd en daarna, toen hij al dood was, aan het kruis genageld.'

'De kruisiging was dus noch een foltering, noch een actie om hem te vermoorden,' overwoog Alexander hardop. 'Desondanks hebben de moordenaars zich heel veel moeite gegeven. In de tijd die ze nodig hadden om de schoenen en sokken van de dode uit te trekken, hem aan het kruis te nagelen en dat weer op zijn plek te zetten, had een toevallige kerkbezoeker hen kunnen ontdekken. Dat roept de vraag op waarom die kruisiging zo belangrijk was voor de moordenaars.'

Donati glimlachte. 'Heel goed, signor Rosin. Mijn lessen lijken vruchten af te werpen. Misschien had u bij de politie moeten komen in plaats van naar de krant te gaan.'

'Ik had goede redenen om voor de krant te kiezen,' zei Alexander, terwijl hij zijn arm om Elena legde.

'Ongetwijfeld,' zei Donati instemmend, en hij keek naar het kruisbeeld. 'De maffia moordt volgens diverse specifieke rituelen. Het zijn boodschappen voor de nabestaanden, dikwijls gaat het om waarschuwingen. Ik vermoed dat deze kruisiging een soortgelijke achtergrond heeft.'

'Maar welke?' vroeg Elena, terwijl ze haar fototoestel uit haar schoudertas pakte.

'Daar moeten we achter zien te komen,' antwoordde Donati met een slepende stem.

2

'En is er nog nieuws uit het Vaticaan? Aha, goed... Ja, doen we. *Ciao*, Laura.'

Alexander keek Elena over de ontbijttafel aan en maakte uit haar gezichtsuitdrukking en toon op dat ze ontevreden was. Ze leek zijn vragende blik niet op te merken. Ze legde haar gsm op tafel en roerde lusteloos in haar cappuccino.

'Als je zo doorgaat, kom je zelf nog op de voorpagina van de *Messaggero*, Elena, en wel als de eerste vrouw die zich dood geroerd heeft.'

'Ha, ha,' zei ze op overdreven toon. 'Heel grappig, en dat nog wel op de vroege ochtend.'

Alexander grijnsde breed. 'We moeten deze dag, die ons nog genoeg somber nieuws zal brengen, met een goed humeur beginnen. Ik denk dat het Vaticaan vandaag niet meer om een persbericht heen kan. Als ze blijven volharden in hun zwijgen over de kerkscheuring, dan zal een leger van losgeslagen journalisten de kleinste staat ter wereld bestormen. Daar zal de Zwitserse Garde echt niets aan kunnen doen.'

'Vermoedelijk zal er vandaag een persbericht uitgebracht worden, maar daar hebben wij niets mee te maken.' Elena zuchtte en legde eindelijk haar lepel op het blauwe schoteltje. 'We gaan namelijk niet naar het Vaticaan. Laura heeft ons zojuist opdracht gegeven ons met de gekruisigde priester te blijven bezighouden.'

'Maar we hebben ons artikel toch ingeleverd,' zei Alexander, terwijl hij het laatste nummer van de *Messaggero di Roma* omhooghield. Op de voorpagina prijkte een foto van de vermoorde geestelijke, die Elena gemaakt had, en daarboven stond de kop: PRIESTER GEKRUISIGD; AFSCHUWELIJKE MOORD IN TRASTEVERE. 'Als er nieuws is, zal Donati het ons laten weten.'

'Laura denkt dat er meer achter de zaak steekt. We moeten naar Trastevere en ons oor te luisteren leggen in de parochie van Dottesio. Was de vermoorde priester geliefd of niet, had hij veel vrienden of misschien zelfs aartsvijanden? Enzovoort, enzovoort, de hele riedel.'

'En daarvoor misbruikt Laura haar beste Vaticaanjournaliste?'

'Laura bedoelt dat het voor ons tijdverspilling zou zijn om zwijgend naar een persverklaring van het Vaticaan te moeten luisteren. Dat kan Emilio net zo goed.'

'Daar zit wel wat in. Ik begin haar bijna weer sympathiek te vinden. Maar als...'

Hij werd onderbroken door het schelle gerinkel van de deurbel. De twee journalisten keken elkaar vragend aan. Wie zou dat zo vroeg al kunnen zijn? Alexander stond schouderophalend op en drukte op de deuropener. Omdat er in Elena's gezellige dakwoning op de Gianicoloheuvel geen intercom was, restte hun niets anders dan op hun onaangekondigde gast te wachten.

'Misschien de post?' overwoog Alexander hardop. 'Wie er ook de trap op komt, hij neemt in elk geval de tijd. Het kan inderdaad best een ambtenaar zijn.'

'Niet op dit vroege uur,' wierp Elena tegen.

'Daar heb jij weer gelijk in.'

Toen ze in het trappenhuis voetstappen hoorden, opende Alexander de deur.

'Toch een ambtenaar, en wat voor een!' flapte hij eruit toen Stelvio Donati op de smalle overloop verscheen. 'Laat de dode priester u niet met rust, commissario?'

'Zo zou je het kunnen stellen,' bromde de rechercheur, die eruitzag alsof hij de hele nacht niet geslapen had. Met zijn baardstoppels, wallen onder zijn ogen en uiterst slordig geknoopte das zag hij er een beetje uit als inspecteur Columbo uit de gelijknamige tv-serie.

Elena bood hem een cappuccino en een croissant met jam aan, waarna Donati dankbaar bij hen aan tafel ging zitten. Nadat hij gegeten had, keek hij Alexander aan en zei: 'Wil jij met mij mee naar het Vaticaan?'

'Dat zou ik graag doen, maar ik mag niet,' antwoordde Alexander, en hij vertelde over de opdracht die hij en Elena zojuist van Laura Monicini gekregen hadden. 'We moeten ons dus met de dode priester bezighouden. Maar u blijkbaar niet, commissario.'

'Jawel, hoor, ik ook. En er is me gevraagd jou mee te nemen, Alexander.'

'Mij? Wie heeft u dat gevraagd?'

Donati boog zich over de tafel heen en zei zachtjes, alsof hij bang was afgeluisterd te worden: 'Zijne Heiligheid de paus.'

Een kwartier later zat Alexander naast Donati in diens auto en vroeg hij zich nieuwsgierig af wat ze in het Vaticaan konden verwachten. Donati had alleen gezegd dat hij een telefoontje uit het Vaticaan had gekregen, en wel van Henri Luu, de privésecretaris van de paus. Zijne Heiligheid had de wens geuit de commissario die het onderzoek in de zaak-Dottesio leidde, zo snel mogelijk te spreken, en hij moest zo mogelijk Alexander Rosin meenemen. Alexander keek uit naar het onderhoud en vond het jammer dat Elena niet mee kon. Zij was tandenknarsend in haar eentje op weg gegaan naar Trastevere.

Overal op straat en rond het Vaticaan had de Romeinse politie sinds de vorige dag haastig wegversperringen geplaatst. Het bericht over de kerkscheuring had horden journalisten, camerateams en reportagewagens naar het Vaticaan gelokt. Om de toeloop enigszins in de hand te kunnen houden had de politie alle toegangswegen tot het Vaticaan voor het particuliere verkeer afgesloten. Ook Donati werd driemaal aangehouden, maar zodra hij zijn legitimatie liet zien, werd hij doorgelaten. Het St.-Pietersplein dook voor hen op. Er hadden zich duizenden mensen verzameld, die gespannen afwachtten wat er van hun kerk zou worden en hoe het de nieuwe paus zou vergaan, op wiens liberale gezindheid velen hun hoop hadden gevestigd. Donati stuurde de Fiat Tempra naar de Porta Sant'Anna, een van de drie ingangen van het Vaticaan. De poort werd bewaakt door twee Zwitserse gardisten, gekleed in de dagelijkse blauwe uniformen en met donkere baretten op het hoofd.

Enkele maanden geleden had ook Alexander dit uniform gedragen en ook hij had op wacht gestaan bij de Porta Sant'Anna, maar dat leek inmiddels een eeuwigheid geleden. De jongste van de gardisten kende Alexander niet. Na de ontdekking van de samenzwering tegen de paus, waarbij ook vele gardeleden betrokken waren, was de bewakingseenheid gedecimeerd. De vraag was zelfs gesteld of de pauselijke Zwitserse Garde niet opgeheven moest worden. Het Vaticaan beschikte daarnaast nog over een tweede groep ordebewakers, de Vigilanza, die meer aan het beeld van een modern politiekorps beantwoordde dan de Zwitserse Garde met zijn oude tradities. Omdat er voor de Vigilanza uitsluitend Italianen gerekruteerd werden, leek het gemakkelijker dat korps uit te breiden dan om Zwitserse staatsburgers te zoeken die aan de strenge toetredingseisen voor de Zwitserse Garde voldeden en ook nog bereid waren dit zware werk tegen een relatief karige soldij te verrichten. Dit nieuws veroorzaakte een plotselinge golf van patriottisme in Zwitserland, waarna zoveel mannen naar een plaats in de pauselijke garde solliciteerden, dat de vele vacatures snel vervuld konden worden. De opheffingsplannen werden daarna afgeblazen, ook al omdat de paus het niet raadzaam achtte te snel met te veel tradities te breken. De gelovigen moesten hun kerk blijven herkennen om haar trouw te kunnen blijven.

Nu kwam de tweede gardist in Alexanders gezichtsveld. Het was een lange, tengere man met een ernstige blik. Gardeadjudant Werner Schardt was geen echte vriend van Alexander geweest, maar toch was hij een bekend gezicht. Vanwege zijn zwijgzame, ingetogen karakter hadden de kameraden hem de bijnaam 'de asceet' gegeven.

'Alexander!' riep hij verbaasd uit toen Donati het raampje omlaag draaide.

'Hallo, Werner! Er is heel wat aan de hand bij jullie. Dat gaat je gegarandeerd overwerk opleveren.'

Alexander wist niet hoe hij de zenuwtrekking rond Schardts smalle lippen moest duiden. Het kon zowel het begin van een glimlach zijn als van een geërgerde grimas omdat hem een hoop extra diensturen te wachten stonden.

'Weten ze al hoe het met die kerkscheuring zit?' vroeg Alexander.

Schardt keek hem misprijzend aan. 'Je weet dat we op dergelijke vragen geen antwoord mogen geven. Wat doe jij hier trouwens? De pers mag het Vaticaan helemaal niet in.'

'Ik wel. Zijne Heiligheid heeft naar me gevraagd en heeft commissario Donati opdracht gegeven mij mee te nemen,' zei Alexander, op zijn begeleider wijzend.

'Hebben jullie dan een visum?' vroeg Schardt aarzelend.

'Daar hebben we geen tijd voor gehad,' antwoordde Donati. 'Ik heb het telefoontje pas een uur geleden gekregen.'

'En wie heeft u dan gebeld, commissario?'

'Don Luu.'

'Hm.'

Na een korte aarzeling liep Schardt het wachthuisje in en pakte hij de telefoon. Na een minuut gaf de gardeadjudant zijn kameraad een wenk dat hij de auto door kon laten. Achter de Fiat had zich inmiddels een rij auto's gevormd, waarvan de voorste een donkere limousine was. Toen Alexander een blik over zijn schouder wierp, meende hij op de passagiersstoel een man in kardinaalskledij te herkennen. Vermoedelijk arriveerden rond deze tijd de katholieke leiders uit alle werelddelen om over de kerkscheuring te overleggen. Het parkeerterrein stond vol auto's. Terwijl Donati stapvoets rijdend een plek voor zijn auto zocht, zag Alexander een helikopter, die achter de St.-Pieter op de helikopterlandingsplaats af vloog.

Op de Damasushof stond een geüniformeerde gendarme van de Vigilanza voor parkeerwachter te spelen. Donati volgde zijn aanwijzingen op en wist de Tempra in een gaatje te parkeren dat zo smal was dat hij en Alexander nauwelijks konden uitstappen.

De gendarme liep snel op hen toe. 'De heren Donati en Rosin?'

'Dat zijn wij,' bevestigde de commissario terwijl hij de auto afsloot.

'Wacht u hier een ogenblik, u wordt afgehaald.' Zodra de gendarme zich afgewend had om zijn aandacht te richten op de andere auto's die een parkeerplaats zochten, trad er een tengere man in een zwart priesterkostuum uit de schaduw van het Apostolisch Paleis, die hen met snelle passen tegemoet kwam. Zijn gezicht, dat door de hoge jukbeenderen en smalle ogen duidelijk Aziatische trekken had, werd door zwart, glanzend haar omlijst. Het enige wat Alexander van Henri Luu wist, was dat zijn ene ouder Frans en zijn andere ouder Vietnamees was. Luu was deels in Azië en deels in Europa opgegroeid en was zijn carrière bij de clerus in Frankrijk begonnen. Voordat paus Custos naar Rome kwam, was hij onder zijn burgerlijke naam Jean-Pierre Gardien aartsbisschop van Marseille geweest. Hij kende Luu uit die tijd en omdat hij hem vertrouwde, had hij hem onlangs als particulier secretaris naar Rome gehaald.

'Buon giorno, signori!' riep Luu toen hij bij hen kwam. 'Mooi dat u beiden zo snel gekomen bent!'

Ondanks zijn vriendelijke woorden stond het gezicht van Luu al even ernstig als dat van Werner Schardt. Mocht Alexander het cliché van de altijd glimlachende Aziaat in zijn achterhoofd gehad hebben, dan werd hij nu teleurgesteld. Zonder zijn gezicht te vertrekken vroeg Luu hun om hem naar het Apostolisch Paleis te volgen. De geestelijke leidde hen door de gangen naar de privéwerkkamer van Zijne Heiligheid, die Alexander al kende. Nadat Luu kort op de deur had geklopt, ging hij alleen naar binnen, en na enkele seconden gebaarde hij Alexander en Donati hem te volgen.

Paus Custos zat met een bezorgd gezicht in zijn witte soutane aan zijn bureau te telefoneren. 'Ik wil hem persoonlijk spreken!' zei hij op krachtige toon. 'Hoezo zou dat te veel eer voor hem zijn? Zo zie ik dat niet. Hij is nog altijd niet officieel tot tegenpaus uitgeroepen. Misschien kunnen we nog tot overeenstemming komen... Hoe die eruit moet zien?' Custos haalde diep adem en keek naar het plafond, alsof hij God om een inge-ving smeekte. 'Komt tijd, komt raad. Legt u nu eerst maar eens contact, monseigneur! Ik wacht op uw telefoontje. Dank u.'

Met een diepe zucht legde de paus de hoorn op de haak en hij staarde in gedachten verzonken naar het met stapels papier bezaaide bureau, alsof hij alleen in de kamer was. De werkkamer maakte door de vele boekenkasten langs de wanden een tamelijk donkere indruk, wat op dit moment goed bij de stemming van de Heilige Vader leek te passen. Toen Custos einde-lijk opkeek en ter begroeting opstond, wist hij slechts moeizaam een lach-je op zijn gezicht te brengen. De diepe wallen onder zijn ogen verrieden dat hij een slapeloze nacht achter de rug had. Ondanks de grote zorgen waaronder hij gebukt ging, heette hij zijn gasten hartelijk welkom en hij vroeg hun plaats te nemen op een klein bankstel.

'U hebt het gehoord, binnenkort hebben we een tweede paus.' Custos zuchtte nogmaals. 'In elk geval als het gaat zoals de zogenaamde Heilige Kerk van het Ware Geloof dat wil.'

'Wie moet dat worden?' flapte don Luu eruit, waarmee nu ook het cliché van de ijzeren Aziatische zelfbeheersing gelogenstraft werd.

'Salvati,' zei de paus slechts.

'Tomás Salvati?' vroeg zijn particulier secretaris.

De paus knikte.

Luu liet een geluid horen dat aan het grommen van een hond deed denken. 'Ik wist dat Salvati het niet met uw hervormingskoers eens was, Heilige Vader. Ik vermoedde al dat hij met de opstandelingen onder één hoedje speelde. Maar dit?'

'Nu weten we in elk geval dat hij aan de andere kant staat,' zei Custos op zakelijke toon. 'Het is belangrijk je tegenstanders te kennen; het is de eer-ste stap om van hen te kunnen winnen. Ik moet echter toegeven dat ik me er niet bepaald over verheug dat Salvati zich in het andere kamp bevindt.'

'Neemt u me mijn onwetendheid niet kwalijk,' zei Donati, zich in het ge-sprek mengend, 'maar wie is Tomás Salvati?'

Het antwoord kwam van Alexander: 'Een relatief jonge, maar heel charis-matische man, leider van de Congregatie voor religieuze orden. Daarvoor was hij bisschop van Messina.'

Custos wendde zich tot Alexander, en ditmaal leek het lachje van de paus spontaan. 'Bravo, mijn zoon, je hebt je huiswerk gedaan, zoals het een ver-slaggever bij het Vaticaan betaamt! "Charismatisch" is het juiste woord.

En energiek. Ja, ik kan me goed voorstellen dat Salvati de functie van paus gaat bekleden. Ongelukkig genoeg is dat niet rechtmatig.'

'Ik zou eerder zeggen dat hij er gelukkig genoeg geen recht op heeft,' zei Luu, en hij wendde zich tot Alexander. 'Ook al heeft Zijne Heiligheid er daarnet nog over gesproken, signor Rosin, u moet uw nieuwe beroep voorlopig even vergeten. Alles wat hier besproken wordt, is uiterst vertrouwelijk.'

'Ik had niets anders verwacht,' antwoordde Alexander zonder een spoor van ironie. 'Ik ben niet van plan de problemen van de kerk nog te vergroten.'

Custos zei zacht: 'Degene die hier problemen schept, ben ik zelf. Juist mijn hervormingen hebben tot de kerkscheuring geleid. Ik heb er rekening mee gehouden op tegenstand te stuiten, grote tegenstand zelfs, maar absoluut niet met een schisma. Misschien was het een vergissing tot dit ambt toe te treden. De afgelopen nacht heb ik diverse malen overwogen af te treden.'

Luu keek hem geschrokken aan. 'Zoiets mag u niet zeggen; u mag er niet eens aan denken, Heilige Vader! In de weinige maanden dat u uw ambt vervult, hebt u al heel veel teweeggebracht. Als u nu opgeeft, zal alles wat u tot nu toe bereikt hebt, voor niets geweest zijn. Alle offers zouden dan tevergeefs geweest zijn. Wie weet wanneer de kerk het geluk heeft weer een man van uw kaliber in het hoogste ambt te hebben. Misschien wel nooit meer.'

Custos maakte een kalmerend handgebaar. 'Maakt u mij niet groter dan ik ben, don Luu! Maar wat het einde van de hervormingen en de vergeefse offers betreft, dat heb ik mezelf ook voorgehouden, en daarom heb ik besloten door te gaan. Het ambt van paus is geen baantje bij een benzinestation of in een warenhuis, dat je gewoon op kunt zeggen als je er geen zin meer in hebt. Ik moet voor mezelf en mijn kerk echter toegeven dat ik fouten heb gemaakt. Ik meende dat ik de hervormingen op een zinvolle, voor iedereen acceptabele wijze doorvoerde, maar voor de conservatieve kringen van gelovigen en ook de kerkelijke ambtsdragers lag het tempo meestal veel te hoog, en er gebeurde ook te veel tegelijk. Getrouwde priesters en vrouwen in het priesterambt, dat hadden we niet op de agenda moeten zetten, althans niet zo snel en niet allebei tegelijkertijd.'

'U wilde het celibaat opheffen en vrouwen toestaan zich tot priester te laten wijden?' vroeg Alexander verbluft.

'Er is nog niets officieel bepaald,' haastte Luu zich te zeggen. 'We hebben deze punten op verzoek van Zijne Heiligheid ter bespreking aan de congregatie van kardinalen voorgelegd. Dat was al genoeg om die verraders ertoe te bewegen zich af te splitsen.'

'Laten we zeggen dat het de beruchte druppel was die de emmer deed overlopen,' zwakte paus Custos deze bewering af. 'Beide punten zijn even verstandig als noodzakelijk, als de kerk niet in de nabije toekomst zonder personeel wil zitten. Ik geloofde dat dergelijke grote, pijnlijke ingrepen gemakkelijker als pakket acceptabel zouden zijn, maar daarin heb ik me vergist.' Er leek een verbitterd lachje om zijn lippen te spelen. 'Tot zover de veelbezongen onfeilbaarheid van de paus.'

Luu nam het woord weer, zich tot Alexander en Donati wendend: 'Misschien moeten we ons nu richten op de eigenlijke reden van deze bijeenkomst, op de verschrikkelijke moorden op onze priesters.'

'Moorden?' herhaalde Alexander. 'Gaat het dan om meer dan één moord?'

'Twee tot nu toe,' zei Donati. 'Wist u dat niet, signor Rosin?'

Elena Vida drukte met haar duim op de deurbel naast het bordje met het opschrift PAROLINI. Ze hoorde het schelle, doordringende signaal onophoudelijk door de flatwoning klinken en vroeg zich af hoe lang iemand dit lawaai kon verdragen. Natuurlijk was er een kans dat er niemand thuis was, maar haar zesde zintuig, dat Elena gedurende haar loopbaan in de journalistiek ontwikkeld had, vertelde haar dat achter de met goedkope witte verf gelakte huisdeur iemand vreselijk last had van het voortdurende gerinkel. Hoe bang moest de bewoner dan wel zijn voor degene die op de bel drukte? In situaties als deze kreeg Elena bijna een hekel aan haar werk. Ze vond het allesbehalve leuk een oude vrouw schrik aan te jagen. Maar ook dit hoorde nu eenmaal bij haar dagelijkse werkzaamheden.

Toen Elena's duim pijn begon te doen, klonk er een schelle stem uit de woning: 'Hou daar verdomme eens mee op! We doen niet open!'

Het was de stem van een vrouw, maar niet die van een oude vrouw. Elena vermoedde dat de stem van Arietta Parolini was.

Ze haalde haar duim van de bel en vroeg zo onschuldig mogelijk: 'Waarom wilt u niet opendoen?'

'Omdat we niet met u willen praten.'

'Maar u weet toch helemaal niet wie ik ben?'

'En of we dat weten! U bent van de krant, van de televisie of de radio. Klopt dat?'

'Van de krant, inderdaad. Ik heet Elena Vida en schrijf voor de *Messaggero di Roma*.'

'Wat maakt het uit waarvoor u schrijft? Hier is niemand die met u wil spreken.'

'Misschien kan uw moeder dat zelf tegen me zeggen,' stelde Elena voor.

'Mijn moeder? Die is hier niet.'

'Haar buren in Trastevere hebben me iets anders verteld.'

Het bleef even stil. Elena vermoedde dat Arietta Parolini overleg pleegde met haar moeder. Opeens hoorde ze de verlossende metaalachtige klik van een sleutel die in een slot wordt omgedraaid en ging de huisdeur op een kier open. De deur werd door een ketting beveiligd. Door de spleet kon Elena het ronde gezicht van een vrouw van in de veertig zien dat op de verkeerde plaatsen te zwaar en op de juiste plaatsen te weinig opgemaakt was.

'Signora Parolini?' vroeg Elena.

'Ja, dat ben ik. Ik woon hier. En als u niet meteen verdwijnt, bel ik de politie!'

'Dat zou het nodige opzien baren. Wilt u dat echt? Dan zouden heel wat van mijn collega's lucht van deze zaak kunnen krijgen. U hebt misschien gezien hoeveel verslaggevers het huis in Trastevere belaagden waarin uw moeder woont. Het was heel verstandig van u om uw moeder hierheen te halen.' Elena was inderdaad in Trastevere geweest, in het oude huis aan de Piazza Mastai, waarin Sandrina Ciglio woonde. Maar geen van de buren had haar verteld waar de vrouw verbleef die de dode priester Dottesio ontdekt had. Daarover had ze gebluft. Met een beetje journalistieke speurzin en de bijbehorende gave om te combineren en te deduceren was Elena zelf op het idee gekomen Sandrina Ciglio bij haar dochter te zoeken. Die bleek met haar man en kinderen in deze trieste buitenwijk bij de snelweg naar de luchthaven Leonardo da Vinci te wonen.

Voor het eerst leek Arietta Parolini ietwat onzeker te worden. 'De doktoren hebben gezegd dat mijn moeder zichzelf moet ontzien.'

'Ik wil haar maar heel eventjes spreken. Als ze zich toch begint op te winden, beëindig ik het gesprek meteen.' Elena stak haar hand naar de vrouw uit. 'Erewoord.'

Aarzelend pakte Arietta Parolini haar hand en ze liet Elena binnen. Sandrina Ciglio lag met een deken over haar knieën in de huiskamer op de bank, hoewel het niet koud was. De nazomerzon scheen door de grote ramen naar binnen. De warmte en het licht waren eigenlijk de enige voordelen van deze woning op de negende verdieping, bedacht Elena. Ze raakte gedeprimeerd door de blik op een wereld vol identieke flats en op grijze asfaltlinten waarover eindeloze rijen auto's reden.

'Moet ik met die dame spreken, Arietta?' zei de vrouw op de bank, terwijl ze Elena met een mengeling van nieuwsgierigheid en onbehagen aankeek.

'Je moet helemaal niets, *mammina*. Deze journaliste wil je een paar vragen stellen. Maar je hoeft haar geen antwoord te geven. En als het je te veel moeite kost, gaat ze meteen weer weg.' Bij die laatste woorden klonk er enige hoop in Arietta Parolini's stem door.

Sandrina Ciglio ging rechtop zitten en trok de deken weer zorgvuldig over haar knieën. 'Ik zal haar te woord staan. Misschien doet het me goed. En hopelijk laten de andere mensen van de krant ons dan met rust.'

'Ik zal in mijn artikel niet vermelden waar ik u gevonden heb,' beloofde Elena, en ze ging in de blauwe stoel zitten waarnaar Arietta Parolini met een plichtmatig gebaar wees. 'Het lijkt me het beste als u me in uw eigen woorden vertelt wat u gisteravond in de Santo Stefano in Trastevere hebt meegemaakt, signora Ciglio.'

'Eigenlijk valt er niet veel over te vertellen,' begon de oude vrouw behoedzaam, waarna ze vertelde hoe ze de kerk in gelopen was, een offerkaars voor haar overleden man had aangestoken en daarna voor het grote kruisbeeld was neergeknield. 'Opeens voelde ik iets nats op mijn wang. Ik... ik geloofde al dat ik een teken van God de Heer kreeg toen ik merkte dat het bloed was. Daarna keek ik op... en zag hem!'

'Wie?' vroeg Elena, in de hoop een aanwijzing over de moordenaar te krijgen.

'Pastoor Dottesio. Hij hing als de Heiland aan het kruis en keek naar mij omlaag. Het was afschuwelijk! Meer kan ik me niet herinneren. Ik geloof dat ik daarna de kerk uit ben gerend.'

Het verhaal bevatte absoluut niets nieuws, maar Elena probeerde haar teleurstelling niet te laten blijken. 'En verder hebt u niemand in de kerk gezien? Of hebt u buiten misschien iets verdachts gezien voordat u de kerk binnen ging? Andere mensen, of een auto die u opgevallen is?'

'Nee, helemaal niets. Het was ook heel stil op straat.'

'De politie heeft mijn moeder deze vragen allemaal al gesteld,' morde Arietta Parolini.

'Ik hoopte dat uw moeder zich ondertussen nog wat meer herinnerd zou hebben. Soms duurt het een tijdje voordat je over een shock heen bent en je je herinnering terugkrijgt.'

'Ik heb de politie alles verteld wat ik weet,' bezwoer signora Ciglio. 'Ik heb alleen niet aan de ketting gedacht; dat is me later weer te binnen geschoten.'

Elena boog zich nieuwsgierig naar haar toe. 'Wat voor ketting?' De oude vrouw pakte haar grijze handtas, die naast haar op de bank lag, begon er omstandig in te rommelen en haalde ten slotte een dunne zilveren ketting tevoorschijn, die ze voor Elena op de zeshoekige glazen tafel legde. Aan de ketting, die op één plek gebroken was, hing een sierlijk zilveren kruis. Op het eerste gezicht leek het op de goedkope religieuze sieraden die in en rond het Vaticaan aan toeristen werden verkocht.

Elena nam de ketting in haar hand en bekeek die zorgvuldig, maar kon er niets bijzonders aan ontdekken. 'Wat is er dan met deze ketting?'

'Die is niet van mij,' legde signora Ciglio uit. 'Toen ik naar het ziekenhuis gebracht werd, hebben ze me deze ketting gegeven omdat ze dachten dat die van mij was. Ik had die blijkbaar in mijn hand gehouden. Maar ik weet niet hoe ik eraan gekomen ben. Misschien lag hij onder het kruisbeeld en heb ik hem gepakt.' Ze schudde vertwijfeld haar grijze hoofd. 'Ik kan het me met de beste wil van de wereld niet meer herinneren. Ik heb de ketting in mijn handtas gestopt en pas een halfuur geleden dacht ik er weer aan. Wat denkt u, moet ik de politie ervoor bellen?'

'Als u wilt, kan ik de ketting aan de verantwoordelijke commissario geven,' stelde Elena voor. 'Ik ken hem heel goed.'

Signora Ciglio glimlachte zwakjes. 'Dat is heel vriendelijk van u, signorina.'

'Graag gedaan.' Elena glimlachte op haar beurt en stopte de ketting snel weg, voordat Arietta Parolini zich zou bedenken.

'De eerste priestermoord is drie dagen geleden gepleegd,' legde commissario Donati aan de verbijsterde Alexander uit. 'Het slachtoffer was een zekere Giorgio Carlini, wiens parochie in Ariccia ligt, in de bergen. Ze hebben hem gevonden terwijl hij over het doopvont heen hing. Iemand heeft hem in het doopwater laten verzuipen. Net als bij pastoor Dottesio is er geen enkele aanwijzing omtrent de dader of daders.'

'Ik heb daar niets over gehoord,' zei Alexander verbaasd.

'Deze gebeurtenis werd op verzoek van de kerk niet in het politiebericht vermeld,' zei Donati. 'Maar de moord van gisteren kon helaas niet uit de publiciteit worden gehouden.'

'Hoezo helaas?' vroeg Alexander. 'Heeft het publiek geen recht op informatie?'

'Commissario Donati wil ons alleen maar helpen,' zei Henri Luu. 'De kerk heeft momenteel al genoeg problemen.'

'Twee vermoorde priesters, zo vlak na elkaar,' zei Donati hoofdschuddend. 'Ik wil graag weten of er een verband tussen de beide doden is, of ze iets gemeenschappelijk hebben wat verder gaat dan het priesterambt.'

'Dat is er,' zei paus Custos tot verrassing van Donati en Alexander. 'En dat is de reden waarom ik u beiden gevraagd heb hierheen te komen.'

Don Luu nam het woord weer: 'Wat de beide vermoorde priesters gemeenschappelijk hebben, is dat ze vroeger in het Vaticaan gewerkt hebben, en wel beiden bij de Geloofscongregatie. Giovanni Dottesio is hoofd Registratie van het archief geweest en Giorgio Carlini was zijn plaatsvervanger.'

'Ze kenden elkaar dus,' mompelde Donati.

'Merkwaardig,' overwoog Alexander hardop. 'Pastoor worden van de Santo Stefano in Trastevere of in Ariccia is niet bepaald een promotie. Waarom werden ze overgeplaatst?'

Luu glimlachte vaag. 'Als u aan een strafoverplaatsing denkt, dan hebt u het mis. Volgens onze personeelsdossiers zijn ze allebei op eigen verzoek overgeplaatst.'

'Op welk moment?' vroeg de commissario.

Luu pakte een versleten dossiermap uit het bureau en begon erin te bladeren. 'Aha, hier staat het. Dottesio heeft het Vaticaan vijf jaar geleden in mei verlaten en Carlini is hem twee maanden later gevolgd.'

'De zaak wordt steeds vreemder,' meende Donati. 'Dit dossier begint al bijna te stinken.'

'Daarom heb ik u ook laten roepen,' zei de paus. 'Ik wil deze moorden zo snel mogelijk opgelost zien, commissario Donati. U krijgt een door mij persoonlijk opgestelde speciale volmacht, waarin u toestemming verleend wordt de zaak zonder beperkingen in het Vaticaan te onderzoeken. En jij, Alexander, moet de commissario daarbij bijstaan met je kennis over het leven in het Vaticaan.'

'Heel graag, maar ik heb een baan.'

'Dat is al opgelost,' zei Luu. 'Toen u hierheen onderweg was, heb ik met uw hoofdredacteur gebeld. Signor Rosin, u hebt de onbeperkte vrijheid commissario Donati terzijde te staan. In ruil daarvoor mag de *Messaggero di Roma* als eerste over alle resultaten van uw onderzoek verslag doen, uiteraard niet eerder dan wanneer het Vaticaan die ter publicatie vrijgeeft.' Stelvio Donati knikte tevreden. 'Dat klinkt allemaal heel veelbelovend. Als eerste zou ik graag het hoofd van de Geloofscongregatie spreken.'

De Geloofscongregatie of Congregatie voor de geloofsleer was de opvolger van de beruchte inquisitie. Nog altijd moest deze kerkelijke instantie erop toezien dat er geen dwaalleer verspreid werd. Ten aanzien van de gelovigen bezat ze ook rechterlijke bevoegdheden. Het hoofd van de congregatie, kardinaal-prefect Renzo Lavagnino, bezat grote macht en was slechts verantwoording verschuldigd aan de paus. Lavagnino was al lange tijd lid van de Geloofscongregatie, maar was pas na de gebeurtenissen rond de Ware Gelijkenis van Christus tot hoofd benoemd. Veel posten waren sinds die tijd opnieuw ingevuld. Boze tongen noemden het een zuiveringsgolf. Maar paus Custos moest ervan op aan kunnen dat de sleutelposities in de kerk werden ingenomen door mannen die hij kon vertrouwen, wilde hij zijn hervormingsplannen kunnen doorzetten. Hoe groot en invloedrijk de kring van tegenstrevers binnen de kerk was, werd door de afsplitsing van de Heilige Kerk van het Ware Geloof bewezen.

Terwijl Alexander dit alles overdacht, liep hij met don Luu en commissario Donati via een omweg naar het Paleis van het Heilige Officie, waar de Geloofscongregatie zetelde. Het Palazzo del Sant'Uffizio lag tegenover het Apostolisch Paleis aan de overkant van het St.-Pietersplein. Maar als ze dat zouden oversteken, zouden ze zich blootstellen aan de nieuwsgierige blikken en vragen van een enorme schare verslaggevers. Daarom had Luu er de voorkeur aan gegeven met Alexander en Donati om de St.-Pieterskerk heen te lopen.

Toen ze rond de achterkant van de domkerk gelopen waren, bleef Alexander een ogenblik staan. Tussen de Stefanskerk en het Tribunaalpaleis zag hij verder naar achteren het spoorwegstation van het Vaticaan, dat nog maar zelden als zodanig gebruikt werd. Om die reden was onlangs een deel van het gebouw van de rest afgescheiden en tot gevangenis verbouwd. Het was lang geleden dat er een gevangenis in het Vaticaan had gestaan. De meesten van de mei-samenzweerders waren uit hun kerkelijke ambt gezet en geëxcommuniceerd. Van degenen die zich volgens het wereldlijke recht aan strafbare feiten schuldig gemaakt hadden, waren de meesten door het Vaticaan aan de Italiaanse justitie uitgeleverd. Maar enkele leiders van de samenzweerders waren met een beroep op de autonome justitiële bevoegdheden door het Vaticaan zelf veroordeeld en in deze nieuwe gevangenis ondergebracht. Alle veroordelingen betroffen gevangenisstraffen voor onbepaalde tijd, wat betekende dat de gevangenen alleen na gratieverlening door de paus op vrije voeten konden komen. En een van die gevangenen was Alexanders vader, Markus Rosin, die zijn daden in geen enkel opzicht leek te betreuren. Huiverend en tegelijk bedroefd dacht Alexander aan de weinige bezoekjes die hij aan zijn gedetineerde vader had gebracht. Markus Rosin weigerde met zijn zoon te spreken. Slechts eenmaal had hij iets gezegd, en dat waren bittere verwijten geweest.

'Zullen we verdergaan, signor Rosin?'

Ondanks de beleefde toon klonk er duidelijk enig ongeduld in de stem van don Luu door. Vermoedelijk had hij het momenteel erg druk en telde elke minuut. Alexander sloot zich snel weer bij hem en Donati aan.

De secretaris van kardinaal Lavagnino vroeg hun even in de voorkamer plaats te nemen en liep het kantoor van zijn superieur in om hun komst aan te kondigen. Een vrouw die eveneens op een gesprek met de kardinaal leek te wachten, trok Alexanders aandacht; het was een aantrekkelijke roodharige vrouw van rond de dertig, die op een bezoekersstoel verveeld in de *Osservatore Romano* zat te bladeren. Toen hij wat beter keek, zag hij dat het om de Duitse weekuitgave van de krant van het Vaticaan ging. De vrouw zag zijn onderzoekende blik en keek naar hem op. Groene ogen en rode haren, zoiets kwam toch alleen in de ongebreidelde fantasie van een schrijver voor, dacht Alexander. Terwijl hij nog twijfelde of hij de vrouw moest aanspreken, kwam de secretaris terug om hem, Donati en don Luu naar binnen te brengen. Vergiste Alexander zich of keek de vrouw hen inderdaad met een nijdige blik na?

Kardinaal Renzo Lavagnino was een tamelijk kleine man met een ascetisch voorkomen, die in het grote kantoor slecht op zijn plaats leek. Achterovergeleund in zijn zwartleren bureaustoel, met zijn handen gevouwen alsof hij in gebed was en met zijn kin daarop steunend, luisterde hij naar het verslag van Luu over de beide moorden en de relatie van de doden met de Geloofscongregatie. Luu sloot af: 'Zijne Heiligheid wenst dat u commissario Donati en signor Rosin alle mogelijke ondersteuning bij hun onderzoek verleent, eminentie.'

De blik van de kardinaal werd steeds somberder. 'Ik zal de beide heren zeker ondersteunen, don Luu, en niet alleen omdat dat in het belang van de kerk is. Ik kende de twee vermoorde priesters en deze afschuwelijke misdaad mag niet ongewroken blijven.'

'U kende de twee priesters, eminentie?' vroeg Donati. 'Hoe goed?'

'Niet bijzonder goed, maar goed genoeg om hun verscheiden persoonlijk te betreuren. We kennen elkaar uit de tijd dat Carlini en Dottesio in de registratuur van het archief werkten. Ik was toen archivaris van de Heilige Roomse Kerk.'

'U was dus de superieur van beiden?'

Lavagnino glimlachte zwakjes, als een begripvolle leraar tegenover een slecht voorbereide leerling. 'In zekere zin wel. Maar het is de prefect van het archief die de leiding over de administratie heeft. De archivaris van de Heilige Roomse Kerk houdt zich meer met het religieuze raamwerk bezig.' Hij wierp don Luu een om begrip vragende blik toe. 'Als ik het tenminste zo onkerkelijk mag verwoorden.'

Ook Donati glimlachte, wat een onderlinge band schiep. 'Ik dank u voor uw onkerkelijke wijze van uitdrukken, eminentie. Beschouwt u mij maar als een geïnteresseerde leek. Daarom heb ik nog een vraag: met het archief wordt het beroemde geheime archief van het Vaticaan bedoeld, nietwaar?'

Nu moest de kardinaal moeite doen om zijn lachen te verbergen. 'Dat klinkt alsof James Bond al op de loer ligt om de verborgen geheimen hier te ontsluieren. De woorden "geheim archief" wekken bij een leek bepaalde associaties, die echter niet geheel kloppen, eufemistisch gezegd. De naam is om redenen van traditie gehandhaafd, zoals bijna alle benamingen in het Vaticaan. Boze tongen beweren dat er achter de muren van het Vaticaan gemakkelijker een nieuwe paus dan een nieuwe naam gekozen wordt. Achter het zogenaamde geheime archief gaat de grote bibliotheek van het Vaticaan schuil, waarin tal van waardevolle historische documenten uit vroeger eeuwen bewaard worden. Met "geheim" wordt hier eigenlijk niets meer bedoeld dan "niet openbaar". Anders zou onze bibliotheek dagelijks door honderden nieuwsgierige toeristen bestormd worden en zouden we niet meer aan serieus wetenschappelijk onderzoek toekomen. Maar op aanvraag kunnen wetenschappers uit de hele wereld toegang krijgen tot onze bibliotheek, en niet alleen katholieke.'

'Er liggen dus geen documenten in het geheime archief achter slot en grendel?' vroeg Donati. Hij klonk bijna teleurgesteld. Lavagnino bewoog zijn hoofd heen en weer. 'Er zijn er natuurlijk wel een paar. Ook de Romeinse politie zal niet elk document openbaar maken, nietwaar? Het zit zo: documenten die nog geen eeuw oud zijn, zijn niet toegankelijk voor onderzoekers. Ik meen dat dat tegenwoordig alleen al op grond van de regelgeving rond de bescherming van persoonsgegevens verplicht is, niet? Natuurlijk zijn er ook enkele stukken die om bepaalde redenen achter slot en grendel gehouden worden. Wat zou het Vaticaan voor het publiek nog voorstellen als het geen geheimpjes meer had?'

'En niemand heeft toegang tot deze documenten?'

'Ze liggen in een afgesloten ruimte waarvan slechts één sleutel bestaat.'

'Wie bezit die sleutel dan, eminentie?'

'Ik, in mijn hoedanigheid als prefect van de Congregatie voor de geloofsleer. Wilt u hem zien?' De kardinaal stopte zijn hand in de halsopening van zijn zwarte gewaad en trok een zilveren ketting met een sleutel tevoorschijn die niets eerbiedwaardigs had, maar bij een modern veiligheidsslot hoorde. Na vijf seconden liet Lavagnino de sleutel weer in de opening zakken.

'Laten we het nog even over Dottesio en Carlini hebben,' vervolgde de commissario. 'Wanneer hebt u deze twee voor het laatst gezien, eminentie?'

'Toen ze hun functie neerlegden, vijf jaar geleden, meen ik.'

'Waarom zijn ze uit het Vaticaan vertrokken?'

Lavagnino haalde zijn schouders op. 'Nu vraagt u me te veel, commissario. Ik herinner me alleen dat het in beide gevallen op eigen wens gebeurde. Ook geestelijken zijn gewone mensen, en ieder mens bespeurt wel eens het verlangen om iets nieuws te gaan doen. Bij Dottesio en Carlini speelde blijkbaar de wens een parochie te leiden en met mensen om te gaan in plaats van met boeken, documenten en papierstof.' Hij wierp een langdurige blik op een wand die geheel gevuld was met dossierkasten. 'Daar heb ik alle begrip voor.'

Alexander, die tot nu toe zwijgend en vol aandacht geluisterd had, nam het woord: 'Maar is het niet vreemd dat ze beiden het Vaticaan zo kort na elkaar verlaten hebben? Het lijkt wel alsof ze voor iets gevlucht zijn...'

'Misschien zijn ze gevlucht voor de eentonigheid van hun dagelijkse werk,' antwoordde de kardinaal. 'Voor zover ik me herinner, waren ze met elkaar bevriend. Mogelijk hebben ze met elkaar overlegd en heeft de een tot voorbeeld voor de ander gediend om van werk te veranderen. Het spijt me dat ik u hierover geen preciezere inlichtingen kan verschaffen. Als geestelijke zou je eigenlijk moeten weten wat je ondergeschikten, die immers aan je toevertrouwd zijn, tot iets beweegt. Maar juist hier in het Vaticaan raken bepaalde christelijke plichten ondergesneeuwd onder de last van de arbeid en de verantwoordelijkheid.'

'U hebt openhartig gesproken voor een man in uw positie, eminentie,' meende Alexander.

'Ik hou van openhartigheid en meen wat ik zeg. Neemt u daarom van mij aan dat ik de moorden even graag opgelost zou zien als u. Schroomt u niet zich tot mij te wenden als u mijn hulp denkt te kunnen gebruiken.' Met deze woorden stond hij op en gaf hij hun ten afscheid een hand.

Toen de drie bezoekers de voorkamer weer in liepen, zat de roodharige vrouw er nog altijd, maar ze had de *Osservatore Romano* ondertussen opzij gelegd. Nu sprong ze op en ze wendde zich tot de secretaris. 'Kan ik Zijne Eminentie nu eindelijk spreken?'

De secretaris staarde haar door zijn dikke brillenglazen aan alsof hij zojuist een zeldzaam insect ontdekt had. 'Kardinaal-prefect Lavagnino zal u ontvangen als hij tijd voor u heeft.'

'Maar voor deze heren heeft hij meteen tijd gemaakt!' zei ze met een blik op Alexander en zijn begeleiders.

'Deze heren worden dan ook begeleid door de privésecretaris van Zijne Heiligheid,' wees de bebrilde geestelijke haar met een stalen gezicht terecht.

De vrouw sprak goed Italiaans, maar Alexander had een accent gehoord dat hem Duits toescheen. En dat paste bij de Duitstalige uitgave van de *Osservatore,* waarin ze meer geïrriteerd dan geïnteresseerd had zitten bladeren. Hij liep daarom naar haar toe en zei in het Duits: 'Neemt u het me niet kwalijk als we misschien voorgedrongen hebben. Het was zeker onze bedoeling niet om voor te dringen, mevrouw...'

'Mijn naam is Falk, Vanessa Falk.'

Ze glimlachte nu zelfs, en Alexander zou wellicht voor de verleiding bezweken zijn als hij zich niet gebonden had geweten aan Elena, waar hij overigens in het geheel geen spijt van had.

Elena wachtte op hem in een kleine bar aan de Corso Vittorio Emanuele, waar ze bij een cappuccino ijverig met een dunne stift in haar notitieboek zat te schrijven. Ook zij had groene ogen, en misschien was Alexander juist daarom zo geporteerd van Vanessa Falk. In tegenstelling tot de Duitse met haar lange rode haar had Elena juist heel kort, bijna zwart haar, wat het voordeel had dat haar mooie gezicht met de hoge jukbeenderen extra opviel.

'Zo, signore, onderzoek afgesloten?' zei Elena opeens, zonder op te kijken. 'Bent u genegen bij mij aan tafel te gaan zitten?'

Hij liep op haar toe, waarna ze elkaar hartstochtelijk kusten. Alexander bestelde een *latte macchiato* en deed verslag van zijn belevenissen in het Vaticaan.

'We hadden het niet beter kunnen treffen,' meende Elena. 'Voortdurend aan de zijde van commissario Donati en onbeperkte toegang tot het Vaticaan; als ik op Laura's plek had gezeten, had ik je ook meteen daarvoor beschikbaar gesteld. En het ziet ernaar uit dat jullie met de relatie tussen de twee doden met het geheime archief al een belangrijk spoor ontdekt hebben.'

'"Ontdekt" is te sterk uitgedrukt, Elena. Paus Custos heeft ons er letterlijk met de neus op gedrukt.'

'Ja, de paus,' zei ze bedachtzaam. 'Welke indruk heeft hij op jou gemaakt?'

'De kerkscheuring grijpt hem sterk aan, maar hij probeert het niet te laten zien. Je weet dat hij een dapper man is.'

Ze knikte. 'Alleen een dapper man kan volbrengen wat hij zich voorgenomen heeft.'

Ze vertelde hem over haar gesprek met Sandrina Ciglio en legde de ketting midden op het tafeltje. 'Een relatief goedkoop religieus sieraad. Maar met een beetje geluk is het een aanwijzing in verband met de moord op Dottesio.'

Alexander nam de sierlijke ketting in zijn hand en bekeek die zorgvuldig. 'Zeker niet heel bijzonder, maar toch echt zilver.'

'O!' riep Elena quasi verrast uit. 'Meneer heeft er verstand van.'

'Dat valt wel mee, maar ik heb dezelfde ketting.'

'Je bedoelt een soortgelijke.'

'Nee, ik bedoel dezelfde.' Hij hield de achterkant van een klein kruis onder haar neus. 'Als je nou eens heel goed kijkt met die mooie ogen van je, dan zie je hier een piepkleine inscriptie. Niet meer dan drie letters: MSN. Dezelfde inscriptie staat ook in mijn kruis. Ik moet het nog ergens hebben.'

'Hoe wist je dat van die inscriptie? Mij is die helemaal niet opgevallen, zo klein is die.'

'De inscriptie is nu juist het speciale aan het kruis en heeft vermoedelijk nog het meest gekost.'

Elena staarde hem verbluft aan. 'Zo meteen ga je me zeker ook nog vertellen wat die letters betekenen?'

'Ze staan voor de drie beschermheiligen van de Zwitserse Garde: Sint-Martinus, Sint-Sebastiaan en Sint-Nicolaas van Flüe.' Terwijl Elena hem met open mond aankeek, vervolgde hij: 'De gardekapelaan, toen nog Franz Imhoof, heeft iedere gardist zo'n kruis geschonken als paasgeschenk. Dat was in mijn eerste jaar bij de garde.'

'De ketting van een Zwitserse gardist!' bracht Elena verbaasd uit. 'Dat werpt een geheel nieuw licht op de moord.'

'Helaas wel,' verzuchtte Alexander. 'Een bijzonder kwalijk licht.'

3

Hij vermoedde, nee, hij wist dat hem in dit stenen labyrint iets heel on-aangenaams te wachten stond. Desondanks liep hij verder, hij zette de ene voet voor de andere alsof hij door een geheime kracht voortgedreven werd. Was het de nieuwsgierigheid die sterker was dan zijn angst? Hij ken-de het antwoord niet en had er ook geen zin in er langer over na te den-ken. Hij had al zijn aandacht nodig voor het kronkelende pad, dat nu eens door nauwe gangen en dan weer over stenen boogbruggen zonder leuning voerde. Eenmaal bleef hij midden op een smalle brug staan en keek hij in de diepte. Al op het moment dat hij zijn hoofd liet zakken, wist hij dat hij een vergissing had begaan. De gapende duistere kloof onder hem leek eindeloos diep te zijn. Slechts één verkeerde stap, één keer struikelen en hij zou reddeloos verloren de diepte in storten en na een lange val gruwe-lijk te pletter slaan. Opeens had hij het heel warm, maar hij onderdrukte de bijna onbedwingbare neiging met zijn arm het zweet van zijn voor-hoofd te wissen.

Ga verder en kijk niet naar beneden!

Dat fluisterde een stem in zijn hoofd. Hij gehoorzaamde de stem. Het was deze stem geweest die hem dit labyrint in gelokt had. De stem was ener-zijds teder, bijna verlokkend, maar anderzijds klonk er iets in door wat geen tegenspraak duldde. De stem vroeg niet, maar beval.

Om hem heen was slechts rotsgesteente, geen gras, geen bomen, geen wa-ter en al helemaal geen hemel. Bevond hij zich in een berg of onder de grond? Hij wist het niet. Hij kon niet eens zeggen hoe hij in dit labyrint beland was, op welke plek hij het betreden had. Hij wist alleen dat hij de stem volgde. Iets anders was er niet voor hem.

Niet lang meer, je bent bijna bij het doel!

De stem klonk nu luid en duidelijk. Aan wie die ook mocht toebehoren, ver kon hij niet meer zijn. Dankzij een laatste opflakkering van zijn eigen wil bleef hij staan en dacht hij erover na wat of wie hem opwachtte en waar-om. Ogenblikkelijk voelde hij een zachte, maar tegelijk aanhoudende druk in zijn rug, alsof de hand van een onzichtbare reus hem verder duwde.

Zo meteen zul je alles ervaren wat je weten wilt. Nog een klein beetje geduld!
Voor hem maakte de weg een bocht, geflankeerd door steile, hoog op-
rijzende rotswanden. Het werd steeds warmer en inmiddels was het zelfs
echt heet geworden; ondertussen bleef hij monotoon de ene voet voor de
andere zetten. Hij kon nauwelijks nog ademen, wat zowel aan de hitte als
aan zijn gevoel van beklemming kon liggen, aan zijn angst voor het onbekende.
Wees niet bang, want ik ben bij je, mijn zoon!
Langzaam liep hij met aarzelende passen de bocht door, waarachter zich
tot zijn verrassing een breed dal opende. Nee, dat was niet zomaar een dal,
het was water. Een groot onderaards meer. Het meer lag volkomen rimpelloos voor hem. Er was geen zuchtje wind dat een rimpeling op het water kon brengen. Het zag er uitnodigend uit en hij wilde al op het meer
af lopen, toen het water opeens alle richtingen op stoof, alsof het door de
staartvin van een reusachtige walvis werd opgezweept. Voor hem, naast
hem en rondom hem vielen dikke druppels op de bodem. En waar het
water – of wat het ook was – op de rotsen terechtkwam, etste het er diepe
gaten in.
Hij deed enkele passen achteruit, terwijl hij ongelovig naar het plotseling
tot leven gekomen meer staarde. Midden in het kolkende meer dook iets
op wat hem verblindde, zijn verstand te boven ging en hem vanbinnen
met schrik vervulde. Hij sloeg op de vlucht en rende zo hard mogelijk
weg.
En in zijn hoofd hoorde hij nog steeds de akelige stem.
Blijf hier en wees niet bang! Ik ben bij je, mijn zoon!

Badend in het zweet werd Enrico wakker. Het duurde even voordat hij
wist waar hij was. Aanvankelijk herkende hij de hoge, grote ruimte met
de kale natuurstenen wanden en de zware houten balken aan het plafond
niet. Het leek een beeld uit zijn droom, uit de steeds weer terugkerende
nachtmerrie waardoor hij al sinds zijn kindertijd geplaagd werd. En toch
was er iets anders, stelde Enrico vast toen hij er wat dieper over nadacht.
Nog nooit had hij zijn droom zo intens en ondanks de surrealistische omgeving zo realistisch beleefd. Realistisch? Dat woord leek hem paradoxaal
genoeg zeker niet verkeerd. Het leek echt alsof hij niet alleen gedroomd
had, maar werkelijk in een onderaardse wereld geweest was, een stenen
labyrint.

Het deel van zijn verstand dat zich met zijn verblijfplaats op dat moment bezighield, identificeerde de merkwaardige ruimte, waarvan de contouren goed te herkennen waren in het maanlicht dat door de houten vensterluiken naar binnen viel, als de hotelkamer in Pescara die hij vandaag had betrokken. Was dat echt vandaag geweest? Met een snelle beweging pakte hij zijn horloge van het nachtkastje en drukte op het lichtknopje. Het was al vier uur 's ochtends, dinsdag dus, zijn tweede dag in Toscane.

Enrico wilde naar de badkamer gaan om zich wat op te frissen, maar zodra hij opstond, begon de kamer om hem heen te draaien. Hij liet zich ruggelings op bed vallen, sloot zijn ogen en ademde enkele malen diep en gelijkmatig in. De aanval van duizeligheid kwam voor hem niet als een verrassing. Zoiets overkwam hem vaker na deze nachtmerrie.

Na vijf minuten voelde hij zich alweer iets beter. De duizeligheid was verdwenen, maar hij voelde zich uitgedroogd, alsof de hitte van de droomwereld zijn lichaam werkelijk opgeslokt had. Hij trok zijn pyjama uit, die nat was van het zweet, en liep naakt naar de badkamer, waar hij zijn mond onder de waterkraan hield totdat hij zijn schier eindeloze dorst gelest had. Daarna stond hij een hele poos onder de douche. Hij ging niet meer naar bed; daarvoor was hij veel te onrustig. In plaats daarvan kleedde hij zich aan; hij zette een stoel bij het raam, dat hij ver opendeed, en wachtte op de zonsopgang. De koele nachtlucht deed hem goed en hij dacht aan wat hij hier in de Noord-Italiaanse bergen zou kunnen vinden. Maar misschien moest hij er eerst eens achter zien te komen waarnaar hij precies op zoek was.

Op zeker moment zag hij de rode schemering links van hem. Langzaam werd het daar lichter en verscheen de zon boven de horizon om haar licht op het landschap te werpen waarnaar Enrico volmaakt kalm zat te kijken. Ergens ver van hem vandaan, in het zuiden, begon het deel van Toscane dat op kalenders en in talloze reisgidsen afgebeeld werd: groene weiden op glooiende heuvels met daarin velden vol rode of gele bloemen die voor de nodige afwisseling zorgden, en daartussen wijnstokken, olijfbomen en cipressen. De omgeving van Pescia was anders en markeerde de overgang naar het Toscaanse bergland. Hotel San Lorenzo stond midden in een uitgestrekt park ten noorden van de stad. Hij kon slechts enkele daken en kerktorens van Pescia ontwaren. Daar was het land verhoudingsgewijs nog vlak. Maar als hij naar rechts en links keek, rezen de bergen steil op, alsof ze wilden zeggen: tot hier en niet verder!

Het felle licht van de mediterrane zon verdreef de herinnering aan zijn zware nacht en vervulde Enrico met optimisme. Zijn maag knorde en hij besloot vroeg naar de ontbijtzaal te gaan, voordat horden toeristen daar zouden binnenvallen. Maar de ruimte, die overdag als café en wijnbar diende, was erg klein en nu al overvol. Hij kon niet één vrij tafeltje meer ontdekken.

'Als je wilt, kun je bij mij gaan zitten. Ik verwacht niemand meer.'

Enrico glimlachte. De Toscaanse zon leek het echt goed met hem voor te hebben. Hij was aangesproken door een jonge vrouw, die alleen aan een tafeltje zat. En wat voor een vrouw! Het Italiaanse bloed in zijn aderen begon er sneller door te stromen. Ze was buitengewoon knap en had kortgeknipt donker haar, alsof ze haar mooie gezicht aan niemand wilde onthouden. Haar lange, slanke benen kwamen goed uit in haar strakke spijkerbroek en onder haar witte topje tekenden zich onmiskenbaar vrouwelijke vormen af. Toen hij aan haar tafeltje plaatsnam, dwong hij zichzelf haar niet met zijn blikken te verslinden.

'Enrico Schreiber, toerist,' stelde hij zich voor. 'Gisteren pas aangekomen en nog geheel onbekend met deze prachtige omgeving. O ja, en ik verwacht evenmin nog iemand.'

'Je ziet eruit als een Italiaan en spreekt als een Italiaan,' stelde de onbekende donkere vrouw vast. 'Maar de naam Schreiber klinkt Duits, Oostenrijks of voor mijn part ook Zwitsers. In elk geval niet Italiaans.'

'Dat is die ook niet. Ik ben Duits staatsburger en mijn vader was Duitser. Maar mijn moeder was een rasechte Italiaanse. Ze kwam uit deze streek. En met wie heb ik het onverwachte genoegen?'

Ze stak haar hand naar hem uit. 'Ik heet Elena, ben ook toerist en ook gisteren hier aangekomen. Wat een toeval, nietwaar?'

'Een heel welkom en aangenaam toeval,' zei Enrico, terwijl hij haar hand vastpakte. 'Elena, dus, en hoe nog meer? Müller, Meier of Schmidt? Uit Berlijn of uit Hamburg?'

Ze lachte, wat haar heel aantrekkelijk maakte. 'Geen van beide. Ik heet Elena Vida en kom uit Rome.'

Enrico bestelde een cappuccino en haalde bij het kleine buffet verse broodjes, ham en een schijf meloen. Terwijl hij gretig toehapte, vroeg zijn nieuwe kennis of hij de familie van zijn moeder wilde bezoeken.

'Voor zover ik weet, heb ik geen familie meer in die tak, althans geen nauwe verwanten. Maar helemaal ongelijk heb je niet, Elena, want ik wil inderdaad het dorpje gaan bekijken waar mijn moeder vandaan komt. Vreemd dat ik juist nu door die gedachte gegrepen word.'

'Hoezo vreemd?'

'Omdat mijn moeder vorige maand overleden is. Je zou toch denken dat ik me dan wel eerder voor haar geboorteplaats geïnteresseerd zou hebben.'

'Ik vind dat helemaal niet vreemd. Je hebt je moeder verloren. Dan is het alleen maar natuurlijk dat je hier iets van haar hoopt terug te vinden.'

'Misschien,' zei Enrico peinzend, terwijl hij door de grote ramen naar de beboste groene bergen keek. 'Als volwassene denk je er niet vaak over na wat je ouders voor je betekenen. Pas als ze er niet meer zijn, merk je dat.'

'Je vader is ook al overleden?'

'Ja.'

'En vroeger ben je hier nooit geweest, ook niet met je moeder?'

Hij schudde zijn hoofd. 'Mijn moeder is hier als heel jonge vrouw vertrokken en nooit meer teruggekeerd, zelfs niet voor een kort bezoek. Ze was van mening dat Duitsland nu haar vaderland was.'

'In elk geval heeft ze je perfect Italiaans geleerd.'

Enrico grijnsde. 'Zo Duits was ze nu ook weer niet. Ze heeft die voor haar vreemde taal nooit perfect leren spreken en is met mij altijd Italiaans blijven praten.'

'Hoe heet de plaats waar je moeder vandaan komt?'

'Het is een heel klein dorpje hoog in de bergen. Borgo San Pietro.'

'Klinkt interessant. Ik moet daar eens een kijkje gaan nemen.'

'Maar we zijn in Toscane! Wil je niet veel liever Florence en Pisa bezoeken, of Siena en Lucca?'

'De meeste plaatsen ken ik al en alleen Lucca, dat meestal overgeslagen wordt, vind ik echt mooi. Maar ik hou dan ook niet van mensenmassa's die voortdurend op elkaars tenen gaan staan. Dan had ik ook wel in Rome kunnen blijven. Nee, ik heb expres hier een kamer genomen omdat ik de bergdorpen wil verkennen. Die moeten heel mooi zijn. Ik heb daar veel over gelezen in een reisgids en ben heel nieuwsgierig geworden.'

Enrico aarzelde even en zei: 'Laten we de Toscaanse bergwereld dan met zijn tweetjes verkennen, Elena!'

Ze straalde. 'Prima! Maar dan wel onder één voorwaarde: je moet me beslist dat afgelegen nest laten zien waar je moeder vandaan komt. Hoe heet het ook alweer?'

'Borgo San Pietro.'

'O ja, Borgo San Pietro.'

Op de radio, waarop eerst Adriano Celentano en Zucchero te horen waren geweest, begon het nieuws. Het viel Enrico op dat Elena opeens haar oren spitste.

'... is er nieuws uit Napels, waar de pas opgerichte Heilige Kerk van het Ware Geloof haar zetel heeft. Zoals een woordvoerder van de nieuwe kerk zojuist bekendmaakte, zal de installatie van de zogeheten tegenpaus vandaag nog plaatsvinden. Natuurlijk zullen wij er rechtstreeks verslag van doen hoe kardinaal Tomás Salvati tot paus gekozen wordt. Direct na deze nieuwsuitzending hoort u in een speciale uitzending meer over de afgescheiden kerk en de laatste nieuwsfeiten. En dan nu sport: beide Romeinse voetbalclubs...'

'Dat lijkt je nogal te interesseren, Elena,' constateerde Enrico.

'Ik ben katholiek.'

'Ik ook, maar wat dan nog?'

'Je hebt gelijk, Enrico, er is een geweldig verschil tussen katholiek zijn op papier en werkelijk gelovig zijn. Ik vind die hele kerkscheuring heel belangwekkend, maar ik ben vooral bang voor wat eruit kan voortkomen. Een gespleten kerk is een verzwakte kerk, en juist in deze tijd moet de kerk sterk zijn.'

'Doel je op de nieuwe paus, de echte?'

'Precies, paus Custos. Ik vind het goed zoals hij de kerk wil hervormen. Hij heeft nu alle steun nodig die hij krijgen kan. Het is bepaald niet fraai dat er uitgerekend nu een stok tussen zijn benen gegooid wordt.'

'Neem me niet kwalijk, Elena, maar zie je de zaak niet wat al te beperkt? Je weet vast meer van de katholieke Kerk dan ik, maar het is zelfs mij niet ontgaan dat de paus de kerkscheuring zelf heeft uitgelokt met zijn hervormingen. Hij is naar mijn mening in elk geval medeschuldig aan de stokken waarover hij nu dreigt te struikelen.'

Elena trok een ernstig gezicht. Alle vrolijkheid leek uit haar gelaatstrekken verdwenen te zijn. Ze schoof het halflege schaaltje vruchtenyoghurt van zich af. 'Het spijt me, Enrico, maar ons uitstapje naar de bergen kan niet doorgaan. Je zult het vast en zeker niet begrijpen, maar ik ga deze zonnige dag in de tv-zaal van het hotel doorbrengen. Ik wil me de installatie van de tegenpaus niet laten ontgaan.'

Toen Enrico een uur later de tv-zaal binnenkwam, werd hij verrast door de drukte daar. Hij had gedacht Elena er in haar eentje aan te treffen.

Maar hij had buiten de diepgewortelde religieuze gevoelens van de Italianen gerekend. Hele gezinnen zaten tegen elkaar aan gedrukt op de bankstellen geboeid naar de rechtstreekse uitzending uit Napels te kijken. Op het tv-scherm was een grote kerk te zien, waaromheen een menigte van duizenden opeengepakte mensen stond.

'... zien we de dom van Napels, waar over enkele minuten de installatie van de tegenpaus zal plaatsvinden,' meldde een stem uit de luidsprekers. 'Hier in de dom wordt het bloed van St.-Gennaro bewaard, en drie dagen geleden heeft hier het zogenaamde bloedwonder plaatsgevonden, zoals elk jaar op 19 september. Als het bloed op die dag vloeibaar wordt, wat meestal gebeurt, is alles in orde. Maar als het niet vloeibaar wordt, dreigen er grote rampen te gebeuren. Dit jaar is het bloed niet vloeibaar geworden. De nieuwe kerk wijt dat aan de volgens haar schandelijke hervormingen van het Vaticaan, die Gods toorn opgewekt zouden hebben. Het Vaticaan is echter van mening dat de kerkscheuring en het daarmee verbonden verraad van een groot aantal geestelijken aan de officiële kerk het uitblijven van het bloedwonder veroorzaakt hebben.'

'Geloof jij ook in dergelijke bloedwonderen, Elena?' vroeg Enrico fluisterend terwijl hij naast haar ging staan.

Ze zat in een witte fauteuil. Omdat er geen zitplaats meer vrij was, ging hij in kleermakerszit naast haar op de grond zitten.

Elena keek hem met hoog opgetrokken wenkbrauwen aan. 'Ben jij hier ook?'

'Zoals je ziet.'

'Maar je wilde toch naar de bergen?'

'Jij toch ook? Nu hebben we allebei onze plannen veranderd. Ik wil een compromis met je sluiten: vandaag maken we er een tv-dag van en morgen gaan we naar buiten, de vrije natuur in. Wat vind je daarvan?'

'Een uitstekend voorstel,' zei ze met een brede glimlach, die Enrico bijzonder aanstond.

De tv-verslaggever die nu in beeld was, meldde dat de nieuw opgerichte kerk juist in Zuid-Italië veel aanhangers had. Een groot deel van de Napolitaanse geestelijken zou zich bij deze kerk aangesloten hebben. Dat de tegenpaus in Napels geïnstalleerd werd, was volgens de verslaggever mede daaraan te danken.

Opeens keek de verslaggever van zijn stuk gebracht; blijkbaar had hij via zijn oortelefoontje een belangrijke mededeling ontvangen. 'Dames en heren, ik verneem zojuist dat het eerste openbare optreden van de tegenpaus elk moment kan plaatsvinden. We schakelen daarom over naar het hoofd-portaal van de domkerk.'

Daar stond voor de middelste van de drie deuren een afvallige kardinaal in zijn purperen ambtsgewaad, die verkondigde: '*Habemus papam!* – We hebben een paus!'

De drie deuren werden geopend, waarna mannen met hellebaarden in oude uniformen in paradepas naar buiten kwamen en op het voorplein in het gelid gingen staan.

'Het lijkt wel een parodie op de Zwitserse Garde,' meende Enrico.

'De pauselijke garde van de tegenkerk is inderdaad uit Zwitsers gerekru-teerd,' legde Elena uit. 'De afvalligen doen er alles aan om nog authentie-ker over te komen dan de authentieke kerk.'

Na de hellebaardiers volgden muzikanten in dezelfde, aan de echte Zwit-serse Garde herinnerende uniformen. Met tromgeroffel begeleidden ze de komst van de tegenpaus, die in zijn witte gewaad uit het donker van het middelste portaal opdook en met groot gejuich ontvangen werd. Blijkbaar waren er heel wat aanhangers van deze kerk voor de grote gebeurtenis naar Napels gekomen.

'We hebben een paus,' zei de afvallige kardinaal opnieuw. 'Kardinaal To-más Salvati, die de naam Lucius IV gekozen heeft.'

'Uitgerekend Lucius,' zei Elena zachtjes.

'Wat is daartegen in te brengen?' vroeg Enrico.

'Niets, het is vanuit het gezichtspunt van de tegenpaus een zinnige naam. De lichte, de heldere. En dat beweert de tegenpaus immers te zijn. Het heldere alternatief voor een paus die vanuit zijn gezichtspunt zondig is.'

'Dat kan ik allemaal niet beoordelen. Maar zo op het oog maakt die Lu-cius een goede indruk.'

De tegenpaus was slank en lang en voor een paus nog relatief jong. Enrico schatte hem halverwege de vijftig. Lucius glimlachte innemend naar de camera's en gaf de zegen *urbi et orbi*.

Tot dat moment was het in de tv-kamer relatief rustig gebleven, maar nu scheidden de geesten zich in voor- en tegenstanders van de tegenpaus.

'Voor de stad en de wereld... Laat me niet lachen!' spotte een van de tegen-standers. 'Die Lucius bevindt zich niet eens in de stad Rome. Alleen daar heeft een paus zijn rechtmatige zetel, niet in Napels!'

'Een beetje geduld, zeg! Lucius zal zeker nog naar Rome komen,' zei iemand aan de andere kant van de tv-kamer.

Zo werd er enige tijd heen en weer geroepen en in het rumoer ging een deel van Lucius' toespraak verloren. Elena schoof ver naar voren in haar stoel om geen woord van de toespraak te missen. Ook Enrico concentreerde zich op de tv, maar hij kon de woorden van de tegenpaus niet verstaan. In zijn hoofd klonk weer die vreemde stem, die hem riep.

Hoor je me? Dat is mooi. Je moet me volgen, mag niet voor me weglopen. Volg mij!

Hoezeer Enrico ook zijn best deed, hij kon de stem niet uit zijn hoofd verdrijven. Weer zag hij de droombeelden voor zich en voelde hij de hitte en de angst. Weer werd hij bevangen door duizeligheid, en de hele ruimte met de tv en al die mensen veranderde in een carrousel die begon te draaien en maar door bleef draaien en draaien...

Hij werd beetgepakt, ondersteunende handen hielpen hem naar zijn kamer en opgelucht liet hij zich op het bed zakken dat door het kamermeisje net opgemaakt was. Boven hem verscheen een bezorgd gezicht met groene ogen en hoge jukbeenderen: Elena.

'Hoe gaat het met je, Enrico? Moet ik een dokter roepen?'

'Niet nodig, dank je. Ik ken deze aanvallen inmiddels. Over enkele minuten is alles voorbij. Ik moet alleen wat uitrusten. Ga jij maar weer naar de tv!'

'En jij?'

'Ik ga proberen wat te slapen. Ik heb vannacht heel slecht geslapen en misschien kan ik dat nu inhalen. Zullen we voor het avondeten afspreken? Het restaurant in dit hotel moet heel goed zijn.'

'Prima,' zei Elena.

Toen Enrico alleen was, verdwenen het gevoel van beklemming en de duizeligheid langzaam. Hij schaamde zich voor de beklagenswaardige indruk die hij op Elena en de andere gasten gemaakt moest hebben. Maar nog meer verwonderde hij zich over het voorval. Zeker, hij kende die droombeelden en die vreemde stem in zijn hoofd, net als de aanvallen van duizeligheid. Maar tot nu toe had hij daar alleen 's nachts last van gehad, terwijl hij sliep. Hoe vreselijk de nachtmerrie ook was, hij kon er altijd aan ontkomen door wakker te worden. Maar hoe kon je aan een nachtmerrie ontkomen die zich in de realiteit manifesteerde, als je wakker was?

Hoewel Enrico zich hondsmoe voelde, ging hij niet op bed liggen om te slapen. Hij was bang voor de slaap, voor een toestand waarin hij opnieuw aan zijn dromen uitgeleverd was. In plaats daarvan begon hij in zijn kof-

fer te rommelen tot hij het boek vond dat zijn moeder hem op haar sterfbed gegeven had. Ze had niet veel meer kunnen zeggen, maar de paar
woorden die ze zachtjes en haperend uitsprak, stonden hem nog helder
voor de geest: 'Lees dit, Enrico, dan begrijp je het!'
Het was een oud dagboek, tweehonderd jaar oud, gebonden in op veel
plekken beschadigd leer. Het kostte Enrico grote moeite het ouderwetse,
deels sterk vervaagde handschrift te ontcijferen. Tot nu toe had hij alleen
het voorwoord op de eerste bladzijde gelezen en hij had ontdekt dat het
om de aantekeningen van een zekere Fabius Lorenz Schreiber ging, een
voorvader van de man die Enrico bijna zijn hele leven voor zijn echte
vader had gehouden. Hij had er lang over gepiekerd, maar hij had nooit
begrepen waarom zijn ouders de waarheid voor hem verzwegen hadden,
bijna tot aan de dood van zijn moeder. Misschien moest hij haar raad opvolgen en deze oude aantekeningen echt lezen om het te begrijpen. Het
boek ging over een reis naar Noord-Italië, het gebied dus waar hij zich nu
bevond. Daarom had Enrico het boek in zijn koffer gestopt voordat hij
naar het vliegveld van Hamburg was gereden.
Hij maakte het zich gemakkelijk in bed, zette het kussen in zijn rug en
concentreerde zich op de ouderwetse, sierlijke letters die zich langzaam tot
lettergrepen en woorden vormden...

Het reisboek van Fabius Lorenz Schreiber,
geschreven naar aanleiding van zijn gedenkwaardige reis
naar Noord-Italië in 1805

EERSTE HOOFDSTUK – 'BANDIETEN!'

Terwijl ik op deze hete zomerdag in het jaar 1805 in mijn reiskoets door de beboste heuvels van Noord-Italië hobbelde, vroeg ik me wederom af of ik er goed aan had gedaan toen ik besloot de hoogst merkwaardige oproep te volgen. Doordat de weg, die voornamelijk uit gaten bestond, zo slecht was, schommelde de koetsopbouw voortdurend van de ene naar de andere kant, alsof die slechts een boomblaadje in de herfstwind was. Ik had het allang opgegeven steun te zoeken met mijn armen om mijn hoofd tegen al te hevige schokken te beschermen. Gelukkig bleven harde confrontaties van mijn schedel met de stutten van de koets mij bespaard. Ik was inmiddels enigszins gewend geraakt aan de niet bepaald comfortabele manier van voortbewegen. Mijn ledematen en spieren reageerden als vanzelf op de bewegingen van de koets en brachten mijn bovenlichaam steeds in de juiste positie. Ik voelde me bijna als een zeeman op een schommelend dek, die zijn lichaamshouding op een volkomen natuurlijke wijze aan het ritme van de zee aanpast. Maar in tegenstelling tot een zeeman was ik niet bestand tegen de uitwerking van het voortdurende geschommel op mijn ingewanden. Al enkele uren lang vocht ik tegen de misselijkheid, en de middaghitte deed de rest om grote zweetdruppels op mijn voorhoofd te brengen. Toen mijn eerst zo witte, schone zakdoek een met zweet doordrenkte grijze prop was geworden, boog ik me uit het open raam en riep ik Peppo op ronduit boze toon toe dat hij best wat langzamer mocht rijden en naar een geschikte plek voor de middagpauze mocht uitkijken. De Italiaan met de holle wangen op de bok schonk me een verbijsterde blik, schudde zijn hoofd nog heviger dan de koets schommelde en sloeg mijn verzoek met één enkel hartstochtelijk uitgesproken woord af: *'Banditi!'* Ook dat nog... we doorkruisten dus een gebied waarin rovers hun misdadige praktijken uitoefenden. Of dat werkelijk zo was of dat Peppo meer door zijn angst dan door concrete verdenkingen voortgedreven werd, deed er niet toe. Mijn koetsier leek niet bereid de eerstkomende tijd een pauze in te lassen of de twee sterke paarden ook maar iets langzamer te laten lopen. Ik kon het hem niet eens kwalijk nemen. In deze onherbergzame omgeving konden roversbenden zich uitstekend verstoppen en de stille weg nodigde gewoon uit tot een roofoverval op reizigers. Door de oorlogen van de afgelopen jaren, waarmee de pas gekroonde keizer der Fransen Europa geteisterd had, was de schare aan menselijk wrakhout voortdurend toegenomen: deserteurs en invaliden, lijkenrovers en afzetters, weduwen en wezen hielden zich langs de grote heerbanen op en brachten nog onheil over de mensen als de legers allang afgemarcheerd waren en het kanongebulder verstomd was.

Uitgeput liet ik me in de met zweetvlekken besmeurde kussens van de bank terugvallen en ik voelde me er nu helemaal niet meer zo ongelukkig over dat ik zonder metgezel moest reizen. Af en toe had ik de kans om een woordje te wisselen weliswaar node gemist, vooral omdat de Italiaan op de bok een uiterst zwijgzaam type was. Nu was ik echter blij dat niemand getuige was van mijn erbarmelijke toestand en dat ik er zelf van verschoond bleef het lijden van andere reizigers te moeten verdragen, in de vorm van gejammer en onwelriekende lichaamsgeuren. Ik sloot mijn ogen en probeerde te slapen, maar door het voortdurende gehobbel van de over stronken en stenen rollende koets kon ik niet tot rust komen. Ik voelde me gevangen in een dagdroom die drie weken geleden begonnen was met de merkwaardigste brief die ik ooit ontvangen had.

Ik haalde de leren omslag tevoorschijn waarin ik de brief bewaarde, pakte hem eruit en vouwde hem open. Op duur papier stonden enkele zinnen in het Frans, geschreven in een schitterende ambtelijke stijl, die mij uit het stille, maar de afgelopen tijd niet bijzonder comfortabele Celle weggelokt hadden. Met postkoetsen en rivierboten was ik naar een dorpje aan de grens met het Noord-Italiaanse vorstendom Lucca gereisd om daar in de bestelde reiskoets te stappen. Sindsdien was ik de enige passagier geweest.

'Hooggeachte monsieur Schreiber!

Als u geïnteresseerd bent in een goedbetaalde opdracht in het zonnige Italië, moet u ons aanbod direct accepteren. Over de aard en duur van uw werkzaamheden kunnen we u momenteel helaas niets meedelen. Weest u er echter van overtuigd dat uw professionele belangstelling zeker bevredigd zal worden en dat u financieel niets te klagen zult hebben. U dient echter vandaag nog te beslissen. Als uw antwoord positief uitvalt, wat wij ten zeerste hopen, meldt u zich dan bij de directeur van de bank Dombrede, die u verdere instructies zal overhandigen, evenals een toereikend reisbudget. Het spreekt vanzelf dat in dit geval ook al uw schulden bij de genoemde bank als door ons vereffend gelden.'

Dat was alles. Geen afscheidsgroet en geen ondertekening, niet eens een afzender. En dan die laatste zin! Ik bleef die maar overlezen, zowel toen als nu, en wist niet of ik in lachen of huilen moest uitbarsten. Alle schulden vereffend? Daarmee was de grootste last van mijn leven van mijn schouders gevallen. Bestond er werkelijk een onbekende mecenas die mij een dergelijke gunst wilde bewijzen? Of zou ik, zoals ik toen vreesde, het slachtoffer zijn van een smakeloze grap? Het was zinloos te blijven piekeren; alleen bij de bankiersfirma Dombrede zou ik de waarheid kunnen vernemen.

Terwijl ik gehaast over het marktplein van mijn woonplaats liep, zochten mijn ogen de gevels af naar een verborgen observeerder die zijn lachen maar moeizaam kon inhouden en zich vrolijk maakte over zijn gelukte poets. Ik kon echter niemand ontdekken. In het bankgebouw vroeg ik bijna verlegen naar de directeur. Tot mijn verrassing kreeg ik de indruk dat ik al verwacht werd. Ik werd niet behandeld als de armoedige schuldenaar die ik tot dan toe voor hen geweest was, maar als een welkome gast, en bankdirecteur Lohmann schudde mij de hand alsof ik een goede vriend was, en in elk geval een belangrijke cliënt. Hij wenste me geluk met mijn vrijgevige opdrachtgever, die bereid was al mijn schulden te betalen. Ik wilde me niet tegenover hem blameren door te laten merken hoe weinig ik over mijn opdrachtgever wist. Door slimme vragen te stellen probeerde ik meer over hem te weten te komen, maar meneer Lohmann wist echt niets of hij ontweek mijn vragen op behendige wijze. Hij overhandigde me het reisgeld waarvan in de brief sprake was. Het bedrag was niet slechts voldoende, het mocht ronduit royaal genoemd worden. Verder kreeg ik nog een anonieme brief met bijzonderheden over mijn reisroute. De volgende ochtend moest ik Celle al verlaten en ik ging daarom zonder dralen aan de slag. De helft van mijn reisgeld liet ik bij mijn moeder en zussen achter, zodat ze zich geen zorgen hoefden te maken.

Tijdens de reis had ik me er al talloze malen het hoofd over gebroken wie in Italië van mij gehoord zou kunnen hebben en mijn hulp zo waardeerde dat hij daarvoor een klein vermogen overhad. En welke opdracht stond mij te wachten? Ik vond geen enkel antwoord, want ik had gewoonweg te weinig aanwijzingen. Ik wist niet eens waar mijn reis eindigde.

Hier, in dit ongastvrije heuvellandschap? Net toen ik daarover nadacht, hoorde ik buiten lawaai en begon de koets nog heviger te schudden dan eerst. Ik hoorde luid geschreeuw en het onmiskenbare geknal van schoten. Opeens hing er een wolk buskruit in de lucht en draaide de buitenwereld zich om. De bomen dansten, de hemel wilde met de grond van plaats verwisselen en ik werd nog veel misselijker dan eerst. Ik stootte keihard met mijn voorhoofd tegen een houten balk en voelde een stekende pijn, alsof mijn hoofd doormidden zou splijten. Met mijn ledematen in de vreemdste bochten lag ik in de omgevallen koets en ik voelde me zo hulpeloos als een meikever die op zijn rug gevallen was. Ik draaide mijn pijnlijke hoofd om en kon door het raam van het linkerportier de blauwe lucht zien, waaruit ik opmaakte dat de koets op de rechterzijde was gevallen. Wat kan het menselijke verstand in de meest onwaarschijnlijke situaties toch een nutteloze conclusies trekken!

Ik zag de lucht slechts heel even, want die werd direct door woeste gezichten afgeschermd: smerige tronies, overwoekerd door onverzorgde baarden. De blikken van de mannen leken op die van een roofdier dat zeker weet dat hij zijn prooi zal verschalken. Ik herinnerde me de schoten en Peppo's hartstochtelijke kreet: '*Banditi!*'

De linkerdeur van de koets werd geopend – of de bovenste, afhankelijk van hoe je het bekeek – waarna grove handen zich naar mij uitstrekten. Ze trokken me uit de koets en zetten me op de grond neer. Ik werd zo duizelig dat ik mijn evenwicht verloor en me op de grond liet zakken, met mijn rug tegen een boomstam leunend. Ik hield mijn hoofd achterover en merkte hoe aangenaam koel de boomstam was. Langzaam kon ik weer beter zien, maar wat ik zag, maakte me bepaald niet vrolijk. De beide trekpaarden, die nog altijd ingespannen waren, leken gewond en hinnikten voortdurend, met gekwelde uithalen. Niet ver van de paarden vandaan lag Peppo in een onmogelijke houding, levenloos als een weggeworpen ledenpop. Een van de mannen – was het een van de rovers? – boog zich over hem heen.

'Wat is er met de koetsier?' vroeg ik in het Italiaans, waarbij elk woord nieuwe pijnscheuten in mijn schedel veroorzaakte.

De vreemdeling pakte Peppo's hoofd en bewoog het als een houten bol in elke willekeurige richting heen en weer. Daarna keek hij me aan. Hij had een hard maar tegelijk mooi gezicht, met zuidelijke, mannelijke trekken, dat opgesierd werd door een imposante snor met spits toelopende punten. 'Gebroken nek,' verklaarde de vreemdeling met een glimlach. 'Hij is ongelukkig terechtgekomen toen hij van de bok viel doordat de paarden van onze schoten schrokken. Die vent had ook gelijk moeten stoppen toen ik hem dat opdroeg.'

De onverschilligheid waarmee deze schoft over Peppo's dood sprak, maakte me razend. Ik voelde een bijna onbedwingbare neiging me op hem te storten en hem bont en blauw te slaan. Maar zodra ik me tegen de boomstam had afgezet en wankelend opgestaan was, voelde ik een harde klap op mijn achterhoofd. Het laatste wat ik zag voordat absolute duisternis zich van mij meester maakte, was het grijnzende gezicht van de vreemdeling met de snor.

Dat gezicht liet me niet los en bleef boven me zweven als de duisternis enkele momenten lang verdween. Nu eens leek het me nieuwsgierig aan te kijken, dan weer spottend. Maar de momenten waarop ik wakker was, waren te kort en ik was nog te krachteloos om echt te beseffen wat de fonkeling in de donkere, bijna zwarte ogen van de vreemdeling betekende.

Iemand goot voorzichtig wat water in mijn mond, en ik dronk. Iemand gaf me soep, voerde me als een klein kind, en ik at. Ik voelde me weer sterker worden, en toen ik uit de grote duisternis terugkeerde, zag ik nog een gezicht. Het was al even zuidelijk en had even fraaie, zelfs lieflijke trekken. Het behoorde aan een jonge vrouw toe, nog bijna een meisje. Als de mooie onbekende dame zich over me heen boog om me te eten en te drinken te geven, viel haar lange donkerbruine haar langs haar gladde wangen. Toen ik naar haar naam vroeg, keek ze me verbaasd en bijna angstig aan. Had ze er geen rekening mee gehouden dat ik alweer zo ver op krachten was gekomen?

'Mijn zus heet Maria,' zei een zware stem vanuit de ingang van de grot waarin ik lag.

Het was buiten blijkbaar klaarlichte dag, want ik werd verblind door het binnenvallende licht. Daardoor kon ik slechts een vage gedaante herkennen, die langzaam op me af kwam. Langzaam werden de contouren van een grote, atletische man zichtbaar. Hij droeg een rode broek, een wit hemd en een rood vest, met daaronder kniehoge laarzen. Om zijn heupen had hij een blauwe sjerp geslagen, waarin een dolk en twee pistolen staken. Nu kon ik ook zijn gezicht herkennen. Het was de man met de spits toelopende snor, wiens ogen mij voortdurend gevolgd hadden.

'Uw... zus?' antwoordde ik verrast. 'En wie bent u?'

Onder de grote snor breidde zich een spottende grijns uit, terwijl de man een lichte buiging maakte. 'Neemt u mij mijn slechte manieren niet kwalijk, signor Schreiber. Mijn naam is Riccardo Baldanello. Tot uw dienst.'

'Hoe kent u mijn naam?'

'Ik ben zo vrij geweest uw papieren te lezen in de tijd dat u eh... sliep. U lijkt op een zeer ongebruikelijke missie te zijn. Onderweg naar een opdrachtgever die u zelf niet kent. Zo is het toch?'

'Als u mijn papieren gelezen hebt, weet u dat dat het geval is,' antwoordde ik nors. Ik dacht aan de omgevallen koets en de dode Peppo, wat mijn woede weer opwekte. 'Waarom hebt u mijn koets overvallen?'

'Dat is mijn werk,' gaf Riccardo Baldanello vrijmoedig toe. 'Mijn mensen en ik leven van het tolgeld dat we bij de reizigers incasseren.'

'En wie niet wil betalen, die vermoordt u!' beet ik hem vol verachting toe.

'Als u de koetsier bedoelt, signor Schreiber, die is echt niet geheel onschuldig aan zijn lot. Als hij ons gehoorzaamd had en zijn koets stilgezet had, dan was hem niets overkomen en dan was u ook niet gewond geraakt. Maar die domme kerel wilde vluchten en hitste zijn paarden op, waarna de koets omviel.'

'Peppo is dus volgens u zelf schuldig aan zijn dood?'

'U zegt het.'

Buiten zinnen van woede beet ik Baldanello toe: *'Bandito!'*

Onaangedaan bekeek hij zijn knie, waar hij door mijn uitval getroffen was. 'Omdat u mijn beroep kent, signor Schreiber, zou ik ook graag vernemen wat het uwe is. Wat moet een man kunnen dat hem zo'n verlokkend en tegelijk mysterieus aanbod ten deel valt?' Terwijl hij dat zei, haalde hij een vel papier onder zijn vest vandaan, en ik herkende de anonieme brief waardoor ik mij in dit avontuur gestort had.

'Ik doe onderzoek naar oudheden.'

'Come?' vroeg Baldanello. 'Wat?'

'Is mijn Italiaans zo slecht? Ik heb me gewijd aan de wetenschap van de oudheid.'

'Wat willen ze hier dan van u? Moet u de resten van onze Romeinse voorvaderen uitgraven?'

'Dat krijg ik pas te horen wanneer ik mijn opdrachtgever ontmoet. Nu

Peppo dood is, weet ik echter niet hoe ik dat moet regelen.' Het gesprek vroeg steeds meer van mijn krachten, en een bonkende hoofdpijn, waar ik de hele tijd al last van had, werd met de minuut erger. Opeens voelde ik een stekende pijn in mijn hoofd. Ik vertrok kreunend mijn gezicht.

'We zullen later verder praten, signore,' zei Baldanello op een toon alsof we om zakelijke redenen in een elegante salon zaten. 'In de tussentijd zal mijn zuster ervoor zorgen dat u zich snel weer beter voelt.'

Terwijl hij zich gereedmaakte om te vertrekken, maakte de mooie jonge vrouw voorzichtig het verband om mijn hoofd los, dat bij de slaap doordrenkt was met bloed. Met haar tedere handen maakte ze mijn wond zo voorzichtig mogelijk schoon. Daarna pakte ze een schaaltje om een groengele pasta op mijn hoofd te strijken.

'Wat is dat?' vroeg ik wantrouwend.

'Een goed middel om wonden te laten genezen,' antwoordde Maria, terwijl ze me vriendelijk aankeek. 'Mijn grootmoeder gebruikte het ook vaak.'

'Geen wonder bij zulk bandietengebroed!'

Toen er een schaduw over Maria's gezicht trok, had ik direct spijt van mijn harde woorden.

Ik had twee hoofdwonden. De ene was een grote buil op mijn achterhoofd, waar ik door een klap met een musketkolf getroffen was. De tweede verwonding was een gapend gat in mijn voorhoofd, dat ik opgelopen had toen de koets omviel. Ook al was Maria niet opgeleid in de geneeskunde, toch bekommerde ze zich uiterst bedreven om mij. Als zus van een bandietenleider had ze blijkbaar geleerd hoe ze wonden moest verzorgen. Maar of ze nu een bandietenzus was of niet, Maria viel bij me in de smaak, en ik probeerde een gesprek met haar te beginnen. In het begin was ze nogal kortaf, vooral als ik het gesprek op haar broer en zijn roversbende bracht. Maar als het om mijn vaderland en mijn leven ging, begonnen haar ogen nieuwsgierig te glinsteren en stelde ze de ene na de andere vraag, alsof ze niet tevreden was met het leven in Noord-Italië. Af en toe lachten we met elkaar, als mijn niet geheel perfecte Italiaans of Maria's onwetendheid tot merkwaardige misverstanden leidde, en dan vergat ik bijna dat ik een gevangene was.

Ik ontdekte dat de overval de vorige dag had plaatsgevonden en dat ik lange tijd buiten bewustzijn was geweest. Maar het ging nu zienderogen beter met me, en ik bracht een relatief rustige tweede nacht door in het kamp van de bandieten. Gedachten aan vluchtpogingen doken op, maar die verwierp ik meteen weer. Riccardo Baldanello had een gewapende bewaker bij de ingang van de grot geposteerd, die me vermoedelijk neerschoot voordat ik zelfs maar in zijn buurt gekomen zou zijn.

Toen Maria tegen de middag de grot in kwam, verwachtte ik dat ze wat te eten zou brengen. Maar ze kwam met lege handen en zei: 'Riccardo wil dat u buiten met ons mee-eet. De frisse lucht en wat beweging zouden u goeddoen, zegt hij.'

'Daar heeft uw broer waarschijnlijk gelijk in,' zei ik instemmend terwijl ik probeerde op te staan.

Ik voelde me duizelig worden en het zweet parelde opeens op mijn voorhoofd. Terwijl ik stond te wankelen, sprong Maria snel op me toe en ze greep mijn rechterarm. Ik ademde diep in, en al snel ging het beter met me. Ondersteund door Maria liep ik de grot uit, onder de misprijzende blikken van de wachtpost.

Buiten bleef ik staan en knipperde ik met mijn ogen tegen het middaglicht, totdat ik aan het felle licht gewend was. Terwijl ik rondkeek, inhaleerde ik de zuivere, geurige lucht zo diep mogelijk. Het bandietenkamp bevond zich in een klein dal, dat geheel door grotendeels met bos bedekte hellingen omringd werd. Er leek slechts een smal pad het dal uit te leiden, en daarlangs zat een tweede gewapende bewaker op een rotsheuvel, vanwaar hij blijkbaar een goed overzicht had. In het dal stonden enkele haastig opgerichte, scheve hutten, die duidelijk niet voor een permanent verblijf geschikt waren. Tussen de hutten zwierven enkele geiten en een kleine bron aan de rand van de open plek zorgde voor voldoende water. Riccardo Baldanello had voor zijn bende, die ik op tien tot twaalf man schatte, een ideale schuilplaats gevonden.

De bandietenleider zat met een groot deel van zijn mensen rond een flink kampvuur, waarboven een koperen ketel hing. Toen hij ons zag, wenkte hij. We kwamen dichterbij en Maria ging naast hem op een omgevallen boomstam zitten. Ik nam naast haar plaats. Riccardo gaf me een aarden kruik en ik dronk wat van het frisse bronwater.

'Hoe voelt u zich, signor Schreiber?' vroeg hij.

'Heel wat beter dan gisteren. Uw zuster heeft geweldig voor me gezorgd.'

'Dat mag ik hopen,' zei Riccardo op quasi strenge toon, terwijl hij Maria glimlachend aankeek. 'We moeten nog even wachten totdat de soep heet is. Misschien voelt u er nu voor ons gesprek van gisteren voort te zetten?'

'U bent een merkwaardig man, signor Baldanello,' antwoordde ik. 'Eerst voert u me weg en u doodt daarbij mijn koetsier, en nu stelt u mij een uiterst beleefde vraag, alsof we niet ergens in de wildernis zitten, maar midden in de beschaving. U praat trouwens helemaal niet zoals ik van de leider van een roversbende verwacht had.'

Riccardo begon van de ene tot de andere snorpunt te grijnzen. 'Ik hoop dat u mij de omgangstoon die ik gekozen heb niet kwalijk neemt, maar ik zwerf niet mijn hele leven al in de bergen rond om reizigers te belagen.'

'En waarom doet u dat nu dan wel?'

'Omdat mijn maag knort, evenals die van mijn zus en mijn mannen. We leven niet bepaald in een eenvoudige tijd.'

Ik knikte en was graag meer over het lot van Riccardo en speciaal dat van Maria te weten gekomen. Dit leek me daarvoor echter niet het juiste moment en daarom vroeg ik alleen wat zijn plannen met mij waren.

'U zult nog enige tijd onze gast blijven, signor Schreiber,' verklaarde Riccardo. 'Totdat we erachter zijn wie uw zonderlinge opdrachtgever is en hij ons schadeloos gesteld heeft voor onze inspanningen.'

'Voor uw inspanningen?' herhaalde ik langzaam, elke lettergreep benadrukkend. 'Hoe moet ik dat begrijpen?'

Hij wees met een theatraal gebaar eerst op de koperen ketel boven het vuur en toen naar de grot waaruit ik gekomen was. 'Signore, u eet en drinkt bij ons, u slaapt bij ons. Bovendien kostte het ons nogal wat moeite u hierheen te brengen. Lijkt het u ook niet gepast dat uw kennelijk zeer vermogende opdrachtgever ons daarvoor schadeloos stelt? Hij schijnt uw komst zeer op prijs te stellen en zal zich beslist royaal tonen als u zonder enig letsel bij hem gebracht wordt.'

'U wilt hem dwingen tot het betalen van losgeld!'

'Dat is een zwaar woord. Ik geef de voorkeur aan de uitdrukking "vergoeding van onkosten".'

'Hoe u het noemt, doet er niet toe! En trouwens, hoe wilt u erachter komen wie mijn opdrachtgever is, als ik hem zelf niet eens ken?'

'Alles wijst erop dat u het doel van uw reis bijna bereikt had, signor Schneider. De koetsier die u afgehaald heeft, moest u naar uw opdrachtgever brengen. Hij moet dus ergens hier in de buurt te vinden zijn. Ik heb een paar van mijn mensen erop uitgestuurd om hem op te sporen. Over enkele dagen weten we meer.'

Hoewel ik het gezelschap van Maria zeker op prijs stelde, vervulde het vooruitzicht voor onbepaalde tijd de gevangene van deze bandieten te zijn, mij met afschuw. Hoewel Riccardo tegen mij sprak alsof ik een gast was, bezat ik niet meer vrijheid dan een gekooid vogeltje. Ik zocht oogcontact met Maria om erachter te komen of ze de handelwijze van haar broer goedkeurde, maar ze keek bijna krampachtig naar de grond.

'Je bent een lomperik, Riccardo!' riep ik terwijl ik van de boomstam opsprong. 'Ondanks je welgekozen woorden ben je een even smerige, gemene lomperik als al je bendeleden!'

Een bandiet die tegenover mij gezeten had, sprong eveneens op en zei woedend: 'Moeten we ons dit allemaal laten welgevallen van dat voorname heertje, Riccardo? Hij beledigt ons en onze eer!' De grote, gespierde man, wiens gezicht bijna geheel schuilging onder zijn ruige baard, droeg eveneens een sjerp om zijn middel, en daarin staken genoeg slag- en schietwapens om een hele troep mee uit te rusten.

Riccardo bleef rustig zitten. Zijn blik schoot heen en weer tussen mij en de zwaarbewapende bandiet, die zijn grote handen tot vuisten gebald had. 'Gasten dien je hoffelijk te bejegenen, maar gasten hebben ook de plicht zich voorkomend te gedragen. Je hebt gelijk, Rinaldo, onze gast heeft tegen deze plicht gezondigd. Wat mij betreft mag je hem daaraan herinneren. Maar dan moet je eerst je sjerp leegmaken.'

'Heel graag!' Met een brede grijns legde Rinaldo zijn wapens af en liep hij langzaam op mij af.

Maria keek me aan en wierp haar broer een smekende blik toe, maar hij schudde zijn hoofd.

In Rinaldo's priemende blik zag ik niet de geringste twijfel dat hij mij – met of zonder wapen – duchtig een lesje zou leren. Hij grijnsde als een kind dat zich op het slagen van een bijzonder geniepige poets verheugde, terwijl hij nog steeds dichterbij kwam. Haastig liep ik een stukje van het vuur weg.

'Wat moet dat, lafaard?' vroeg Rinaldo. 'Wil je voor het gevecht op de vlucht slaan?'

'Nee, maar ik wil voorkomen dat jij in de soep valt. Te veel vet vlees 's middags maakt je kompanen alleen maar traag.'

Het bulderende gelach van de anderen deed Rinaldo blozen, voor zover dat onder zijn woeste baard te zien was. 'Als ik je eenmaal te pakken heb, zal je de lust om nog meer grappen te maken snel vergaan!' bromde hij terwijl hij achter me aan begon te rennen. Hij was nu minder waakzaam dan daarnet, en dat was precies waarop ik gehoopt had. Ik deed alsof ik zijn aanval wilde pareren, maar op het laatste moment sprong ik opzij, terwijl ik mijn ene been uitstrekte zodat mijn tegenstander erover zou struikelen. Hij sloeg op een weinig elegante manier tegen de grond, wat zijn kompanen opnieuw tot bulderend gelach aanzette.

Ik keek even naar Maria en merkte dat ze met een angstig gezicht naar me zat te kijken. Maakte ze zich slechts bezorgd om haar patiënt of betekende ik meer voor haar?

Rinaldo krabbelde snuivend op, klopte het stof van zijn kleren en blafte: 'Wil je niet vechten, laffe hond? Kun je niets anders dan wegrennen?'

'Dat hoef ik helemaal niet, want je struikelt al over je eigen voeten!'

Mijn provocatie verleidde hem tot een nieuwe woedende aanval. Ik wilde twee stappen achteruit zetten om meer bewegingsruimte te hebben. Maar nu was het mijn beurt om te struikelen. Ik bleef met mijn hak achter een dode boomwortel hangen, die uitgerekend hier boven de grond uitstak. Ik viel ruggelings op de grond en de klap beroofde me enkele seconden van mijn adem. Weer hoorde ik hard gelach, dat ditmaal zonder twijfel op mij betrekking had.

Met een enorme steen in zijn handen ging Rinaldo over me heen staan. Grijnzend hief hij zijn armen op om de steen met zo veel mogelijk kracht op mij te werpen. Ik wilde naar opzij wegrollen, maar was nog verlamd door de val. Ik rekende er al op dat mijn schedel door de klap vermorzeld zou worden, maar opeens struikelde Rinaldo. Bijna gelijktijdig hoorde ik een hard gekraak, als een donderklap bij heldere hemel. Er klonk nu ook geschreeuw in al het lawaai. Rinaldo verloor zijn evenwicht en viel vlak naast me op de grond. De steen rolde uit zijn krachteloze handen. Rinaldo had nog slechts één oog en één oor. De linkerhelft van zijn hoofd was opeens een brij van bloed, botsplinters en blootliggende hersenen.

Rondom mij was de chaos uitgebroken. De bandieten renden van het vuur weg, zonder overigens ver te komen. Steeds weer klonk het geknal van schoten – want dat was het onophoudelijke gedonder – en de ene schurk na de andere stortte getroffen ter aarde. Vanuit de beboste heuvels renden geüniformeerde mannen naar ons toe en een officier knielde naast mij neer. Hij droeg een Frans uniform en zei in het Frans: 'Monsieur Schreiber? *Bon*, kapitein Jacques Lenoir, tot uw dienst.'

Hij hielp me op te staan en ik zag dat het bijna gebeurd was met de bandieten. Iedereen die nog geen levenloze hoop leegbloedend vlees was, stierf alsnog door musketkogels en bajonetsteken. In de schaduw van een hut hurkten Maria en haar broer arm in arm, belaagd door diverse bajonetten. Riccardo bloedde uit twee of drie wonden en dwars over zijn voorhoofd liep een bloedende snee.

'Stop!' schreeuwde ik met een van paniek vervulde stem zodra ik Maria zag. 'Die twee daar zijn mijn bedienden!'

Een gebaar van de kapitein was voldoende om de soldaten ertoe te bewegen hun bajonetten te laten zakken. Maria keek me dankbaar aan, maar Riccardo's blik kon ik niet duiden. Gaf hij mij de schuld van de dood van zijn mannen? Ik keek om me heen en zag geen enkele bandiet die nog in staat was te vechten. Enkelen van hen leefden nog, maar dat veranderde snel door de bajonetten van de Franse soldaten.

Ontsteld wendde ik me tot de kapitein en ik vroeg hem waarom de hulpeloze gewonden gedood werden.

Lenoir keek me vol onbegrip aan. 'Maar het zijn toch bandieten!'

4

De smalle, slechts gedeeltelijk verharde bergweg kronkelde zo hevig dat Enrico Schreiber constant aan het stuur moest draaien om de kleine gehuurde Fiat in het juiste spoor te houden. Steeds weer klonk het geknars van takjes en steentjes onder de banden. Aan weerskanten van de weg, die deze benaming nauwelijks verdiende, rezen dichte bossen op, waarvan het bladerdak zich op tal van plekken boven de rijbaan sloot. Enrico had dikwijls het gevoel door een tunnel te rijden. Als het bos eens wat lichter werd, dan vormden de glinsterende stralen van de ochtendzon een onaangenaam contrast met het duistere bos, waardoor zijn ogen verblind raakten en het autorijden er niet gemakkelijker op werd.

'Ik ben blij dat ik bij de verhuurbalie op het vliegveld besloten heb deze kleine Fiat te huren,' zei hij. 'Een iets grotere auto zou al bijna breder geweest zijn dan de rijbaan.'

Elena Vida, die op de passagiersstoel zat, moest lachen en zei: 'Dan ben ik benieuwd wat je nu doet, Enrico.' Elena wees naar voren, waar een bestelwagen juist de bocht om kwam en begon te claxonneren.

'Die is goed!' siste Enrico. 'Stijgend verkeer heeft voorrang.'

'Misschien in Duitsland,' grinnikte Elena, 'maar hier vaak niet, en een toerist al helemaal niet.'

'Dan moeten we aan de noodrem trekken,' zei Enrico, en hij stopte midden op de weg, terwijl hij tegelijk de alarmlichten inschakelde.

'Wat doe je nu?' vroeg Elena geïrriteerd.

Wederom claxonnerend kwam de bestelwagen, die van Japans fabricaat was, op slechts een halve meter van de Fiat tot stilstand. De chauffeur, een jonge man met een stierennek die slechts een bezweet hemd droeg, stapte uit en trakteerde de inzittenden van de Fiat op een scheldkanonnade zoals je die alleen maar in het Italiaanse verkeer kunt beluisteren. Ook Enrico en Elena stapten uit en wachtten af tot de scheldende man tegenover hen wat gekalmeerd was.

Enrico wierp hem een ontwapenend lachje toe. 'Neem me niet kwalijk dat we u ophouden, signore, maar hier lijken alle bomen en alle wegen op elkaar. Kunt u ons vertellen of we nog op de goede weg zitten?' Hij gaf het woord 'weg' een eigenaardige intonatie mee.

De man van de bestelwagen krabde zich onder zijn linkeroksel en vroeg: 'Waar wilt u heen?'

'Naar Borgo San Pietro,' antwoordde Enrico.

De man hield zijn hoofd scheef, alsof hij hem niet goed verstaan had. 'Waarheen?'

Enrico herhaalde zijn antwoord.

'Dat is een klein bergdorpje, niets bijzonders. Waarom wilt u daarheen?'

Elena deed een stap naar voren. 'We hebben het in ons hoofd gehaald kleine bergdorpjes die niets bijzonders zijn, te bekijken.'

'Maar Borgo San Pietro ligt tamelijk hoog in de bergen.'

'Kent u dat dorp goed?' vroeg Elena.

In plaats van te antwoorden, zei de slechts in een hemd geklede man: 'Ik moet verder. Maakt u de weg vrij!'

Hij stapte weer in zijn auto, zonder Enrico en Elena nog een blik waardig te keuren.

'Zijn ze hier in de bergen allemaal zo slecht gehumeurd?' vroeg Enrico toen hij en Elena weer instapten.

'Geen idee, ik kom ook maar uit Rome,' zei Elena met een quasi onschuldig gezicht. 'Maar als het gedrag van die vent in deze contreien normaal is, dan ben ik blij dat jouw moeder hier op tijd vertrokken is.'

'Is dat een omslachtige manier om te zeggen dat je mijn gedrag wel te pruimen vindt?' zei Enrico, terwijl hij de auto startte, over zijn schouder keek en voorzichtig achteruitreed.

Elena knipperde met haar ogen naar hem. 'Tot nu toe heb je je niet echt verkeerd gedragen.'

'Ook gisteren niet, toen ik die aanval van duizeligheid kreeg?'

'Daar kon je toch niet echt iets aan doen? Als je dat vaker hebt, zou ik trouwens wel naar de dokter gaan als ik jou was.'

'Daar ben ik als klein kind al vaak geweest. Mijn ouders hebben me van de ene naar de andere dokter gesleept. Overigens zonder enig resultaat. Lichamelijk ben ik kerngezond, zeggen die kwakzalvers. Het schijnt allemaal psychisch te zijn, die nachtmerries en die duizeligheid. Maar wat de oorzaak is, heeft niemand van hen me ooit kunnen vertellen. Ik moet ermee leren leven dat ik een afwijking heb.'

'Dat moeten anderen ook,' zei Elena terwijl ze naar de bestelwagen keek die hen woedend claxonnerend passeerde. 'Maar bij hen interesseert het me niet.'

'Bij mij wel?'

'Ja.'

'Waarom dan?'

'Omdat jij een aardige jongen bent. Je moet jezelf in acht nemen. Zonder jou zou ik deze bergen helemaal in mijn eentje op moeten rijden.'

Ze reden verder en even later werd de weg minder bochtig. Enrico ontspande zich een beetje en dacht na over het merkwaardige boek waarmee hij gisteren de middag had doorgebracht. Terwijl hij hier door de eenzame bergwereld reed, voelde hij enige verwantschap met Fabius Lorenz Schreiber op zijn reis naar het onbekende. Wat een vreemd toeval dat hij tweehonderd jaar later in dezelfde streek rondreisde als de voorouder van de man die hij bijna zijn hele leven als zijn vader had beschouwd. Hij was niet bijzonder ver gekomen met het reisdagboek van Fabius Schreiber. Het ontcijferen van het schrift had hem grote moeite gekost en op zeker moment had zijn vermoeidheid het gewonnen van zijn angst om in slaap te vallen. Daarom had hij het boek na het eerste hoofdstuk opzij gelegd en hij was in een gelukkig droomloze slaap geraakt. Nu vroeg hij zich af hoe het reisverslag van Fabius Schreiber zou aflopen. Interessanter dan de opwindende belevenissen van Fabius Schreiber vond Enrico de familienaam van de roverhoofdman en zijn zus: Baldanello. Zo had zijn moeder voor haar huwelijk ook geheten. En dat betekende dat het contact tussen de families Schreiber en Baldanello tweehonderd jaar oud was. Was dat de reden waarom zijn moeder hem het boek gegeven had? Enrico was benieuwd hoe het boek verderging.

'Langzaam rijden, daar komen borden!' wees Elena.

'Een echt kruispunt!' zei Enrico verbaasd. 'Het lijkt wel of we bij jou in Rome of bij mij in Hannover zijn.'

Aan een scheve houten paal waren enkele richtingborden bevestigd, die in een antiekwinkel wellicht goed geld opgebracht hadden. Op een ervan konden ze met veel moeite de naam Borgo San Pietro ontcijferen.

'Rechtsaf dus en dan steeds je neus volgen,' zei Enrico terwijl hij de Fiat in de aangeduide richting stuurde. 'Wat doe jij eigenlijk in Rome? Ik bedoel, als je niet de stad uit vlucht om afgelegen bergdorpen te bezichtigen.'

'Dan sta ik voor de klas en geef kinderen les in kunst en geschiedenis.'

'Zo zo. Toen ik naar school ging, hadden we niet zulke knappe leraressen. Dat was maar beter ook, want dat had me alleen maar afgeleid bij het blokken.'

'En tot welk beroep heeft al dat geblok geleid?'

'Ik ben jurist.'

'Rechtsgeleerde? Die stel ik me heel anders voor.'

'Ik ben geen geleerde. En hoe moet ik volgens jou dan rondlopen? In een zwarte toga door het zonnige Toscane wandelen, steeds met een aktekoffer in de hand?'

'Geen idee. Hoe loop jij in Hannover dan rond?'

'Tot voor kort inderdaad zo: in een zwarte toga en met een aktekoffer als ik naar de rechtszaal ging. Ik heb als advocaat gewerkt. Maar momenteel ben ik werkloos, wat me overigens prima bevalt. Ik hoef niemand om vakantie te vragen. Nadat mijn moeder overleden was en ik al haar zaken geregeld had, heb ik een vliegticket naar Florence gekocht en ben ik vertrokken, zomaar opeens.'

'Ik wist niet dat je als jurist ook werkloos kon worden. Ik dacht dat de mensen steeds meer ruziemaakten en klaagden, en ook worden er nog steeds strafbare feiten gepleegd, misschien nog wel meer dan vroeger.'

'Klopt. Er zijn veel juridische procedures en veel strafbare feiten, maar er zijn ook veel juristen. En een groot aantal van hen is werkloos. Maar dat is een taboe, althans in Duitsland. In mijn geval was het zo dat ik als medewerker op een groot kantoor werkte. Onze baas was in verdachte zaken verwikkeld geraakt en had een aanzienlijk bedrag aan honoraria verduisterd. Ik heb het over een bedrag van acht cijfers. Toen dat uitkwam, hebben zijn partners zich zo snel mogelijk uit de voeten gemaakt. En aangezien er geen chefs meer waren, waren er ook geen medewerkers meer nodig.'

'Maar je hoeft nu toch zeker niet te bedelen?'

'Mijn twee staatsexamens waren niet echt slecht. Ik denk dat ik zo nodig snel weer een baan vind.'

'Zo nodig? Wil je niet meer als advocaat werken dan?'

'Ik weet nog niet wat ik ga doen. Ik heb vastgesteld dat het niet bepaald mijn levensvervulling is me dag in dag uit met de ruzies van onbekenden bezig te houden. Misschien word ik schrijver en schrijf ik een boek over mijn reisavonturen in Italië.'

'Hoe kom je daarbij?'

'Zomaar,' zei Enrico, die Elena op dit moment nog niets over het reisdagboek wilde vertellen. Hij wilde er eerst zelf achter komen hoe de vork precies in de steel zat.

'Je zult nog wel een paar avonturen moeten beleven als je een heel boek moet vullen.'

'Het begint alvast goed. Ik heb een jonge, aantrekkelijke Italiaanse ontmoet en nu verken ik met haar een geheimzinnig dorp in de bergen.'

'Hoezo geheimzinnig?'

'Nou, ziet het er niet geheimzinnig uit dan?' antwoordde Enrico, naar voren wijzend.

Voor hen werd het bos lichter en op een heuveltop lag een nederzetting die het midden hield tussen een dorp en een vesting. Borgo San Pietro – want dat moest het zijn – maakte een weinig uitnodigende indruk. De torens, muren en kantelen leken ongenaakbaar, alsof de plaats er volkomen op ingericht was vreemdelingen buiten te houden. Het dorp lag als een adelaarsnest op de heuvel, wakend over het omringende gebied.

'Als we dichterbij komen, worden we vast en zeker met brandende pek en een regen van stenen ontvangen,' zei Enrico schertsend, terwijl hij de Fiat buiten het dorp op een parkeerplaats zette waar al een hele rij auto's stond.

'In vroeger eeuwen misschien wel. Deze bergdorpen waren regelrechte vestingen; vandaar die wirwar van torens en kantelen. Het moest vijanden zo moeilijk mogelijk gemaakt worden om het dorp te veroveren.'

'Hartelijk dank voor dit lesje, juf,' zei Enrico grijnzend, en hij stapte uit om zich uit te rekken. Hij was fors van postuur en tijdens de lange rit in de kleine Fiat had hij zich nogal moeten opvouwen. 'Het hele dorp lijkt hier te parkeren. Geen wonder, want je kunt nauwelijks op vier wielen de nauwe straatjes passeren.'

Ze doken de schaduwrijke smalle stegen in en Enrico stelde zich voor hoe zijn moeder als kind over dezelfde weg gelopen had. Het was een merkwaardige gedachte; sinds haar dood had hij zich niet meer zo dicht bij zijn moeder gevoeld. Hij werd door verdriet overmand en was blij dat hij zijn zonnebril op had zodat zijn tranen verbogen bleven.

'Het is hier niet bepaald overbevolkt,' merkte Elena op.

'Misschien houden ze siësta, het is bijna middag. Of misschien zijn ze allemaal vertrokken. Dat zou ik ook doen als ik hier moest wonen. Als alle bergdorpen hier boven er zo uitzien, verbaast het me niks meer dat die vent van daarnet zo vervelend deed.'

Voor hen werd het lichter en ze betraden de *piazza* van het dorp, die een vriendelijker indruk maakte dan de donkere steeg achter hen. Bovendien zagen ze hier de eerste dorpsbewoners: een paar mannen die voor een bar in de schaduw van een grote parasol luid zaten te kletsen. Toen ze de twee vreemdelingen zagen, verstomde het gesprek en zogen hun nieuwsgierige blikken zich aan Enrico en Elena vast.

'Er is hier in elk geval iets te drinken,' zei Enrico. 'Ik heb evenveel dorst als een compagnie van het vreemdelingenlegioen die de Sahara door-kruist.'

'Twéé compagnies,' corrigeerde Elena hem, en ze stak haar arm door de zijne. 'Trakteer jij op een hectoliter?'

Ze namen plaats naast de mannen, die hun groet beantwoordden, en be-stelden een grote fles mineraalwater. Nu ze iets te drinken hadden en niet meer de enige mensen hier waren, maakte Borgo San Pietro niet meer zo'n afschrikwekkende indruk op Enrico. De piazza had zelfs iets schilder-achtigs, meende hij, en een foto van dit plein had in een reisgids over Tos-cane zeker niet misstaan. Hij betwijfelde echter of veel toeristen of zelfs een enkele reisfotograaf de weg hierheen zouden kunnen vinden.

Toen de jongen die ook hen bediend had de bar uit kwam om het tafeltje naast hen een bestelling te brengen, gaf Enrico hem een teken en hij vroeg hem of hier een familie Baldanello woonde. De jongen keek hem wezen-loos aan en haalde zijn schouders op.

Een van de mannen aan het tafeltje naast hen zei: 'Als u iets wilt weten, kunt u dat het best aan de burgemeester vragen, of aan de pastoor.'

Enrico keek naar de daken van het dorp, waar zo'n honderd meter verder-op de torenspits van de kerk oprees. 'De pastoor zal wel in de kerk te vin-den zijn. En de burgemeester?'

'Benedetto Cavara zit op dit tijdstip altijd te lunchen. Zijn huis is dat gele daar boven, direct naast de toegang tot de stadsmuur.'

De familie Cavara bestond uit Benedetto Cavara, zijn vrouw, vijf kinde-ren en de grootmoeder. Ze zaten om een grote tafel geschaard een heerlijk geurend vleesgerecht te eten en keken de twee bezoekers hoogst verbaasd aan. Zoals iedere onverwachte bezoeker hier – vreemden kwamen hier nauwelijks – aangestaard werd. De burgemeester droeg een leren schoen-makersschort en had een rond gezicht, waarin vooral de grote snor opviel. Zodra Enrico het huis met Elena betreden had, voelde hij zich slecht op zijn gemak. Ze waren hier beiden indringers, die misschien niet eens ongewenst waren, maar hier in elk geval niet pasten. Zachtjes sprekend, als-of hij de Cavara's niet nog meer wilde storen, informeerde hij naar de fa-milie Baldanello.

Benedetto Cavara liet zijn vork zakken en schonk Enrico een sceptische blik. 'Waarom wilt u dat weten?'

'Voordat mijn moeder trouwde, heette ze Mariella Baldanello. Ze is in augustus overleden. Als hier nog verwanten van haar wonen, zou ik die graag spreken en van de dood van mijn moeder verwittigen.'

De burgemeester schudde zijn hoofd. 'Ik moet u teleurstellen, signore. De Baldanello's hebben hier inderdaad ooit gewoond, dat klopt. Maar de ouderen in deze familie zijn overleden en de jongeren zijn weggetrokken. Het is u misschien al opgevallen dat Borgo San Pietro niet bepaald last heeft van overbevolking.'

'Wat een pech,' zei Enrico teleurgesteld. 'Hebt u misschien adressen van degenen die vertrokken zijn?'

'Nee, helemaal niet. En waarom zou ik ook? Wie Borgo San Pietro een-maal verlaat, komt nooit meer terug. En zo is het bij uw moeder ook ge-gaan.'

'En de dorpspastoor? Kan die me misschien verder helpen?'

'Nee, dat denk ik niet. Hij bewaart evenmin adressen van degenen die weggetrokken zijn. Bovendien is hij vandaag niet hier. Hij moest voor fa-miliezaken dringend naar Pisa. We weten niet wanneer hij terugkomt.'

Enrico en Elena namen afscheid en liepen de piazza weer op, waar intus-sen geen mens meer te zien was. De stoelen, tafels en parasols stonden nog voor de bar, maar de gasten waren verdwenen en voor de deur hing een bruin kartonnen bord waarop in rode blokletters het woord CHIUSO – ge-sloten – stond.

Enrico krabde op zijn hoofd. 'Nou, nou, duurde de middagpauze zo kort?'

Elena schoof haar zonnebril weer op haar neus en liet haar blik over het lege plein dwalen. 'Ik geloof dat dat aan ons ligt. Borgo San Pietro ver-stopt zich voor ons.'

'Wat is er toch met ons dat we als de pest gemeden worden?'

'We zijn vreemden. Misschien de eerste vreemden sinds enige tijd, maar niet de enige. Waarschijnlijk zijn de mensen hier bang voor de bestorming die hun te wachten staat. Het kan niet lang meer duren voordat de eerste journalisten hier rondsnuffelen. Wij zijn voor de dorpsbewoners een soort voorhoede; dit is de stilte voor de storm.'

'Een storm? Waar heb je het over, Elena? Heb ik iets gemist?'
'Dat kun je wel zeggen, ja. Toen je je gisteren zo beroerd voelde en op bed bent gaan liggen, werd het in een tv-reportage over de installatie van de tegenpaus genoemd.'
'Hoe dan? Dat dit dorp een bestorming te wachten staat?'
'Zo ongeveer. Preciezer gezegd: tegenpaus Lucius alias Tomás Salvati is afkomstig uit deze plaats en heeft hier ook enkele jaren als priester gewerkt.'
'Allemachtig!'
'Laten we dat niet hier in de felle zon bespreken, Enrico. Kom, we gaan terug naar de auto.'
Ze staken het plein over en doken de duistere steeg in waardoor ze gekomen waren. Na slechts enkele passen bleef Enrico staan en hij mompelde: 'Ze zouden eigenlijk blij moeten zijn.'
'Wie?'
'De mensen hier in Borgo San Pietro. Het dorp zou een grote toeristische attractie kunnen worden, een bedevaartsoord voor de aanhangers van de nieuwe kerk.'
'Misschien hebben de mensen hier daar geen belangstelling voor. Niet iedereen voelt ervoor horden vreemdelingen door zijn voortuin te laten struinen en zijn zielsleven bloot te leggen voor journalisten, wie het in werkelijkheid slechts om spectaculaire koppen en een hoge oplage te doen is.'
'Het lijkt wel alsof je er veel van weet, Elena.'
Elena leek even geïrriteerd, alsof ze niet wist hoe ze hierop moest reageren. Terwijl ze nog naar woorden zocht, werd ze door iets afgeleid en ze zei zachtjes: 'Dat is de burgemeester toch? Die heeft zijn lunch snel verorberd.'
Benedetto Cavara was zijn huis uit gekomen en keek uit over het plein. Hij liep met snelle passen langs de rand van de piazza en verdween achter een uitspringende muur.
'Hij heeft vast en zeker naar ons staan uitkijken,' mompelde Enrico.
'Je denkt dat hij ons zoekt?'
'Integendeel, hij leek er niet bepaald voor te voelen nader met ons kennis te maken. Heb je gezien waar hij naartoe gelopen is? Precies in de richting van de dorpskerk.'
'Daar kun je best eens gelijk in hebben, Enrico. Misschien is het helemaal niet waar dat de pastoor op reis is. Toen we op het terras van de bar zaten, heeft niemand gezegd dat hij niet in het dorp was.'

'Maar waarom al die heisa? Is dat alleen om snel van ons af te komen?'

'Geen idee wat dat allemaal te betekenen heeft. Laten we gewoon eens kijken!'

Ze liepen het plein weer op naar de plek waar burgemeester Cavara uit hun blikveld verdwenen was. Toen ze bij de muur kwamen, zagen ze dat er vandaar een directe weg naar de kerk liep. Ze volgden de weg en bleven aan de rand van het kerkpleintje staan.

'Zullen we hier wachten?' vroeg Enrico. 'Als Cavara dezelfde weg terug neemt, zou het een aardige verrassing voor hem zijn ons hier aan te treffen.' Hij lachte droogjes. 'Misschien vertelt hij ons dan dat hij elke middag naar de kerk gaat om te bidden.'

Cavara liet zich niet zien en daarom besloten ze na een kwartier een kijkje in de kerk te nemen.

'Zelfs als Cavara er niet is, is het binnen in elk geval koeler dan hier buiten in de middaghitte,' meende Elena. Enrico knikte instemmend.

Enrico moest zich inspannen om de zware kerkdeur open te duwen, maar het loonde beslist. Hij genoot volop van de koele tocht die hem tegemoet waaide. Enrico stoorde zich niet aan de doordringende wierooklucht die in de kerk hing. Evenals Elena zette hij zijn zonnebril af, waarna ze het godshuis betraden. Enrico lette erop dat hij de deur zachtjes sloot. De kerk leek leeg te zijn, wat gezien het tijdstip niet vreemd was. Door de bontgekleurde ramen, waarop taferelen uit het leven van Jezus afgebeeld waren, vielen lichtbanen in het verder donkere kerkschip. Enrico en Elena liepen tussen de rijen lege banken door zonder dat ze iemand tegenkwamen.

'Wat nu?' vroeg Enrico toen ze voor het met bloemen versierde altaar stonden. 'Ik zie hier geen burgemeester, en ook geen pastoor.'

Elena liep naar een zijdeur en drukte de klink omlaag. De deur ging zacht piepend open.

'Hier kunnen we verder,' zei ze, door de deuropening verdwijnend.

Enrico volgde haar de sacristie in en fluisterde haar in haar oor: 'Juridisch gezien plegen we momenteel huisvredebreuk.'

Elena draaide zich grijnzend naar hem om. 'Daar ben ik niet bang voor, ik heb mijn advocaat bij me.'

'Maar ik ben er wel bang voor,' zei hij, quasi bang met zijn ogen rollend. 'Je hoort nogal eens over onaangename leefomstandigheden in Italiaanse gevangenissen.'

'Maar daar hebben alleen diegenen last van die zich laten betrappen,' zei Elena. Ze liep op een gesloten deur af, die eveneens open bleek te kunnen. 'De pastoor is kennelijk niet bang voor dieven. Ik vraag me alleen af of iemand die voor onbepaalde tijd naar Pisa is afgereisd, alles zo onbeveiligd zou achterlaten.'

Ze kwamen in een halletje met een garderobe, waar enkele kledingstukken hingen. Een ervan was een zwart priesterhabijt. Blijkbaar waren ze nu in de privéwoning van de pastoor beland. Enrico voelde zich niet bepaald op zijn gemak, maar Elena scheen het avontuur steeds leuker te gaan vinden. Hij kreeg het idee dat ze zoiets niet voor het eerst deed.

Ze gebaarde naar het eind van de smalle, duistere hal. 'Daar staat een deur een stukje open. Laten we daar eens gaan kijken.'

Ze duwde de deur open, die naar een woonkeuken leidde. Op de tafel stonden een halfleeg glas wijn en een bord met pasta en donkerrode saus. Er zat niemand aan tafel. Maar voor de tafel lag een man met een bloedende wond op het achterhoofd. Enrico keek verbijsterd naar het tafereel, en ook Elena bleef als verstijfd stilstaan. De man op de grond bewoog zich niet. Ze herkenden de man echter allebei. Benedetto Cavara had zijn leren schort nog om. Hij lag in een merkwaardig verwrongen houding op zijn zij, met een glazige blik in zijn ogen. Enrico boog zich over hem heen, voelde aan zijn pols en probeerde vast te stellen of hij nog ademde.

'En?' vroeg Elena. 'Leeft hij nog?'

Enrico keek naar Elena op. 'Nee, de burgemeester is dood.'

Hij dacht eraan hoe Cavara nog geen halfuur geleden met zijn gezin aan de lunch had gezeten. Zijn moeder, zijn vrouw en vijf kinderen zaten op hem te wachten, maar hij zou nooit meer bij hen terugkeren. Zijn stoel zou voor altijd leeg blijven. Enrico voelde een wee gevoel in zijn maagstreek, alsof hij zich realiseerde hoe dicht leven en dood bij elkaar lagen.

Elena leek zich alweer een beetje hersteld te hebben, en Enrico realiseerde zich opnieuw dat ze een bijzondere vrouw was. Ze keek aandachtig rond in de keuken.

'Hij is beslist vermoord,' zei ze met een blik op de bloedende schedel en de zware, met bloed besmeurde kandelaar die in een hoek op de keukenvloer lag. 'Wie doet zoiets nu in een dorp als Borgo San Pietro?'

'Op afgelegen plaatsen vinden vaak gruwelijker misdaden plaats dan in de grote stad.'

'Leer je zulke wijsheden in de rechtbank?' vroeg Elena.

'Nee, uit detectives. En daaruit leer je ook dat je bij zoiets als dit zo snel mogelijk de politie moet bellen.'

Enrico pakte zijn gsm, maar verstarde opeens in zijn beweging. Zijn blik was op de kleine jongen van een jaar of zes gevallen die met wijd opengesperde ogen in de keukendeur stond. Ze kenden hem, want ze hadden hem daarnet nog bij de burgemeester aan tafel zien zitten. Vermoedelijk had signora Cavara hem erop uitgestuurd om zijn vader te zoeken. De lippen van de jongen trilden, alsof hij iets wilde zeggen maar geen geluid kon voortbrengen.

'Wij hebben je vader niets aangedaan...' zei Elena in een vruchteloze poging tot uitleg. 'Je moet daar niet meer naar kijken. Hoe heet je, jongen?' Ze liep langzaam op het jongetje toe. Misschien ontwaakte hij daardoor uit zijn verstijving. Hij draaide zich om, liep gillend de hal door en verdween door een half openstaande deur direct naar buiten.

'Dit is foute boel,' siste Elena. 'Als dat jongetje buiten zijn verhaal doet, worden we niet alleen wegens huisvredebreuk opgepakt. We moeten zo snel mogelijk achter hem aan en ervoor zorgen dat er geen verkeerd beeld ontstaat!'

Maar het was al te laat. Op het pleintje voor de kerk, dat daarnet nog geheel verlaten was, leek het halve dorp zich inmiddels verzameld te hebben. De mensen stonden om het zoontje van de overledene heen en luisterden naar zijn haastig uitgesproken woorden. Er werden boze blikken op de beide vreemdelingen gericht, en even later vloog er iets door de lucht dat Enrico's rechterwang raakte. Het was een steen, die achter hem tegen de huismuur aan knalde. Hij voelde een stekende pijn aan de rechterkant van zijn gezicht. Toen hij zijn hand op zijn wang legde, waren al zijn vingers direct met bloed besmeurd.

Er vlogen nog meer stenen door de lucht, die als hagelstenen op Elena en Enrico neerkwamen. De dorpsbewoners sloten zich tot een dreigend front aaneen, dat stapje voor stapje dichterbij kwam. De knuppels en de messen in de handen van de mannen beloofden niet veel goeds.

'Daar valt geen gesprek mee te voeren,' stelde Elena vast. 'We moeten hier weg, en snel ook!'

Ze pakte Enrico bij de hand en trok hem de dichtstbijzijnde steeg in. Ze begonnen zo hard mogelijk te rennen. Hijgend vroeg hij: 'Wat is je plan?'

'Terug naar de auto en wegwezen.'

'Een goed plan. Hopelijk vinden we de weg nog.'

'Ik heb een goed oriëntatievermogen.'

En inderdaad kwamen Enrico en Elena via de wirwar van steegjes op een plek uit die niet ver van de parkeerplaats vandaan lag. Enrico voelde hoe het warme bloed uit zijn wang langs zijn hals in zijn overhemdboord liep, maar hij bekommerde zich er verder niet om. Zijn verwonding stelde niets voor vergeleken met wat er dreigde te gebeuren als ze in de handen van de dorpsbewoners vielen.

De parkeerplaats lag achter een kleine, met struikgewas begroeide heuvel. Toen ze daaromheen gerend waren, bleven ze als verstijfd stilstaan. Bij hun auto stonden vier mannen, bewapend met knuppels en jachtgeweren. Al snel klonk het eerste schot en spatte de aarde enkele meters van hen vandaan op.

'Ze zijn helemaal gek geworden,' hijgde Enrico. 'Wegwezen, snel!' Ditmaal was hij het die Elena met zich meetrok, totdat de heuvel hen tegen de schoten van de mannen beschermde. Een rustpauze was hun echter niet gegund. Er verschenen steeds meer dorpsbewoners tussen de huizen en muren van Borgo San Pietro, de gezichten vertrokken van blinde woede.

5

Exact om één uur 's middags parkeerde commissario Donati zijn Fiat Tempra voor het smalle huis in de Via Catalana waarin Alexander Rosin na zijn vertrek uit de Zwitserse Garde zijn intrek genomen had. Alexander stond al voor het huis te wachten en stapte snel in, voordat de chauffeurs achter de Tempra zouden beginnen te claxonneren. De Romeinen wisten het chaotische verkeer in hun stad even vaardig als ongeduldig te bedwingen. Om deze tijd was het niet zo druk, en al helemaal niet toen Donati en Alexander eindelijk de stad uit reden en op de Via Appia naar het zuidoosten gingen, richting Albaanse bergen. 's Ochtends en 's avonds stonden de uitvalswegen vol met forenzen en was er hier vaak geen doorkomen aan. Juist daarom hadden Alexander en Donati rond lunchtijd afgesproken. Ze wilden naar Ariccia rijden om meer over pastoor Giorgio Carlini te weten te komen, die in zijn kerk, de Chiesa Santa Maria dell'-Assunzione, in het doopvont verdronken was.

Er was geen wolkje in de lucht dat een belemmering voor de middagzon kon vormen, zodat Rome en omgeving in een fel licht baadden. Daarom klapte Alexander de zonnekap omlaag. 'Hoe staat het met het onderzoek, commissario?'

Donati wierp hem een niet bepaald vrolijke blik toe alvorens zich weer op het verkeer te concentreren. 'Het schiet nog niet echt op. Ik worstel me door de dossiers en getuigenverklaringen heen en probeer er een concreet spoor uit te destilleren, maar dat wil nog niet lukken. Hopelijk stuiten we in Ariccia op een aanwijzing.'

'Maar we hebben toch een aanwijzing: het kruis dat Elena van signora Ciglio gekregen heeft. Hebt u dat laten onderzoeken, zoals u van plan was?'

'Zeker, en we hebben zelfs de juwelier opgespoord bij wie de gardekapelaan die kruizen indertijd gekocht heeft. Het is een winkeltje vlak bij het Vaticaan. De eigenaar kon zich die transactie nog goed herinneren, omdat het voor hem om een relatief grote opdracht ging, met name het aanbrengen van de inscripties. Hij heeft het kruis met absolute zekerheid geïdentificeerd als een van de kruizen die hij aan de kapelaan verkocht heeft.'

'Dat is alvast iets. Nu weten we dat in elk geval een van de moordenaars tot de Zwitserse Garde behoort en dat het niet een van de pas in dienst gekomen gardisten geweest kan zijn.'

'Mooi, maar wat schieten we daarmee op?' bromde Donati, terwijl hij met een flauwe handbeweging een jongen afwimpelde die bij een rood stoplicht zijn voorruit wilde wassen. 'Moet ik het Vaticaan in marcheren en alle oudgediende Zwitsers vragen hun kruis te laten zien? En wie dat niet heeft, neem ik in voorlopige hechtenis?'

'Waarom niet? Als we de moordenaar zo te pakken krijgen...'

'En stel dat tien of twintig gardisten me vertellen dat ze hun kruis verloren, verkocht, weggegeven of weggegooid hebben? Moet ik die dan allemaal in hechtenis nemen?'

'Misschien zit de juiste erbij,' antwoordde Alexander, hoewel hij inzag dat Donati gelijk had.

'Maar dat is slechts een kans. Tenslotte kan de eigenaar van het kruis dat signora Ciglio gevonden heeft, ook een ex-gardist zijn geweest of iemand die het kruis gekocht of gevonden heeft.'

'U gelooft dus ook niet dat de man van wie het kruis is en die waarschijnlijk een van de moordenaars van Dottesio is, in de gelederen van de Zwitserse Garde gezocht moet worden, commissario?'

'Ik geloof dat wel degelijk, Alexander. Ik wil je alleen uitleggen met welke problemen we te maken krijgen als we overhaast te werk gaan. In geval van twijfel kan dat ons meer schade berokkenen dan goeddoen. Want een dergelijke actie brengt in elk geval één ding met zich mee: de moordenaars worden dan gewaarschuwd en weten dat we hen op het spoor zijn.'

'Als dat eens waar was!' verzuchtte Alexander, en hij keek voor zich uit, waar de groene hellingen van de Albaanse bergen zich achter de restanten van een antiek viaduct onder de blauwe nazomerhemel uitstrekten. Daar lag het land van de heerlijke goudgele frascati; van lekkernijen zoals de porchetta uit Castelli, een in de oven gebraden en met specerijen en groene kruiden gevuld speenvarken; van Castel Gandolfo, de zomerresidentie van de paus; van bezienswaardigheden zoals het Albaanse Meer in de krater van een uitgedoofde vulkaan en van een kerk waarvan de priester op gruwelijke wijze vermoord was. Dit alles schoot door zijn hoofd, maar verder dacht Alexander hoofdzakelijk aan Elena, die nu hoogstwaarschijnlijk ook in de bergen onderweg was, zij het zo'n driehonderd kilometer noordelijker. Hij kon het niet verklaren, maar een gevoel van beklemming drong zich aan hem op.

Alsof Donati zijn gedachten geraden had, vroeg hij: 'Schieten jij en Elena nog een beetje op, Alexander?'

'Ik heb voorzichtig geprobeerd weer contact te leggen met de garde. Dat is niet zo gemakkelijk, omdat velen van mijn oude kameraden niet meer in dienst zijn. Maar ik ben er toch achter gekomen dat er in Borgo Pio een nieuw café is dat sinds kort als een soort officieuze stamkroeg van de garde dient. Het heet Fame da Lupi. Vanavond zal ik daar mijn oor eens te luisteren leggen. De verloren zoon keert naar huis terug en deelt een paar rondjes uit, in die trant. Daarmee kan ik hopelijk mijn ex-kameraden wat loslippiger maken.'

'Waarmee anders dan met wijn en bier?' Donati lachte.

'En Elena? Waarmee houdt zij zich bezig?'

'Onze hoofdredactrice heeft haar naar Toscane gestuurd. Ze moet een kijkje nemen in een bergdorpje, in Borgo San Pietro. De tegenpaus is uit die plaats afkomstig en heeft daar ook zijn eerste priesterambt vervuld. Ik heb haar gisteravond nog gebeld. Ze heeft in het hotel een jonge Duitser of halve Italiaan ontmoet wiens familie uit Borgo San Pietro afkomstig is. Elena heeft zich bij hem aangesloten om in het dorp als onschuldige toeriste te kunnen rondkijken.'

'Elena redt zich altijd wel,' zei Donati goedkeurend. 'In Toscane is het vast en zeker aangenamer dan hier, waar een priestermoordenaar rondwaart.'

'Dat weet ik nog niet zo zeker,' zei Alexander twijfelend. 'Steeds als ik aan Elena denk, bekruipt me een onaangenaam gevoel. En ik heb geen idee waarom.'

'Ach, kom! Je bent gewoon een beetje jaloers op Elena's nieuwe kennis. Je had vast en zeker liever zelf met je knappe vriendin door Toscane gereden, of niet soms?'

'Best mogelijk, commissario.'

'Zeg nou eindelijk eens Stelvio tegen me, anders ga ik me nog zo oud voelen als ik eruitzie. We klinken daar straks nog wel op met een glas frascati. En wat Elena betreft: maak je geen zorgen! Je vriendin is slim genoeg om voor haar eigen hachje te zorgen.'

Elena keek haastig rond. Steeds meer dorpsbewoners kwamen naar buiten en achter hen doken de vier mannen op die hen op de parkeerplaats opgewacht hadden. De man die zojuist geschoten had, een type met een rood gezicht en half kale schedel, probeerde onder het rennen zijn jachtgeweer te herladen.

'Het bos in!' riep ze naar Enrico. 'Op open terrein hebben we geen enkele kans om aan hen te ontkomen.'

Enrico knikte, waarna ze zich door het kreupelhout heen wurmden om dieper in het bos door te dringen. Daarbij letten ze niet op de richting waarin ze renden. Het ging er alleen om zo snel mogelijk weg te komen. Achter zich hoorden ze de voetstappen van hun achtervolgers, hun stemmen en het kraken van takken en twijgen.

'Sneller!' spoorde Enrico zijn metgezel aan toen ze hem niet kon bijbenen.

Hij draaide zich naar haar om en zag tot zijn grote schrik dat ze op de grond lag. Hij voelde een panische angst opkomen, niet alleen vanwege zijn eigen leven, ook vanwege Elena. Hij kende haar pas sinds gisteren, maar toch betekende ze al heel veel voor hem. Zij was de vrouw op wie hij verliefd kon worden, op wie hij misschien al verliefd geworden was.

Terwijl hij op haar af rende, stond ze al op en ze zei hijgend: 'Ik ben alleen maar over een steen gevallen, maak je geen zorgen! Kom op, verder!'

Er viel geen seconde meer te verliezen.

Enrico meende dat hij de achtervolgers al kon horen hijgen. Of was dat alleen het ruisen van het bloed in zijn oren? De twee renden door steeds dichter bos, waarbij telkens takken pijnlijk tegen hun gezicht en armen zwiepten. Ook Enrico viel, ditmaal over een boomwortel die boogvormig uit de grond stak, waarbij hij zijn knie tot bloedens toe stootte. Hij gunde zich niet eens de tijd het vuil uit de wond te vegen, maar stond direct weer op en rende verder. Hij probeerde met opeengeklemde kaken de pijn in zijn rechterknie te negeren.

Duurde dit drie, vijf of zelfs tien minuten? Hij wist het niet en durfde geen halve seconde de tijd te nemen om op zijn horloge te kijken. Het was ook niet belangrijk, nu het erop aankwam te overleven. Zwijgend en hevig hijgend renden ze in gebukte houding door het bos om zich tegen de laaghangende takken en twijgen te beschermen, voor zover dat mogelijk was. In de verte werd het voor hen iets lichter.

Terwijl hij bleef rennen, wees Enrico naar voren, waar de ruimte tussen de bomen groter werd, en hij riep buiten adem: 'Misschien kunnen we daar sneller vooruitkomen.'

'Dat geldt ook voor onze achtervolgers.'

Er stonden nu steeds minder bomen; in plaats daarvan stonden overal merkwaardige stenen bouwsels, die van boven halfrond waren en grotendeels met mos en gras waren overwoekerd. Ze moesten hier al eeuwen het bos en de wildernis getrotseerd hebben. Enrico ontdekte ingangen in de op hutten lijkende bouwsels, maar geen enkel raam.

'Wat zijn het?' vroeg Elena.

'Geen idee. Maar we kunnen ons in een van die dingen verbergen.'

'Dan zitten we in de val. Onze achtervolgers zullen deze vreemde hutten vast en zeker doorzoeken.'

Toen Enrico omkeek, zag hij dat het al te laat was. Ze hadden de wedloop verloren. Overal aan de bosrand verschenen achtervolgers, die hun tempo vertraagden omdat ze zagen dat het wild in de val zat.

'Ze hebben ons te pakken!' riep Elena met een van paniek trillende stem.

'Terug!' zei Enrico zachtjes, en hij pakte haar bij de arm. Langzaam trok hij haar met zich mee door het schijnbaar eindeloze labyrint van raamloze stenen hutten. 'Heel langzaam, zo onopvallend mogelijk.'

De achtervolgers vormden een halve cirkel, waarvan de uiteinden Enrico en Elena steeds dichter naderden.

Elena schudde haar hoofd. 'Het is zinloos, Enrico. We kunnen niet aan hen ontkomen. Onze enige kans is met hen te praten.'

Ze bleven allebei staan, omdat elke extra stap een verspilling van hun krachten was. Misschien had Elena gelijk en konden ze de woede die op de gezichten van de dorpelingen te lezen stond, met een goed gesprek temperen. Enrico hoopte het van harte, maar hij geloofde er niet in. Uit de ogen van de mensen die hen langzaam maar zeker insloten, sprak het verlangen naar vergelding, naar de *vendetta del sangue*, de bloedwraak.

De eerste stenen vlogen in het rond en troffen een van de stenen hutten naast hen. Ze zochten snel dekking. Over de stenengooiers maakte Enrico zich niet al te veel zorgen, maar de mannen met de jachtgeweren in hun handen boezemden hem grote angst in, want de mannen uit Borgo San Pietro waren vermoedelijk geen slechte schutters. Al dat schiettuig hing niet alleen voor de sier in hun huizen. Hier gingen ze nog op jacht in de uitgestrekte bossen, waar je er nauwelijks rekening mee hoefde te houden dat je een jachtopziener tegenkwam.

De man met het rode gezicht, die al eerder op hen geschoten had, deed twee passen naar voren en legde aan. Vertwijfeld overwoog Enrico wat hem te doen stond om Elena en zichzelf te redden. De schutter was echter al te dichtbij en de jachtgeweren waren overal op hen gericht. Ze konden alleen maar afwachten totdat ze met hagelkorrels doorzeefd werden.

Enrico's blik trof die van de man met het rode gezicht, die zijn mond-hoeken vertrok. Onmogelijk te zeggen of dat een teken van concentratie of van triomf was. Ze zouden het waarschijnlijk nooit te weten komen. Enrico bleef zijn opponent strak aankijken en wachtte op het moment dat de wijsvinger zich om de trekker zou krommen.

In plaats daarvan liet de dorpeling het wapen langzaam zakken en keek hij Enrico en Elena teleurgesteld aan. Nee, Enrico zag nu dat de man uit Borgo San Pietro langs hen heen keek. Zijn blik was op iets achter hen ge-richt. Alle dorpelingen keken naar dat punt, en op tal van gezichten stond de teleurstelling te lezen, net zoals bij de man met het jachtgeweer.

Langzaam draaiden Enrico en Elena zich om. Ongeveer tien meter achter hen stond een merkwaardige gedaante op het dak van een van de half-ronde stenen hutten, die zijn handen naar de meute uitstrekte. Het gebaar kwam Enrico als half afwerend en half gebiedend voor.

De man was oud, heel oud. Daar waar zijn magere gezicht niet door een ruige grijs-witte baard bedekt werd, waren talloze rimpels te zien. Hij droeg de eenvoudige kleding van een bergbewoner, die er versleten uitzag, alsof hij niemand had die zich om hem bekommerde. Zijn naakte voeten waren in lederen sandalen gestoken.

'Doe die twee niets aan!' riep hij de dorpelingen met een van ouderdom schorre stem toe. 'Zijn jullie het gebod vergeten? Gij zult niet doden!'

'Ze hebben zelf in strijd met het gebod gehandeld,' merkte een man in de menigte op. 'Ze hebben Benedetto Cavara vermoord, nog maar enkele minuten geleden.'

'Zelfs als dat waar zou zijn, hebben jullie niet het recht hen ook maar iets aan te doen. In het hiernamaals zal God over hen oordelen en hier zal jus-titie zich over hen ontfermen.'

'We nemen deze zaak liever zelf in de hand!' schreeuwde de man, met een koevoet boven zijn hoofd zwaaiend. 'Alleen dan kunnen we er zeker van zijn dat ze hun verdiende loon krijgen.'

De anderen betuigden luidkeels hun instemming en de menigte kwam weer enkele passen dichterbij. Weer vloog er een steen door de lucht, die de aarde tussen Enrico en Elena deed opspatten.

'Stop!' klonk de stem van de oude man met een kracht die Enrico verbaasde. 'Zijn jullie door de duivel bezeten? Willen jullie voor eeuwig de schuld op jullie en jullie kinderen laden? Bedenk toch eens wat zo'n wraakactie voor jullie families en het hele dorp betekent!'

Blijkbaar maakten zijn woorden indruk. De mannen bleven staan en begonnen met elkaar te discussiëren. Enrico wilde al opgelucht ademhalen, maar opnieuw vloog er een vuistdikke steen door de lucht, die Elena op haar linkerslaap trof. Als door de bliksem getroffen zakte ze in elkaar en ze bleef roerloos voor zijn voeten liggen. Hij ging op zijn knieën zitten, boog zich over haar heen en zag dat de linkerhelft van haar hoofd onder het bloed zat.

ARICCIA

'Gesloten,' stelde Alexander teleurgesteld vast terwijl hij aan het kerkportaal morrelde. 'Waarom zou de kerk ook open zijn als in Ariccia toch geen pastoor meer is?'

'Maar in het proces-verbaal stond iets over een koster,' zei Stelvio Donati. 'Ik hoop hem hier aan te treffen.'

'Laten we eens wat rondvragen,' stelde Alexander voor, op de straat wijzend waar de toeristen doorheen slenterden en voor etalages bleven staan; de koele lucht in het dorp, dat op een zadel tussen twee dalen lag, trok in de hete zomertijd vele bezoekers. 'In een van de winkels kunnen ze ons zeker vertellen waar we de koster kunnen vinden. En misschien ontdekken we dan ook nog een bar waar we met een glas frascati kunnen proosten omdat we elkaar nu tutoyeren.'

'Je moet uit elke situatie het beste halen,' zei Donati met een knipoog. Hij sloot de Fiat af, die hij voor de kerk geparkeerd had, en liep naast Alexander de straat in. Zijn stijve tred zorgde voor nieuwsgierige blikken, maar dat leek hij helemaal niet te merken. Vermoedelijk was hij daaraan in de vele jaren dat hij nu met een beenprothese liep, wel gewend geraakt.

Ze hadden nog maar een klein stukje gelopen toen er met piepende remmen een wagen naast hen stopte waaruit twee mannen sprongen. Het was een surveillancewagen, waarvan de inzittenden politie-uniformen droegen. Ze stelden zich dreigend voor Alexander en Donati op en een van hen blafte: 'Wie bent u? Wat hebt u hier te zoeken?'

Donati lachte de man vriendelijk toe. 'En wie bent u? En wat hebt u hier te zoeken?'

De man in uniform die het woord genomen had, was groot van postuur en had een hoekige schedel en een vooruitspringende kin. Hij leek geïrriteerd en wisselde een onzekere blik met zijn jongere collega. Daarna legde hij zijn rechterhand op zijn leren pistoolholster, alsof hij zich een houding wilde geven. 'Wij zijn van de politie, dus wij stellen hier de vragen!'

'Als uw beroep het doorslaggevende criterium vormt, dan heb ik evenzeer het recht vragen te stellen,' zei Donati kalm, en hij stak zijn hand in zijn jasje om zijn legitimatie te zoeken.

De grote agent sperde zijn ogen open en pakte Donati's rechterhand vast. 'Stop! Wat moet dat?'

'Ik wil u mijn legitimatiebewijs laten zien. U vroeg mij daarnet toch wie ik was?'

'Goed. Maar heel rustig, oké?'

Donati knikte en haalde zijn dienstlegitimatie tevoorschijn, die hij met gestrekte vingers onder de neus van de agent hield. Deze bekeek het legitimatiebewijs ongelovig en stamelde: '*Polizia criminale!* U... u bent van de recherche in Rome!'

'Dat weet ik.'

'Waarom hebt u dat niet meteen gezegd?' riep de agent verwijtend, overdreven saluerend. '*Ispettore capo* Marcello Trasatti en *sovrintendente* Fabrizio Polani van de politiepost in Ariccia, tot uw dienst, commissario.'

'Hartelijk dank, signor Trasatti.' Donati stak het legitimatiebewijs weer in zijn zak. 'De politie in Ariccia lijkt me voortvarend te werk te gaan.'

Trasatti beschouwde dat als een compliment en stak zijn borst trots vooruit. 'Een inwoner heeft ons gemeld dat er iemand aan het kerkportaal stond te morrelen. Na de moord op don Carlini zijn we natuurlijk extra alert. Fabrizio en ik zijn direct met de surveillancewagen vertrokken om die persoon op te sporen.'

'Wij zijn hier ook vanwege de moord. We hadden gehoopt de plaats delict nog eens te kunnen bekijken. Is er in Ariccia geen koster?'

'Zeker wel, dat is signor Questi. We hebben hem verteld dat hij de kerk moet afsluiten, opdat er niet voortdurend ramptoeristen opduiken die de sporen uitwissen. Moet ik hem vragen de kerk voor u open te maken, commissario?'

'U kunt mijn gedachten lezen, ispettore capo.'

Signor Questi was een nerveus mannetje dat zichtbaar aangedaan was door de moord. Vrijwel onophoudelijk sprak hij over boze machten die het op de kerk gemunt hadden en toen hij een zijingang wilde openen, trilden zijn vingers zo hevig dat Trasatti hem moest helpen de sleutel in het slot te steken. Donati stelde de koster voor om buiten de kerk op hen te wachten, en Questi nam dat aanbod dankbaar aan.

De twee politieagenten uit Ariccia leidden Alexander en Donati naar het doopvont, dat inderdaad groot genoeg was om in te verdrinken, althans als je iemands hoofd met geweld onder water duwde.

'Wie heeft de dode eigenlijk gevonden?' vroeg Alexander.

'Signor Questi,' antwoordde Trasatti, waarmee hij een verklaring gaf voor de nervositeit van de koster. 'Toen don Carlini niet verscheen voor het avond-eten dat signora Questi had bereid, liep haar man naar de kerk om Carlini te zoeken. Questi vond de pastoor over het doopvont gebogen en dacht eerst dat Carlini er iets in had laten vallen. Maar onze pastoor was dood.'

Ze liepen weer naar buiten, waar de koster nog altijd stond, zijn vuisten in machteloze woede gebald. 'Wie doet nu zoiets, commissario?'

Donati keek hem ernstig aan. 'Dat, signor Questi, is de grote vraag.'

Alexander en Donati spraken uitvoerig met de twee politieagenten en ook met de koster. Er doken helaas geen nieuwe gezichtspunten op, niets wat hun een aanwijzing kon geven. En zo belandden ze uiteindelijk onder de parasol voor een kleine bar en bestelden twee glazen frascati.

Terwijl ze op de wijn wachtten, zei Donati: 'Een andere doodsoorzaak, hoewel niet minder gruwelijk dan bij Giovanni Dottesio. Beide gevallen laten echter hetzelfde patroon zien: snel en consequent handelende da-ders, die zich vooraf kennelijk goed over het slachtoffer en de plaatselijke omstandigheden geïnformeerd hebben. Ze zijn in beide gevallen ongezien de kerk binnengedrongen, hebben de moord gepleegd en zijn daarna di-rect vertrokken. Zoals een koerier aanbelt, zijn pakket afgeeft en dan weer in zijn auto stapt.'

'Met dat verschil dat de koerier meestal gezien wordt, namelijk door de ontvanger van de zending.'

'Dat klopt, Alexander. Mij is het er meer om te doen dat onze moordenaars geen amateurs zijn. Ze zijn geoefend in gedisciplineerde acties. Net als soldaten.'

'Of Zwitserse gardisten,' vulde Alexander aan.

Nadat de wijn gebracht was, proostten ze en probeerden ze de twee moorden even te vergeten. Maar het lukte Alexander niet zich te ontspannen. Steeds weer moest hij aan Elena denken en een onverklaarbaar gevoel van onrust en bezorgdheid maakte zich van hem meester.

6

IN DE OMGEVING VAN BORGO SAN PIETRO

Elena lag nog altijd onbeweeglijk op de grond, die onder haar hoofd rood kleurde. De wond bloedde hevig. Met zijn gsm had Enrico de politie in Pescia geïnformeerd, die beloofd had direct een ambulance naar de bergen te sturen. Hij kon nu niets anders doen dan wachten. Elena was buiten bewustzijn, maar misschien was dat wel beter voor haar. Hij zat gehurkt naast haar en keek haar vrijwel onafgebroken aan. Hoewel hij het buitengewoon pijnlijk vond haar daar zo te zien liggen, kon hij zijn ogen niet afwenden. Slechts af en toe wierp hij de mannen uit Borgo San Pietro een korte blik toe om zich ervan te verzekeren dat er geen nieuwe woede-uitbarsting op til was. Het leek er trouwens op dat de grootste woede gezakt was. Misschien lag dat aan de autoriteit die de oude man mysterieus genoeg uitstraalde. Of misschien had de steen waardoor Elena getroffen was, hen weer bij zinnen gebracht. Misschien hadden ze ingezien dat een mensenleven snel beëindigd was, maar dat je heel lang met de schuld van een dergelijke misdaad moest leven.

De oude man ging aan de andere kant naast Elena zitten en streelde haar zachtjes over het hoofd. Toch maakte Enrico zich zorgen dat de oude man Elena's toestand door een verkeerde aanraking nog kon verergeren en daarom maande hij hem voorzichtig te zijn.

'Ik ben voorzichtig,' zei de man zachtjes, zonder zijn blik van Elena af te wenden.

Het bloeden leek nu minder te worden, wat Enrico ietwat optimistischer stemde. Hij dacht er ingespannen over na wat hij voor Elena doen kon, maar er schoot hem niets te binnen. Ter afleiding vroeg hij de oude man naar zijn naam.

'Mijn naam?' Hij leek vreemd genoeg na te moeten denken, alsof zijn eigen naam hem ontschoten was. Aarzelend zei hij uiteindelijk: 'Ze noemen me Angelo.'

'Ik wil u graag bedanken, meneer Angelo. Zonder uw tussenkomst waren wij' – hij keek naar Elena – 'nu vermoedelijk allebei dood geweest.'

'Het is niet juist om te doden, of het nu om een schuldige of onschuldige gaat,' zei Angelo. Het klonk alsof hij deze zin lang geleden uit zijn hoofd geleerd had.

'We zijn allebei onschuldig!' bezwoer Enrico hem.

'Dat weet ik.'

'Weet u dat? Hoe dan?'

Angelo glimlachte zwakjes. 'Ik voel het.'

Enrico wees op de grote stenen bouwsels. 'Woont u hier?'

'Ja.'

'In deze... deze hutten?'

'Het zijn huizen voor de doden.'

'U bedoelt graven?'

'Graven, inderdaad.'

'En wie zijn hier dan begraven?'

'Mensen van het volk dat hier vele honderden jaren geleden in deze bergen woonde. Etrusken.'

Enrico probeerde meer over de man te weten te komen, maar zijn antwoorden waren uiterst beknopt en het gesprek liep al snel dood. Enrico verviel in een soort lethargie, waaruit hij pas ontwaakte toen de stilte van het bos opeens door schrille tonen verbroken werd. Het lawaai kwam dichterbij, en nog nooit in zijn leven was Enrico zo blij geweest dat hij huilende sirenes hoorde.

Hij zag een civiele terreinwagen door het onherbergzame gebied hobbelen. De auto bleef zo'n vijftig meter verderop staan, omdat de doorgang daar onmogelijk was. Een vrouw van rond de vijftig met kortgeknipt haar en een ouderwetse dikke hoornen bril liep op hen toe. In haar rechterhand had ze een EHBO-koffer. Enrico gebaarde naar haar en ze knielde bij Elena neer, waarbij ze haar naam noemde: 'Dr. Riccarda Addessi.'

Ze onderzocht Elena zorgvuldig en zei: 'Haar toestand is ernstig. Gelukkig is het bloeden gestelpt. Hoe hebt u dat gedaan?'

'Dat heb ik niet gedaan,' antwoordde Enrico. Nu herinnerde hij zich dat de oude man met zijn hand over Elena's hoofd gestreken had. 'Als iemand dat verklaren kan, dan Angelo wel.'

'En wie is Angelo?'

Enrico wilde haar de oude man aanwijzen, maar hoe hij ook rondkeek, Angelo was verdwenen. Twee verplegers met een ingeklapte brancard kwamen in looppas op hen toe. Hun ambulance, die niet zo geschikt was voor dit terrein als de auto van dr. Addessi, stond een eind verderop. Terwijl ze

Elena onder toezicht van de arts voorzichtig op de brancard legden, verschenen er mannen in politie-uniform, begeleid door een priester.

'Dat is pastoor Umiliani!' riep een vrouw in de menigte. 'In zijn keuken werd de moord gepleegd, en die daar heeft het gedaan!' Ze wees op Enrico. Meteen klonken er andere stemmen, die Enrico eveneens luidkeels ervan beschuldigden de burgemeester vermoord te hebben. Enrico was blij dat de verplegers Elena wegvoerden. Als de woede van de dorpelingen weer op zou laaien, was zij in elk geval in veiligheid, als je dat woord mocht gebruiken, gezien haar toestand.

'Kalmte!' brulde een corpulente politieman zo luid dat de menigte daadwerkelijk stilviel en alle ogen zich nieuwsgierig op hem richtten. 'Deze vreemdeling is niet de moordenaar van jullie burgemeester. Jullie hebben achter twee onschuldigen aan gezeten.'

Weer begon iedereen door elkaar heen te schreeuwen: 'Leugens!' 'Waarom wilt u dat weten?' 'Cavara's zoontje heeft die twee toch bij het lijk gezien!' 'De politie neemt de vreemden in bescherming!'

'Ik neem niemand in bescherming!' antwoordde de politieman bars. 'Wat ik zeg, is waar. En ik weet dat omdat de moordenaar zich enkele minuten geleden gemeld heeft. Hij heeft bij de ingang van het dorp op ons gewacht.'

'Wie is het dan?' 'Wie heeft de moord op Benedetto Cavara op zijn geweten?' 'Laat ons de echte moordenaar dan zien als jullie die hebben!'

De politieman draaide zich gedeeltelijk om en keek de priester aan. 'Pastoor Umiliani heeft bekend burgemeester Cavara gedood te hebben.'

Alle stemmen zwegen opeens en de blikken van de dorpsbewoners richtten zich nu vol ongeloof en ontzetting op hun pastoor.

ROME, IN BORGO PIO

Fame da Lupi lag op slechts een steenworp afstand van het Vaticaan, wat voor de Zwitserse gardisten een praktisch voordeel had: ze konden zo maximaal profiteren van hun vrije tijd tot ze zich weer moesten melden. In Borgo Pio, de oude pelgrimswijk vlak bij het Vaticaan, wemelde het van de bars en restaurants, want pelgrims die honger en dorst hebben en hun geld willen uitgeven, zijn er altijd volop. Daar kwam bij dat deze wijk door zijn oorspronkelijke charme bij toeristen bijzonder geliefd was. In de afgelopen eeuwen waren overal hele straten aan de slopershamer ten prooi gevallen, waar modernere maar ook saaiere huizen voor in de plaats waren gekomen, maar Borgo Pio was een historisch stuk Rome gebleven. Daarom lagen hier tal van toeristenvallen, waar de gasten even duur als slecht eten voorgezet kregen omdat ze toch niet terug zouden komen. Maar er waren in elke prijsklasse ook goede etablissementen, die je kon herkennen aan de aanwezigheid van in het Vaticaan werkzame kardinalen, ambtenaren, gendarmen en Zwitsers. De diverse groepen waren zelden in dezelfde restaurants aan te treffen. Waar de kardinalen dineerden, konden ambtenaren en bewakers echt geen maaltijd betalen. Gendarmen en Zwitsers mochten elkaar van oudsher niet. Als een Zwitser per ongeluk in een kroeg van de gendarmen verzeild raakte of omgekeerd, dan had dat voor de betrokkene kwalijke gevolgen. Zo had elk behoorlijk etablissement in Borgo Pio bij de Vaticaanse bevolking zijn eigen speciale clientèle. Sommige bepaalden door prijsstelling en inrichting welke gasten ze graag zagen, andere waren op zeker moment door een beroepsgroep bezet. Zo was het ook in Fame da Lupi gegaan, had Alexander vernomen. Op een avond waren de Zwitsers hier naar binnen gegaan, hadden zich thuis gevoeld en het restaurant direct tot hoofdkwartier voor de uren na afloop van de dienst verklaard.

Toen Alexander binnenkwam, sloeg een mengeling van sigarettenwalm en de geur van eten, bier en wijn hem tegemoet. Een kardinaal had het hier zeker niet prettig gevonden, maar voor een Zwitser was het precies goed. Fame da Lupi was rustiek ingericht met veel hout en aan de wanden hingen enkele enorme olieverfdoeken. Blijkbaar hadden de uitbaters zich inmiddels op hun nieuwe stamgasten ingesteld: een van de schilderijen was een kopie van de kruisigingsscène waarvan het origineel in de Santa Mariakerk op de Campo Santo Teutonico hing, de Duitse begraafplaats in het Vaticaan. Op het schilderij werd de kruisiging met de geschiedenis van de Zwitserse Garde verbonden. Op de voorgrond werd het grote kruis met de Heiland omklemd door de op zijn hurken zittende Kaspar Röist, de gardecommandant die in mei 1527 bij de verdediging van het Vaticaan tegen de Duitse landsknechten om het leven was gekomen. Een zijkapel van de kerk diende als grafmonument voor de Zwitsers die bij deze strijd omgekomen waren, en dat was de reden dat de kerk met dit schilderij zo'n beetje het eerste was wat de nieuw aangekomen rekruten te zien kregen. Terwijl Alexander aan de lange toog stond, liet hij zijn blik langs de vele hoeken van het etablissement dwalen. Aan een van de achterste tafeltjes ontdekte hij eindelijk enkele bekende gezichten, waaronder het ascetische van gardeadjudant Werner Schardt. Het schilderij is een goed gespreksonderwerp om mee te beginnen, dacht Alexander, en hij liep op de tafel af. Maar hij kwam niet ver. Al na enkele passen werd hij bij zijn linkerarm gegrepen en een onbekende stem riep: 'Kijk eens, als dat niet Alexander Rosin is, de held van de Zwitserse Garde. Kom toch bij ons zitten, kameraad!' Degene die dit zei, was een jonge man met een groot, krachtig postuur, rossig haar en een iets te ronde babyface. Er zaten nog twee mannen aan het tafeltje, die eveneens nog erg jong waren. Alexander kende geen van drieën. Ze moesten tot de Zwitsers behoren die na de gebeurtenissen in mei overhaast gerekruteerd waren. Alexander ging op de laatste vrije stoel aan tafel zitten. Waarom ook niet, als deze jongens zijn gezelschap zochten? Het ging hem er slechts om meer over de actuele toestand in de Zwitserse Garde te weten te komen, over de stemming in de groep en over de geruchten die overal opduiken waar veel mensen in een kleine ruimte opeengepakt zitten. De rossige jongen met de bolle wangen heette Martin Gloor en kwam uit het kanton Zürich. Hij was de woordvoerder van de drie, dat was al snel duidelijk, en hij had duidelijk veel plezier in die rol. Eerst vroeg hij Alexander uitvoerig naar de gebeurtenissen in mei, maar hoe meer bier er vloeide, des te beter slaagde Alexander erin de rollen om te draaien en op zijn beurt vragen te stellen. Daarna was het niet moeilijk meer Martin Gloor aan het praten te brengen. Tussen de regels door hoorde Alexander het een en ander over de jaloezie binnen de garde. De oudgediende Zwitsers waren afgunstig op de jonge rekruten, die in de hiërarchie sneller dan gewoonlijk opklommen zodat de gaten gevuld konden worden. In Gloors ogen waren die promoties uiteraard welverdiend en hij bestempelde zijn oudere kameraden zelfs als pummels die het van gewichtigdoenerij moesten hebben. Dat hij er in slechts drie maanden in geslaagd was de functie van vicekorporaal in de rang van opperwachtmeester te bekleden, schreef hij uitsluitend toe aan zijn bekwaamheden en niet aan het personeelsgebrek van de leeggelopen garde.

Alexander probeerde het gesprek voorzichtig een andere richting op te sturen door quasi achteloos de moord op pastoor Dottesio te noemen en daarbij te vertellen dat de dode vroeger in het Vaticaan gewerkt had.

Gloors verstand was door het vele bier kennelijk nog niet geheel beneveld geraakt. Hij boog zich naar Alexander toe en zei zachtjes: 'Daarover zou ik je iets interessants kunnen vertellen, kameraad, maar niet hier binnen. Hier zijn te veel luistervinken.'

'Waar dan?'

Gloor wees met zijn linkerduim over zijn schouder. 'Zie je die smalle deur waarnaast een brandblusser hangt? Die voert naar een afgelegen binnenplaats. Ik ken die heel goed. Als de plee hier bezet is, kun je daar goed pissen. Wacht daar op mij! Ik kom een paar minuten later.'

'In orde,' zei Alexander, en hij stond op om naar de aangegeven deur te lopen. Vol verwachting liep hij naar buiten. Het leek een echte gelukstreffer dat hij bij Gloor en diens kameraden aan tafel was gaan zitten. Buiten was het al donker en het was behoorlijk duister op de binnenplaats. Alleen het licht uit enkele ramen van het restaurant en de omliggende huizen zorgde voor een zwak, onregelmatig schijnsel. Twee grote vuilcontainers en de scherpe stank van de urine van gardisten met een zwakke blaas noopten Alexander zo veel mogelijk door zijn mond te ademen. Hij liep naar de hoek van de binnenplaats die het verst van de containers vandaan lag. Onderweg schoot er iets tussen zijn voeten door wat verdacht veel op een dikke rat leek.

Gloor kwam nu de binnenplaats op, draaide zich naar de achterkant van het restaurant toe en liet een groot deel van het naar binnen geslagen bier weer over de grond stromen. Daarna kwam hij grijnzend op Alexander af en hij diende hem een harde klap tegen zijn nieren toe. Verrast door de aanval en door de stekende pijn overmand zakte Alexander op zijn knieën. Door de pijn schoten de tranen in zijn ogen.

'Smerige spion!' vloekte Gloor, hem in zijn gezicht spuwend. 'Je gelooft zeker dat je ons kunt belazeren waar we bij zitten, alleen omdat je nu bij de krant werkt. Maar met Martin Gloor lukt je dat niet! Ik zal je wat respect voor de Zwitserse Garde bijbrengen!'

Hij haalde uit om Alexander in zijn maag te trappen, maar ditmaal was Alexander beter voorbereid. Hij pakte Gloors voet beet en draaide die met een snelle, krachtige beweging om. De rossige gardist verloor zijn evenwicht en kwam luid kreunend hard op de smerige stenen terecht. Alexander wierp zich direct op hem en diende hem een hoekslag op de kin toe, waardoor Gloors hoofd achteroversloeg. Gloor opende zijn mond, wilde iets zeggen of uiting geven aan zijn pijn, maar spuwde slechts bloed. Alexander zat schrijlings op zijn tegenstander met zijn knieën op Gloors bovenarmen gedrukt om hem op de grond te houden.

'Je doet me pijn,' hijgde Gloor, nog meer bloed spuwend.

'Wat onaardig van me. En dat terwijl we toch kameraden zijn, nietwaar?'

'Klootzak!'

Alexander glimlachte koeltjes naar hem. 'Dergelijke uitdrukkingen moet je wel afleren als je je verbazingwekkende carrière bij de garde wilt voortzetten. Ik geloof er trouwens niet in. Je hebt een te grote bek en te weinig hersenen. Ik wed dat je mij ook niets belangrijks te vertellen hebt, of wel?'

'Natuurlijk niet. We wilden je alleen een lesje leren, vuile spion!'

Het woord 'wij', gecombineerd met de flikkering in Gloors ogen, alarmeerde Alexander. Hij volgde Gloors blik naar de deur en zag de twee metgezellen van de opperwachtmeester de binnenplaats op komen. Vermoedelijk hadden ze afgesproken dat ze vlak na hun leider naar buiten zouden komen om Alexander definitief uit te schakelen. Ze begrepen direct wat er aan de hand was en renden op Alexander en Gloor af.

Een van hen trok een mes met brede kling en richtte dat dreigend op Alexander. 'Laat Martin direct los of ik snij je gezicht aan flarden!'

Alexander reageerde door zijn duimen onder Gloors ogen te planten. 'Als je je mes ook maar een centimeter beweegt, druk ik je kameraad de ogen uit!' Hij verhoogde de druk van zijn duimen, waardoor Gloor van pijn begon te kermen.

'Dat... dat durf je niet!' beweerde de man met het mes.

Alexander lachte droogjes. 'Geloof je dat ik me liever door jou in stukjes laat snijden? En laat nu die tandenstoker vallen!'

De messentrekker aarzelde. Zijn onzekere blik schoot heen en weer tussen Gloor en de derde gardist. Alexander merkte hoe de hand met het mes nauwelijks merkbaar begon te trillen.

'Laat vallen!' herhaalde hij.

Langzaam ging de hand van de messentrekker open en zijn wapen viel met een harde klap op de stenen.

Op dat moment, waarop Alexander afgeleid was, had Gloor gewacht. Met een plotselinge ruk trok hij zijn knieën op en wierp hij Alexander over zijn hoofd heen. Alexander sloeg met zijn schedel tegen een muur. Door de harde klap bleef hij even versuft liggen. Hij vocht tegen de misselijkheid en de duizeligheid en krabbelde weer op, steun zoekend tegen de muur. Toen hij zich omdraaide, zag hij direct hoe penibel de situatie was.

Gloor was eveneens opgestaan en de drie gardisten sloten Alexander nu in. De messentrekker had zijn wapen weer opgepakt en in de hand van de derde gardist lag een zware steen. Gloor leek ongewapend, maar zijn grote vuisten mochten niet onderschat worden, zoals Alexander na de klap tegen zijn nieren inmiddels wist.

'En nu is het speelkwartier voorbij!' bromde Gloor terwijl hij langzaam op Alexander af kwam.

'Dat geloof ik ook!' riep een stem vanuit de deur van de binnenplaats. Er kwam een lange, tenger gebouwde man naar buiten. 'Opperwachtmeester Gloor, ik hoop dat u en uw kameraden een goede verklaring voor dit voorval hebben.'

'Werner!' riep Alexander opgelucht toen hij gardeadjudant Schardt herkende. 'Goed je te zien!'

Gloor wees naar Alexander. 'Deze man heeft ons overvallen. Wij... wij hebben ons alleen verdedigd!'

Schardt keek Gloor hoofdschuddend aan. 'Ik ken deze man toevallig. Alexander Rosin staat er bepaald niet om bekend anderen te overvallen, al helemaal niet als die met drie tegen een in de meerderheid zijn en met een rambomes in het rond zwaaien. Gloor, kerel, bedenk alsjeblieft zo snel mogelijk een beter verhaal!'

Maar Gloor staarde zijn superieur slechts wezenloos aan. Waarschijnlijk, dacht Alexander, kwam zoiets als dit zelden voor in het leven van de brallerige opperwachtmeester.

'Verdwijn, en snel ook!' beval Schardt. 'Betaal jullie rekening en ga dan direct terug naar de kazerne! Rosin en ik zullen beslissen welke gevolgen dit akkefietje voor jullie zal hebben.'

De drie gingen er als een troep geslagen honden vandoor. Voordat Gloor de binnenplaats verliet, wierp hij Alexander nog een woedende blik toe.

'Sinds wanneer begeef jij je in zulk slecht gezelschap, Alexander?' vroeg Schardt.

Alexander vertrok zijn gezicht ondanks de pijn in een grimas. 'Natuurlijk pas sinds ik voor de *Messaggero* werk.'

Bij de vuilcontainers klonk geritsel. 'Zoals je ziet, heb ik sindsdien met ratten van doen, zowel vierpotige als tweebenige. Jammer alleen dat enkele van de ratten het uniform van de Zwitserse Garde dragen. Na de kwestie in mei had ik gedacht dat onze vereniging eindelijk van alle smetten vrij was. We moesten de vacatures snel opvullen en nemen wat we krijgen konden. Helaas zijn daarbij ook rekruten aangenomen die in onze tijd nog genadeloos door de mand gevallen waren. Dat die Gloor alleen

maar zo snel tot opperwachtmeester benoemd werd omdat hij een zak-kenroller op het St.-Pietersplein op heterdaad betrapte, is duidelijk. Maar hoezeer sommige gardisten zich na de dienst ook misdragen, dat is nog niets vergeleken met de vroegere toestand, toen de garde vol verraders zat.'
'Misschien, Werner, misschien ook niet.'
Schardt keek hem indringend aan. 'Weet jij iets wat ik niet weet?'
'Mogelijk. Maar het is me hier te ongezellig om daarover te praten. En binnen zitten te veel Zwitsers. Trouwens, hoe wist je dat je als reddende engel voor mij moest optreden?'
'Ik had jou helemaal niet gezien. Ik zag alleen hoe eerst Gloor en later ook zijn kompanen de binnenplaats op gingen. Het is mij bekend – en dat ruik je ook – dat enkele jongens deze binnenplaats als toilet misbruiken, maar toen ze zo lang wegbleven, begon ik er het mijne van te denken. Je weet toch dat een goede superieur vierentwintig uur per dag in dienst is?'
Alexander maakte een wegwerpgebaar. 'Die spreuk heb ik tot vervelens toe gehoord. Ik ga betalen en me op het toilet wat opfrissen en dan krijg je als dank van mij een goed glas wijn. Maar dan wel ergens waar we on-gestoord met elkaar kunnen praten.'
Schardt knikte. 'Dan kunnen we het best naar Caverna gaan. Sinds Fame da Lupi er is, kun je daar een kanon afschieten. Ze zeggen dat die zaak dichtgaat zodra de wijnvoorraden verkocht zijn.'
'Dat klinkt heel aanlokkelijk.'
Een kwartier later zaten ze in Caverna, waar ze, op een ladderzatte drin-kebroer aan de toog na, de enige gasten waren. Ze trokken zich met een fles velletri aan het achterste tafeltje terug en kletsten een tijdje onge-dwongen over vroeger. De pijn in Alexanders nierstreek was iets afge-nomen en langzamerhand kon hij zich wat ontspannen. Ook Werner Schardt was in een relatief vrolijke bui en toen de belevenissen uit hun re-krutentijd de revue passeerden, permitteerde hij zich zelfs af en toe een glimlach, iets wat je bij de asceet slechts zelden zag.
Opeens trok Schardt zijn gewone ernstige gezicht weer. '*Tempi passati*, Alexander. De afgelopen maanden is de kerk, en tegelijk daarmee ook de Zwitserse Garde, ingrijpend veranderd. Sinds kort zijn er zelfs twee ker-ken en twee gardes. En ook jij bent veranderd. Je lijdt ergens onder, maar wat is het?'
'Wat ik nu ga zeggen, is vertrouwelijk.'
'Vanzelfsprekend.'

'Ik heb opdracht gekregen – officieus uiteraard – de politie te helpen bij het onderzoek naar de priestermoorden.'

Schardt fronste zijn voorhoofd. 'Opdracht? Van wie dan?'

'Van Zijne Heiligheid.'

Schardt floot zachtjes tussen zijn tanden door. 'Dat is inderdaad niet niks. Maar als ik jou zo bekijk, geloof ik dat het venijn in de staart zit.'

'Daar heb je helaas gelijk in. Ik heb reden om aan te nemen dat leden van de garde bij de moorden betrokken zijn.'

'Wat bedoel je met "betrokken"?'

'Tja, wat zou ik daarmee bedoelen?'

'Ik snap het.' Schardt nipte quasi afwezig van zijn wijn. 'Dat zijn geen goede berichten, Alexander. Mag je me verklappen waarop je verdenking gebaseerd is?'

Alexander stak zijn hand in een binnenzak van zijn leren jack en haalde de dunne ketting met het kruis eruit, die hij voor Schardt op tafel legde. 'Weet je nog wat dat is?'

'Vanzelfsprekend, ons paasei van kapelaan Imhoof. Wat is daarmee?'

'Op de plek waar pastoor Dottesio aan het kruis genageld is, is een identieke ketting gevonden.'

'En wat zegt dat? Rome bulkt van de religieuze sieraden, van souvenirs, kitsch en snuisterijen. Wie weet hoeveel mensen zo'n ketting gekocht hebben, of het nu toeristen of Italianen geweest zijn.'

'Mogelijk,' zei Alexander, en hij draaide het kruis om zodat de inscriptie zichtbaar werd. 'Maar op die kruisen staan aan de achterzijde vast en zeker niet de beginletters van de drie gardeheiligen.'

'En het kruis dat in de Santo Stefano in Trastevere gevonden is, heeft een dergelijke inscriptie?'

'Inderdaad. De juwelier die de kruisen verkocht, heeft het zonder enige twijfel als een van de sieraden geïdentificeerd die hij toentertijd voor Imhoof gemaakt heeft.'

Nu nam Schardt een grote slok wijn; hij pakte de fles en schonk beide glazen vol. 'Er zijn andere verklaringen voor de vondst van deze ketting. Veel van die kruisen zijn weggegeven of verpand. Het is ook mogelijk dat een gardist het heeft verloren terwijl hij gewoon in de kerk zat.'

'Je weet even goed als ik dat de Zwitsers normaal gesproken de kerken in het Vaticaan bezoeken en niet de kerkjes midden in Trastevere.'

'Ja, dat klopt, Alexander.' Schardt zuchtte. 'Wat wil je nu gaan doen?'

'Ik ben pas drieënhalve maand bij de garde weg, maar vanavond heb ik ontdekt hoe moeilijk het voor mij is aan informatie te komen. Ik heb iemand in de garde nodig die zijn ogen en oren voor mij openhoudt en mij van alle opvallende zaken op de hoogte houdt. Iemand die het niet als verraad aan zijn kameraden beschouwt, maar als dienst aan zijn eenheid. Een nieuw schandaal in de garde kan gemakkelijk het einde ervan betekenen. Daarom mag er niets onder het tapijt geschoven worden.'

'Dat heb ik al begrepen. Maar dan is het beter dat Gloor en zijn vrienden verder niet met dit voorval lastiggevallen worden. Als ze hiervoor ter verantwoording zouden worden geroepen, valt het nauwelijks nog te verbergen dat jij belangstelling hebt voor de interne aangelegenheden van de garde.'

'Betekent dat dat ik op je kan rekenen?' vroeg Alexander hoopvol.

'Onder één voorwaarde.'

'Ja?'

'Je moet me vertellen waarom je uitgerekend mij vertrouwt, want we zijn nooit echt dikke vrienden geweest.'

Alexanders gezicht versomberde. 'Is dat echt een criterium, Werner? Mijn beste vriend in de garde, Utz Rasser, heeft geprobeerd mij te vermoorden. Maar jij hebt mij vanavond bijgestaan.'

'De vloek van de goede daad,' bromde Schardt, terwijl hij zijn rechterhand onder zijn hemdsboord stak. 'Alleen om je te laten zien dat je niet iemand van de vijfde colonne hebt binnengehaald. Ik draag die ketting namelijk echt en heb die niet zoals vele anderen aan een meisje of een pandjesbaas gegeven.'

Hij trok de ketting met het kruisje tevoorschijn en hield die onder Alexanders neus. Het schemerlicht van de lamp viel op de ingegraveerde letters: MSN.

PESCIA

De koffie was koud geworden en smaakte even beroerd als Enrico zich voelde. Hij zette de witte plastic tas op de kunststof tafel en stond op, waarna hij als een opgejaagd roofdier in de lange gang van het ziekenhuis heen en weer begon te lopen. Buiten was het allang donker en nog altijd had hij niets gehoord over Elena's toestand. Hij maakte zichzelf onophoudelijk verwijten omdat hij Elena had meegenomen naar Borgo San Pietro. En telkens weer zei hij tegen zichzelf dat hem geen blaam trof. Hij was geen helderziende en had niet kunnen weten welk drama zich in het slaperige bergdorp zou afspelen. Een dorpspriester die de burgemeester vermoordde, en kennelijk ook nog op klaarlichte dag. Dat klonk als een kwaadaardige variant op Don Camillo en Peppone.

Voor zover Enrico wist, was de politie verder niets wijzer geworden van pastoor Umiliani. Hij zweeg als het graf over zijn motief. Steeds weer dacht Enrico erover na wat de priester ertoe gedreven mocht hebben tegen het vijfde gebod te zondigen. Hij kon de verdenking niet van zich afzetten dat het iets met het bezoek te maken had dat hij met Elena aan de burgemeester gebracht had. Kort daarna was Cavara haastig naar de kerk gegaan, waar hij door het noodlot getroffen was. Het was allemaal zo kort na elkaar gebeurd dat het nauwelijks toeval kon zijn. Maar dat besef bracht Enrico niet veel verder. Hij had alleen naar de familie van zijn moeder gevraagd. Ergens klopte er iets niet.

Cavara had gelogen toen hij zei dat de priester in Pisa was. Enrico had dit allemaal aan de politie verteld, maar de agenten konden er ook geen enkel logisch verband in ontdekken.

Hoe vruchteloos al zijn overpeinzingen ook bleven, ze hielpen Enrico wel om niet voortdurend aan Elena te denken, die voor zover hij wist nog altijd niet uit haar bewusteloosheid ontwaakt was. De uren gleden tergend langzaam voorbij en voor de zoveelste keer ging hij bij het raam aan het eind van de gang staan om over Pescia uit te kijken, dat nu door kunstlicht beschenen werd. Het kleine ziekenhuis stond in de sacrale wijk van de stad langs de linkeroever van het riviertje waaraan de plaats zijn naam te danken had. In de buurt van het ziekenhuis stonden de domkerk, het klooster en de Franciscuskerk. De kleine parkeerplaats voor het ziekenhuis was bij hun aankomst tot de laatste plaats bezet geweest, maar nu stonden er nog maar drie auto's, waaronder Enrico's huurwagen. Daarachter leidde een brug over de rivier. Aan de overkant van het water rezen de duistere silhouetten van de bergen als boze reuzen in de nachtelijke hemel op.

'Geen mooie avond voor u, nietwaar?'

Hij kromp ineen toen hij de stem hoorde. Hij was zo in gedachten verzonken, dat hij niet gehoord had dat er iemand op hem af gelopen was. Achter hem stond dr. Riccarda Addessi, gekleed in een open witte doktersjas. Achter de dikke brillenglazen zag hij een vermoeide blik.

'Elena!' bracht Enrico uit. 'Hoe gaat het met haar?'

'Geen verandering,' antwoordde de arts mat.

'Wat betekent dat?'

'Ze is nog altijd niet bij bewustzijn.'

'Waarom niet?'

'We laten Elena morgen door specialisten onderzoeken, dan kunnen we meer bijzonderheden geven. Misschien zijn delen van haar hersenen door de steen beschadigd. U hoeft niet te schrikken, het is slechts een vermoeden.'

'Dus dan ligt Elena in een soort coma?' vroeg hij voorzichtig, waarbij hij zich moest dwingen het laatste woord uit te spreken.

'Ja, zo zou je het kunnen zeggen.' Dr. Addessi zette haar bril af en streek met haar rechterhand over haar vermoeide ogen. 'Ze is in elk geval niet doodgebloed. En u weet zeker dat die vreemde oude man over wie u sprak de bloeding gestelpt heeft?'

'Zeker weten doe ik niets, maar ik heb geen andere verklaring.'

'Ik had die man graag leren kennen. Dan zou ik direct bij hem een EHBO-cursus gaan volgen. Merkwaardig dat hij zo geruisloos verdwenen is.'

'Alles wat ik vandaag meegemaakt heb, is merkwaardig.' Enrico slaakte een zucht. 'Om die man maak ik me helemaal niet druk.'

Ze keek hem indringend aan en zei toen: 'Het was een zware dag voor u, dat is u aan te zien. U moet nu naar bed gaan om wat te slapen. Hier kunt u momenteel verder toch niets doen.'

'Maar Elena dan?'

'Haar toestand stemt niet optimistisch, maar is stabiel. Vannacht zal daarin niets veranderen. Bovendien weten we in welk hotel u logeert. We zullen u er direct van op de hoogte brengen als er nieuws is. Dat beloof ik u!'

Enrico zag in dat het zinloos was de hele nacht in het ziekenhuis door te brengen. Daarom nam hij afscheid van dr. Addessi en vertrok hij uit het ziekenhuis. Hij bleef voor het gebouw staan, sloot zijn ogen en ademde de koele nachtlucht in. Het was een milde nazomeravond geweest, die hij heel graag samen met Elena had doorgebracht, aan een tafeltje in een bar in Pescia. Toen hij in de greep dreigde te raken van een oneindige bedroefdheid, vermande hij zich en hij stapte in de Fiat.

Tijdens de korte rit langs de rechteroever van de rivier naar hotel San Lorenzo passeerde hij talrijke grote, duistere gebouwencomplexen: papierfabrieken en leerlooierijen, die zich hier vanwege de aanwezigheid van water gevestigd hadden. Nadat hij de fabrieken achter zich had gelaten, begon de weg langzaam te stijgen, de bergen in. Na een bocht boog hij naar rechts af, waar een smalle brug over de rivier naar de parkeerplaats van het hotel voerde. Toen hij uit de auto stapte, herinnerden de geuren die uit het kelderrestaurant van het hotel opstegen, hem eraan dat hij sinds het ontbijt niets meer gegeten had. Zijn maag was leeg, maar hij had helemaal geen trek.

Uitgeput liep hij naar zijn kamer, maar hij kon de slaap niet vatten. Ditmaal was het niet de angst voor zijn nachtmerrie die hem wakker hield, maar zijn ongerustheid over Elena. Hoe sterker hij zich erop concentreerde niet aan haar te denken, des te meer dook ze in zijn gedachten op. Om enige afleiding te vinden, pakte hij uiteindelijk het oude reisdagboek en verdiepte zich weer in die lectuur.

Het reisboek van Fabius Lorenz Schreiber,
geschreven naar aanleiding van zijn gedenkwaardige reis
naar Noord-Italië in 1805

TWEEDE HOOFDSTUK – LUCCA

Hoewel ik midden tussen de doden stond en er overal plassen bloed lagen, kostte het me grote moeite te begrijpen wat er gebeurd was. Zojuist was ik nog de gevangene van de bende van Riccardo Baldanello geweest en door de woedende bandiet Rinaldo belaagd, en nu was iedereen dood, op Riccardo en zijn zus na. Hoe hadden de soldaten het kamp kunnen bestormen zonder dat de wachtpost die aan het begin van de kloof opgesteld stond, iets gemerkt had? Vermoedelijk had mijn duel met Rinaldo de wachtpost afgeleid, en nu lag hij als een omgevallen zak aardappels midden op het pad. Ik twijfelde er nauwelijks aan dat de mannen van kapitein Lenoir ook hem omgebracht hadden. Mijn medelijden met de doden bleef echter beperkt, want ik was niet vergeten hoe de bandieten met de koetsier Peppo omgesprongen waren.

Ik wendde me tot de kapitein, die naast me stond en zijn mannen aanwijzingen aan het geven was. '*Mon capitaine*, hoe bent u zo snel van mijn penibele situatie op de hoogte geraakt? En hoe hebt u de schuilplaats van de bandieten weten te vinden?'

Lenoir streek glimlachend met zijn hand over zijn zorgvuldig getrimde baard. 'Toen uw koets niet op het verwachte tijdstip in Lucca aankwam, zijn er direct troepen uitgestuurd om u te zoeken. Diverse compagnies zijn naar u op zoek geweest, monsieur. Gelukkig kenden we de route van uw koets, zodat het niet moeilijk was de plaats van de overval te vinden. Daarna was het een kwestie van goed zoeken en een beetje geluk. Deze schuilplaats is zonder twijfel goed gekozen, maar ik heb een goed oog voor welgekozen schuilplaatsen. En zoals het ernaar uitziet, ben ik precies op het juiste moment gekomen.' Bij de laatste woorden dwaalde zijn blik af naar het lijk van Rinaldo.

'Hij was de leider van deze bende,' loog ik. 'Ik heb hem tot het uiterste getergd, maar het maakte me nu eenmaal woedend hier als een dier gevangen te zitten.'

Ik had Rinaldo postuum tot bendeleider benoemd om de verdenking van Riccardo af te halen. Eigenlijk interesseerde die Baldanello me helemaal niets, maar Maria was zijn zus, en die interesseerde me wel degelijk. Als uitkwam dat haar broer een roverhoofdman was, zou ze het er vast en zeker niet goed van afbrengen. Ik liep op de twee toe en informeerde naar Riccardo's verwondingen. Maria knielde naast haar broer neer en legde een verband om zijn borst, dat ze uit het hemd van een gedode bandiet had gescheurd.

'Mijn verwondingen stellen gelukkig niet zoveel voor,' zei Riccardo met een dapper lachje. 'Maar zonder uw hulp was ik nu waarschijnlijk even dood als alle anderen. Waarom hebt u dat gedaan?'

'Ik heb het niet voor u gedaan, maar voor Maria. Overigens zal ik u beiden als mijn zogenaamde bedienden tutoyeren.'

Riccardo's glimlach veranderde in een grijns. 'Ik begrijp het. Toch sta ik bij u in het krijt, signor Schreiber. Ik zal nog van mijn erkentelijkheid blijk geven.'

Kapitein Lenoir schreeuwde een bevel, de trommelaar aan zijn zijde sloeg op het kalfsvel en de soldaten begonnen zich te verzamelen.

Maria keek op. 'Wat betekent dat?'

'De kapitein geeft bevel tot de afmars,' zei ik.

'En de doden dan? Moeten die niet begraven worden?'

'Hebben deze doden mijn koetsier begraven?' antwoordde ik op felle toon, waarvan ik het volgende ogenblik alweer spijt had.

Maria zweeg en keek beschaamd naar de grond.

'Signor Schreiber heeft gelijk,' zei Riccardo. 'Voor de kapitein zijn wij alle drie slachtoffers van de bandieten. Als we ons te zeer om de doden bekommeren, zal hem dat verdacht voorkomen.'

Een halfuur later lag het dal van de bandieten achter ons en slingerde de colonne soldaten zich door het ongastvrije terrein. Maria en ik namen Riccardo tussen ons in en ondersteunden hem zo goed mogelijk bij het lopen. Zijn verwondingen waren dan wel niet ernstig, toch was hij wat verzwakt geraakt.

'Lucca dus,' bromde de bandietenleider zachtjes. 'Dat had ik al gedacht, want de route van de koets leidde daarheen. Wie uw opdrachtgever ook moge zijn, signor Schreiber, hij beschikt niet alleen over veel geld, maar ook over uitstekende relaties. De vorstin had anders echt niet haar halve leger laten uitrukken om naar u te zoeken.'

'De vorstin?' herhaalde ik.

'Elisa, de zuster van de Franse keizer. Napoleon heeft haar begin dit jaar tot vorstin van Piombino benoemd.' Riccardo lachte schor. 'Niet bepaald een groot rijk, niet meer dan een vliegenpoepje op de wereldkaart. Maar Elisa heeft dat zo goed bestuurd dat de keizer nu ook het vorstendom Lucca aan haar heeft overgedragen. Deze soldaten staan onder uw bevel, in elk geval meer dan onder het bevel van de vorst.' Weer begon Riccardo te lachen, en ditmaal klonk er verachting in door. Van het ene op het andere ogenblik ging het lachen over in hoesten en Maria keek haar broer bezorgd aan.

'Wat is er dan met de vorst?' vroeg ik toen Riccardo weer hersteld was. 'Je hebt het vast en zeker over Elisa's gemaal.'

'Haar gemaal, ja, zo kun je zijn positie inderdaad het best omschrijven. Felix Bacchiochi heet hij, een Corsicaan, net als de Bonapartes. Dat was natuurlijk voldoende om zwager van de keizer te worden. Enige ambitie valt er bij hem niet te bespeuren en in het Franse leger heeft hij het niet verder dan kapitein gebracht, voordat Napoleon hem tot brigadegeneraal en bevelhebber van de troepen van Piombino en Lucca benoemde. Maar ook hier is het Elisa die, zoals gezegd, het eigenlijke commando voert. Die vervloekte heks!' Bij de laatste woorden spuwde hij op de grond.

Maria greep zijn arm nog steviger vast en zei zacht maar indringend: 'Zoiets mag je niet zeggen, Riccardo! Als een van de soldaten je hoort, is het met je gebeurd!'

'Ik zeg alleen maar de waarheid over die Corsicaanse heks, Maria.'

Ik nam het woord weer: 'Je schijnt die vorstin echt te haten, Riccardo. Waarom dan?'

'Omdat ze mij en anderen het brood uit de mond wil stoten. Ze voert een regelrechte kruistocht tegen het bandietengespuis, zoals zij het noemt. Ze zeggen dat het zusje van de keizer alle bossen in haar vorstendom wil laten kappen zodat geen enkele bandiet zich er meer in kan verstoppen.'

Inwendig moest ik om Riccardo lachen. Hij sprak over broodroof alsof hij een deugdzame koopman, timmerman of bakker was, terwijl hij en zijn kompanen toch degenen waren die deugdzame burgers van hun brood beroofden en zelfs om het leven brachten. Ik was er zelf maar al te blij mee dat vorstin Elisa zo voortvarend op bandieten joeg en niet geaarzeld had direct enkele compagnies erop uit te sturen om mij te zoeken. Weer drong zich de vraag op wat voor een machtig man mijn opdrachtgever moest zijn om zo'n invloed op de zuster van de keizer te kunnen uitoefenen.

Toen de soldaten op een open plek een pauze namen en kapitein Lenoir bij mij en mijn zogenaamde bedienden kwam zitten, hoopte ik daarover iets meer te vernemen. Om niet met de deur in huis te vallen vroeg ik quasi achteloos hoe het mogelijk was dat de soldaten de route van mijn koets kenden.

Tot mijn teleurstelling bestond Lenoirs antwoord uit slechts één zin, die niet echt verhelderend was: 'Heb geduld, monsieur Schreiber, in Lucca zult u alle bijzonderheden vernemen!'

De compagnie van kapitein Lenoir sloot zich bij de andere zoekpatrouilles aan en de volgende dag bereikten we Lucca vroeg in de middag. Zodra de stadsmuren in zicht kwamen, begonnen de soldaten luidkeels te juichen, omdat ze blij waren dat er eindelijk een eind aan hun mars gekomen was. Maria, Riccardo en ik hoefden ons niet langer over kapotte voeten te beklagen, maar wel over een ander lichaamsdeel, dat flink op de proef gesteld was nadat ieder van ons een van de muildieren als rijdier toegewezen had gekregen die bij de zoekpatrouilles hoorden. Ik vergat alle ongemakken toen het eerst nog vage silhouet van de stad in het diffuse licht van de namiddagzon steeds scherper werd en ik geheel in de ban ervan raakte. Lucca, dat geheel door oude vestingwallen omringd was, bood een imposante aanblik. Talrijke bomen op de binnenste omwalling wekten van buiten de indruk dat er geen stad, maar een bos achter de brede muren verborgen lag. Nog slechts één toren, waarschijnlijk een overblijfsel van het streven van de middeleeuwse bouwheren om de hemel te bereiken, stak boven de daken en muren uit, en zelfs op het dak van deze toren stonden trotse bomen. Lucca maakte op mij een sprookjesachtige indruk, en toen onze lange colonne door een van de stadspoorten de stad in trok, leek ik in een andere wereld ondergedompeld te worden.

Een ware menigte uit allerlei rangen en standen, bestaande uit jonge en oude mannen en vrouwen, stroomde ons tegemoet en bestookte ons met allerlei kreten en vragen. Blijkbaar was het in Lucca het gesprek van de dag geweest dat er een expeditie uitgezonden was om de bandieten onschadelijk te maken, en iedereen wilde zo snel mogelijk de avonturen van de soldaten horen. Heel wat infanteristen lachten al dan niet heimelijk de vrouwen toe en verheugden zich na de vermoeiende mars in de nazomerhitte al op een avond met veel drank en vooral vrouwen. Zelf zou ik niet alle soldatenliefjes als echte schoonheden kwalificeren, maar na de tweede of derde karaf rode wijn zouden de soldaten niet zo kritisch meer zijn en ook een tandeloos oud wijf als bekoorlijke deerne beschouwen.

Mijn blik dwaalde af naar het muildier schuin achter me, dat door Maria bereden werd. Er waren echt nauwelijks vrouwen die aan haar schoonheid konden tippen. Dat gold ook voor de vrouwelijke leden van de hogere standen, die zich onder de menigte gemengd hadden en zich weliswaar bescheiden gedroegen, maar ons met even nieuwsgierige blikken bekeken als de echtgenotes van eenvoudige handwerkslieden of dagloners. De voorname dametjes mochten dan wel kostbare kleding van fijne snit dragen en hun parasolletjes die hen tegen de zon beschermden elegant boven hun hoofd houden, Maria stak hen met haar natuurlijke charme de loef af, hoe smerig en gescheurd haar kleding ook was.

Riccardo keek me met een brede grijns aan. Waarschijnlijk vermoedde hij wel welke indruk zijn zus op mij gemaakt had. Zijn aanmatigende blik beviel me niet, en snel wendde ik mijn ogen af en bekeek ik de straat eens waardoor onze colonne zich nogal moeizaam voortbewoog. Lucca scheen mij een stad toe die sinds de middeleeuwen niet meer veranderd was en misschien gedroegen de mensen zich hier ook nog wel zo. De oude vestingmuren leken Lucca tegen veranderingen beschermd te hebben en niet alleen de plaats, maar ook de tijd tot stilstand te hebben gebracht. De straat waar we doorheen trokken, was in vergelijking met de zijstegen relatief breed, maar bood toch nauwelijks plek aan alle soldaten en kijklustigen. Opvallend was het rechthoekige stratenpatroon, dat aan een schaakbord deed denken; dat noopte mij ertoe mijn eerdere mening te herzien: veel in Lucca stamde niet uit de middeleeuwen, maar al uit de tijd van de Romeinse keizers.

Opeens stokte de colonne. Kapitein Lenoir kwam op ons toe en wees naar een groot gebouw op de hoek van een kruising, waarin zich een herberg bevond. 'U en uw bedienden kunnen daar wat uitrusten en zich opfrissen, monsieur Schreiber. Ik zal u later laten afhalen. Als u bijzondere wensen hebt, schroom dan niet om die aan de waard kenbaar te maken. Zijn betaling is al geregeld. Ik zal u drieën schone kleren laten brengen. Enkele bewakers voor het huis zullen uw veiligheid waarborgen.'

Toen ik met Maria en Riccardo het huis betrad, bromde de laatste: 'Wat nou veiligheid! De bewakers moeten ervoor zorgen dat we er niet tussenuit knijpen!'

Ik bleef geschrokken staan en vroeg zacht: 'Geloof jij dat de kapitein bepaalde verdenkingen koestert over jou en Maria?'

Riccardo schudde zijn hoofd. 'Ik geloof niet dat de bewakers vanwege mij en Maria buiten staan. Nee, het gaat om u, signore. Uw invloedrijke op-drachtgever lijkt te vrezen dat u op het laatste moment nog aan hem kunt ontkomen.'

'Maar waarom zou ik dat willen?'

'Geen idee. Misschien omdat alle ophef die er rond uw komst gemaakt wordt, u wantrouwig maakt?'

Ik liet mijn blik door de toegangsruimte van de herberg dwalen. 'Ik voel me hier in elk geval veiliger dan in jouw kamp, Baldanello. Het vooruit-zicht van een warm bad, een maaltijd en schone kleren is al voldoende om elke gedachte aan een overhaast vertrek uit te bannen. En wat denk jij er-van?'

'Als ik er nu met Maria vandoor ga, roept dat alleen maar verdenkin-gen op bij de autoriteiten. Kapitein Lenoir zal vast en zeker melden dat hij u samen met twee bedienden uit de klauwen van de bandieten bevrijd heeft. Het zou voor ons beiden heel onverstandig zijn om 'm nu te sme-ren. Als u het goedvindt, signor Schreiber, zouden wij dus graag nog wat langer bij u in dienst blijven.' Bij de laatste woorden maakte hij een lichte buiging, die echter door zijn respectloze gezichtsuitdrukking haar beteke-nis verloor.

'Ik vind het goed,' antwoordde ik op al even ironische toon. Heimelijk was ik bijzonder gelukkig met deze wending, want op deze manier kon ik nog wat langer in Maria's nabijheid verblijven.

Kapitein Lenoir had niets te veel beloofd. De waard las al onze wensen in onze ogen. Ik ging uitgebreid in bad en liet diverse malen heet water bij-gieten. Daarna lagen ook de kleren gereed die Lenoir beloofd had. Ik moest mijn lachen zelfs inhouden toen ik Riccardo en Maria voor de maaltijd in de gelagkamer trof. Ze zagen er niet erg gelukkig uit in de be-diendekleding die Lenoir voor hen had laten brengen. Riccardo leek er zelfs nog erger aan toe dan zijn zus. Toen hij mijn spottende blik op-merkte, versomberde zijn gezicht. De waard serveerde ons eerst hete uien-soep en daarna konijnenragout, waarbij we lekkere rode wijn dronken.

Nadat Riccardo de wijn had geproefd, keek hij me goedkeurend aan. 'Misschien heb ik het verkeerde beroep gekozen, als ik bedenk wat u alle-maal gratis voorgezet krijgt, signor Schreiber.'

'Gratis is het vast niet,' merkte ik op. 'Ik denk dat ik de rekening al heel snel gepresenteerd krijg.'

Nog geen uur later verscheen kapitein Lenoir in de herberg. Ik vroeg me af of hij me nu de rekening zou overhandigen. Het was hem volstrekt niet meer aan te zien dat hij een vermoeiende mars achter de rug had. Hij was gladgeschoren en droeg een schoon uniform met glanzend gepoetste knopen.

'Bent u een beetje hersteld, monsieur Schreiber?' vroeg hij na een korte begroeting.

'Ja, en u ook, zie ik. U ziet eruit alsof u niet van een militaire expeditie teruggekeerd bent, maar zojuist van het paradeplein komt.'

De Fransman lachte. 'Integendeel, monsieur, ik wil daar juist naartoe, en wel samen met u, als u het goedvindt. Ter viering van uw redding vindt er een troepenparade plaats, en mij is gevraagd u af te halen.'

Dat was een uitnodiging die ik niet kon afslaan, wat ik trouwens ook helemaal niet wilde. Een stem in mijn binnenste fluisterde me toe dat ik spoedig meer over de reden van mijn reis te weten zou komen als ik met de kapitein meeging. Daarom stemde ik toe en liep ik met Riccardo en Maria naar onze kamer boven om me verder aan te kleden. Boven vroeg Riccardo me of hij mij mocht vergezellen. 'Het lijkt een schouwspel te worden dat ik niet mag missen.'

Toen ik toestemde, wilde Maria ook meekomen, maar Riccardo bromde: 'Jij blijft hier! We weten niet wat ons in Lucca te wachten staat. Hier in de herberg is het het veiligst voor je.'

'Maar ik voel me veiliger bij jou en... signor Schreiber,' zei Maria, waarbij ze mij een smekende blik toewierp.

Toen ze mijn naam noemde en mij daarbij aankeek, had ik geen enkele wens van haar kunnen weerstaan, en daarom zei ik: 'Ik acht het niet juist Maria hier alleen te laten. Of jullie gaan allebei mee, of geen van beiden!'

Riccardo's blik werd dreigender en hij balde zijn rechterhand tot een vuist, alsof hij me elk ogenblik een flinke oplawaai wilde verkopen. Maar hij wist toch een lachje tevoorschijn te brengen en zei met onverholen sarcasme: 'Uw wil is wet, signor.'

De kapitein had er geen enkel bezwaar tegen dat ik mijn zogenaamde bedienden meenam. Met een klein escorte leidde hij ons door straten en stegen, totdat we bij een uitgestrekt plein aankwamen dat aan één zijde door een palazzo begrensd werd. Daarvoor was een houten tribune opgericht, waar Lenoir ons naartoe voerde. 'Hier kunt u naar de parade kijken. U zult straks weer opgehaald worden.'

Onder talloze nieuwsgierige blikken nam ik met Maria en Riccardo tussen de achtenswaardige burgers van de stad op de tribune plaats. Blijkbaar was al heel snel overal bekend geworden wie wij waren. Een deel van de tribune vlak bij ons was met linten afgescheiden en werd door soldaten in schitterende uniformen bewaakt, hoewel er niemand zat. Terwijl ik er nog over nadacht welke hoogwaardigheidsbekleder het schouwspel van de parade van hieruit zou aanschouwen, klonk hoorngeschal en werd er een grote poort in de muur van het paleis geopend. Na een groep bereden gardesoldaten volgde er een sierlijke, door vier schimmels getrokken koets, die langzaam op de tribune toe rolde en naast de afsluiting stopte. Dienaren die naast de koets meegelopen waren, openden het portier en lieten een vrouw en een man uitstappen. De verzamelde menigte begroette de twee met instemmend gejuich. Het moest wel om niemand minder dan de zuster van keizer Napoleon gaan, samen met haar man, over wie Riccardo zo geringschattend geoordeeld had.

Ik kon zijn ambitie dan wel capaciteiten onmogelijk beoordelen, maar zijn voorkomen was zeker wel zodanig dat hij een vrouw voor zich kon winnen, zelfs al was zij de zuster van de meest gevreesde en machtigste man van Europa. Felix Bacchiochi had een normaal postuur en bezat een welgevormd gezicht, waarvan de donkere ogen het hart van een vrouw gemakkelijk konden doen smelten. Onder zijn steek staken donkere krullen uit. Zijn met gouden tressen versierde uniform deed de rest om deze man tot een indrukwekkende verschijning te maken.

Toen ik mijn blik op de vrouw aan Bacchiochi's zijde richtte, werd ik verrast. De grote neus, gekromd als die van een roofvogel, en de vooruitspringende kin verleenden Elisa Bonapartes gezicht een energieke, bijna mannelijke aanblik, die haar man juist niet bezat. Haar grote ogen schoten oplettend heen en weer, alsof ze wilde vaststellen wie van haar onderdanen driftig applaudisseerde en wie niet. Hoewel ze een hagelwitte robe droeg en haar gemaal in uniform was, had ik de indruk dat Elisa de man was en Bacchiochi de volgzame vrouw aan haar – of zijn – zijde. Haar rusteloze blik had mij nu ontdekt en ze bleef me met grote belangstelling aankijken, zo meende ik vast te stellen. Dat verbaasde me niet, indien ze wist wie ik was. Ze had er tenslotte een klein leger op uitgestuurd om mij te zoeken.

Terwijl de twee in het afgescheiden gedeelte op de tribune plaatsnamen, probeerde ik te ontdekken wie mijn geheime opdrachtgever kon zijn. Als hij werkelijk nauwe banden met de vorstin had, wat zeer aannemelijk was, dan zat hij waarschijnlijk niet ver van haar en haar echtgenoot vandaan, evenals ikzelf. Maar geen van de gezichten die ik bekeek, gaf me door een glimlach of een gebaar ook maar enig teken, zodat ik me ten slotte teleurgesteld weer omdraaide om naar de parade te kijken. Terwijl de pas geroskamde paarden van de cavalerie met hooggeheven hoofd langs de tribune paradeerden, begroetten de officieren het vorstenpaar met getrokken sabel. De dragonders, kurassiers en huzaren droegen kleurrijke uniformen, maar waren slechts in kleine contingenten vertegenwoordigd. Het rijk van Napoleons zuster en haar gemaal was klein, en mogelijk was haar leger al even bescheiden van omvang. Soldaten en paarden, kanonnen en geweren kostten geld, veel geld, en zo'n minuscuul landje, dat Riccardo heel treffend als 'vliegenpoepje op de wereldkaart' betiteld had, kon zich slechts een klein leger permitteren. De infanterie werd gevolgd door de cavalerie, en onder de officieren die voor de compagnies uit reden, ontdekte ik kapitein Lenoir.

Door de muziek van de regimentskapellen, het luide geklak van de glinsterend gepoetste laarzen in marstempo en het gefonkel van de wapens en uniformversieringen veranderde het tafereel voor mijn ogen ineens. De huizen van Lucca werden zandduinen en de bloeiende bloemen dor struikgewas. Opeens leken de uniformen en laarzen helemaal niet meer zo schoon, leken de gezichten van de soldaten ongeschoren en sleepten ze zich moeizaam voort in plaats van met opgezwollen borst te paraderen. De aanblik van de geüniformeerde troepen voerde mij enkele jaren terug in de tijd, naar een ver land: Egypte. Ik voelde het alomtegenwoordige fijne zand tussen mijn tanden knarsen en in mijn ogen branden, zoog met elke inademing de benauwde, bedorven lucht van de oneindige, eentonige woestijn naar binnen en begon te zweten onder de stekende stralen van de zon, die genadeloos het schaduwloze landschap teisterde. Egypte was een hel voor iedere vreemdeling die niet vertrouwd was met de bijzondere omstandigheden in dit merkwaardige land. Alsof dat nog niet genoeg was, heerste er pest en buikloop en zowel onder de dieren als onder de mensen staken alle mogelijke vijanden de kop op om ons het leven zuur te maken: schorpioenen en gifslangen, met sabels zwaaiende Mamelukken en roofzuchtige bedoeïenen, en ten slotte de Engelsen, die de uitgeputte restanten van het Franse expeditiekorps bij Alexandrië en Caïro de genadeslag gaven.

Toen ik een hand op mijn schouder voelde, werd ik uit mijn Egyptische nachtmerrie weggerukt en stelde ik verbaasd vast dat de parade al geëindigd was. Terwijl gardesoldaten het geweer presenteerden, stapte het vorstenpaar wederom onder applaus in de koets, die in langzaam tempo naar het palazzo terugkeerde. Ik was zo sterk in de ban van het verleden geweest, dat er werkelijk zweetdruppels op mijn gezicht parelden door de denkbeeldige stralen van de Egyptische zon.

'Voelt u zich niet goed, monsieur Schreiber?'

Toen ik de man die mij uit het verre Noord-Afrika teruggevoerd had, aankeek, knipperde ik onwillekeurig met mijn ogen, alsof ik me moest beschermen tegen de felle woestijnzon, die de lucht aan het trillen bracht. Voor me stond een lange officier in het uniform van een kolonel, die me met een mengeling van bevreemding en bezorgdheid aankeek. Zijn lange bakkebaarden waren grijs, alsof ze verbleekt waren, en zijn huid was opvallend donker. Behoorde hij tot de veteranen van Napoleons Egyptische veldtocht?

'Monsieur, zal ik een dokter roepen?'

Ik schudde mijn hoofd, probeerde te glimlachen en wiste met mijn zakdoek het zweet van mijn voorhoofd. 'Dank u, nee, het gaat alweer,' zei ik, en om moeizame verklaringen te voorkomen, voegde ik eraan toe: 'Alle opwinding van de afgelopen dagen is me iets te veel geworden, *mon colonel.*'

Mijn gesprekspartner verstrakte en terwijl hij een handbreedte groter leek te worden, stelde hij zich voor: 'Kolonel Horace Chenier, adjudant van Hare Hoogheid vorstin Elisa.'

'Bent u adjudant van de vorstin?' vroeg ik verbaasd. 'Bekleedt Hare Hoogheid dan een militaire rang?'

'Zij en haar gemaal, generaal Bacchiochi, staan aan het hoofd van het leger van Lucca en Piombino. Ik adviseer Hare Hoogheid in alle militaire kwesties en ben tevens verantwoordelijk voor de bescherming van de vorstin.'

'Ik begrijp het. Wat kan ik voor u doen, kolonel Chenier?'

'De vorstin vraagt u haar gast te zijn op het feest dat na de parade plaatsvindt. Als u zich weer wat beter voelt, zou ik u graag naar het palazzo begeleiden.'

Was de kolonel slechts een bode die de uitnodiging overbracht? Of was hij mijn bewaker die erop moest letten dat ik niet op het laatste moment mijn plannen wijzigde? Ik wist het antwoord niet en dacht er ook niet lang over na. De nieuwsgierigheid naar mijn opdrachtgever was te groot. Mijn innerlijke stem vertelde me dat ik hem in het grote gebouw daar, het palazzo van de vorstin, zeker zou ontmoeten. Daarom was mijn opmerking tegen de kolonel dat ik de uitnodiging graag aannam, zeker gemeend. Gevolgd door Riccardo en Maria liepen we naar het palazzo, waarbij mijn gespannenheid met elke voetstap toenam.

7

Enrico had tot ver na middernacht zitten lezen, totdat de emoties van de vorige dag toch hun tol eisten. Hij kon het dagboek van Fabius Lorenz Schreiber nog juist wegleggen en het licht uitknippen voordat hij in een diepe slaap wegzonk. Hij sliep zo vast dat hij zich niets van zijn dromen kon herinneren, wat hij zeker niet betreurde. De nieuwe dag verwelkomde hem met een grijze lucht. De zomer leek nu toch afscheid te nemen. Er lag een dik wolkendek over de bergen, dat steeds verder naar het zuiden oprukte.

Toen Enrico uit bad kwam, herinnerde een pijnlijk gevoel in zijn maagstreek hem eraan dat hij al zo'n vierentwintig uur niets gegeten had. Hij nam zijn reisgids over Toscane mee naar de ontbijtzaal om meer te weten te komen over de stad Lucca, waar Fabius Lorenz Schreiber verzeild was geraakt. Op weg daarheen vroeg hij aan de receptie of er nog berichten voor hem waren. Hij wist niet of hij moest hopen dan wel vrezen of iemand hem vanuit het ziekenhuis gebeld had. De knappe blondine aan de balie vertelde hem dat er niets voor hem klaarlag, wat een opluchting was. Het leek in elk geval niet slechter te gaan met Elena. Hij nam zich voor direct na het ontbijt naar het ziekenhuis te rijden.

Terwijl hij plichtmatig zijn ontbijt verorberde, vergezeld van cappuccino en jus d'orange, waren zijn gedachten bij de notities in het dagboek. Hij wist niet goed wat hij van die Fabius Lorenz Schreiber moest denken. Hij maakte in elk geval wel heel grote avonturen mee. Had de chroniqueur zich strikt aan de feiten gehouden of had hij zijn fantasie de vrije loop gelaten om zijn reputatie bij zijn tijdgenoten en zijn latere lezers te verbeteren? Enrico wist het niet, maar het was in elk geval wel een heel onderhoudend verslag.

Hij sloeg zijn reisgids van Toscane open en zocht het hoofdstuk over Lucca. De stad werd als schilderachtig omschreven, met een centrum dat door een volkomen intacte stadsmuur omgeven werd. De straten moesten er tegenwoordig nog vrijwel hetzelfde uitzien als Fabius Lorenz Schreiber ze beschreven had. De heerschappij van Elisa Bonaparte werd slechts met enkele zinnen aangeduid, waarvan Enrico niet veel wijzer werd. Voor toeristen die cultuur wilden opsnuiven leek Lucca een echte schat te vormen, maar wat had de stad Fabius Lorenz Schreiber te bieden gehad? Hij zou er zeker achter komen als hij de tijd vond het verslag verder te lezen.

Vanochtend moest hij echter naar het ziekenhuis in Pescia om Elena te bezoeken. Daar aangekomen vroeg hij naar dr. Addessi. De arts was er niet en hij werd naar een zekere dr. Cardone verwezen, het hoofd van de intensive care. Volgens Cardone was Elena's toestand onveranderd.

'Mag ik haar zien?' vroeg Enrico.

'Het is geen opwekkend gezicht,' waarschuwde de arts hem.

'Misschien heb ik er toch iets aan.'

'*Va bene*', zei Cardone na enige aarzeling, en hij bracht hem naar Elena's ziekenkamer.

De arts had gelijk gehad. De aanblik was inderdaad deprimerend. Met gesloten ogen en een dik verband om haar hoofd lag Elena in een bed waarboven bewakingsapparatuur monotoon optische en akoestische signalen gaf. Door de talrijke snoeren en slangen waarmee Elena met de apparaten verbonden was, moest Enrico aan de horrorfilms denken waarin waanzinnige wetenschappers met menselijke lichamen experimenteerden. De aanblik was eigenlijk nauwelijks te verdragen, maar hij kon zich ook niet van Elena losmaken. Cardone leek te vermoeden of uit ervaring te weten wat er in Enrico omging en leidde hem zachtjes de kamer uit.

'U kunt erop rekenen dat we het u gelijk laten weten als er iets in de toestand van de patiënte wijzigt,' verzekerde de arts Enrico, die hem zijn visitekaartje met gsm-nummer gaf.

Toen hij het ziekenhuis verliet, was het gaan motregenen en waaide er een frisse wind vanuit de bergen. Met opgestoken kraag liep hij over de parkeerplaats naar zijn huurwagen. Halverwege werd hij verblind door de koplampen van een auto die de parkeerplaats op reed. Het was een surveillanceauto van de politie, en achter het stuur herkende Enrico de dikke agent die de vorige dag de actie in de bergen geleid had.

De politieman opende het portier, stak zijn door een politiepet beschermde hoofd naar buiten en riep: 'Stapt u bij mij in, signor Schreiber? Ik wil u even spreken. Buiten in de regen is het zo onaangenaam.'

Enrico voldeed nieuwsgierig aan het verzoek en ging op de passagiersstoel zitten.

'Commissario Fulvio Massi,' stelde de politieman zich voor, en met enige trots voegde hij eraan toe: 'Vicecommissaris van Pescia. Ik ben in uw hotel geweest, maar toen ik u daar niet aantrof, vermoedde ik wel dat ik u hier kon vinden.'

'Een goede conclusie. Wat valt er zo dringend te bespreken?'

'U hebt in Borgo San Pietro toch naar verwanten van de familie Baldanello gezocht, waartoe ook uw moeder behoort?'

'Dat klopt. En de burgemeester, die even later vermoord werd, heeft me verteld dat er geen Baldanello's meer in het dorp wonen. Ze zijn allemaal dood of verhuisd.'

'Dan heeft hij u verkeerd geïnformeerd. Of hij dat opzettelijk of uit onwetendheid heeft gedaan, weet ik niet. In elk geval woont er een oude dame in Borgo San Pietro die Rosalia Baldanello heet. Haar gezondheid schijnt niet al te best te zijn. De afgelopen maanden is ze tweemaal in dit ziekenhuis opgenomen. Ik moet trouwens toch naar Borgo San Pietro en wil u vragen met me mee te gaan. Dan kunnen we tijdens de rit erheen wat praten en hoef ik niet de hele tijd het gewauwel op de radio en de politieradio aan te horen.'

'Maar ik ben hier met mijn eigen auto.'

Massi vertrok zijn brede, met een smal snorretje opgesierde gezicht in een glimlach. 'Ik breng u uiteraard ook weer terug.'

Enrico ging met zijn voorstel akkoord. In het ziekenhuis kon hij nu toch niets doen en hij was er benieuwd naar een mogelijk familielid te leren kennen. Hij geloofde niet dat burgemeester Cavara niet van het bestaan van de vrouw op de hoogte was geweest. In een plaatsje als Borgo San Pietro kende iedereen elkaar. Waarschijnlijk was Cavara's informatie over de familie Baldanello al even leugenachtig geweest als zijn bewering dat de pastoor naar Pisa afgereisd was. Als je dan ook nog in aanmerking nam dat er een moord gepleegd was, dan moest je wel concluderen dat er meer achter deze zaak stak. In elk geval werd Enrico's speurzin erdoor gewekt, nog afgezien van zijn persoonlijke betrokkenheid. Hij was altijd erg geïnteresseerd geweest in strafrecht en het nietige Borgo San Pietro leek een duister geheim te verbergen.

Ze staken de rivier over, sloegen rechts af, lieten hotel San Lorenzo achter zich en reden de bergen in, terwijl het steeds harder begon te regenen. De ruitenwissers van de politieauto veegden onafgebroken over de voorruit, zij het onder protesterend gepiep.

'Hoe komt het dat u in deze zaak onderzoek doet, meneer Massi?' vroeg Enrico. 'Ik dacht dat de recherche met het onderzoek belast was.'

'De recherche!' riep Massi, verachtelijk snuivend, terwijl hij remde om de auto door een scherpe bocht te sturen. 'Telkens als er in Pescia iets ernstigers onderzocht moet worden dan een tasjesroof of inbraak, valt de recherche uit de grote stad bij ons binnen. En die heeft echt het buskruit niet uitgevonden. Voor de politie van Pescia is het een erezaak de misdaad zelf op te lossen.'

'Dan bent u dus eigenlijk met een officieuze missie bezig?'

'Ik bepaal als vicecommissaris van Pescia zelf welke missies ik uitvoer. En ik acht het veel zinniger om poolshoogte te nemen in Borgo San Pietro dan om me net als die rechercheurs in een verhoorkamer met een priester bezig te houden die zijn lippen stijf op elkaar houdt.'

'Zwijgt pastoor Umiliani nog altijd?'

'Als het graf. Hij geeft openlijk toe dat hij de burgemeester met de kandelaar neergeslagen heeft. Hij zegt ook dat hij helemaal niet uit noodweer gehandeld heeft en dat zijn daad een zware zonde en in strijd met de geboden van God is. Hij wil zelfs geen advocaat toegewezen krijgen; hij heeft alleen om geestelijke bijstand verzocht. Maar als je hem naar de reden voor zijn daad vraagt, krijg je nul op het rekest. Zoiets heb ik in mijn hele loopbaan als politieman nog nooit meegemaakt, echt niet.'

'Misschien is hij gewoon krankzinnig?' vroeg Enrico.

Massi schudde zijn hoofd. 'Die indruk wekt hij niet. Natuurlijk zullen er psychologische rapporten over zijn geestelijke toestand uitgebracht worden, maar ik durf er een jaarsalaris om te verwedden dat daar niets uit komt.'

'Dat zou ook al te gemakkelijk zijn en zou niet verklaren waarom Cavara tegen mij gelogen heeft.'

Massi wierp hem een hoopvolle blik toe. 'Hopelijk horen we de reden in Borgo San Pietro.'

'Ja, hopelijk,' viel Enrico hem zonder veel enthousiasme bij. Wat hij tot nu toe in het dorp had meegemaakt, gaf hem weinig reden tot hoop. Hij moest weer aan Elena denken en vroeg: 'Hebt u intussen al verwanten van signorina Vida weten te vinden? Haar familie moet ingelicht worden.'

'Tot nu toe lijkt het erop dat ze geen familie heeft. Maar onze collega's in Rome zijn nog met het onderzoek bezig.'

'En haar gsm dan? Ze zal toch wel de nummers van haar belangrijkste relaties in haar telefoon opgeslagen hebben?'

'We hebben geen gsm bij haar aangetroffen, ook niet in haar hotelkamer. Vermoedelijk heeft ze die tijdens haar vluchtpoging verloren.'

Alle hemelsluizen waren inmiddels opengegaan toen Fulvio Massi de politieauto eindelijk aan de rand van Borgo San Pietro parkeerde. Het dorp zag er met zijn massieve muren onder de grijze wolken duister en geheimzinnig uit. De aanblik deed Enrico huiveren. Of kwam dat alleen maar door de kille bergwind die hard in zijn gezicht blies? Hij dacht aan het onheil dat de burgemeester en Elena hier gisteren getroffen had en vroeg zich af welke kwade verrassingen Borgo San Pietro nog meer in petto had.

'Hebt u een paraplu?' vroeg Massi.

'Nee.'

'Ik ook niet.'

De nauwe straatjes boden weinig bescherming tegen de wind en de regen, zodat ze doornat bij het huis van de burgemeester aankwamen. Binnen had zich een groot aantal mensen verzameld, allemaal in het zwart gekleed. Enrico meende verwijtende blikken te zien, wat hij de bewoners nauwelijks kwalijk kon nemen. Ook al had pastoor Umiliani de moord bekend, toch bleef het bezoek van hem en Elena voor de dorpelingen direct met de dood van hun burgemeester verbonden, en eveneens met het verlies van hun pastoor. Voor een klein dorp als dit waren zij zeker de belangrijkste mannen geweest. Wat dat betrof, was de vorige dag niet alleen voor de familie Cavara, maar voor het gehele dorp rampzalig verlopen.

De weduwe van de vermoorde burgemeester accepteerde de condoleances van Massi en Enrico volstrekt onaangedaan en bracht beide mannen naar een kamertje waar ze niet gestoord werden. Het was een kantoortje met een dossierkast en een computer, waar Benedetto Cavara waarschijnlijk zijn administratie had bijgehouden. Het verbaasde Enrico dat Massi op zo'n vertrouwelijke toon met signora Cavara sprak.

'Hoe gaat het met de kinderen?' vroeg de politieman.

'Ze moesten allemaal huilen, maar de kleine Roberto is er het ergst aan toe. Hij kan het beeld van zijn dode vader maar niet uit zijn hoofd zetten.'

'Misschien moeten ze een tijdje wegblijven uit Borgo San Pietro.'

'Dat had ik ook al bedacht. De zus van Benedetto neemt ze mee naar Montecatini.'

'Goed, anders had ik dat zelf aangeboden. De kinderen reden altijd graag mee in de politieauto. Zeg het maar als je mijn hulp nodig hebt. Trouwens, wat wilde Benedetto gisteren eigenlijk van de pastoor?'

Signora Cavara zweeg en leek even na te denken voordat ze zei: 'Dat weet ik niet. Hij zei alleen dat hij iets belangrijks aan don Umiliani moest vertellen en terug zou zijn voordat het eten koud was. Toen hij niet terugkwam, heb ik Roberto erop uitgestuurd om hem te halen. Was ik maar zelf gegaan!'

'Had het plotselinge bezoek aan de pastoor iets te maken met deze man hier en de vrouw die bij hem was?'

'Dat weet ik niet.'

'Maar ze zijn kort daarvoor toch bij jullie geweest?'

'Ja.'

'En wat wilden ze dan?'

'Ze vroegen naar de familie Baldanello.'

'Wat heeft je man geantwoord?' De vrouw aarzelde.

'Antonia, wat heeft Benedetto geantwoord?'

'Hij zei dat er geen verwanten van de familie Baldanello meer in het dorp wonen.'

'Klopt dat?' vroeg Massi op indringende toon. 'Geef eens antwoord!'

'Nee. Signora Rosalia Baldanello woont hier nog. Maar het gaat heel slecht met haar. De dokter zei dat haar dagen geteld zijn.'

'Waarom heeft je man tegen die vreemdelingen gelogen?'

'Hij... hij wilde Rosalia tegen onnodige emoties beschermen. Haar nicht Mariella Baldanello en haar Duitse familie hebben zich al die tijd helemaal niet om hun familie hier bekommerd. Nu Rosalia bijna op sterven ligt, moet die vreemdeling haar niet opeens gaan lastigvallen.'

'En waarom heeft Benedetto tegen hem gezegd dat de pastoor naar Pisa was?'

'Om dezelfde reden. Benedetto was bang dat don Umiliani die vreemdeling over Rosalia zou vertellen.'

'En zodra de bezoekers weg waren, is je man snel naar de pastoor gerend om hem op de hoogte te brengen, nietwaar?'

Signora Cavara knikte. 'Ja, Fulvio, zo is het precies gegaan.'

'Nee maar, en zojuist vertelde je nog dat je niet wist waarom Benedetto zo haastig naar de kerk gerend was!'

'Ik... ik wist niet of ik het kon zeggen waar die Duitser bij is.'

'En de moord, hoe verklaar je die dan? Geloof je dat de pastoor je man niet wilde gehoorzamen en dat hij hem daarom vermoord heeft?'

'Ik weet het niet,' zei de weduwe zachtjes, terwijl ze naar de grond keek om haar tranen te verbergen.

'Antonia, ik geloof je niet,' zei Massi verwijtend. 'Je vertelt me niet de hele waarheid, en zelfs nog niet de halve! Wil je je geweten niet ontlasten?'

De vrouw droogde haar tranen met een witte zakdoek alvorens ze de politieman aankeek. 'Meer heb ik je niet te vertellen, Fulvio.'

'Jammer,' bromde Massi, en hij draaide zich naar Enrico toe. 'Voordat je een verkeerde indruk van de Italiaanse politie krijgt en denkt dat we alle getuigen op zo'n toon verhoren, moet ik je dit nog vertellen: Antonia Cavara is mijn zus.'

ROME

Terwijl de Quirinaal, een van de zeven legendarische heuvels van Rome, onder een dik wolkendek lag, parkeerde Alexander zijn auto direct voor het hoofdbureau van politie. Hij meldde zich bij de portier en ging met de lift naar de derde etage, waar Stelvio Donati's kantoor was gevestigd. De commissario zat achter zijn bureau, dat vol papieren lag, in een dikke agenda te bladeren. In zijn mondhoek had hij een cigarillo. 'Laat ik nou altijd gedacht hebben dat een rechercheur in zijn trenchcoat en met opgestoken kraag op de straathoek staat te wachten om de verraste verdachte al bluffend op geniale wijze tot een bekentenis te dwingen,' zei Alexander gekscherend toen hij binnenkwam.

'Een dergelijke situatie heb ik wel eens meegemaakt, in de bioscoop.' Donati spreidde zijn armen over het bureau uit, alsof hij het met alle papieren erop ter verkoop wilde aanbieden. 'Zeg, Alexander, voel je er misschien toch niet voor om naar de politie over te stappen?'

'Nee, bedankt.' Alexander legde een hand op de plek waar zijn nieren nog altijd wat pijnlijk waren. 'Het journalistenbestaan is al gevaarlijk genoeg.'

'Heb je gisteren slechte ervaringen opgedaan?'

Alexander knikte, terwijl hij op een vrije stoel plaatsnam. 'Met een mes, een steen en twee blote vuisten. Ze hebben me bedreigd en het had er behoorlijk slecht voor me uitgezien als Werner Schardt me niet te hulp was geschoten.'

'Wie?'

'De gardeadjudant die ons afgelopen vrijdag het Vaticaan binnen heeft gelaten,' antwoordde Alexander. Hij vertelde wat hij allemaal meegemaakt had. 'Tja, en nu speelt Werner voor ons spion bij de garde. Ik hoop dat je het goedvindt dat ik hem ingewijd heb. We moeten nu eenmaal iemand in vertrouwen nemen.'

'Ik ga op jouw oordeel af. Bovendien heb je gelijk dat we eindelijk eens vorderingen moeten maken. De twee priestermoorden hebben nogal wat opzien gebaard en ik word al met lastige vragen uit de hoogste rangen bestookt; ze willen weten wanneer de eerste onderzoeksresultaten beschikbaar zijn.'

'En wanneer zijn die er?'

'Geen idee. Ik werk me net door de papieren van pastoor Dottesio heen. Ik heb er nooit enig idee van gehad met hoeveel administratieve rompslomp de pastoor van een parochie zich moet bezighouden. Bijna nog meer dan de politie, en dat wil wat zeggen!'

'Zit er nog iets van belang bij?'

'Nauwelijks. Ik bestudeer net Dottesio's agenda van dit jaar. Huwelijken, doopplechtigheden, gemeenteraadsvergaderingen, begrafenissen, verjaardagen, christelijke feestdagen enzovoort, enzovoort. Als er al iets van belang is, dan is het misschien deze notitie van de zestiende.'

'Dat was de dag voordat hij vermoord werd,' stelde Alexander vast.

'Precies,' zei Donati, en hij draaide de in leer gebonden agenda om zodat Alexander de notities kon lezen. 'Hier staat het, om 14.00 uur, "V. Falk". Maar wie of wat is "V. Falk"?'

Alexander had het idee dat hij die naam al eens gehoord had. Hij bedacht wat hij de afgelopen dagen allemaal gedaan had, tot hij bij de vrijdag kwam, toen hij bij kardinaal-prefect Renzo Lavagnino in de voorkamer had gezeten.

'Vanessa Falk!' zei hij. 'De V staat voor Vanessa.'

'Het lijkt wel of ik die naam al eens gehoord heb,' mompelde Donati.

'Maar Stelvio, je bent een man in de bloei van je leven, en toch heb je geen oog voor het schone geslacht? Herinner je je die roodharige echt niet meer die in de voorkamer van kardinaal Lavagnino zat en die er zo ontstemd over was dat wij vóór haar naar binnen mochten?'

Donati knipte met zijn vingers. 'Je hebt gelijk, die heette inderdaad Vanessa Falk! Die dame schijnt diepe indruk op je gemaakt te hebben.'

Alexander grijnsde. 'Als ik al niet bezet was, dan zou die dame heel gevaarlijk voor mij kunnen worden, en ik voor haar. Maar gezien de omstandigheden ben ik er alleen in geïnteresseerd wat ze in vredesnaam van pastoor Dottesio wilde.'

'Of hij van haar.'

Alexander knikte. 'Of zoiets.'

'Je sprak toch Duits tegen haar?'

'Klopt.'

'Weet je nog meer over haar?'

'Helaas niet, daarvoor hebben we elkaar te kort gesproken.'

'Laten we dan maar hopen dat we bij het secretariaat van de kardinaal-prefect meer over haar te weten komen,' zei Donati, naar de telefoon grijpend. Het gesprek duurde niet lang en had blijkbaar een positief resultaat. Met een tevreden gezicht legde hij de hoorn op de haak. 'Die dame is wetenschappelijk onderzoekster en heeft om toestemming gevraagd om in het Vaticaanse geheime archief onderzoek te doen.'

'En verder?'

'Ze heeft die toestemming gekregen en zit nu in de leeszaal van de bibliotheek.' Donati stond op, pakte zijn jasje en zei met een brede grijns: 'Watson, regel een rijtuig!'

De eerste opwinding over het schisma was weliswaar geluwd, maar in het Vaticaan en rond de kerkstaat was de rust zeker nog niet weergekeerd. Nog altijd kon je op de straten en pleinen in die buurt meer camerateams en politieposten aantreffen dan onder normale omstandigheden. Het aantal geëmotioneerde gelovigen op het St.-Pietersplein was iets teruggelopen, wat deels wellicht aan het slechtere weer te wijten was. Er waren ook minder overlopers naar de Heilige Kerk van het Ware Geloof dan enkele dagen geleden. Niet alleen kardinalen, bisschoppen en priesters hadden zich bij de nieuwe kerk en paus aangesloten, soms waren ook gehele parochies, die zich blijkbaar bijzonder met hun pastoor verbonden voelden, van kant gewisseld. In een krantencommentaar dat Elena voor haar reis naar Toscane geschreven had, had ze van de 'grootste crisis aller tijden in de kerk' gesproken.

Dat was zeker niet overdreven, meende Alexander, terwijl hij in zijn Peugeot langs het St.-Pietersplein naar de Porta Sant'Anna reed. De beide Zwitsers aan de poort kende hij niet. Hij veronderstelde dat het nieuwe gardisten waren, wat onaangename herinneringen aan de ontmoeting van de vorige dag met Martin Gloor en zijn kameraden naar boven bracht. Alexander en Donati werden in de voorkamer van de kardinaal-prefect beleefd verwelkomd door de secretaris, die hen zonder omhaal naar de kamer van kardinaal Lavagnino bracht.

'Wat is er met die Duitse onderzoekster?' vroeg Lavagnino na de begroeting. 'Wat heeft zij met de moorden te maken?'

'Of dat zo is en in welke mate, moeten we eerst uitzoeken,' antwoordde Donati. 'Tot nu toe vermoeden we alleen dat ze een dag voor zijn dood met Giovanni Dottesio gesproken heeft. Kunt u ons iets over deze vrouw vertellen?'

'Dr. Falk heeft theologie gestudeerd en komt uit München. Ze heeft toestemming gevraagd in de bibliotheek van het Vaticaan onderzoek te doen voor een wetenschappelijke verhandeling.'

'Over welk onderwerp?' informeerde Alexander.

'Momentje, dat moet ik hier ergens kunnen vinden.' De leider van de Geloofscongregatie bladerde in zijn papieren. 'Ja, hier staat het: "parapsychologische fenomenen en religieuze verschijningen tegen de achtergrond van de Eerste Wereldoorlog". Ze wil daarover een boek schrijven, zegt ze.'

'Wie leest zoiets nu?' flapte Donati eruit.

De kardinaal glimlachte minzaam. 'Andere wetenschappers of mensen met religieuze belangstelling. Maar dr. Falk kan u vast zelf veel beter vertellen wat haar onderzoek behelst. Als u wilt, breng ik u naar haar toe.'

'We willen niet al te lang beslag leggen op uw tijd, eminentie,' antwoordde Donati.

'Daar is geen sprake van. Zelf vind ik het ook van groot belang dat deze moord opgelost wordt, zoals ik u al verzekerd heb.'

'Afgelopen vrijdag nog, ja,' zei Donati. 'Toen hebben we dr. Falk kort in uw voorkamer mogen ontmoeten. Heeft ze u toen om toestemming gevraagd om in het geheime archief onderzoek te doen?'

'Zo ongeveer. Ze had de aanvraag al eerder ingediend en was vrijdag hier om mijn antwoord te vernemen.'

'Is het gebruikelijk dat de aanvragers in eigen persoon bij u verschijnen, eminentie?'

'Nee, commissario. Maar dr. Falk is toch al in Rome en heeft haar zaak bepleit als zijnde zeer dringend, en daarom heb ik ermee ingestemd haar persoonlijk te ontvangen.'

'Ik begrijp het,' zei Donati, terwijl hij van de houten bezoekersstoel opstond. 'Als u het niet erg vindt, eminentie, zouden signor Rosin en ik graag alleen met dr. Falk spreken. Door uw aanwezigheid zou ze zich op een of andere manier minder vrij kunnen voelen.'

'Ik heb daar geen bezwaar tegen. Houdt u me ervan op de hoogte als er nieuws is!'

'U zult het als eerste vernemen, eminentie,' verzekerde Donati hem.

En Alexander vulde aan: 'Samen met Zijne Heiligheid.'

De Vaticaanse bibliotheek lag in het gebouwencomplex van de Vaticaanse musea aan de andere zijde van de kerkstaat. Omdat Alexander hier goed de weg wist, konden ze een relatief korte weg daarheen nemen, die eerst rond de St.-Pieterskerk en dan door de kaarsrechte Stradone dei Giardini leidde. In de leeszaal troffen ze dr. Falk achter een stapel boeken aan. Ze maakte ijverig aantekeningen en leek Donati en Alexander helemaal niet op te merken. Vanessa Falk droeg vandaag een bril, maar dat deed in Alexanders ogen geen enkele afbreuk aan haar aantrekkelijkheid.

Toen Donati haar aansprak, kromp ze geschrokken ineen en keek ze de twee mannen met haar fonkelende groene ogen verschrikt over de rand van haar bril aan. 'Is dat een hobby van u om nietsvermoedende vrouwen aan het schrikken te maken, of... momentje, kennen wij elkaar niet ergens van?'

'Van de voorkamer van kardinaal Lavagnino, afgelopen vrijdag,' bevestigde Alexander.

'Ja, klopt, de beide heren die zo snel naar binnen mochten.'

'Neemt u ons dat nog steeds kwalijk?' vroeg Alexander.

Ze glimlachte. 'Nee. Wat kan ik voor u doen?'

Donati hield zijn politielegitimatie onder haar mooie neus. 'Recherche. Ik wil u graag enkele vragen stellen over uw relatie met pastoor Giovanni Dottesio.'

'Ik had geen relatie met pastoor Dottesio.'

'Maar u kende hem wel?'

'We hebben elkaar tweemaal telefonisch gesproken en vorige week woensdag hebben we elkaar ook ontmoet. Dat was overigens de enige keer dat we elkaar gezien hebben.'

'Er restte hem ook niet veel tijd meer voor nieuwe ontmoetingen,' merkte Donati op.

Vanessa Falk knikte. 'U duidt op zijn dood, hè? Een verschrikkelijke toestand. Heeft de politie al meer informatie over de dader?'

'Daarom zijn we hier. We hopen dat u ons verder kunt helpen.'

Dr. Falk keek rond en zei nog iets zachter dan eerst: 'Ik geloof dat we de anderen hier storen. Mijn maag knort al een halfuur. Zullen we ergens iets gaan eten? Rond de Vaticaanse musea zitten enkele fantastische pizzeria's.'

'Fantastische toeristenvallen,' zei Alexander. 'Maar ik ken een restaurant in de buurt waar ze goede en goedkope pizza's hebben.'

Het etablissement lag aan de rand van Borgo Pio. Omdat het nog vroeg was en er door de regen niet veel toeristen op straat waren, vonden ze nog een tafeltje waaraan ze ongestoord konden praten.

Nadat ze hun bestelling hadden doorgegeven, vroeg Vanessa Falk: 'Waarom bent u van mening dat uitgerekend ik u bij uw onderzoek verder kan helpen? Ik heb pastoor Dottesio nauwelijks gekend.'

'Dottesio had de afspraak met u in zijn agenda genoteerd en we konden geen verklaring voor die afspraak vinden,' legde Donati uit. 'Misschien kunt u ons gewoon vertellen waarom het ging.'

'Ik had Dottesio om hulp gevraagd omdat hij vroeger bij de registratuur van het geheime archief gewerkt heeft. Ik hoopte dat hij me bij mijn onderzoek kon helpen.'

'Zou het niet logischer zijn geweest om daarover met het huidige hoofd van de registratuur te praten?' vroeg de commissario.

Dr. Falk glimlachte minzaam. 'Niet als je informatie wilt hebben die het Vaticaan niet aan buitenstaanders geeft. Ik hoopte dat een voormalige medewerker van het Vaticaan eerder te vermurwen zou zijn.'

'En had u succes bij pastoor Dottesio?'

'Helaas in het geheel niet. Er bestaan echt nog katholieke geestelijken die hun plichten uiterst serieus nemen.' Ze knipoogde samenzweerderig. 'Het celibaat inbegrepen.'

De drankjes werden geserveerd, waarna Alexander vroeg: 'Waarom had u dan contact met Dottesio? U hebt toch toestemming gekregen om in het geheime archief onderzoek te doen?'

'Ja, maar zelfs dan verbergt het geheime archief van het Vaticaan nog enkele geheimen die voor onderzoekers niet toegankelijk zijn.'

Alexander boog zich nieuwsgierig naar haar toe. 'Wat dan, bijvoorbeeld?'

'Bijvoorbeeld de profetie van Fátima, waarmee ik me in dit wetenschappelijk onderzoek bezighou. Ik weet niet in hoeverre u op de hoogte bent van mijn werk?'

'Het heeft iets met parapsychologie en religie in de Eerste Wereldoorlog te maken,' zei Donati, terwijl hij naar de dampende pizza's keek die op tafel werden gezet.

'Precies. Ik hou me bezig met de zogenaamde bovennatuurlijke gebeurtenissen die tussen 1914 en 1918 hebben plaatsgevonden.'

'Waarom juist in de Eerste Wereldoorlog?' wilde Alexander weten.

'Omdat juist in die periode veel onverklaarbare fenomenen en spirituele gebeurtenissen zoals Mariaverschijningen en profetieën opgetekend zijn. Volgens mijn theorie houdt dat verband met de grote psychische druk waaraan de mens in tijden van crisis blootgesteld wordt. In mystieke verschijningen die het overbelaste brein je dan voorspiegelt, kun je een uitlaatklep vinden, een mogelijkheid om althans voorlopig aan de werkelijkheid te ontkomen.'

'Dat klinkt heel psychologisch,' zei Donati, terwijl hij van zijn pizza funghi proefde. 'Ik dacht dat u theologie gestudeerd had.'

'Ik heb beide gestudeerd.'

'En in welke richting bent u gepromoveerd?'

'In de theologie,' antwoordde dr. Falk, waarna ze een hapje van haar vegetarische pizza nam. 'En daarna in de psychologie.'

Alexander keek de verbaasd kijkende commissario even van opzij aan en vroeg: 'Met wat voor bovennatuurlijke gebeurtenissen houdt u zich dan precies bezig, dr. Falk?'

'Je kunt die grofweg in twee categorieën opdelen: de wereldlijke en de religieuze. Een voorbeeld in de wereldlijke categorie is de verdwijning van 267 soldaten van een Brits regiment tijdens de slag van Gallipoli in 1915. Ze zijn tijdens een stormloop een bos in gelopen en nooit meer tevoorschijn gekomen. Althans circa de helft van hen. Drie jaar later werden de lijken van 122 soldaten ontdekt op een Turkse boerderij, maar van de rest is nooit iets teruggevonden.'

'Misschien hadden ze hun buik vol van de oorlog en zijn ze ervandoor gegaan,' opperde Donati. 'Het zou niet de eerste keer zijn dat soldaten zo'n wijs besluit hebben genomen.'

'Dat zou je kunnen aannemen als het in Europa gebeurd was, vlak bij het land waar de mannen vandaan kwamen. Maar op een Turks schiereiland bij de Middellandse Zee en de Zwarte Zee?'

'Wat denkt u dan?' vroeg Donati. 'Dat deze mannen door ufo's ontvoerd zijn?'

Vanessa Falk keek hem ernstig aan. 'Er zijn inderdaad enkele ufowaarnemingen uit de Eerste Wereldoorlog bekend. Een deel ervan is zonder meer op de nieuwe technische uitvindingen zoals vliegtuigen en zeppelins terug te voeren, die in deze oorlog voor het eerst op grote schaal ingezet werden. Maar veel andere waarnemingen zijn nooit opgehelderd en zijn door mythen omgeven. Het doel van mijn onderzoek is niet het onmogelijke te presteren en definitieve verklaringen voor dergelijke gebeurtenissen te vinden. Ik wil vooral uitleggen hoe dergelijke mythen ontstaan en hoe het mogelijk is dat mensen geloven dat ze met buitenaardse wezens of engelen te maken hadden.'

'Met de engelen zijn we bij de religie beland,' constateerde Alexander. 'U sprak daarnet over de profetie van Fátima die niet voor het publiek toegankelijk zou zijn. Maar dat klopt toch niet? In 2000 is ter gelegenheid van het heilig jaar ook het derde en tot nu toe niet geopenbaarde gedeelte van de profetie door de kerk gepubliceerd.'

'Voor een politieman bent u verbazingwekkend goedgelovig,' merkte de onderzoekster spottend op.

'Ik ben geen politieman maar journalist,' zei Alexander, die daarna zijn relatie met commissario Donati in het kort beschreef.

Dr. Falk permitteerde zich een ironisch lachje. 'Voor een journalist vind ik uw goedgelovigheid bijna nog verbazingwekkender, signor Rosin.'

'Ik doe dit werk pas een paar maanden. Maar waarom vindt u mij dan goedgelovig?'

'Omdat u ervan uitgaat dat het Vaticaan de waarheid en niets dan de waarheid gepubliceerd heeft.'

'Bent u dan van mening dat daar serieuze twijfel over mag bestaan?'

'Als wetenschapper geloof ik alleen wat ik kan controleren. Maar als er een tekst gepubliceerd wordt waarvan het origineel nog steeds afgeschermd voor het publiek en de wetenschap in het geheime archief verborgen blijft, dan kan ik niet anders dan twijfelen aan de waarheid of de volledigheid ervan. Anders zou ik me aan verregaande slordigheid schuldig maken.'

'Ik ben niet zo goed op de hoogte van die profetie,' erkende Donati. 'Was het niet zo dat de Moeder Gods aan drie kinderen verschenen is, in Spanje of zo?'

'In Portugal,' corrigeerde Vanessa Falk hem. 'Het dorp Fátima ligt 130 kilometer ten noorden van Lissabon. De drie kinderen die u noemde, waren op Hemelvaartsdag 1917 buiten het dorp schapen aan het hoeden, toen ze een merkwaardig licht zagen. Opeens stond er een vrouw in een witte cape en met een fonkelende rozenkrans in haar hand voor hen, die hun vertelde dat ze uit de hemel kwam. De vrouw verscheen nog diverse malen aan de kinderen. Bij die gelegenheden waren ook andere mensen aanwezig, die wel de lichten zagen, maar niet de vrouw, die alleen de drie kinderen konden zien.'

'Ik heb daar wel eens over gelezen,' herinnerde Donati zich. 'De profetie van deze vrouw, of het nu Maria was of niet, had toch iets met verschrikkelijke oorlogen te maken?'

'De profetie bestaat uit drie delen,' legde Vanessa Falk uit. 'Het eerste deel staat bekend als het visioen van de hel. De kinderen zagen een enorme vuurzee diep in de aarde, waar ze gedaanten zagen die ze voor de duivel en zondaars aanzagen. Het tweede deel van de profetie gaat inderdaad over een oorlog, die onder het pontificaat van paus Pius XII zou beginnen, als de mensheid niet zou stoppen met God te beledigen. Een onbekend licht, dat de nacht zou doen verdwijnen, zou deze oorlog aankondigen. Om te voorkomen dat de wereld voor zijn misdaden gestraft zou worden, moest Rusland aan de kerk gewijd worden. Zo niet, zo verkondigde de lichtgevende gedaante, dan zou Rusland zijn dwaalleren over de wereld verspreiden en daarbij oorlogen en kerkvervolgingen teweegbrengen.'

'Pius XII was toch paus tijdens de Tweede Wereldoorlog?' onderbrak Donati dr. Falk.

Ze knikte. 'Inderdaad. En een vreemd rood licht, dat op 25 januari 1938 op het noordelijk halfrond zichtbaar was, wordt als het teken voor de ophanden zijnde oorlog beschouwd. Kort daarna, in maart, marcheerden de Duitse troepen Oostenrijk binnen en in mei 1938 bracht Hitler een uitgebreid staatsbezoek aan zijn bondgenoot Mussolini om de eenheid van de zogeheten As te demonstreren. En daarmee was de kiem voor de oorlog gelegd.'

'Het deel van de profetie dat op Rusland betrekking heeft, is evenmin moeilijk te ontraadselen,' zei Alexander. 'Dat gaat natuurlijk over Stalin en de uitbreiding van de communistische invloedssfeer die onder hem plaatsvond.'

'Alles goed en wel,' zei Donati, 'maar hoe zit het nu met het derde deel van de profetie?'

'Dat werd door het Vaticaan lange tijd geheimgehouden, wat natuurlijk tot allerlei speculaties leidde,' antwoordde Vanessa Falk. 'Bij ons in Duitsland verscheen in 1963 in het *Stuttgarter Zeitschrift* de vermeende tekst van de profetie, die ik gezien de huidige gebeurtenissen als zeer interessant beschouw. Daarin was sprake van vreselijke beproevingen voor de kerk. Kardinalen zouden zich tegen kardinalen keren en bisschoppen tegen bisschoppen. Satan zou in hun midden marcheren en in Rome zouden grote veranderingen plaatsvinden. Het duister zou over de kerk vallen en de wereld zou door terreur verscheurd worden.'

Donati en Alexander staarden de onderzoekster verbluft aan. Alexander wist als eerste iets uit te brengen en zei: 'Dat klinkt als een voorspelling van de huidige kerkscheuring!'

BORGO SAN PIETRO

Terwijl er een koude wind door de stegen blies, liepen Enrico en Fulvio Massi naar het huis van Rosalia. Bijna onvoorstelbaar, dacht Enrico, dat hij gisteren nog liep te puffen in de zomerhitte. Vandaag was hij maar al te blij met zijn waterdichte jack dat hij vanuit het hotel had meegenomen. Het dorp leek even uitgestorven als gisteren, toen hij het samen met Elena bezocht had. Maar toen hij wat beter rondkeek, zag hij heel wat gezichten die met de neus tegen het raam gedrukt zaten. Hij kon niet zeggen of zijn komst bij de mensen nieuwsgierigheid dan wel vijandschap opwekte. In elk geval was hij blij dat Massi met hem meeliep.

Dat de weduwe van de burgemeester de zus van de commissario was, maakte in elk geval duidelijk waarom Massi zoveel interesse in deze zaak toonde. Het ging hem niet zozeer om de eer van de politie van Pescia, maar vooral om het oplossen van de moord op zijn zwager.

Enrico zei tegen de politieman: 'Hebt u enig idee wat uw zus verzwijgt?'

'Helaas niet,' verzuchtte Massi. 'Ik heb me nog nooit goed kunnen voorstellen wat er in het hoofd van een vrouw omgaat. Maar één ding weet ik zeker: zolang Antonia niet uit zichzelf met ons wil praten, zullen we niets wijzer van haar worden. Ze was als kind al zo koppig als twee in elkaar verstrengelde bokken.'

Terwijl ze om de kerk heen liepen, maakte zich een akelig gevoel van Enrico meester. Hij moest aan de vermoorde burgemeester denken en realiseerde zich dat voor hem en Elena de nachtmerrie in de kerk van de pastoor begonnen was. En voor de zoveelste keer vroeg hij zich af wat de pastoor van een afgelegen bergdorp in Toscane ertoe gebracht kon hebben de burgemeester te vermoorden.

Achter de kerk kwamen ze bij een groepje dicht op elkaar staande huizen die eruitzagen alsof ze sinds de tijd van Leonardo da Vinci geen lik verf en geen spijker meer gezien hadden. Massi bleef voor een van de laatste huizen staan en klopte hard op de vlekkerige houten deur. Er was geen bel of zelfs maar een deurklopper. Een schuchtere stem riep iets onverstaanbaars, en nog geen halve minuut later werd de deur geopend. Ze zagen een rimpelige oude man, die van ouderdom krom geworden was en die misschien daarom zo'n dwergachtige indruk op Enrico maakte.

Massi krabde zich bedachtzaam op zijn wang en zei: 'U bent Ezzo Pisano, niet? Dag, signor Pisano. We wilden eigenlijk naar signora Baldanello.'

'En u bent de broer van de arme signora Cavara,' zei de oude man met een schorre stem. 'Wat wilt u van signora Baldanello? Het gaat helemaal niet goed met haar. Ze moet het bed houden.'

'En nu zorgt u voor signora Baldanello?'

'Ze heeft voor mijn vrouw gezorgd, kort voordat Nicola overleed. En nu is het mijn beurt om signora Baldanello een laatste dienst te bewijzen. Als oude mensen moeten we elkaar helpen, temeer daar we met steeds minder zijn.' Hij liet een hese lach horen. 'Ik kan alleen maar hopen dat er nog iemand overblijft die voor mij kan zorgen.'

Massi wees op Enrico. 'Deze jongeman komt uit Duitsland en wil signora Baldanello graag bezoeken. Hij is de zoon van Mariella Baldanello.'

'Hij komt te laat,' zei Ezzo Pisano alleen, en hij deed een stap opzij om de bezoekers binnen te laten.

In het huis was het donker en het rook er muf, alsof er sinds maanden niet meer goed gelucht was. Enrico vroeg zich af of oude mensen geen behoefte meer hadden aan frisse lucht of daglicht of dat ze zich op deze wijze zelfs op het graf voorbereidden.

Pisano bracht hen naar een kamertje waar Rosalia Baldanello op een smal bed lag, bewaakt door een kruisbeeld en een houten beeld van de Maagd Maria. Ze maakte een uitgemergelde indruk, en haar witte haar hing in warrige strengen om haar ingevallen gezicht. Maar voor Enrico's geestesoog werd de vrouw steeds jonger. De talloze rimpels werden gladgestreken en het haar werd donkerder, en even later moest hij vaststellen dat ze verbazend veel op zijn moeder leek.

Pisano schraapte zijn keel om de aandacht van de naar het plafond starende vrouw te trekken. 'Signora, dit is uw achterneef uit Duitsland, de zoon van uw nicht Mariella. Hij is hier om u een bezoekje te brengen.'

De vrouw draaide langzaam haar hoofd om en keek de drie mannen met haar diep in de kassen liggende ogen aan. Haar blik bleef langdurig op Enrico rusten. Het was hem niet duidelijk of ze echt begreep wie hij was. Ze leek zowel lichamelijk als geestelijk erg verzwakt en maakte de indruk het volgende jaar niet meer te halen, misschien niet eens de volgende maand.

'Is Mariella dood?' vroeg ze ten slotte met een zwak piepstemmetje.

'Ja, mijn moeder is afgelopen maand overleden,' zei Enrico. 'Hoe weet u dat?'

De gekloofde dunne lijnen, die nog slechts vaag aan lippen deden denken, begonnen te trillen, wat op Enrico de indruk van een karikatuur van een lachje maakte. 'Dat voel ik. Misschien omdat ik zelf dichter bij de dood dan bij het leven ben. Ik voel dat Mariella om me heen is.' Haar gezicht veranderde en kreeg opeens een geschrokken uitdrukking. Ze begon opgewonden te gillen: 'Nee, ga weg, bezondig je niet aan mij! Je hebt al genoeg ongeluk en zonde over ons gebracht, Mariella!'

Ze sprak tegen een dode! Enrico wisselde een bezorgde blik met Massi en keek geschrokken toe hoe zijn oudtante steeds meer in de greep raakte van een redeloze paniek. Haar flonkerende ogen bleven opnieuw op Enrico rusten en hortend en stotend bracht ze uit: 'Ga jij ook weg! Je bent net als je vader tot zonde vervallen, dat zie ik aan je. Je hebt dezelfde ogen, dezelfde blik. Je vader heeft God onrecht aangedaan en de straf van de Here over ons gebracht. Heeft hij jou tot zijn uitvoerder benoemd?'

Enrico meende dat Rosalia Baldanello fantaseerde. Herinneringen en angsten vermengden zich in haar verwarde toestand met de werkelijkheid. En toch liepen hem de rillingen over de rug bij haar woorden. Diep vanbinnen wist hij dat dit niet alleen maar fantasieën waren.

Hij keek in haar ogen en vroeg: 'Wat weet u over mijn vader, signora?'

Heel even leek haar gezicht op te klaren. 'Je vader is een bijzondere man, maar hij heeft de verkeerde keuze gemaakt. Hij heeft voor Satan gekozen.'

'Kent u zijn naam?'

Ze richtte zich onder haar wollen deken op en krijste: 'Ga weg! Vertrek uit mijn huis, Satan, en keer nooit meer terug!' Nauwelijks had ze deze woorden met kracht uitgestoten, of ze zakte ineen en begon als een klein kind zachtjes te jammeren.

'Gaat u nu maar,' zei Pisano, en hij bracht de bezoekers naar de huisdeur. 'Signora Baldanello's toestand verslechtert helaas steeds meer. Ze zal wel niet meer zo lang te leven hebben, en dat is misschien ook maar het beste voor haar.'

'Heeft de signora tegenover u wel eens gezegd wie mijn vader is? Hoe hij heet?'

De oude man schudde zijn hoofd en keek Enrico verbaasd aan. 'Weet u dan niet wie uw vader is?'

ROME

'Het derde deel van de profetie van Fátima werd toch in 2000 openbaar gemaakt? We hebben er zojuist nog over gesproken,' zei commissario Donati, terwijl hij de aandacht van de kelner probeerde te trekken om nog wat te drinken te bestellen. 'Klopt de tekst van die verklaring met de onheilspellende voorspelling in die Duitse krant?'

Vanessa Falk glimlachte raadselachtig. 'Woordelijk beslist niet. Toch wil ik er nadrukkelijk op wijzen dat de tekst die het Vaticaan heeft gepubliceerd, niet zonder meer de letterlijke of de volledige tekst hoeft te zijn.'

Donati stak afwerend zijn handen in de lucht. 'Goed, goed, ik heb het begrepen. Wat staat er dan in de versie die het Vaticaan uitgebracht heeft?'

'De kinderen zagen een engel met een vlammenzwaard, waarmee de hele wereld in brand gestoken moest worden. Maar toen de vlammen in aanraking kwamen met de verschijning van de vrouw – die dus de Maagd Maria zou zijn – doofden ze en riep de engel tot boetedoening op. De kinderen kregen vervolgens een visioen waarin een in het wit geklede bisschop, waarschijnlijk de paus dus, begeleid door andere bisschoppen, priesters, paters en nonnen een steile berg beklom waarop een groot kruis stond. Op weg daarheen kwam de Heilige Vader door een halfverwoeste stad. Toen hij voor het grote kruis neerknielde, schoten soldaten met vuurwapens en pijl-en-bogen op hem. Velen van de bisschoppen, priesters en kloosterlingen kwamen daarbij om, en ook de paus stierf. Twee engelen verzamelden het bloed van de martelaren in kristallen kannen en goten dat over de zielen uit die op weg waren naar God.'

Donati keek de knappe onderzoekster afwachtend aan. 'En toen?'

'Hoe bedoelt u?'

'Is dat alles?'

'Is het niet genoeg dan? Een verwoeste stad, een dode paus, een wereld die in ontbinding verkeert en een kerk zonder leiding?'

'Misschien wel, ja. Wat de kinderen daar gezien zouden hebben, is niets anders dan een aanslag op de paus. Ik vraag me alleen af wanneer en waar die zal plaatsvinden en welke paus erdoor getroffen wordt: de huidige of een toekomstige.'

'Of misschien de tegenpaus,' opperde Alexander, terwijl Donati instemmend naar hem knikte.

'U moet proberen zich los te maken van het idee dat een dergelijke profetie op een concrete gebeurtenis wijst,' zei dr. Falk. 'Deze kan namelijk uit tal van elementen bestaan, zowel uit fantasie als feiten, en zowel naar de toekomst als het verleden verwijzen. Als we er voor het gemak even van uitgaan dat de drie kinderen echt een boodschap ontvangen hebben en zich het gebeurde niet alleen maar ingebeeld hebben, dan kan deze boodschap tal van verschillende elementen bevatten. Slechts voor de kinderen leek het om een concrete reeks gebeurtenissen te gaan.'

'Dat is behoorlijk verwarrend,' kreunde Donati, terwijl hij een grote slok water nam.

Alexander, die de hele tijd al over een bepaalde passage in de profetie nadacht, nam het woord: 'Dat heden en verleden hier met elkaar vermengd worden, blijkt ook uit het gebruik van zowel vuurwapens als pijlen bij de aanslag. Het lijkt wel of er eigenlijk op twee aanslagen gedoeld wordt, die eeuwen uit elkaar liggen.'

'Heel goed gezien!' zei Vanessa Falk prijzend. 'De aanval met vuurwapens heeft inmiddels ook plaatsgevonden, en wel in mei, toen geprobeerd werd paus Custos dood te schieten.'

'Dat is heel goed mogelijk,' zei Alexander, die zich de afschuwelijke momenten waarin het leven van de Heilige Vader niets meer waard leek te zijn, nog maar al te goed herinnerde.

'Dit klinkt allemaal heel interessant, maar laten we naar pastoor Dottesio terugkeren,' stelde Donati voor. 'Hij heeft tegenover u van geen enkele welwillendheid blijk gegeven, dr. Falk?'

'In het geheel niet, helaas. Hij zei tegen mij dat hij net als vroeger volstrekt loyaal bleef aan de kerk en het Vaticaan. Ik was natuurlijk teleurgesteld, maar gelooft u mij, dat was geen reden om hem te vermoorden.'

'Natuurlijk geloof ik u.' De commissario glimlachte onschuldig. 'U hebt voor het tijdstip van de moord vast en zeker ook wel een alibi?'

'Het spijt me, maar na Dottesio's afwijzende antwoord heb ik besloten op de Corso Vittorio Emmanuele te gaan winkelen.'

'Hebt u rekeningen waarmee u dat kunt bewijzen? Of valt dat te controleren met de afrekening van uw creditcard?'

Ze schudde haar hoofd. 'De prijzen in de boetieks frustreerden me nog meer. Gaat u me nu arresteren?'

'Natuurlijk niet, het was gewoon een vraag. Beroepsdeformatie, begrijpt u? Als ik iedereen zou arresteren die de afgelopen dagen met Dottesio gesproken heeft en voor het tijdstip van de moord geen alibi heeft, dan zou ik het heel druk krijgen.'

'Dus dan kan ik nu vertrekken.' Vanessa Falk schoof haar lege bord opzij en pakte haar tas. 'De arbeid roept weer.'

Donati knikte haar vriendelijk toe. 'Hartelijk dank voor uw gezelschap, dr. Falk. En maakt u zich vooral niet druk over de rekening! De pizza is voor rekening van de Romeinse politie.'

Toen ze het restaurant verlaten had, boog Alexander zich naar Donati toe en hij vroeg: 'Geloof je echt dat ze bij de moord betrokken is, Stelvio?'

'Geloven doen de mensen verderop in het Vaticaan maar. Ik moet me aan de feiten houden. En waar die onduidelijk zijn, is het mijn taak die helder te krijgen.'

'Je ontwijkt mijn vraag,' constateerde Alexander. 'Vanessa Falk is een interessante vrouw, heel knap, heel intelligent en met een heel sterke wil. Kortom, ze bezit alles wat je tegenwoordig voor een carrière als wetenschapper nodig hebt.' Na een korte pauze voegde hij eraan toe: 'Of voor een carrière als misdadiger.'

8

Terwijl Fulvio Massi bergafwaarts richting Rome reed, bleef het een hele tijd stil in de politiewagen. De zon was al achter de boomtoppen verdwenen en het donkere bos aan weerszijden van de weg maakte op Enrico een dreigende indruk. Hij was een vreemdeling die op het punt stond in de geheimen van deze bergen door te dringen, in geheimen waarvan hij de ware aard zelfs niet kon vermoeden. De talloze oude bomen leken voor hem een leger van reuzen dat een front vormde tegen alles wat hun vreemd was en iedereen die het waagde enige nieuwsgierigheid te tonen. Het tweede bezoek in Borgo San Pietro had geen enkele duidelijkheid gebracht. Integendeel, het merkwaardige gedrag van zijn oudtante had hem alleen maar verder in verwarring gebracht. Hij wilde zijn gedachten ordenen en was daarom reuzeblij dat de politieman ook weinig behoefte aan een gesprek leek te hebben. Toch stelde Massi ongeveer halverwege de thuisreis de vraag waarop Enrico al gerekend had sinds ze uit het bergdorp vertrokken waren: 'Weet u echt niet wie uw vader is, signor Schreiber?'

Massi klonk bijna als de oude Ezzo Pisano, die Enrico ook al met deze vraag geconfronteerd had. Als antwoord had Enrico iets onverstaanbaars gemompeld, waarna hij snel afscheid van Pisano had genomen. Hij wist dat hij zich er bij de politieman niet zo gemakkelijk af kon maken.

'Jarenlang heb ik de man van mijn moeder als mijn echte vader beschouwd, de jurist Lothar Schreiber uit Hannover,' begon Enrico zijn verhaal over de pijnlijkste episode in zijn leven. 'Volgens de wet was hij ook mijn vader. Hij was voor mijn geboorte met mijn moeder getrouwd. Wat ik echter niet wist, was dat mijn moeder op dat moment al zwanger was van een andere man.'

'En u kent die man niet?'

'Helaas niet, anders had ik dat niet daarnet aan de signora gevraagd. Misschien was ik nooit te weten gekomen dat Lothar niet mijn echte vader was als hij niet ernstig ziek was geworden. Hij moest een nieuwe nier hebben, maar had de zeldzame bloedgroep B, waardoor de toch al niet gunstige vooruitzichten op een donornier nog slechter werden. Ik heb me laten onderzoeken om te weten te komen of ik orgaandonor voor mijn vader kon zijn. Onmogelijk. Ik heb zelf de doodnormale bloedgroep A en kreeg ook nog te horen dat ik aan mijn wettelijke vader al even weinig verwant was als een olifant aan een muis. Het ging snel bergafwaarts met hem en ik heb het onderwerp niet bij hem aangeroerd. Hij heeft me grootgebracht en was er altijd als ik hem nodig had. Hij bleef tot zijn dood voor mij mijn vader, van wie ik hield en voor wie ik respect koesterde. Maar een tijdje na de begrafenis heb ik er mijn moeder toch naar gevraagd.'

'En zij heeft u de naam van uw echte vader niet verraden?'

'Mijn moeder vertelde me dat ze zijn naam niet wist. Het was een vreemde geweest die slechts kort op doorreis in Borgo San Pietro verbleef. Toen ze merkte dat ze zwanger was, had ze noch zijn adres, noch zijn naam. Maar ze zat wel met een steeds dikker wordende buik en de daarmee verbonden schande.'

'Dat kan ik me voorstellen. Een onecht kind is in Borgo San Pietro zelfs nu nog net zoiets als de pest, maar toen uw moeder zwanger was, moet het nog veel erger geweest zijn. Temeer daar het een kind van een onbekende was, van een vreemde.'

'De ouders van mijn moeder besloten zich zo goed mogelijk door de ellende heen te slaan. Ze stuurden hun dochter naar Duitsland, naar een familie met wie de Baldanello's al vele jaren bevriend waren.'

'De familie van uw vermeende vader?' vroeg Massi.

'Ja. Mijn moeder moest tot na de bevalling bij de Schreibers in Hannover blijven. Het kwam goed uit dat mijn moeder en Lothar Schreiber verliefd op elkaar werden, zodat ik als wettig kind ter wereld kwam.'

'Dan bent u dus een rasechte Italiaan, wat uw afstamming betreft. Als je er tenminste van uitgaat dat de grote onbekende geen buitenlander was.'

'Het was een Italiaan, zoveel kon – of wilde – mijn moeder me nog wel vertellen.'

'Wilt u daarmee aangeven dat uw moeder u eigenlijk niet alles verteld heeft wat ze over uw echte vader wist?'

'Zeker, signor Massi, zeker. Ik had het idee dat mijn moeder meer wist over de man aan wie ze haar onschuld verloor. Zonder concrete reden overigens. En ik heb nooit helemaal geloofd dat ik de naam van mijn echte vader nooit te weten zou komen. Maar pas aan het sterfbed van mijn moeder kreeg ik zekerheid. Toen ze de dood voor ogen zag, kreeg ze er misschien spijt van dat ze me nooit de volledige waarheid had verteld. Omdat ze een beroerte had gekregen, kon ze nauwelijks praten, maar ze heeft het toch geprobeerd. En een paar woorden kon ik nog verstaan. Ze zei dat ik mijn vader moest zoeken of bezoeken; dat verstond ik niet helemaal. Ik hoorde echter duidelijk hoe ze in dat verband over Borgo San Pietro sprak.'

'Uw vader was dus geen vreemdeling, niet iemand op doorreis. Hij kwam uit de plaats zelf.'

'Mogelijk, of in Borgo San Pietro moet in elk geval iets zijn wat naar mijn vader verwijst. Of er is iemand die zijn naam kent.'

'Rosalia Baldanello, bijvoorbeeld.'

'Dat hoopte ik tot vandaag, maar na het bezoek aan mijn oudtante betwijfel ik sterk of zij me meer kan vertellen. Ze is erg in de war en ze raakt telkens ergens door in paniek.'

'Misschien om dezelfde reden die ook de paniek bij don Umiliani veroorzaakte,' opperde de commissario. 'Zulke grote paniek dat hij mijn zwager gedood heeft.'

'Mogelijk. Maar wat kan de oorzaak zijn?'

'Ik weet het niet, althans nog niet. Het is in elk geval een vreemd verhaal,' meende Fulvio Massi, terwijl hij voor een scherpe bocht afremde. 'En een heel verontrustend verhaal.'

'Hoezo verontrustend?'

'Laten we er eens van uitgaan dat de moord op mijn zwager echt iets met uw bezoek te maken heeft. Ligt het dan niet voor de hand te denken dat de moordenaar, pastoor Umiliani, de arme Benedetto het zwijgen wilde opleggen?'

'U bedoelt opdat hij mij niets over mijn vader zou verraden?'

'Zoiets,' bromde Massi, terwijl hij het gaspedaal weer indrukte om aan het eind van een bocht te accelereren.

'Waarom vindt u dat verontrustend?'

'Als een door en door brave priester zich opeens als moordenaar ontpopt omdat er een man in het dorp opduikt, vind ik dat buitengewoon verontrustend. U niet dan?' Zonder een antwoord af te wachten vroeg Massi: 'Wat hebben de Schreibers en de Baldanello's eigenlijk voor relatie met elkaar?'

'Ook daar ben ik niet achter gekomen. Ze schijnen elkaar al ongeveer tweehonderd jaar te kennen en contact met elkaar te onderhouden. Maar hoe die vriendschap ontstaan is en wat de reden ervan was, is blijkbaar niet opgetekend.'

Enrico vroeg zich af of hij de politieman over het reisdagboek van Fabius

Lorenz Schreiber moest vertellen. Zijn moeder had het in elk geval zo belangrijk gevonden dat ze het hem nog op haar sterfbed gegeven had. Hij zag haar verzwakte, halfverlamde lichaam weer voor zich en de trillende hand waarmee ze hem met haar laatste krachten het boek overhandigde. Door deze aantekeningen kwam hij in elk geval meer te weten over de manier waarop de families Schreiber en Baldanello elkaar hadden leren kennen. Of er ook een aanwijzing over zijn vader in te vinden was, moest nog blijken.

Maar tot het zover was, zou hij niemand over het boek vertellen, besloot hij. Misschien stonden er veel onaangenamer waarheden in dan het feit dat de familie Baldanello ooit een roverhoofdman in haar midden had gekend. Toen ze het donkere bos uit reden en Pescia naderden, werd het niet echt lichter. Boven het stadje waren donkere wolken samengetrokken, als een gigantische donkergrijze stolp. Het riviertje was door de regen opgezwollen en de natte straten waren verlaten. Massi zette Enrico voor het ziekenhuis af en reed verder richting piazza, waar het politiebureau lag. Enrico liep door de regen naar de ingang van het ziekenhuis en informeerde bij de portier naar dr. Addessi. Ditmaal was de arts wel aanwezig en kon hij haar ook spreken. Toen hij het kamertje betrad waarin ze op hem zat te wachten, zag hij direct aan haar zorgelijke blik dat ze geen goede berichten voor hem had.

'Gaat het slechter met Elena?' vroeg hij, niet de moeite nemend de arts te begroeten.

'Het leek er even op dat ze uit haar coma zou ontwaken. Maar ze was te zwak en zou overleden zijn als we niet...'

Riccarda Addessi maakte haar zin niet af, maar staarde naar een denkbeeldig punt op de muur naast Enrico.

'Als u niet wat?' vroeg hij luid. 'Zegt u het dan toch!'

'We hebben haar weer in een kunstmatig coma laten wegzakken. Dat was de enige manier om haar toestand stabiel te houden.'

'Een kunstmatig coma?' Enrico probeerde zijn gedachten op een rijtje te krijgen en te doorgronden wat de mededeling van dr. Addessi precies betekende. 'Betekent dat dat Elena nooit meer wakker wordt omdat ze anders... overlijdt?'

'We werken aan een oplossing,' zei de arts hem op een zelfverzekerde toon die in het geheel niet bij haar radeloze gezichtsuitdrukking paste. 'Gelooft u mij, we doen wat we kunnen!'

'De vraag is alleen of dat voldoende is,' zei Enrico zachtjes, en hij liep zonder gedag te zeggen de kamer uit.

Hij voelde zich opeens doodmoe en uitgeput. Kwam dat doordat hij de afgelopen dagen zo weinig geslapen had? Hij was bijna blij dat de regen buiten door een kille wind in zijn gezicht geblazen werd. Dat friste in elk geval een beetje op. Zijn blik viel op de kerken in de buurt van het ziekenhuis: de enorme dom, de kleine Sant'Antonio Abatekerk en de grotere St.-Franciscuskerk. Hoe lang was het niet geleden dat hij voor het laatst in een kerk geweest was, als je het bezoek gisteren aan de dorpskerk en bruiloften en begrafenissen van familie en vrienden niet meerekende? Als kind was hij regelmatig naar de kerk gegaan, omdat dat van zijn gelovige moeder beslist moest. Toen hij ouder werd, was hij daarmee gestopt, zoals bijna alle jongeren doen. En later, als volwassene, had hij het zich gemakkelijk gemaakt en de schuld voor zijn gebrek aan religieuze belangstelling bij zijn moeder gelegd. En zijn moeder, een streng gelovige vrouw, had hem zijn hele leven lang over zijn vader in het onzekere gelaten of hem zelfs voorgelogen. Hoe viel dat te rijmen met het katholieke geloof, dat liegen toch verbood?

Nu hij hier op een pleintje in de regen stond, wist hij dat hij zijn moeder onrecht had aangedaan en haar alleen als alibi gebruikt had. De gebeurtenissen in Borgo San Pietro hadden hem geleerd dat zijn moeder goede redenen voor haar zwijgzaamheid gehad moest hebben. Als een priester zich tot moordenaar ontpopte, hoe zou een eenvoudige vrouw dan vrijmoedig moeten spreken?

Enrico liep naar de St.-Franciscuskerk toe, zonder te weten waarom hij juist die uitkoos. Bijna automatisch stak hij zijn hand in het wijwater toen hij binnenkwam en sloeg hij een kruisteken. Hij kon zich niet herinneren wanneer hij dat voor het laatst gedaan had. Het was donker en koud in de kerk. Er was niemand. Zijn stappen klonken overdreven luid, meende hij, terwijl hij langzaam door het schip naar voren liep totdat hij voor de tafel met offerkaarsen stond. Hij zocht in zijn rechterzak naar een muntje, dat hij in de gleuf van het offerblok gooide. Het metalige gerinkel paste niet goed in de gewijde stilte hier. Hij stak een kaars aan en zette die bij de andere neer, waarbij hij aan zijn moeder dacht en aan het onrecht dat hij haar in woord en gedachten had aangedaan.

Hij wierp nog een tweede munt in het kistje, stak nog een kaars aan en prevelde voor het eerst sinds tijden weer iets wat op een gebed leek. Geen uit het hoofd geleerde formules, zoals die door de kerkgangers zo vaak zonder enig besef opgedreund werden, maar woorden die hem op dat moment invielen en recht uit het hart kwamen. Hij bad voor Elena, voor haar leven en gezondheid, terwijl hij op zijn knieën ging zitten en zijn handen vouwde. Het kwam hem voor dat hij iets had teruggevonden wat hij heel lang geleden verloren had.

'Het gebed helpt in tijden van nood zowel onszelf als degenen voor wie we bidden. God luistert naar ons als we tegen hem spreken, ook al is er geen zichtbaar teken waaraan we dat kunnen herkennen. We weten gewoonweg dat God bij ons is en ons bijstaat. Dat is het wonderbaarlijke van ons geloof.'

Vaag, alsof ze achter een muur werden uitgesproken, drongen de woorden tot Enrico's oor door en ze wekten hem uit zijn gebed. Pas toen hij deze woorden hoorde en de in het zwart geklede gedaante naast zich zag, realiseerde hij zich dat hij niet langer alleen in de kerk was. Hij dacht eerst dat de pastoor van de St.-Franciscuskerk naast hem was gaan staan, maar toen zag hij de brede paarse sjerp, het ronde hoofddeksel in dezelfde kleur en het grote gouden kruis dat aan een lange ketting op de borst van de geestelijke hing. Het was een man van een jaar of zestig, van gemiddeld postuur en met een ernstige blik, die een montuurloze bril droeg. Dit was een kardinaal.

Enrico stond op, verbaasd dat hij in het kleine Pescia zo'n hooggeplaatste geestelijke tegenkwam. 'U vergist zich, eminentie. Ik ben weliswaar katholiek, maar niet belijdend.'

'Maar ik zou toch zweren dat u daarnet zat te bidden,' zei de geestelijke hoofdschuddend.

'Dat... dat was ook zo. Maar het was voor het eerst sinds vele jaren.'

'Beter voor het eerst sinds vele jaren dan helemaal niet. Juist over de verloren zonen die terugkeren toont de Heer zich buitengewoon opgetogen.'

'Ik weet echter niet zeker of ik dat regelmatig ga doen... bidden, bedoel ik.'

'Ga te rade bij uzelf en vertrouw op dat wat uw hart u ingeeft! Het hart van de mens is in de regel geen slechte raadgever, mijn zoon.'

'Misschien hebt u daar gelijk in, eminentie.'

'Het doet me deugd als u op het punt staat uw geloof terug te vinden.' Hij maakte een uitnodigend gebaar naar de lege biechtstoel. 'Het is vast en zeker lang geleden dat u uw geweten voor God gezuiverd hebt. Als u wilt, sta ik tot uw beschikking.'

'Ik weet het niet,' zei Enrico aarzelend. 'Ik geloof dat het nog wat te vroeg is.'

De kardinaal knikte vol begrip. 'Zoals ik al zei: luistert u naar uw hart! Het kan een geweldige opluchting zijn om het geweten te ontlasten. Ik heb dat onlangs meegemaakt toen ik pastoor Umiliani de biecht afnam.'

Enrico keek hem verbaasd aan. 'Bent u bij Umiliani geweest? En heeft hij bij u zijn hart blootgelegd?'

'Inderdaad, en daarna ging het al wat beter met hem.'

'Waarom heeft hij Benedetto Cavara vermoord?'

'Maar signor Schreiber, als katholiek zou u moeten weten dat het biecht-geheim mij verplicht het absolute stilzwijgen te bewaren. Zelfs aan justitie mag ik niet meedelen wat Umiliani zijn biechtvader toevertrouwd heeft.'

'U weet wie ik ben, eminentie?'

'Ik ben hierheen gekomen om met u te praten. De portier in het zieken-huis vertelde me dat hij u door het portaal van de St.-Franciscuskerk naar binnen heeft zien gaan. U kunt zich ongetwijfeld voorstellen dat de kerk uitermate bezorgd is over het voorval in Borgo San Pietro. Misschien kunt u me helpen wat licht op deze zaak te werpen.'

'U hebt zeker met de politie gesproken, eminentie.'

'Zeker.'

'Dan kent u ook de omstandigheden waaronder de moord plaatsvond. Meer weet ik niet. Ik heb bij de burgemeester slechts naar mijn familie ge-informeerd. Hij heeft tegen me gelogen door te zeggen dat er geen Balda-nello meer in het dorp woonde en dat de pastoor op reis was. Waarom hij loog en waarom hij daarna zo snel naar Umiliani rende, is voor mij al even onverklaarbaar als de wandaad van de priester. Vermoedelijk weet u daar meer over dan ik.'

'Ook pastoor Umiliani heeft zo zijn eigen zorgen,' merkte de kardinaal op, naar het eind van het schip wijzend. 'Kijk eens!'

Hij leidde Enrico naar een paneel dat een heilige met de stigmata voor-stelde, zoals die ook op veel afbeeldingen van de gekruisigde Heiland te vinden zijn. Het paneel werd omlijst door zes scènes uit het leven van de heilige, en uit deze scènes kon Enrico afleiden om wie het ging.

'St.-Franciscus, Franciscus van Assisi,' zei hij.

'Ja, de patroonheilige van deze kerk en de beschermheilige van heel Italië,' bevestigde de kardinaal. 'Een rijke koopmanszoon, een playboy volgens de huidige maatstaven, die van alle bezit afzag om blootsvoets en slechts in een ruwe pij gekleed zijn leven aan God te wijden. Een voorbeeld voor iedereen die gelooft zijn eigen leed niet meer te kunnen dragen. Franciscus heeft altijd alleen maar aan God gedacht, evenals aan zijn medemensen en aan de dieren, waarmee hij zich net zoveel verbonden voelde als met de mensen, maar nooit aan zichzelf.'

'Duiden de stigmata erop dat hij bereid was te lijden?'

'Sterker nog, hij heeft ze daadwerkelijk ontvangen; daar zijn getuigen van. In 1224, toen hij al oud en zeer zwak was, ontving hij op de Monte Alverna de wondtekenen van de Heer. Precies op de dag van het feest van de Kruisverheffing bewees Christus hem deze genade, als teken van zijn bijzondere waardering.'

'Ik weet niet of ik het aanbrengen van verwondingen als een bewijs van genade zou opvatten,' zei Enrico twijfelend.

'Het zijn de wonden van de Heer!' zei de kardinaal streng, maar vervolgens begon hij welwillend te glimlachen en hij stak zijn hand in een zak van zijn pij. 'Mijn zoon, als u christelijke bijstand nodig hebt of als u nog iets belangrijks over de gebeurtenissen in Borgo San Pietro te binnen schiet, dan kunt u zich altijd tot mij wenden.'

Hij gaf Enrico een visitekaartje met een adres in het Vaticaan en met de opdruk: 'Kardinaal Araldo Ferrio – secretaris van de Congregatie voor de geloofsleer'.

'U bent lid van de Congregatie voor de geloofsleer? Dat is toch de opvolger van de inquisitie?'

'Als ik inquisiteur was, mijn zoon, zou ik dan op zo'n vriendelijke toon met u gesproken hebben?'

De kardinaal nam afscheid omdat hij zei naar Rome te moeten terugkeren. Enrico bleef nog een tijdje in de kerk en dacht na over deze merkwaardige ontmoeting. Ondanks de vriendelijke woorden van Ferrio kon hij zich niet aan de indruk onttrekken dat hij zojuist aan een verhoor onderworpen was. Een verhoor waarbij de kardinaal veel subtieler te werk was gegaan dan de inquisiteurs uit het verleden.

Enrico borg het visitekaartje schouderophalend op en liep naar het kerkportaal. Hij had honger en was moe. Na een snelle hap in het stadje wilde hij naar zijn hotel terugrijden en vroeg naar bed gaan. Maar eerst wilde hij nog wat lezen in de aantekeningen van Fabius Lorenz Schreiber om meer over zijn familieverleden te weten te komen.

Het reisboek van Fabius Lorenz Schreiber,
geschreven naar aanleiding van zijn gedenkwaardige reis
naar Noord-Italië in 1805

DERDE HOOFDSTUK — ONTHULLINGEN

Vreemd, maar zonder Riccardo en Maria Baldanello voelde ik me opeens erg eenzaam tussen alle officieren en hoogwaardigheidsbekleders uit Lucca en omgeving die in het palazzo van vorstin Elisa Bonaparte voor het grote feest bijeengekomen waren. Kolonel Chenier, de adjudant van de vorstin, had mijn zogenaamde dienstbode een plaatsje in de grote keuken toebedeeld, waar men zich om haar natje en droogje zou bekommeren, zoals hij zei. Was ik de afgelopen dagen al zozeer aan de nabijheid van Maria gewend geraakt dat haar afwezigheid smartelijke gevoelens bij mij opwekte? Ook nu weer, op het moment dat Chenier mij aan enkele heren en hun in zijde geklede en met glinsterende sieraden behangen gemalinnen en dochters voorstelde, vergeleek ik deze chique dametjes onwillekeurig met het eenvoudige meisje, en die vergelijking viel niet in het nadeel van Maria uit. Des te meer betreurde ik dat ze de zus van een gewetenloze bandietenleider was, die op de hoogte was van zijn wandaden en die toegestaan en zelfs ondersteund had. Steeds weer werd ik gelukgewenst met mijn redding, vroeg men met echte of gespeelde bezorgdheid naar mijn gezondheid en hoorde ik verwensingen met betrekking tot de bandietenbenden die de omgeving van Lucca onveilig maakten. Al die honende woorden deden me nog sterker beseffen dat Maria een uitgestotene was en voortdurend het risico liep aan de galg te eindigen als de waarheid over haar en haar broer bekend werd.
Deze gedachte beïnvloedde mijn gevoelens en mijn medeleven maakte plaats voor angst.
Ik probeerde weer onder de mensen die zich nieuwsgierig om me heen schaarden de vermogende heer te vinden aan wie ik mijn reis naar Noord-Italië te danken had. Maar niemand gaf te kennen mijn opdrachtgever te zijn en een gevoel van teleurstelling maakte zich van me meester. Toen hield ik mezelf voor dat deze geheimzinnige heer misschien niet in het openbaar met mij in contact wilde komen en daarom besloot ik nog enig

geduld te oefenen. Wie zoveel moeite deed om me hierheen te halen, zou zich vast en zeker spoedig tot mij wenden. Kapitein Lenoir kwam op me toe en vroeg me naar mijn mening over de parade. Terwijl ik zijn soldaten en hun kameraden uitbundig prees, zag ik dat dit een frons op het voorhoofd van kolonel Chenier teweegbracht. Hij meende terecht dat ik nooit echt had kunnen genieten van de parade, gezien de slechte conditie waarin hij mij aangetroffen had.

Als op een geheime wenk richtte iedereen opeens zijn aandacht op een dame die zich naar het midden van de feestzaal begaf. Het was vorstin Elisa, die een bijzondere attractie aankondigde: een vioolsolo, uitgevoerd door haar echtgenoot. Er kwam geen eind aan het applaus, terwijl de vorst naast zijn vrouw ging staan, een hoffelijke buiging maakte en zijn instrument in positie bracht. Hoewel ik eerst gemeend had dat het applaus zuiver uit beleefdheid en respect voor de hoge positie van de muzikant had geklonken, moest ik deze visie al herzien zodra de eerste noten klonken. Bacchiochi was werkelijk een groot talent op de viool en Lenoir merkte dan ook volkomen terecht op: 'De vorst kan beter met de viool omgaan dan met tal van andere zaken.'

Ik veronderstelde dat Lenoirs woorden een verborgen bijbedoeling hadden en keek hem vragend aan. Wilde de kapitein er soms op wijzen dat de vaardigheden van zijn opperbevelhebber veel meer op het gebied van de muziek dan in het militaire domein lagen? Dat zou in overeenstemming zijn met wat Riccardo me over Bacchiochi verteld had. Maar Lenoir keek onschuldig voor zich uit, schijnbaar onder de indruk van de melodieuze klanken van de viool, en leek bepaald niet genegen zijn woorden nader te verklaren. Misschien lag dat ook aan de aanwezigheid van kolonel Chenier.

De kolonel gaf me opeens een teken en beduidde me hem te volgen. Toen ik me omdraaide, zag ik dat Lenoir ons een nieuwsgierige blik toewierp. De meeste gasten waren echter helemaal in de ban van de violist en merkten niet dat wij vertrokken. Via een korte gang kwamen we in een ruimte die het best als studeerkamer getypeerd kon worden. Twee wanden waren bezet met boekenkasten en op een grote tafel lagen enkele landkaarten op elkaar. Ik werd nerveus toen we de kamer binnen gingen. Zou ik hier dan eindelijk de man leren kennen die mijn schulden gelenigd en mijn reis gefinancierd had?

Maar door een kleine zijdeur kwam geen man de kamer binnen, maar een vrouw, en wel de vrouw des huizes. De vorstin van Piombino en Lucca begroette me met een glimlach, heette me welkom in Lucca en feliciteerde me met mijn redding. Weer raakte ik gefascineerd door haar grote ogen, die ze nu op mij richtte. Ze leek een bepaalde verwachting te koesteren. 'Mijn broer heeft vaak over uw grote kennis en buitengewone vakmanschap verteld,' vervolgde ze.

'Generaal Bona...' begon ik; ik schraapte mijn keel en zei: 'Neem me niet kwalijk, maar spreekt u nu over Zijne Majesteit de keizer?'

Elisa lachte geamuseerd. 'Ja, u kent hem nog als generaal Bonaparte. Hij heeft ooit tegen me gezegd dat de expeditie naar Egypte zonder mannen als u, monsieur Schreiber, niet meer dan een militair avontuur geweest zou zijn. U en uw collega's hebben echter door uw onderzoek en opgravingen de beschaving een grote dienst bewezen.'

'Ik wist niet dat Zijne Majesteit zo'n hoge dunk van mij had,' zei ik, ietwat verlegen onder de uitbundige lof die me werd toegezwaaid.

'Toch is het zo. Hij was zeer onder de indruk van de manier waarop u met hem in het Egyptisch Instituut gediscussieerd hebt. Hij zei dat u zeer openhartig het woord hebt gevoerd tegen hem en heel wat keren gelijk hebt gekregen, zij het niet altijd.' Bij de laatste opmerking moest de vorstin al weer lachen, wat haar beslist veel goeddeed omdat de ernst en strengheid dan uit haar gezicht verdwenen en het veel vrouwelijker leek.

Weer doken de herinneringen aan Egypte voor mijn geestesoog op. Maar ditmaal was het niet de woestijn en de genadeloze hitte of monotonie daar, die opeens met talloze dodelijke gevaren kon opduiken. Ik zag mezelf in Caïro, omringd door de geuren en kleuren van de Oriënt, die onze Europese zintuigen zo hevig kunnen prikkelen. Hier had Bonaparte het Egyptisch Instituut opgericht, waarvan hij zelf vicevoorzitter was. Dat hij niet alleen in militaire veroveringen geïnteresseerd was maar ook in culturele en historische verrijking, had hij al bewezen door tal van wetenschappers, onderzoekers en kunstenaars mee te nemen op zijn grote Oriëntavontuur. Ik woonde toentertijd, in 1798, voor mijn wetenschappelijk onderzoek in Parijs en liet de unieke kans om op kosten van de Franse staat naar Egypte te reizen, uiteraard niet aan me voorbijgaan. Toen Bonaparte eenmaal in Egypte was, richtte hij het instituut op om de kunsten en wetenschappen te stimuleren. Hij nam zo vaak hij kon aan de bijeenkomsten deel, en dan niet als hoofd van het Franse Egyptische leger, maar als gelijke onder gelijken, die tal van nuttige voorstellen deed maar ook terechte kritiek leverde. Ik had inderdaad met hem over enkele onderwerpen gediscussieerd, maar verkeerde in de veronderstelling dat hij me allang vergeten was. Er was sindsdien immers een hoop gebeurd: de val van het Franse directorium, de intocht van Bonaparte in de Tuilerieën, de slag bij Marengo en de vrede van Lunéville en ten slotte de keizerskroon die Napoleon zelf op zijn hoofd geplaatst had.

'Mijn broer prees uw grote kennis van de oudheid,' vervolgde de vorstin. 'Misschien kunt u me helpen deze vondsten te rubriceren.'

Terwijl ze nog aan het praten was, pakte Chenier enkele in doeken gewikkelde voorwerpen uit een grote kist, legde die voorzichtig op de kaartentafel en sloeg de doeken open. Voor me lagen beschadigde vazen en kruiken, deels slechts uit brokstukken bestaand, maar allemaal voorzien van interessante versieringen. Nu werd mijn onderzoekingsdrang gewekt. Ik pakte de stukken een voor een op en liep naar het grote raam om ze bij het beste licht te bekijken.

'Dit is een Romeins stuk uit de tijd van de eerste keizer,' begon ik. 'En dit hier ook. Deze vaas hier is zonder meer van Etruskische oorsprong. De kruik op het eerste gezicht eveneens, maar als je die wat beter bekijkt, moet je vaststellen dat hierin de Etruskische stijl gekopieerd is. Vermoedelijk is de kruik door een Griek beschilderd.'

'Bravo!' riep Elisa, terwijl ze enthousiast in de handen klapte. 'Bravo, monsieur Schreiber! Mijn broer heeft niet overdreven toen hij over uw vakmanschap vertelde.'

Toen ik het eindelijk begreep, schonk ik de zuster van de machtige Franse keizer een tamelijk verontwaardigde blik. 'Dit was een examen, niet? U wist allang om wat voor stukken het ging!'

Chenier stak sussend zijn hand op. 'Beheerst u zich, monsieur. Vergeet niet tegen wie u spreekt!'

Elisa had besloten me mijn geagiteerde opmerking niet kwalijk te nemen. Ze raakte teder mijn linkerarm aan en glimlachte naar me. 'U hoeft zich niet te ergeren, monsieur Schreiber. Ik vertrouw u. Maar uw aanwezigheid hier heeft mij het nodige gekost. Mag ik u dan niet een beetje op de proef stellen aangaande uw diepgaande kennis?'

Even was ik door haar woorden van mijn stuk gebracht. Het leek wel of iemand het tapijt onder mijn voeten had weggetrokken. Maar hoe langer ik erover nadacht, des te begrijpelijker werden ze. 'Dus ú bent mijn opdrachtgever!' flapte ik eruit. 'U hebt me naar Lucca gehaald!'

Elisa knikte. 'En ik was behoorlijk geschrokken toen ik hoorde dat u door bandieten ontvoerd was. Ik heb kolonel Chenier opdracht gegeven onze beste soldaten erop uit te sturen om ze te zoeken, en godzijdank met succes.'

'Maakte u zich zorgen om mijn welzijn of om uw investering, hoogheid?'

'Beide liggen me na aan het hart,' antwoordde ze met een onschuldige oogopslag die niet bij haar positie en voorkomen leek te passen. 'U bent tenslotte bijzonder belangrijk voor mij en mijn vorstendom, monsieur.'

'Dat moet u me uitleggen, hoogheid!' Elisa pakte de vaas op die ik als Etruskische vondst had geïdentificeerd. De vaas had een zwarte basiskleur en was door de onbekende, al vele eeuwen dode kunstenaar met rood-bruine verf beschilderd. Er was een naakte jongeling afgebeeld die op een soort sokkel zat en andere naakte personen, zowel mannen als vrouwen, met een uitgestrekte arm een soort schaal aanbood. Het opvallende aan de zittende jongeling waren zijn grote vleugels, zoals die bij christelijke engelen gebruikelijk zijn. Op Etruskische afbeeldingen komen heel vaak wezens met engelenvleugels voor.

'De Etrusken zijn een geheimzinnig volk, nietwaar?' vroeg Elisa.

'Dat kun je gerust zo stellen,' zei ik instemmend. 'We beschikken tot nu toe over geen enkele aanwijzing aangaande hun herkomst. Er bestaan weliswaar diverse theorieën daarover, maar geen ervan kan een wetenschappelijke toetsing doorstaan. Ook hun taal, of liever gezegd hun schrift, helpt ons niet verder. Het schijnt met geen enkele andere bekende taal verwant te zijn. Het lijkt wel of de Etrusken uit het niets opgedoken zijn.'

'En hier, waar we ons nu bevinden, hadden ze hun nederzettingen,' vervolgde Elisa.

'Dat klopt,' zei ik, verbaasd over haar belangstelling voor de oude cultuur der Etrusken; dit gesprek deed me enigszins denken aan de discussies met haar broer in het Egyptisch Instituut. 'Noord-Italië geldt zogezegd als hun vaderland, maar ook in Campanië zijn Etruskische steden gevonden.'

Kolonel Chenier keek me vragend aan. 'Hoezo "zogezegd", monsieur?'

'Zoals ik zojuist al zei, ontbreekt het ons aan aanwijzingen omtrent de herkomst van dit volk, *mon colonel*. Dat in aanmerking genomen is het ietwat aanmatigend van een vaderland te spreken. Maar je zou kunnen stellen dat de Etrusken zich van hieruit over Italië verspreid hebben, tot ze het onderspit moesten delven tegen de Romeinse machtspolitiek en het Romeinse leger. Sulla heeft de laatste opstanden van de Etrusken op bloe-

dige wijze neergeslagen en daarna is het volk in de Romeinse cultuur opgegaan. Poëtischer geesten zeggen echter dat het in het niets is verdwenen,
zoals het ook uit het niets opgekomen was.'

'In de geschiedenis van de mensheid zijn er altijd weer sterke naties wier
ijzeren vuist zwakkere volkeren de juiste richting moet wijzen,' zei Chenier met een zeker pathos in zijn stem. 'In de oudheid waren dat de Romeinen, nu zijn het de Fransen.'

'U zegt het,' bromde ik alleen maar, omdat ik er niet veel voor voelde te
moeten instemmen met een lofprijzing op de Franse veroveringen. Zeker,
ik had me vrijwillig aangesloten bij Bonapartes tocht naar Egypte, maar
niet als soldaat. En wat ik allemaal aan gebrek en ellende had aanschouwd,
zowel bij de soldaten die te velde gewond waren geraakt als onder de bur-
gerbevolking die onder de oorlog leed, had me voorgoed van enige ver-
blinding aangaande militaire roem genezen. Ik wendde me weer tot de
vorstin en herhaalde mijn vraag waarom ik zo belangrijk voor haar vorstendom was.

'Omdat u voor mij een oude Etruskische nederzetting moet opsporen, een
heiligdom van dit volk. De inheemsen hier fluisteren dat de stad door een
aardverschuiving verwoest is. Als dat klopt, moeten daar talloze resten van
de Etruskische cultuur te vinden zijn. Als u die plaats voor mij weet te
vinden, monsieur Schreiber, dan bent u een gevierd man!'

'Vanwaar die belangstelling voor deze geheimzinnige plaats, hoogheid?'
Elisa draaide zich naar de enige wand in de kamer toe die niet door boekenkasten of ramen werd ingenomen. Er hing een schilderij dat me aan
een wijdverbreide kopergravure deed denken: de jonge generaal Bonaparte gaat zijn troepen voor op het slagveld bij Arcole, met in zijn ene
hand een degen en in de andere een wapperende vlag.

'Mijn broer heeft me niet bepaald een groot rijk toebedeeld. Eerst bestond
het alleen uit het nietige Piombino. Toen hij zag dat ik daar een kundig
bewind voerde, gaf hij me Lucca erbij. Maar ook dat is slechts een klein
staatje. Ik ben maar al te goed op de hoogte van de grappen die in de sa-
lons van Europa over mijn rijk verteld worden. Je zou een vergrootglas
nodig hebben om het op de landkaart te vinden en als ik een stap in de
verkeerde richting zou zetten, zou ik de grens van een ander land al gepasseerd zijn. Maar ik ben vastbesloten meer van Piombino en Lucca te
maken. Ik heb ervaren bestuursambtenaren naar dit land gehaald, in-
genieurs en vaklui voor het boerenbedrijf. De ijzer- en loodmijnen van

Piombino, die volkomen verwaarloosd en verlaten waren, worden alweer geëxploiteerd. Ik heb de marmergroeven van Carrara nieuwe opdrachten verschaft en laat vervallen werkplaatsen renoveren. Ik laat dichters, musici, beeldhouwers en schilders naar het hof komen, opdat niet alleen de economie floreert, maar ook de schone kunsten opbloeien. En u, monsieur Schreiber, moet mijn landje aan een exquise verzameling Etruskische vondsten helpen.'

'U bedoelt dat ik een museum moet opbouwen, hoogheid?'

Elisa knikte. 'Ik hoop dat u de post van directeur niet afslaat, als het zover is.'

'Dat is zeker een aantrekkelijke opdracht, maar ik begrijp het allemaal nog niet zo goed.'

'Wat begrijpt u niet?'

'Al die moeite die u doet, hoogheid. Waarom al die geheimzinnigheid?'

'Vanwege mijn broer. Uw vaderland behoort tot zijn rijk en hij mag niet te weten komen wat ik van plan ben. Pas als we het Etruskische heiligdom gevonden hebben, zal ik Napoleon op de hoogte brengen. Het moet een verrassing voor hem zijn. Ik weet hoeveel belangstelling hij voor de geschiedenis van Europa heeft, de oorsprong van onze beschaving. Als we hem een schitterende verzameling vondsten en nieuwe inzichten over het volk der Etrusken kunnen presenteren, zal hij mij... zal hij ons daarvoor zeker zeer erkentelijk zijn. Wat denkt u, monsieur Schreiber, wilt u mij daarbij helpen?'

Aangezien de vorstin mij van mijn exorbitante financiële verplichtingen bevrijd had, liet ze me feitelijk geen echte keuze. Bovendien fascineerde het me om meer over het geheimzinnige volk der Etrusken te weten te komen. En ik moet toegeven dat ik ook aan de enorme wetenschappelijke roem dacht die ik zou verwerven indien ik succesvol zou zijn. Daarom trad ik voor de tweede maal in mijn leven in dienst van de familie Bonaparte, geenszins vermoedend dat mijn Italiaanse avontuur niet minder avontuurlijk en moeizaam zou verlopen dan mijn reis naar Egypte.

We keerden naar de feestvierders terug, waarna ik enkele aangename uren doorbracht met muziek, zang en dans en een werkelijk vorstelijke maaltijd. Toen het duister begon te vallen en de gasten langzaamaan vertrokken, wilde ook ik afscheid nemen. Maar kolonel Chenier, die zich voortdurend in mijn nabijheid had opgehouden, zoals me nu pas opviel, wilde daarvan niets weten. 'Hare Hoogheid wil u nog even spreken en verwacht u al, monsieur Schreiber.'

'Maar het is al zo laat. Mijn dienaren zullen zich zorgen om mij maken als ik niet snel verschijn.'

'Maakt u zich geen zorgen, monsieur. Hun zijn reeds kamers in de dienstbodevleugel van dit huis toegewezen. Ook voor u is een gastenkamer gereedgemaakt. Voor alles is gezorgd. En wilt u mij nu naar Hare Hoogheid begeleiden?'

Dat was geen vraag, maar een bevel. Chenier leidde me naar de studeerkamer die ik al kende, maar ging niet met mij mee naar binnen. In plaats daarvan sloot hij de deur achter me. Elisa Bonaparte stond bij een raam naar de door talloze lantaarns verlichte tuin te staren.

Zonder zich naar me om te draaien, zei ze: 'De brave burgers keren terug naar huis en vertellen hun dierbaren over soldaten en bandieten en over de Duitser die in hun stad een nieuw museum moet oprichten. Ik heb overigens niet bekendgemaakt dat u speciaal naar het oude Etruskische heiligdom op zoek moet gaan. Ik wil geen grafrovers aantrekken. Bewaart u alstublieft het diepste stilzwijgen over deze opdracht. Wilt u me dat beloven?'

'Uiteraard, hoogheid.'

Pas nu draaide ze zich naar me om, en weer lag datzelfde lachje op het gezicht dat van de tamelijk mannelijk ogende heerseres een vrouw maakte. 'Noemt u mij gewoon Elisa als we onder elkaar zijn, dat is gemakkelijker.'

Ik knikte en zei aarzelend: 'Bedankt... Elisa.'

'Ik moet jou juist bedanken, Fabius. Je hebt een lange, inspannende reis achter de rug. Daar komt nog bij dat je je bestemming niet kende en een onverwacht avontuur met die bandieten meemaakte. En toch heb je je geen enkele maal daarover beklaagd.'

'Het past mij niet me te beklagen, hoog... pardon, Elisa. Mijn aanwezigheid hier heeft je het nodige gekost, waardoor ik nu bevrijd ben van een zware schuldenlast die mij spoedig in de gevangenis had kunnen brengen.'

'Maar die schulden heb je niet zelf gemaakt, maar je vader, die zakelijk te veel hooi op zijn vork genomen had.'

'Dat interesseerde de banken niet. Voor hen waren het allemaal schulden van de familie Schreiber. En na de dood van mijn vader waren het mijn schulden. Je hebt me werkelijk heel erg geholpen, Elisa.'

Ze liep op me toe en nam mijn handen in de hare. 'We kunnen elkaar helpen, Fabius, en we hebben veel gemeen. Jij en ik zijn vreemden in dit land, en daarom moeten wij elkaar bijstaan.'

'Ik kan me niet voorstellen dat je eenzaam bent. Vandaag heb ik immers gezien hoe het volk je toejuichte.'

'Die toejuichingen golden niet de vrouw die ik ben, maar de vorstin. En vergis je niet: niet elke juichende stem behoort ook aan een juichend hart toe. Hoeveel berekening en opportunisme kan er niet in al dat gejuich gelegen hebben? Misschien wel meer dan mij lief is. Toen ik naar Italië kwam, juichte er nauwelijks iemand. Ik was voor de mensen hier slechts de zus van een keizer die het land met geweld veroverd had en die dat zijn zus slechts als kruimel toewierp. De instelling van de mensen veranderde pas toen ze zagen wat ik allemaal voor hen deed. Maar toch blijf ik een vreemde voor hen, en misschien zou geen van hen meer juichen als Napoleon op een dag de macht verliest, wat God verhoede.'

'Daar ziet het echt niet naar uit. Hij behoort immers tot de machtigste Europese vorsten.'

'Maar hij heeft veel vijanden, net als ik. En als je door vijanden omringd wordt, dien je in elk geval enkele goede vrienden te hebben die je kunt vertrouwen.'

'Die heb jij zeker, Elisa. Kolonel Chenier lijkt je zeer toegedaan en dan is er natuurlijk ook nog je gemaal, de vorst.'

Elisa's blik versomberde. 'Ja, volgens zijn titel is hij de vorst van Piombino en Lucca en volgens de wet is hij mijn gemaal. Maar ik zou hem niet als mijn man en zelfs niet als mijn vriend betitelen. Er was een tijd dat we ons in zeker opzicht tot elkaar aangetrokken voelden. Ik verbeeldde me dat die knappe kapitein helemaal de ware voor mij was, omdat ik als oudste van drie zussen nog geen man had. En voor Felix was het zeker aangenaam de zwager van Napoleon Bonaparte te worden. Meestal word je als kapitein niet zo snel tot generaal bevorderd, tenminste niet zonder je leven op het slagveld gewaagd te hebben. Maar uiteindelijk liet ik Felix koud, zoals alles hem koud laat zolang hij zijn muziek en zijn vrouwen maar heeft.'

'Zijn vrouwen?'

'Maîtresses, als je het zo wilt noemen. Waarschijnlijk is hij al bij hen. Nee, niet hier, hij ontmoet ze in een ander huis.'

'Waarom vertel je dat aan mij?'

'Omdat ik je wil vragen mijn vriend te worden en bij me te blijven... vannacht.'

Ze sprak uit wat ik allang vermoedde. Nog altijd lagen mijn handen in de hare, terwijl ze zo dicht voor me stond dat haar adem me beroerde en ik de zoete geur van haar parfum rook. Er bestonden vast en zeker mooiere vrouwen dan Elisa en met Maria viel ze zeker niet te vergelijken. Maar wat haar aan schoonheid ontbrak, compenseerde ze door haar uitstraling. Er lag iets magnetisch in haar ogen, dat ik verder alleen bij haar broer gezien had, als die zijn soldaten wist te motiveren om nog eens voor hem de kogelregens op het slagveld te trotseren.

Ik keek diep in de grote donkere ogen van Elisa en las daarin hoe ze naar mij verlangde. Er lag in die blik een zekere kwetsbaarheid die niet bij haar positie en ook niet bij haar openbare optreden paste. Ik zag nu de andere Elisa voor me, het meisje uit Corsica, dat hier in een vreemd land woonde en een positie bekleedde waarvan ze in haar vaderland nooit had durven dromen. Maar ze moest ook de bijbehorende last op haar schouders nemen. En van mij verlangde ze dat ik haar die last voor één nacht zou laten vergeten.

Niet goed wetende wat ik doen moest, schrok ik toen de deur zonder kloppen werd geopend. Tot mijn grote opluchting kwam Felix Bacchiochi binnen, begeleid door kolonel Chenier. De adjudant wierp de vorstin een spijtige, om verontschuldiging vragende blik toe.

Mijn verwachting dat Elisa's gemaal mij verwijten zou maken en misschien zelfs zou aanvallen, werd gelukkig niet bewaarheid. Hij schonk mij slechts een korte blik, waaruit alleen maar onverschilligheid sprak. Daarna wendde hij zich tot zijn vrouw en hij zei: 'Je moet je nu aan andere zaken wijden, Elisa! Er is net een ijlbode gearriveerd. De Oostenrijkers zijn onder aartshertog Ferdinand Beieren binnengevallen. Een tweede Oostenrijks leger onder aartshertog Karl marcheert naar Italië op. Het is oorlog!'

9

Door de grote ramen in Enrico's hotelkamer viel het grijze ochtendlicht naar binnen. Hij richtte zich half in bed op en keek naar het oude dagboek op het nachtkastje. Hij had inmiddels meer dan de helft van de aantekeningen van Fabius Lorenz Schreiber gelezen, maar hij was er nog altijd sceptisch over of hij de schrijver als een gewetensvol chroniqueur of als een opschepper moest beschouwen. Eerst beroemde hij zich erop met Napoleon Bonaparte wetenschappelijke disputen gevoerd te hebben, en daarna beweerde hij ook nog bijna met de zus van de Franse keizer in bed beland te zijn!

Hoofdschuddend stond Enrico op en hij liep slaapdronken naar het raam. Het regende zachtjes en de bergen werden door grijze wolkenslierten omgeven. Daardoor leken ze des te mysterieuzer, alsof ze hun geheimen voor al te nieuwsgierige ogen wilden verbergen. Toen Enrico weer aan zijn belevenissen in Borgo San Pietro dacht, achtte hij de verhalen van Fabius Lorenz Schreiber opeens niet meer zo ongeloofwaardig. Deze bergen bezaten iets magisch, iets wat iemand er snel toe kon brengen paden te bewandelen die buiten datgene traden wat algemeen als de werkelijkheid werd beschouwd.

Hij schrok op door de melodieuze tonen van zijn gsm. Hij liep naar de garderobe en haalde de telefoon uit zijn jaszak. Hij aarzelde met het aannemen van het telefoontje, alsof hij vermoedde dat het geen vrolijk bericht zou zijn. Hij herkende de stem van dr. Addessi al voordat ze haar naam had genoemd. Haar toon verried dat zijn vermoeden bewaarheid zou worden.

'Ik bel vanwege signorina Vida,' zei ze bedachtzaam, alsof alleen die zin al een belangrijke mededeling bevatte.

'Wat is er met Elena?'

'Haar toestand is tegen de ochtend ernstig verslechterd en...'

'Ja?' riep Enrico nerveus in de telefoon toen de arts midden in een zin ophield.

'We hebben reden om aan te nemen dat ze de dag van vandaag niet overleeft.' De arts liet een korte pauze vallen. Enrico merkte dat ze het telefoontje heel onprettig vond. 'Het spijt me, signor Schreiber.'

'Kunt u dan niets voor Elena doen?'

'Ik ben bang van niet.'

'Ik kom meteen.'

'U kunt er niets aan veranderen.'

'Ik kom eraan!' herhaalde Enrico, en hij beëindigde het telefoontje zonder enige afscheidsgroet.

Vijf minuten later zat hij in zijn huurwagen, nadat hij zich snel aangekleed maar niet geschoren had. In vliegende vaart reed hij over de bochtige weg die tussen de bergen en de rivier de stad in leidde. Bij de brug reed hij door rood en voor het ziekenhuis kaapte hij voor een scheldende matrone de laatste parkeerplaats weg. Riccarda Addessi stond bij de toegang tot de intensive care, alsof ze op hem had gewacht. Ze betuigde Enrico op zo'n wijze haar deelneming dat het leek alsof Elena al dood was. Dat vond hij nog het meest choquerende.

'Mag ik haar zien?'

'Ze is niet meer bij bewustzijn gekomen.'

'Nee, maar toch... ik wil haar zien!'

'U weet al wat u te zien krijgt,' zei de arts schouderophalend. 'Maar als u het per se wilt!'

Ze bracht hem naar de kamer waar hij Elena de vorige dag al gezien had. Er leek niets veranderd. De medische bewakingsapparatuur piepte en knipperde nog precies hetzelfde. Het leek nog altijd alsof Elena sliep, en eigenlijk was het ook een soort slaap. 'Ik kan niet zien dat het slechter met haar gaat,' zei Enrico ongelovig.

Dr. Addessi wees op de monitoren boven Elena's bed. 'Als u bekend was met deze apparaten, dan zou u het zien. We houden de patiënte met technische hulpmiddelen in leven, maar in werkelijkheid...'

Ze maakte haar zin niet af en beet op haar onderlip. Enrico vermoedde wel wat ze had willen zeggen: in werkelijkheid lag er een dode voor hem! Het zweet brak hem uit bij die gedachte. Hij bedankte dr. Addessi met enkele hulpeloze woorden en vertrok uit het ziekenhuis. Het leek alsof hij de wereld nog slechts in een waas waarnam. Hij moest de hele tijd aan Elena denken. Aan de vrolijke, levenslustige Elena, die hij maar zo kort gekend had. En aan de onbeweeglijke, bijna levenloze Elena die in haar bed op de intensive care lag te wachten tot de apparaten haar dood constateerden en uitgeschakeld werden. Hij wist niet wat hij nu moest doen. Radeloos bleef hij op het plein voor het ziekenhuis staan, waarbij zijn blik op de St.-Franciscuskerk viel. Hij dacht aan de ontmoeting van de vorige dag met kardinaal Ferrio en hoorde weer wat de geestelijke tegen hem gezegd had: 'Het gebed helpt in tijden van nood zowel onszelf als degenen voor wie we bidden. God luistert naar ons als we tegen hem spreken, ook al is er geen zichtbaar teken waaraan we dat kunnen herkennen. We weten gewoonweg dat God bij ons is en ons bijstaat. Dat is het wonderbaarlijke van ons geloof.'

Onzeker liep Enrico naar de kerk, hij opende het zware portaal en sloeg een kruisteken met het wijwater. Vandaag was hij niet alleen. Twee vrouwen en een oude man zaten in stilte te bidden. Enrico stak een kaars voor Elena aan en ging op een van de achterste kerkbanken zitten om te bidden. Was het wel eerlijk om uitgerekend op zo'n uitzichtloos moment tot God te bidden? Maar als het op dit moment niet mocht, wanneer dan wel? Hij dacht aan Elena en aan zijn wens haar weer in haar groene ogen te kijken en haar lach te horen. Moest hij God misschien iets aanbieden om het pact te bezegelen? Maar wat dan? Hij keek naar het schilderij van St.-Franciscus van Assisi met de stigmata en vroeg zich af of het veel pijn deed als je dergelijke wondtekenen ontving. Zo ja, dan was hij bereid geweest de grootst mogelijke pijn te lijden om Elena te helpen.

Toen hij de kerk uit liep, nam hij slechts half bewust waar dat het niet meer regende. Langzaam liep hij naar het ziekenhuis terug en hij zag dat er naast zijn huurwagen een politieauto op de parkeerplaats stond. Bij de auto's stonden twee mannen te wachten: commissario Massi en Ezzo Pisano. De laatst stak zijn knokige hand naar Enrico uit en zei: 'Signor Schreiber, ik ben hierheen gekomen om u mijn medeleven te betuigen.'

Het leek alsof de bodem onder Enrico's voeten werd weggeslagen. Hij draaide zijn hoofd naar de kerk toe en dacht verbitterd dat God niet openstond voor onderhandelingen; als hij al naar de hartenkreet van een mens luisterde, dan vast niet naar zo'n weinig godsdienstige figuur als Enrico. Wat was hij een dwaas geweest toen hij in de bank op zijn knieën viel en hoopte dat zo'n ongrijpbaar wezen dat God genoemd werd, belangstelling toonde om Elena te helpen. En waarom ook? Zelfs als er een God was, waarom zou hij dan ook maar een vinger hebben uitgestoken naar een mens in nood, naar Elena?

'Hoe hebt u dat zo snel gehoord in Borgo San Pietro?' vroeg Enrico verward. 'Ik ben nog geen uur geleden bij Elena geweest en toen leefde ze nog, als je het tenminste zo mag noemen.'

Pisano hield zijn hoofd scheef en keek Enrico vragend aan. 'Elena? Ik weet niet over wie u het hebt.'

Langzaam begon Enrico het te begrijpen. 'Bent u hier vanwege mijn oud-tante, signor Pisano?'

'Ja, ze is vannacht overleden.'

Tegenstrijdige gevoelens maakten zich van Enrico meester. Ergens was hij ongelooflijk opgelucht dat hij zich vergist had: de oude man had hem niet vanwege Elena gecondoleerd. Maar ook de dood van Rosalia Baldanello liet Enrico niet koud. Hij had de oude vrouw slechts eenmaal gezien, en die ontmoeting was bepaald niet vrolijk verlopen. Toch was ze familie van hem geweest, misschien wel de laatste band met zijn familie, met zijn af-stamming en dus ook met zijn vader. De bedroefdheid die zich van hem meester maakte, had niet zozeer te maken met de dode als wel met de ge-miste kans te weten te komen wie zijn echte vader was. Enrico wist niet goed hoeveel van zijn verdriet zuiver egoïstisch was. Maar één ding wist hij zeker: hij had deze dag het liefst op de kalender doorgestreept.

Hij keek de commissario aan en vervolgens de man uit Borgo San Pietro. 'Is dat onze schuld? Heeft ons bezoek mijn oudtante te sterk aangegrepen? Toen we gisteren bij haar waren, was ze erg van slag.'

Pisano maakte een bezwerend gebaar met beide handen. 'Maakt u zichzelf geen verwijten, signor Schreiber! Rosalia's tijd was gekomen. Zo gaat dat nu eenmaal als je oud wordt. Maar ze heeft vlak voor haar dood nog aan u gedacht en mij opdracht gegeven dit aan u te overhandigen.'

Hij boog zich voorover in de politieauto en pakte een schoenendoos die met rafelig touw omwikkeld was. Pisano gaf Enrico de kartonnen doos.

'Wat zit daarin?' vroeg Enrico.

'Dat weet ik niet. Rosalia heeft me alleen laten beloven de doos aan u te geven. Het leek heel belangrijk voor haar te zijn en ze was bij haar volle verstand. Ik ben met de eerste auto die van Borgo San Pietro naar Pescia reed meegereden en heb bij de commissario naar u gevraagd.'

Massi nam het woord: 'In het hotel zeiden ze dat u niet op uw kamer was en vermoedelijk met de auto weg was. Ik dacht al dat u in het ziekenhuis was, maar we kwamen te laat. Dr. Addessi vertelde me dat het helemaal niet goed ging met de signorina uit Rome.'

'Ze zal overlijden, waarschijnlijk vandaag nog,' zei Enrico met doffe stem.

'De artsen kunnen niets meer doen. Niemand kan Elena meer helpen. Tenzij...' Terwijl zijn blik op Ezzo Pisano viel, schoot hem iets te binnen wat hem nieuwe hoop gaf. 'Tenzij de oude man uit de bergen... Angelo...'
'De oude man die het bloeden bij signorina Vida gestelpt zou hebben?' zei Massi.
'Ik weet dat het belachelijk klinkt, maar ik zou verder niet weten wie Elena nog zou kunnen helpen. Hij heeft het al eens gedaan.' Enrico richtte zich tot Pisano. 'Weet u waar ik Angelo kan vinden?'
Pisano leek te schrikken. 'Ik weet niet over wie u het hebt, signor.'
'U liegt,' zei Massi bars tegen de oude man. 'Ik zou geen commissaris van Pescia zijn als ik een leugenaar niet op honderd meter afstand zou herkennen. U bent bang, signor Pisano. Maar waarvoor?'
Pisano sloeg zijn ogen neer om de priemende blik van de commissario te ontwijken. 'Ik... wil daar liever niet over praten.'
'Maar ik wel!' zei Massi. 'Woont die Angelo in Borgo San Pietro? En beschikt hij werkelijk over genezende krachten? Zo ja, dan moet u het ons vertellen! Iemands leven hangt ervan af. Is het nog niet genoeg dat de dood Rosalia Baldanello al gehaald heeft? Moet ook deze jonge vrouw nog uit het leven weggerukt worden?'
Pisano worstelde duidelijk met zichzelf en het leek of twee met elkaar strijdende zielen in zijn borst hem wilden verscheuren. 'Zelfs als ik u naar hem toe breng, weet ik niet of Angelo de signorina wel wil helpen.'
'Dat zullen we hem zelf wel vragen.' besloot commissario Massi.

ROME, HET VATICAAN

Alexander parkeerde zijn Peugeot op de parkeerplaats voor het gouverneurspaleis waarin de Vaticaanse bestuurslichamen gevestigd waren. In een lichte motregen stapte hij uit en hij zuchtte eens diep. Hij wist dat hij moeilijke uren tegemoet ging. De bezoekjes aan zijn vader waren waarschijnlijk voor beiden een kwelling. Drie maanden geleden had Alexander op het punt gestaan zijn vader te verloochenen en zich geheel van hem te distantiëren. Maar dat bleek gemakkelijker gezegd dan gedaan. Ook al had Markus Rosin als generaal van de orde Totus Tuus gruwelijke misdaden op zijn geweten, hij was en bleef Alexanders vader. Daarom had Alexander geprobeerd de dialoog met hem aan te gaan. Hij zou zijn vader nooit kunnen vergeven wat hij gedaan had, maar hij wilde hem in elk geval proberen te begrijpen. Vandaag was er nog een andere reden om hem op te zoeken, en Alexander wist niet zeker hoe zijn vader daarop zou reageren.

Hij liep langs de Santo Stefanokerk naar het Vaticaanse spoorwegstation en stopte bij de stalen toegangsdeur van de moderne uitbouw, die door diverse bewakingscamera's beveiligd werd. Hij drukte op de grote deurbel en zei zijn naam in de intercom. 'Don Luu heeft mijn komst aangekondigd.'

Er klonk een lage zoemtoon. Alexander duwde de deur open en betrad de wachtruimte, waar twee leden van de Vigilanza zijn legitimatie controleerden en hem op verstopte wapens fouilleerden. Ze lieten hem vijf minuten wachten voordat ze hem naar de bezoekersruimte brachten. In het midden van de ruimte zat Markus Rosin stijf aan een grote tafel met zijn handen op het tafelblad, alsof hij zich daaraan wilde vasthouden. De zonnebril die zijn lege oogholten verborg, leek helemaal niet gepast in de vensterloze, door gele tl-buizen verlichte ruimte. Alexander dacht weer huiverend terug aan de bloedige confrontatie met Markus Rosin en de samenzweerders in de geheime gangen onder het Vaticaan. Een oude vrouw die het kattenvrouwtje genoemd werd, had Alexander en zijn mensen de weg naar het onderaardse labyrint gewezen. Ze was door een schot geraakt, waarna een van haar katten de ordegeneraal van Totus Tuus de ogen uitgekrabd had.

Een van de gendarmen bleef als bewaker in de bezoekersruimte achter en deed alsof de gevangene en zijn bezoeker hem niet interesseerden. Alexander ging tegenover zijn vader op de bezoekersstoel zitten.

'Alexander?' vroeg Markus Rosin.

'Ja. Goedemorgen, pa. Hebben ze tegen je gezegd dat ik op bezoek kwam? Of heb je me aan mijn voetstappen herkend?'

'Geen van beide. Wie anders zou me hier opzoeken?'

'Ik weet het niet. Oude vrienden, misschien?'

'Maak je een grapje of zo? Geloof je dat die naar het hol van de leeuw zouden komen, naar de nieuwe Vaticaanse gevangenis?'

'Maar je hebt ze nog wel, je oude vrienden,' concludeerde Alexander. 'Hoewel paus Custos de orde heeft laten ontbinden, bestaat die in het geheim nog steeds. Ja toch?'

'Als mensen zozeer van iets overtuigd zijn dat ze hun leven eraan wijden, dan laten ze zich daar niet van afbrengen door de nietigverklaring van een valse paus.'

'Custos is de rechtmatige paus.'

'Dat zal nog moeten blijken, nu er inmiddels een tweede paus is,' zei Markus Rosin. In zijn toon klonk voldoening door.

'Je bent goed geïnformeerd.'

'Ik mag hier naar de radio luisteren, wat ik dan ook heel vaak doe.' Markus Rosin tikte met zijn wijsvinger tegen zijn zonnebril. 'Wat kan ik anders doen?'

'Ik weet dat je tegen de hervormingen van de paus bent en vooral tegen de paus zelf, die deze hervormingen wil doorvoeren,' verzuchtte Alexander. 'Heb je nog contact met je geestverwanten?'

'Je bedoelt mijn medebroeders en -zusters?'

'Noem ze zoals je wilt.'

'Hoe zou ik met hen contact kunnen hebben? Denk je dat ik geheime boodschappen lees die ze voor mij de cel in smokkelen?' Markus Rosin lachte schamper. 'Opgesteld in braille?'

'Er zijn altijd wel manieren te vinden,' zei Alexander bewust op samenzweerderige toon.

Er verscheen een sceptisch lachje rond de lippen van zijn vader. 'Wat is dit eigenlijk, Alexander? Een verhoor?'

'Ik wil je om je hulp vragen, pa.'

'Ik ben reuzebenieuwd.' Als dat niet onmogelijk geweest was, dan had Alexander willen zweren dat zijn vader hem nieuwsgierig aankeek.

'Als je zo vaak naar de radio luistert, dan heb je vast en zeker ook de berichten over de twee priestermoorden in Rome en Ariccia gehoord.'

'Ja, en wat is daarmee?'

'Weet jij daar iets van?'

'Vermoedelijk minder dan jij. In tegenstelling tot mij kun jij de krant lezen.'

'Zijn de nog resterende leden van Totus Tuus daar misschien bij betrokken?'

Markus Rosin begon met de vingers van zijn rechterhand op het tafelblad te trommelen. 'Ik begin het langzaam te begrijpen, Alexander. Daarom ben je hier gekomen! En dat terwijl ik dacht dat je kwam om je vader te zien.'

'Wil je me pijn doen? Ik heb in het verleden wel bewezen dat je me niet onverschillig laat. Maar vandaag heb ik echt een verzoek aan je. Als je iets over de priestermoorden weet, zeg het me dan! Misschien kunnen we zo voorkomen dat er nog meer moorden gepleegd worden.'

'Beschouw je mij als een verrader?' vroeg Markus Rosin verwijtend.

'Ik had niet gedacht dat je zo koppig zou zijn,' antwoordde Alexander teleurgesteld. 'Ik had gehoopt dat de gebeurtenissen in mei en het verlies van het licht in je ogen je tot nadenken gestemd zouden hebben en je misschien zelfs tot inkeer hadden gebracht. Maar daarin heb ik me blijkbaar vergist.'

'Dat heb je zeker! Jullie maken me blind en zetten me hier misschien wel voor de rest van mijn leven gevangen, maar verwachten dan toch van mij dat ik jullie help?' De verbittering in Markus Rosins stem sloeg om in pure woede en hij schreeuwde luid: 'Ga weg, Alexander, verdwijn!'

'Het waren niet mijn metgezellen en ik die je blind gemaakt hebben, maar de katten die je aanvielen. Hoewel het klopt dat we beiden aan een andere kant stonden en tegen elkaar gestreden hebben. Ik heb je verfoeid om wat je gedaan hebt, pa, en misschien zelfs gehaat. Ik heb er echter lang over nagedacht en ben tot de conclusie gekomen dat je gedaan hebt wat vanuit jouw gezichtspunt het juiste was. Ik beschouw je visie nog altijd als verkeerd, toch probeer ik je daden tenminste te begrijpen. Ik had gehoopt dat jij ook over jezelf zou nadenken en in elk geval spijt zou betuigen over je daden, ook al blijf je je overtuigingen trouw. Nu denk ik dat je de hele tijd alleen maar aan jezelf hebt gedacht, om jezelf hebt gehuild en uitvluchten hebt verzonnen om anderen de schuld van jouw ellende te kunnen geven. Ik zou medelijden met je moeten hebben, pa, maar ik geloof dat dat een verspilling van gevoelens zou zijn.'

Alexander stond op en verliet de bezoekersruimte zonder nog iets te zeggen. Hij had er nauwelijks rekening mee gehouden dat zijn vader hem een tip over de priestermoorden had kunnen geven. Hij had slechts een vage verdenking gekoesterd dat de restanten van de orde Totus Tuus bij de zaak betrokken waren. Alexander wilde geen enkele mogelijkheid onbenut laten en had daarom zijn vader opgezocht. Hij was niet zozeer teleurgesteld omdat zijn vader hem niets nuttigs had kunnen vertellen, maar vooral door zijn weigering de zaken ook maar eenmaal uit het perspectief te zien van degenen die hij als zijn vijanden beschouwde. Hij koesterde blijkbaar een diepgewortelde haat tegen hen. Alexander vroeg zich af of die haat ook zijn zoon gold.

Ze hadden de surveillanceauto op een kleine open plek geparkeerd en drongen nu onder aanvoering van Ezzo Pisano door het steeds dichtere kreupelhout. Doornige takken bleven in Enrico's broek steken en telkens als hij niet oplette, sloegen de twijgen in zijn gezicht. Onaangename herinneringen aan zijn vlucht met Elena voor de woedende dorpsbewoners kwamen weer bij hem boven. Hij wist allang niet meer waar hij was, en datzelfde gold voor Fulvio Massi. Pisano leek echter geen moeite te hebben de weg te vinden in deze jungle, zo doelbewust bleef hij doorlopen. Af en toe sloeg hij met een stok, die hij onderweg opgepakt had, het weerbarstige struikgewas opzij. Ondanks zijn leeftijd bewoog hij zich verbazingwekkend gemakkelijk voort. Hij was hier blijkbaar goed bekend en had de bossen rond Borgo San Pietro vast en zeker sinds zijn vroegste jeugd doorkruist. Met lenige sprongetjes ontweek hij de modderplassen die de regen had achtergelaten, terwijl zowel Enrico als Massi allang smerige natte schoenen had.

'Nauwelijks te geloven dat iemand in zo'n afgelegen gebied een huis gebouwd heeft,' bromde de commissario nadat hij op het laatste moment langs een modderpoel geglibberd was. 'Je moet echt een kluizenaar zijn om je hier thuis te voelen.'

'Angelo is een kluizenaar,' zei Pisano. 'En hij woont niet in een huis. In elk geval niet in een huis zoals u en ik dat gewend zijn.'

Enrico zag links van hem restanten van een muur achter een stel doornstruiken. Al snel zag hij een heel gebouw. Het was eenzelfde ronde stenen hut als hij tijdens zijn vlucht twee dagen geleden al gezien had. Etruskische graven, zoals de geheimzinnige Angelo gezegd had. Het kreupelhout werd lichter en al snel zagen ze diverse stenen graven aan weerszijden van hen, deels zo overwoekerd dat ze een symbiose met de natuur aangegaan leken te zijn.

'Zijn dat allemaal graven?' vroeg Enrico.

'Er zijn er hier nog veel meer,' antwoordde Pisano. 'Borgo San Pietro staat op de ruïnen van een Etruskische stad. En in deze bossen hebben de Etrusken hun doden begraven.'

Hij bleef tussen enkele van de deels behoorlijk grote graven staan en keek vorsend om zich heen. Voor het eerst sinds ze onder Pisano's leiding het bos in getrokken waren, leek hij enigszins onzeker.

'Hier moet het ergens zijn,' mompelde hij, terwijl hij om zijn as draaide. 'Ah, ja, dat is de goede richting daar!' Ze bleven hem volgen totdat hij voor de ingang van een van de stenen hutten bleef staan. Het was een groot graf van minstens vijftien meter doorsnede. Een trap die door de inwerking van de elementen al behoorlijk verbrokkeld was, leidde naar beneden, waar de niet afgesloten toegang lag. Van bovenaf gezien leek het een zwart gat. Wat zich daarachter verborg, was niet te zien. Pisano daalde voorzichtig de trap af, gevolgd door Enrico en Massi.

'Behoorlijk donker hier beneden,' merkte Enrico op toen ze voor de ingang stonden.

'Niet lang meer.' Massi haalde een kleine zaklantaarn uit zijn uniformjas en knipte die aan. Enrico knikte hem goedkeurend toe. 'U bent blijkbaar op alles voorbereid, commissario.'

'Dat is maar goed ook,' antwoordde de politieman, terwijl hij de knop van zijn pistoolholster lostrok om zijn wapen in een noodgeval gemakkelijker te kunnen pakken.

Ze liepen langzaam verder door de duisternis, die slechts door een smalle straal licht uit Massi's zaklantaarn doorkliefd werd. Het was een nauwe gang, met aan weerszijden openingen die op deuren leken. Voor elk ervan bleef Massi staan om de ruimte erachter met zijn zaklantaarn te verlichten. Er bevonden zich hier beneden in het graf dus echte kamers, met uit steen gehouwen bedden of tafels, alsof de doden hier hun gewone aardse bestaan voortzetten. Het indrukwekkendst vond Enrico de wandschilderingen, die verbazingwekkend goed bewaard waren gebleven. Met taferelen uit het dagelijks leven werd de doden kennelijk duidelijk gemaakt dat ze ook in het hiernamaals niet van hun gewone bezigheden moesten afzien. Opvallend waren de gevleugelde mannen die op diverse afbeeldingen te zien waren en aan christelijke engelen deden denken.

Toen Enrico de commissario daarop aansprak, zei hij: 'Ik moet bekennen dat ik niet erg goed op de hoogte ben van de Etruskische mythologie. Maar met het christelijk geloof hadden ze niets te maken, voor zover ik me herinner. In elk geval ben ik het met u eens dat deze vleugelmensen er heel interessant uitzien.'

'Behoort het onderzoek van het culturele erfgoed ook tot de competentie van de politie?'

'Alleen als er grafrovers aan het werk zijn geweest. Eigenlijk ben ik hierheen gekomen om die geheimzinnige Angelo te ontmoeten.'

'Die zal toch zeker niet de moordenaar van uw zwager zijn?'

'Dat niet. Maar misschien kan hij enig licht op de zaak werpen. De mensen in Borgo San Pietro zijn niet bepaald spraakzaam, zelfs mijn zus niet.' Massi lachte droogjes. 'Ik had er als kind al een hekel aan als mijn zus geheimen voor me had.'

Enrico wilde nogmaals de engelgedaanten ter sprake brengen, die hem fascineerden. Sterker nog, op een bepaalde manier boezemden ze hem angst in. Hier beneden in het grote graf voelde hij zich net zoals in het onderaardse labyrint uit zijn nachtmerrie. Maar toen hij zich naar Massi omdraaide, zag hij dat hun leider verdwenen was.

'Waar is Pisano?' vroeg hij daarom alleen.

Massi zocht de gang met de lichtbundel van zijn zaklantaarn af en vloekte zachtjes toen Pisano nergens te ontdekken was. 'Zou die ouwe kerel ons belazerd hebben?'

'Ik had de indruk dat hij het werkelijk meende. Maar na alles wat ik hier in de bergen al meegemaakt heb, zou ik mijn hand er niet voor in het vuur willen steken. Als dit een valstrik is, dan is die wel uitstekend gekozen.'

'Sprak de tijger voordat hij in het gat sprong.' Massi nam zijn zaklamp nu in zijn linkerhand en trok met zijn rechterhand zijn dienstpistool. Voorzichtig liepen ze verder. Enrico bleef achter de politieman om niet in zijn schootsveld te komen.

Opeens zei een onbekende stem: 'Jullie hoeven niet bang te zijn. Niemand zal jullie hier iets aandoen.'

De lichtstraal trof nu twee mannen aan het eind van de gang: Ezzo Pisano en de bebaarde oude man die Elena geholpen had en zich als Angelo voorgesteld had.

Hij was degene die daarnet gesproken had en hij vervolgde nu: 'Ezzo heeft me verteld waarom hij jullie hierheen gebracht heeft. Het gaat heel slecht met de jonge vrouw, nietwaar?'

'De artsen denken dat ze vandaag nog zal overlijden!' flapte Enrico eruit. 'Kunt u haar helpen?'

'Vertrouw je me dat dan toe? Ik ben maar een oude man en heb niet zoals de dokters in Pescia een medicijnenstudie achter de rug. Wat zou ik nog kunnen doen als zij het niet meer weten?'

'Ik weet dat u over bijzondere krachten beschikt, Angelo. Ik heb zelf gezien hoe u Elena's bloeding gestelpt hebt. Wilt u haar niet nog een keer helpen?'

'Zelfs als ik dat kon, waarom zou ik dat dan doen?' Eerst wilde Enrico antwoorden dat de mensen uit Borgo San Pietro de schuld droegen voor Elena's toestand. Maar dat zou niet eerlijk geweest zijn. Angelo droeg tenslotte geen schuld, integendeel zelfs, hij had hem en Elena juist geholpen.

Vertwijfeld zocht Enrico naar een antwoord, maar hij wist niets anders te zeggen dan: 'U bent toch een mens, Angelo, evenals Elena!' Angelo knikte bedachtzaam. 'Dat is een goed antwoord, en misschien het enig mogelijke. Maar als ik jou help, moet je iets beloven. Jij en die politieman.'

'Wat dan?' vroeg Massi sceptisch.

'Alles wat jullie hier gezien hebben en alles wat je hier nog zult zien en meemaken, blijft onder ons!'

Massi begon misnoegd te brommen. 'De graven hier vormen een waardevol cultuurgoed. En het is de plicht van de politie ze tegen grafrovers te beschermen.'

'Hier komen geen grafrovers,' zei Angelo op een toon die geen tegenspraak duldde.

Pisano voegde eraan toe: 'Bovendien is dit terrein eigendom van de gemeente Borgo San Pietro. Zolang niemand iets aan de graven verandert en ze in de oorspronkelijke toestand blijven, kunnen de autoriteiten niets doen. U als politieman zou dat toch moeten weten.'

'Dat is mij ook bekend,' verzekerde Massi hem, terwijl hij eindelijk zijn wapen weer in de leren holster aan zijn heup terugstak. 'Ik verbaas me er alleen over dat u dat ook weet.' Hij wendde zich weer tot Angelo. 'Wat doet u eigenlijk hier beneden?'

'Ik woon hier.'

'In een graf?' riep de commissario verbaasd uit. 'Is dat niet een beetje donker en vooral eenzaam?'

'Als ik licht nodig heb, steek ik een kaars aan. En als ik behoefte aan mensen had gehad, dan was ik niet hierheen getrokken.'

'Kunnen we daarover straks niet praten?' vroeg Enrico ongeduldig. 'Als we te veel tijd verspillen, kan het voor Elena te laat zijn.' Hij wendde zich weer tot de oude kluizenaar. 'Angelo, ik beloof u over alles te zwijgen. En ik weet zeker dat ook de commissario u zijn woord zal geven. Wilt u Elena helpen?'

Terwijl Alexander stapvoets op de Porta Sant'Anna af reed, dacht hij na over het vruchteloze gesprek met zijn vader. Gezien alles wat Markus Rosin vandaag tegen zijn zoon gezegd had, vroeg die zich af of verdere bezoekjes nog wel zinvol waren. Haalde hij daarmee niet steeds weer opnieuw de oude wonden open?

Verbaasd zag Alexander hoe een Zwitserse gardist voor hem de straat op sprong en driftig begon te gebaren. Alexander trapte op de rem en de Peugeot kwam een halve meter voor Werner Schardt tot stilstand. De gardeadjudant stapte op de auto af en Alexander liet het raampje aan de chauffeurskant zakken. 'Is dat een zelfmoordpoging of een buitengewoon opvallende manier om contact op te nemen, Werner?'

'Geen van beide. Ik heb een telefoontje van don Luu gekregen. Zijne Heiligheid wil je graag spreken voordat je uit het Vaticaan vertrekt.'

'En waarom dan wel?'

'De Heilige Vader pleegt zijn bewakers niet in te wijden in al zijn gedachten.'

Alexander knikte en vroeg zacht: 'En is er verder nog iets belangrijks?'

'Tot nu toe niet. Ik laat van me horen als ik iets weet.'

Alexander parkeerde op de Damasushof en liep naar het Apostolisch Paleis. Daar begeleidde een jonge Zwitserse gardist die hij niet kende hem naar de derde verdieping. Toen ze uit de lift stapten, werden ze door don Luu opgewacht in de kleine ontvangstruimte, die met rieten stoelen en manshoge potplanten gezellig ingericht was. De privésecretaris van de paus stuurde de Zwitser met een kort bedankje terug naar zijn post en heette Alexander welkom.

'Mooi dat u tijd hebt voor Zijne Heiligheid, mijn zoon. Wilt u me volgen?' De paus zat achter zijn bureau in zijn werkkamer in hoog tempo een hele reeks documenten te ondertekenen.

'Vervelende administratie,' zei hij met een vermoeid lachje toen hij Alexander en don Luu opmerkte. 'Een bedankbrief aan alle belangrijke persoonlijkheden in het openbare leven die ondanks het schisma hun vertrouwen en steun aan onze kerk toegezegd hebben.'

'Bestaan er dan geen handtekeningautomaten?' vroeg Alexander, die zich er enigszins over verbaasde waarmee de paus zich moest bezighouden.

'Natuurlijk bestaan dergelijke automaten,' antwoordde Henri Luu. 'Maar stelt u zich eens voor dat zoiets uitkomt! Een politicus of filmster kan zo'n automaat gebruiken om autogrammen te ondertekenen, maar de paus toch niet! De kerk wordt zeer streng op de vingers gekeken als het om de waarheid en authenticiteit gaat.'

'Bovendien kun je bij zo'n dom werkje uitstekend mediteren,' zei Custos. 'En stof tot nadenken heb ik momenteel meer dan me lief is.'

De paus maakte een gespannen indruk bij deze woorden. Alexander meende dat hij in de ene week die sinds hun laatste ontmoeting voorbij-gegaan was, wel vijf jaar ouder was geworden. Zijn huid zag grauw en zijn ogen waren rood door het slaapgebrek. Custos leek zijn laatste reserves te moeten aanspreken om nog op de been te blijven.

'Het hoort misschien niet om dat zomaar te vragen,' begon Alexander voorzichtig, 'maar is er nog nieuws over de geloofskerk?'

Custof bood hem een stoel aan en zei: 'We zoeken de dialoog met de af-valligen, maar ze negeren ons en doen alsof zíj de oorspronkelijke kerk zijn. Hoe moet je ooit een tegenstander verslaan die je niet te pakken kunt krijgen?'

Alexander dacht even na en zei: 'Je zou hem zover moeten zien te krijgen dat hij zelf iemand te pakken wil nemen.'

Er verscheen een flonkering in de ogen van de paus. 'Een goed idee! Het is altijd weer een genoegen met je te spreken, Alexander. Mag ik vragen hoe het bezoek aan je vader verlopen is? Ik wil niet indiscreet zijn en me met persoonlijke aangelegenheden bemoeien, maar don Luu heeft me ver-teld dat je je vader naar een verband tussen de priestermoorden en Totus Tuus wilde vragen.'

'Ja, dat heb ik gedaan. Maar hij is niet erg genegen ons te helpen. Voor hem zijn wij zijn vijanden, degenen die hem van alles beroofd hebben, zo-wel van zijn plannen als van het licht in zijn ogen.'

'Is hij echt zo verbitterd?'

'Ja, blijkbaar wel. Ondertussen heeft hij me indirect wel de bevestiging ge-geven dat Totus Tuus ondanks de nietigverklaring van de orde toch nog actief is.'

'Daar hebben wij ook aanwijzingen voor,' zei don Luu. 'We hebben het monster van enkele tentakels beroofd, maar de andere blijven in het ge-heim actief om nieuwe noodlottige plannen te beramen.'

'Je drukt je op zeer beeldende wijze uit, Henri,' merkte de paus op. 'Heb je er wel eens over gedacht om avonturenboeken te gaan schrijven?'

Luu begreep dat dit een grapje was en antwoordde knipogend: 'Als dit allemaal voorbij is, Uwe Heiligheid. Ik ben nog materiaal aan het verzamelen.' Hij trok weer een ernstig gezicht en wendde zich tot Alexander. 'Heeft uw vader u geen enkele aanwijzing gegeven?'

'Helaas niet. Ik ben bang dat het bezoek een volstrekte mislukking is geworden. Mijn vader denkt nu misschien dat ik hem alleen maar wil uithoren en dat al mijn bezoekjes tot nu toe dat doel dienden.'

Custos stond op, liep op Alexander af en legde zijn hand op zijn schouder. 'Er zijn twee soorten mensen. Degenen die het opgegeven hebben en op wie niets meer indruk maakt. En degenen die aan zelfonderzoek doen, hoe moeilijk en pijnlijk dat misschien ook is. Ik ken uw vader niet goed, maar ik geloof dat hij tot het tweede type behoort. Als ik gelijk heb en het blijkt dat hij aan zelfonderzoek doet, zal hij erkennen dat hij jou onrecht heeft aangedaan en dat hij aan jou een echte zoon heeft.'

Door de aanraking en de woorden van de paus werd er iets van de zware last weggenomen die sinds het bezoek aan zijn vader op Alexander drukte. Hoe klein hij in de gevangenis de kans ook ingeschat had dat Markus Rosin ooit spijt zou kunnen betuigen, nu kreeg hij door de woorden van Custos toch weer hoop. Als een soort lichamelijke warmte kwam er een rustgevend gevoel over hem heen. Hij voelde zich optimistisch en ontspannen. Alexander wist dat het Custos' bijzondere krachten waren die hem dit vertrouwen gaven en hij wenste dat de paus voor zichzelf ook een dergelijke hoop kon creëren als het om de kerkscheuring ging.

PESCIA

De artsen en verpleegkundigen in het ziekenhuis zetten grote ogen op toen Enrico en commissario Massi met de oude Angelo de intensive care binnen liepen. Ze waren slechts met zijn drieën gekomen: Ezzo Pisano had in de bergen afscheid van hen genomen en was naar Borgo San Pietro teruggelopen.

Dr. Cardone, het afdelingshoofd, versperde hun de doorgang. 'Wat wilt u? U kunt hier niet zomaar verder lopen!'

In plaats van te antwoorden, vroeg Enrico: 'Hoe gaat het met Elena Vida?'

Cardones gezicht kreeg een bezorgde uitdrukking. 'Niet zo best, ben ik bang. Het duurt niet lang meer.'

'Laat ons dan bij haar!' riep Enrico, op Angelo wijzend. 'Deze man kan haar misschien helpen.'

'Deze man?' Cardone nam de oude man met zijn versleten kleren die op uitgelopen sandalen in de gang stond, van top tot teen op. 'Is hij arts of zo?'

'Nee, maar hij beschikt over bijzondere gaven.'

'O ja?' zei het afdelingshoofd ongelovig. 'En wat behelzen die dan wel?'

'We hebben nu geen tijd voor verklaringen,' zei Enrico gehaast. 'Laat u ons toch door!'

'Geen sprake van. Als hoofd van deze afdeling draag ik de verantwoordelijkheid voor de patiënten.'

'Luistert u toch naar deze jongeman, *dottore!*' drong Massi aan. 'Het klopt echt wat hij zegt.'

'Ik beslis hier wat klopt,' snauwde Cardone. 'Dit is een ziekenhuis en geen politiebureau!'

Riccarda Addessi kwam uit een deuropening op hen toe, alsof ze meegeluisterd had bij de discussie. Ze keek Angelo aan en vroeg: 'Is dat de man over wie u mij verteld hebt, signor Schreiber?'

'Ja, dat is hem,' antwoordde Enrico. 'En hij wil Elena helpen.'

'Denkt u dat hij dat kan?'

'Als hij het niet kan, wie dan wel?'

Dr. Addessi nam haar collega terzijde en begon zachtjes maar op besliste toon tegen hem te praten. Ze begonnen beiden hevig te gebaren, totdat Cardone op luide toon riep: 'Goed dan, Riccarda, maar op jouw verantwoordelijkheid. En dat bedoel ik precies zoals ik het zeg. Vanaf dit moment draag jij in je eentje de medische verantwoordelijkheid voor de patiënte, wat er ook gebeurt.'

Dr. Addessi bedankte haar collega en vroeg de anderen haar naar Elena's kamer te volgen. Cardone sloot zich bij het groepje aan. Toen dr. Addessi de ziekenkamer binnen wilde gaan, schudde Angelo zijn hoofd.

'Nee, de *dottoressa* niet. Alleen hij en ik,' zei hij met een blik op Enrico.

'Maar dat is onmogelijk!' protesteerde Cardone. 'Wat u ook van plan bent, u kunt dat beslist niet zonder toezicht van een arts doen!'

Angelo keek hem ernstig aan. 'We moeten onder elkaar blijven. Alleen op die manier kunnen we het volbrengen.'

Riccarda Addessi legde kalmerend haar hand op zijn arm. 'Ik neem de verantwoordelijkheid op me, Filippo.' Met een blik op de commissario voegde ze eraan toe: 'De politie kan dat bevestigen. En als je wilt, geef ik je die verklaring ook nog op schrift.' Cardone liet zich vermurwen, waarna Enrico en Angelo de ziekenkamer binnen gingen. Terwijl Enrico de deur achter zich sloot, trof zijn blik die van dr. Addessi, die hem vriendelijk toelachte. Toen hij zich omdraaide, zat Angelo al geknield naast het bed en had hij zijn handen op Elena's voorhoofd en hals gelegd. Enrico keek ernaar alsof hij een surrealistisch tafereel zag. Hoezeer hij dr. Cardone ook had geprobeerd te overtuigen Angelo bij Elena toe te laten, nu vroeg hij zich zelf af of deze oude man werkelijk iets voor de stervende vrouw kon betekenen. Aan Elena viel trouwens helemaal niet te zien dat het leven bijna uit haar was geweken. Ze leek heel rustig te slapen.

'Ga jij aan de andere kant op je knieën zitten en leg je handen op haar!' beval Angelo.

'Ik? Hoezo?'

'Omdat je me moet helpen. Gezamenlijk zijn onze krachten sterker.'

'Onze krachten? Ik beschik toch niet over dezelfde krachten als u?'

'Zeker wel. Ik heb dat bij onze eerste ontmoeting al gemerkt. Je hebt alleen nooit geleerd je krachten te gebruiken. Nu is het hoog tijd. Op je knieën!'

Als in trance volgde Enrico de aansporing op. Was de oude man gek geworden? Enrico wist niets over bijzondere krachten die op de krachten leken waarover Angelo leek te beschikken. Toch legde hij zijn handen op Elena's borst toen Angelo hem dat opdroeg. Hij zou werkelijk alles doen, als het Elena maar hielp.

'Sluit nu je ogen, zodat je je beter kunt concentreren!' zei Angelo.

Enrico gehoorzaamde en vroeg: 'Wat moet ik doen?'

'Niets bijzonders. Denk gewoon aan deze vrouw en ontspan je! Denk eraan dat het goed met haar gaat! Denk aan haar stem en haar glimlach!'

Enrico's gedachten dwaalden af naar zijn eerste ontmoeting met Elena. Hij dacht aan hun gesprek en haar opgewekte manier van doen, waarvan hij onder de indruk was geraakt. Hij werd overmand door een merkwaardig gevoel. Eerst was het slechts een lichte jeuk die van zijn vingertoppen zijn handen in kroop en vervolgens van zijn hele lichaam bezit nam en in een warme golf veranderde. Het leek wel een warme douche, die hem vanbinnen overspoelde. Het was bepaald niet onaangenaam, integendeel zelfs. Hij voelde zich veiliger en meer geborgen dan hij zich lange tijd gevoeld had. Net als toen hij nog een kind was, dacht hij, toen hij Lothar Schreiber nog als zijn echte vader beschouwde.

Opeens gebeurde er echter iets vreemds, iets lugubers: uit het donker waardoor hij omringd werd, dook een gedaante op, een lange man met vleugels. Alleen iemand die deze droom nog nooit beleefd had, kon de gedaante voor een engel aanzien. Wat Enrico gevreesd had, gebeurde ook. De daarnet nog zo harmonische engelachtige gelaatstrekken veranderden in een duivelstronie die zo lelijk en boosaardig was, dat Enrico door paniek bevangen werd. De impuls die hij probeerde te onderdrukken, begon alles te overheersen: vluchten, wegrennen... weg van die monsterlijke gedaante uit zijn dromen, die steeds agressiever in de werkelijkheid probeerde door te dringen. Het leek alsof de bodem onder Enrico's voeten werd weggetrokken. Onder hem ontstond een diep gat, en hij begon te vallen, steeds dieper en dieper...

Uit alle macht probeerde hij zijn ogen te openen, waarna de akelige gedaante van het ene op het andere moment in het niets verdween. Enrico begon reutelend te ademen en zijn handen, die nog altijd op Elena's borst lagen, beefden alsof hij het ijskoud had. Nog altijd voelde hij de paniek die de aanblik van de gevleugelde man hem bezorgd had. Maar dat telde allemaal niet meer toen hij naar Elena's gezicht keek. Ze had haar ogen geopend en keek hem verward aan.

'Wat... doe ik hier?' bracht ze aarzelend uit. Haar blik dwaalde verder af naar Angelo, die langzaam opstond. 'Wie...'

'Ik ben Angelo. Samen met deze jongeman hier heb ik jou uit je slaap gehaald. Nu moeten de doktoren verder voor je zorgen.'

Hij opende de deur en gebaarde dat Addessi en Cardone binnen moesten komen. De beide artsen konden hun ogen niet geloven toen ze Elena weer bij bewustzijn aantroffen. Angelo weerde alle vragen af en trok Enrico met zich mee naar buiten. Hij liet commissario Massi simpelweg staan en liep met Enrico snel de intensive care uit. In een hoek met enkele stoelen en een rond tafeltje met tijdschriften bleven ze staan.

'Ga zitten!' zei Angelo. 'Deze toestand heeft je heviger aangegrepen dan ik verwacht had. Wat heb je gevoeld?'

Enrico gaf een beeld van zijn gevoelens, evenals van de droomgestalte die voor hem verschenen was. Hij liet Angelo weten dat hij die gedaante al heel vaak in zijn dromen tegengekomen was. Hij wist niet waarom hij zich opeens zo openhartig toonde tegenover Angelo. Op een of andere manier boezemde de kluizenaar hem vertrouwen in. Misschien kwam het gewoon doordat hij Elena gered had. 'Wat is er met me aan de hand, Angelo?' vroeg hij.

'Ik weet het niet. Maar het wordt me nu duidelijk dat er meer in je steekt dan ik vermoedde.'

'U weet ook niet waarom ik dergelijke dromen heb en hoe ik daaraan kan ontkomen?'

'Je kunt er niet aan ontkomen. Op een dag zul je tegenover de gevleugelde moeten aantreden.'

'Maar wie of wat is hij dan?'

'Misschien het goede, misschien het kwade. In elk geval wat jij in hem ziet.'

'Dat is geen antwoord waarmee ik tevreden kan zijn, Angelo. Ik heb nog zoveel vragen.'

'Meer kan ik je niet vertellen. Ik ben moe en uitgeput. Alsjeblieft!'

De kluizenaar hief afwerend zijn handen op, en pas nu zag Enrico de rode kringen op zijn handpalmen. Hij dacht aan de ontmoeting van gisteren met kardinaal Ferrio en de afbeelding van St.-Franciscus van Assisi. De stigmata van de Heer!

'Waar komt dat vandaan?' vroeg Enrico.

Maar Angelo schudde zwijgend zijn hoofd en draaide zich naar de uitgang om. Enrico voelde zich uitgeput en had niet de kracht hem tegen te houden. Bovendien zou dat niet juist geweest zijn. Angelo had meer gedaan dan hij hem ooit zou kunnen vergoeden.

Enrico wilde zijn vermoeide hoofd in zijn handen leggen, maar hij schrok op en hield opeens stil. Ook op zijn handen waren zowel op de rug als op de palm de rode vlekken te zien, weliswaar zwakker dan bij Angelo, maar toch duidelijk zichtbaar. Misschien begreep Enrico op dat moment dat voor hem na deze reis niets meer hetzelfde zou zijn. Hier in Italië zou zijn lot vervuld worden.

10

Voorzichtig betastte Enrico met de vingers van zijn ene hand de rode vlekken op de andere. Geen vocht, geen bloed en vooral geen pijn. Hij dacht aan Jezus Christus, de gekruisigde, en probeerde zich de pijn voor te stellen van spijkers die door handen en voeten werden gedreven. Die pijn moest verschrikkelijk zijn en toch nietig in vergelijking met de pijn als je aan het kruis hing en je eigen gewicht aan de wonden trok. Hij keek naar zijn voeten en kwam in de verleiding ook zijn schoenen uit te trekken om daar naar de vreemde rode vlekken te zoeken. Maar op dat moment kwam Fulvio Massi zichtbaar opgewonden op hem af, terwijl hij iets naar hem uitstak. Het was de schoenendoos die Enrico in opdracht van de overleden Rosalia Baldanello van Ezzo Pisano gekregen had. Sinds Enrico de doos voor hun uitstapje naar de bergen in de politieauto had gelegd, had hij er niet meer aan gedacht.

'Deze is van u, signor Schreiber. Pak hem snel aan, want ik moet weg!'

'Wat is er dan?' vroeg Enrico, terwijl hij de doos aanpakte.

'Ik heb zojuist een oproep van het hoofdbureau gekregen. Don Umiliani is dood.'

'Wat?'

'Hij heeft zich opgehangen in zijn cel. Die idioten hebben hem zijn riem laten houden, alleen omdat hij een geestelijke was! Nu zullen we wellicht nooit te weten komen waarom mijn zwager moest sterven. Tot straks, signor Schreiber!'

De commissario snelde met grote passen in de richting van de lift, terwijl Enrico aan de priester van Borgo San Pietro dacht. Eerst een moord en dan zelfmoord! Wat kon een geestelijke ertoe brengen zo tegen de geboden van God te zondigen? Enrico wist er geen verklaring voor. Gisteren nog had die kardinaal uit het Vaticaan Umiliani bezocht. Je zou toch aannemen dat Umiliani tegenover hem zijn geweten had ontlast. Maar blijkbaar had de priester de schande van zijn misdaad niet langer kunnen dragen. Slechts één ding leek Enrico nu nog mysterieuzer dan eerst: als de moord op Cavara de dorpspastoor zo aangegrepen had, waarom had hij die dan eigenlijk begaan?

Iemand in een wit uniform liep naar Enrico toe. Hij keek op en herkende Riccarda Addessi, die hem onderzoekend aankeek.

'Hoe voelt u zich, signor Schreiber?'

'Heel goed, dottoressa. Maar vertelt u me liever hoe het met Elena gaat!'

'Beter.' Ze glimlachte en schudde haar hoofd. 'Als iemand me dat vanochtend verteld had, had ik hem naar de gesloten afdeling verwezen. Die Angelo beschikt over uitzonderlijke krachten. Waar is hij naartoe?'

'Terug naar de bergen, neem ik aan.'

'Ik moet hem absoluut spreken. Zijn kennis kan voor de medische wetenschap van onschatbare waarde zijn.'

'Ik geloof niet dat hij met u daarover wil praten. Als je het mij vraagt, wil hij het liefst met niemand spreken.'

'Maar het is belangrijk. Kunt u me naar hem toe brengen, opdat ik het hem zelf kan vragen?'

'Dat mag ik niet. Ik heb het hem beloofd.'

'U werkt niet erg mee.' De arts klonk niet boos, maar eerder teleurgesteld.

'Zou u uw woord breken tegenover de man die zojuist...' Enrico maakte zijn zin niet af, maar keek naar de ingang van de intensive care.

'Vermoedelijk zou ik even zwijgzaam zijn als u,' antwoordde dr. Addessi, terwijl ze op een stoel naast Enrico ging zitten. 'Ik neem aan dat u me ook niet mag vertellen wat er in de kamer gebeurd is.'

'Niets bijzonders. Ik heb Elena met beide handen aangeraakt, mijn ogen dichtgedaan en aan haar gedacht. Dat had Angelo me opgedragen.'

'En toen?'

Hij beschreef de jeuk, de warmte en het gevoel van geborgenheid waardoor hij overmand was. Maar hij noemde de gevleugelde gedaante uit zijn nachtmerrie niet en vertelde de arts ook niet dat hij volgens Angelo eveneens over zulke bijzondere krachten beschikte. Hij was helemaal op en voelde er niets voor nu dieper op dat onderwerp in te gaan. Hij wilde zijn gedachten eerst zelf ordenen. Dr. Addessi was een slimme vrouw, die er vast wel het hare van dacht.

'Genezing door handoplegging?' vroeg ze aarzelend. 'Is dat alles?'

'Ja, dat is alles.'

'En deze vlekken dan?' De arts wees op zijn handen.

'Angelo had die ook. Ik weet niet waar ze vandaan komen. Eerst dacht ik dat het bloed was, maar het zijn geen verwondingen.'

'Mag ik even?' Ze bekeek zijn handen aan beide zijden. 'U hebt gelijk, geen verwondingen, hoewel dat op het eerste gezicht wel zo lijkt. Het lijkt een lichte zwelling te zijn. Een dermatoloog zou u misschien kunnen vertellen hoe dit ontstaan is.'

'Dat betwijfel ik,' zei hij zuchtend. 'Mag ik nu naar Elena?' De arts schudde haar hoofd. 'Ze slaapt. We hebben haar een middeltje gegeven, want te veel opwinding is nu niet goed voor haar. Maar maakt u zich geen zorgen, het gaat goed met haar. Hoe Angelo het ook voor elkaar gekregen heeft, ze is nu uit het dal. Ook dr. Cardone is dolblij. En u moet wat rust nemen, signore. U ziet er behoorlijk afgepeigerd uit. Vanavond mag u uw vriendin bezoeken.'

Enrico vertrok uit het ziekenhuis en liep naar zijn auto. Nadat hij de schoenendoos op de passagiersstoel neergezet had, bedacht hij zich opeens. Hij sloot de auto weer af en liep naar de St.-Franciscuskerk, die leeg bleek te zijn. Hij stak een kaars aan als dank voor Elena's genezing, knielde en zocht naar woorden om met God te spreken.

Was het al te gewaagd aan te nemen dat zijn gebed verhoord was en een hogere macht – God – ertoe aangezet had Elena te helpen? Hij kon het niet met zekerheid zeggen, maar wel wist hij dat wat hij vandaag in de ziekenkamer meegemaakt had, slechts als een wonder betiteld kon worden. Hij keek naar zijn gevouwen handen met de rode vlekken en vroeg zich af in hoeverre hij zelf met de krachten die de kluizenaar genoemd had, aan het wonder had bijgedragen. Voordat hij de kerk verliet, bleef hij voor het schilderij van Franciscus van Assisi staan en bekeek hij de stigmata van de heilige. Nee, zei Enrico hoofdschuddend tegen zichzelf. Het zou zeker aanmatigend zijn geweest een vergelijking met deze heilige te trekken. Bij het verlaten van de kerk merkte hij dat hij enorme honger had. Hij probeerde zich tevergeefs te herinneren waneer hij voor het laatst iets gegeten had. Er leken aan deze kant van de rivier weinig restaurants te zijn. Hij liep over een van de vele bruggen die de rivier op bijna gelijke afstanden overspanden en begaf zich naar de kleine piazza in het centrum. Hier leek de tijd te hebben stilgestaan en heerste nog de ietwat ouderwetse charme van het Italië uit oude films en foto's. Omdat het alweer enige tijd droog was, slenterden er nu nogal wat mensen over het plein, die voor etalages bleven staan of een bar of restaurantje opzochten. Het gewone dagelijkse leven, dat Enrico opeens vreemd voorkwam. Sinds zijn eerste bezoek aan Borgo San Pietro had hij het gevoel dat er achter de façade van de buitenwereld nog een andere wereld was die moeilijk grijpbaar en nog veel moeilijker echt te begrijpen was. Een conglomeraat van machten dat de mensen, die in hun dagelijkse besognes opgingen, niet waarnamen. Misschien omdat ze dat helemaal niet wilden, omdat het te veel van hun denkvermogen gevraagd had en hun vertrouwen in de wereld van de kille feiten geschokt zou hebben.

Hij ging een kleine pizzeria binnen, bestelde een tonijnpizza aan de toonbank en ging op een vrije stoel bij het raam zitten. Op het plein liepen de mensen langs zonder hem een blik waardig te keuren. Enrico had de indruk dat er veel meer was dat hem van deze mensen scheidde dan alleen een glazen ruit. Boven in de bergen, in Borgo San Pietro, was hij een poort gepasseerd die hem in een andere wereld, in een andere kosmos gebracht had. Maar hij voelde zich niet boven de mensen buiten verheven. Hij wist dat hij een zoekende was, iemand die slechts enkele stukjes van een gigantische puzzel had gezien. Hij durfde zichzelf niet eens als eenoog in het land der blinden te beschouwen.

Maar wat was hij dan? Hij keek naar de rode vlekken op zijn handen en voelde zich radeloos. Hij leek een speelbal te zijn van machten die hij niet kende, niet doorzag en al helemaal niet kon beïnvloeden. Hij voelde zich hulpeloos, alsof hij op een woeste zee in een klein reddingsbootje zat zonder land in zicht. Lag dat alleen aan de mysterieuze gebeurtenissen waarmee hij de afgelopen dagen geconfronteerd was? Als hij eerlijk was tegenover zichzelf, moest hij dat ontkennen. Hij was in zijn leven toch al op een punt beland waarop hij voor zichzelf een besluit moest nemen. Tot nu toe had hij met behoorlijk succes steeds de gebaande paden gevolgd. Niet iedereen was twee keer cum laude in de rechten afgestudeerd en hij wist zeker dat hij als jurist altijd een goede baan kon vinden. Maar hij wist niet of hij dat wel wilde.

Toen hij tegen Elena zei dat de juristerij niet zijn grootste levensvervulling was, had hij de waarheid gesproken. Hij had rechten gestudeerd omdat Lothar Schreiber advocaat geweest was. Eigenlijk had vanaf het begin vastgestaan dat Enrico de praktijk van zijn vader zou overnemen. Maar Lothar Schreiber was ziek geworden en overleden. De praktijk was verkocht om de dure behandeling te betalen, die uiteindelijk niet geholpen had. Velen hadden Enrico benijd om de baan die hij na het tweede staatsexamen bij de praktijk van Kranz & Partner aangenomen had. Maar al snel begonnen alle conflicten tussen de verschillende partijen hem meer te irriteren dan dat die hem boeiden, en toen de praktijk wegens fraude van de oudste partner opgeheven werd, was Enrico van alle medewerkers degene geweest die dat het minst betreurd had. Hij was zelfs dankbaar geweest voor de kans in alle rust over zijn leven na te denken. Misschien kon hij de wissels nog in de juiste richting zetten en niet alleen volgens vastgestelde sjablonen leven, maar iets doen wat hem werkelijk uitdagingen bood en hem het gevoel gaf dat hij zijn leven niet aan futiliteiten verspilde.

In die periode was zijn moeder ziek geworden en overleden. Het leek wel alsof een hogere macht besloten had dat hij losgeweekt moest worden van alles waaruit zijn leven tot nu toe bestaan had. Toen hij de dringende behoefte voelde in Noord-Italië naar zijn familiewortels op zoek te gaan, had hij geen idee gehad wat hem hier te wachten stond. Nu hij hier was, vroeg hij zich af of hij niet opnieuw een al aangeduid pad gevolgd was. Ditmaal leek hij door een onbekende kracht geleid te worden, waarvan hij de doelen evenmin kende als de aard. Was dit een goede of een kwade macht? Hij dacht aan de droomverschijning, die nu eens een licht uitstralende engel en dan weer een angst inboezemende duivel was. Had de gevleugelde gedaante hem hierheen gelokt? Enrico huiverde toen hij de stem hoorde die hem vanuit de verte leek te willen verleiden en tegelijkertijd wilde bevelen.

'Hebt u het koud, signore? Moet ik de verwarming wat hoger zetten?' Naast hem stond een mollige vrouw die zijn pizza serveerde. De geur van warm gistdeeg, tonijn en uien bereikte zijn neus.

'Niet nodig, dank u,' zei hij. Hij merkte dat hij een droge keel had. 'Wilt u me nog een grote cola brengen?'

Hij at snel, maar zonder veel smaak, hoewel de pizza niet slecht was. Zijn blik dwaalde weer af naar het plein met de wit en geel gepleisterde palazzi. Met bloemen opgesierde balkons op de bovenverdiepingen en luifels boven de winkels op de begane grond droegen bij aan de gezellige sfeer die het centrum van Pescia uitstraalde. Aan de overkant van het plein waar Enrico op uitkeek stond de Madonna di Piè di Piazzakerk. Vlak daarbij stond een palazzo zonder luifels en met slechts één balkon op de eerste verdieping, dat niet door bloembakken opgesierd werd. Verder zag het zandkleurige gebouw met de groene luiken er hetzelfde uit als de andere woonhuizen. Enrico kon het bord naast de brede toegangsdeur niet lezen, maar uit de politieauto's die voor het huis geparkeerd stonden, leidde hij af dat dit het plaatselijke politiebureau was. Er kwam een corpulente man in uniform naar buiten die met zijn handen in zijn zakken naar de kleine *tabaccheria* tegenover het politiebureau liep. Het was Fulvio Massi, die op Enrico een misnoegde indruk maakte.

Hoewel hij zijn pizza en cola nog niet ophad, legde Enrico vijftien euro op tafel, wat een flinke fooi betekende, en hij verliet de pizzeria. Voor de tabakswinkel liep hij op de commissario af, die net een pakje sigaretten met zijn duimnagel opende. 'Een sigaret tegen de frustraties, commissario?' Massi keek hem verbaasd aan en schoof zijn pet naar achteren. 'Eén sigaret is echt niet genoeg om me van mijn frustraties af te helpen. Laten we zeggen dat dit het eerste pakje is en dat er meer volgen. U ook een?' Hij hield Enrico het pakje voor, maar die maakte een afwerend gebaar. 'Nee, dank u, chronisch niet-roker.'

'Ik heb wel geprobeerd te stoppen, maar het is me niet gelukt. Overigens roken de meeste politieagenten die ik ken. Daar zouden ze eens een medisch-psychologisch onderzoek naar moeten verrichten.' Massi wees op een bar vlak bij hen. 'Zullen we er eentje nemen, of bent u ook chronisch geheelonthouder?'

Nadat ze de bar waren binnengegaan, bestelde Massi twee glazen Duits bier. Daarna gingen ze aan een van de smalle tafeltjes zitten.

'Alcohol onder diensttijd? Mag dat wel?'

'U klinkt als iemand in een Duitse krimi op televisie, signor Schreiber. Ik permitteer me dat vandaag gewoon. Hoe vaak komt het immers voor dat je de vreemdste moordenaar die je ooit in de cel had, verliest?' Toen het bier gearriveerd was, hief de commissario zijn glas op. 'Op don Umiliani. Moge zijn ziel nu in de hemel zijn of in de hel verschroeien!'

Ook Enrico hief het glas en dronk, maar hij betoonde geen instemming met de heildronk. Hij vond het nogal vreemd dat de commissario een toost op de moordenaar van zijn zwager uitbracht. Vermoedelijk was dat een vorm van galgenhumor.

'Het telefoontje is dus bevestigd?' vroeg Enrico. 'De pastoor heeft zich in zijn cel opgehangen?'

'Ja, zonder enig geluid te maken en met dodelijk succes.'

'Heeft hij nog iets nagelaten?'

'Alleen maar domme gezichten en een hoop papieren die nu allemaal ingevuld moeten worden. De collega die nagelaten heeft zijn riem af te nemen, zal zeker disciplinair gestraft worden. Als het al niet op een aanklacht wegens dood door schuld uitdraait. Maar een afscheidsbrief of zoiets heeft hij niet nagelaten.'

'Een aanklacht tegen uw collega? Kan zoiets niet binnenskamers afgehandeld worden?'

Massi grijnsde. 'Normaal gesproken wel, maar niet als de dode een priester is.'

'Het lijkt wel of u Umiliani's dood betreurt, commissario.'

'Vindt u dat vreemd dan? Er is iemand gestorven.'

'Maar hij was de moordenaar van uw zwager. De man die uw zus tot weduwe en uw neven en nichten tot halve wezen gemaakt heeft.'

'Tja, merkwaardig,' zuchtte Massi. Hij nam een grote slok bier en veegde het schuim uit zijn snor. 'Je zou denken dat ik nooit in mijn loopbaan een moordenaar zo veracht moest hebben als Umiliani. Maar zo is het niet. Integendeel, nog nooit heb ik me zo onzeker gevoeld over een misdaad, ondanks Umiliani's bekentenis.'

'Denkt u dat hij uw zwager helemaal niet gedood heeft?'

'Daar gaat het niet om. Ik denk wel degelijk dat de pastoor Benedetto gedood heeft. Anders was zijn zelfmoord nauwelijks te verklaren. Maar uit alles wat ik over Umiliani weet, blijkt dat hij een door en door goed mens was. Niet bijzonder slim en ook niet ambitieus, en daarom heeft hij het niet verder gebracht dan dorpspastoor in de bergen. Maar niet iedere geestelijke hoeft ook een genie te zijn met de ambitie bisschop of kardinaal te worden. Umiliani leek heel tevreden te zijn op zijn post.'

'U bedoelt dat een moord niet bij zijn karakter past.'

'Nog minder dan de vredesduif bij Benito Mussolini paste.'

'En toch beschouwt u hem als de moordenaar?'

'Als de moordenaar wel, maar niet zonder meer als de schuldige.'

'Nu begrijp ik u, commissario. U denkt aan iemand achter de schermen, aan iets wat wij juristen "indirect daderschap" noemen.'

'Precies. Iemand heeft de pastoor als werktuig gebruikt.'

'Maar daarvoor is het noodzakelijk dat de dader die als uitvoerend werktuig handelt, dat op grond van dwang, dwaling of ontoerekeningsvatbaarheid doet en daarom niet schuldig kan zijn,' zei Enrico, op juridisch jargon overgaand. 'Umiliani leek me na zijn daad heel kalm en volledig te beseffen wat hij gedaan had.'

'Jullie juristen ook!' bromde Massi, terwijl hij een wegwerpgebaar maakte. 'Ik heb geen idee of er in dit geval van indirect daderschap sprake zou kunnen zijn en na Umiliani's dood zullen we het misschien nooit te weten komen. Ik heb het nu over de werkelijke afloop. Ik kan me niet voorstellen dat de pastoor geheel uit zichzelf opeens op het idee gekomen is Benedetto te vermoorden.'

'Maar als u gelijk hebt, wie is dan de opdrachtgever, de verantwoordelijke voor de dood van uw zwager?'

'Dat, zou Sherlock Holmes zeggen, is een probleem dat meer tijd vraagt dan het roken van een pijp.' De commissario drukte zijn sigaret in een asbak uit en stak een nieuwe aan. 'Of meer dan een pakje kankerstaafjes.'

Hij informeerde naar Elena, waarna Enrico verslag deed van de merkwaardige sessie, waarvoor hij nog altijd geen betere term wist dan 'wonderbaarlijke genezing'. Ook tegenover Massi sprak hij niet over zijn visioen van de gevleugelde gedaante. Het zou te moeilijk zijn geweest dat uit te leggen en bovendien had Enrico zich dan weer intensief met zijn nachtmerrie bezig moeten houden. En daar voelde hij helemaal niets voor.

'Een vreemde vogel, die Angelo,' meende de commissario. 'Ik zal in Borgo San Pietro eens naar hem informeren. Maar ik ben bang dat de dorpsbewoners niet erg spraakzaam zullen zijn.'

'Misschien wil uw zus er toch nog iets meer over vertellen.'

Massi's blik was gekweld. 'Daar zou ik niet op rekenen. Bovendien weet ze misschien echt heel weinig over die kluizenaar. Ze is tenslotte niet in Borgo San Pietro geboren, maar er later naartoe verhuisd. De mensen in de bergen maken daarin heel subtiel onderscheid.' Hij dronk zijn bier op en vroeg: 'Hebt u al in de schoenendoos gekeken die signor Pisano u gebracht heeft?'

'Ik ben er nog niet aan toegekomen.'

'Als er iets in zit wat ons verder kan helpen met het moordonderzoek, laat u het me dan weten?'

'Vanzelfsprekend, commissario.'

Enrico reed naar hotel San Lorenzo terug, kleedde zich uit zodra hij op zijn kamer was en ging onder de douche staan. Met afwisselend warme en koude stralen probeerde hij zijn levensgeesten te stimuleren. Hij sloot zijn ogen en stelde zich voor dat hij met het warm-koude water samenvloeide. Het deed hem goed onder de klaterende waterstraal te staan en alle zorgen, alle kwellende vragen te vergeten. Het liefst was hij nog uren zo blijven staan. Op een gegeven moment kwam er alleen nog maar ijskoud water uit de douchekop en keerde hij in de werkelijkheid terug.

Pas toen hij zich aan het afdrogen was, dacht hij eraan te kijken of er ook rode vlekken op zijn voeten zaten. Toen hij die niet kon vinden, voelde hij een zekere opluchting. Hij bekeek zijn handen en meende dat ze iets minder rood geworden waren. Hij hoopte dat hij zich dat niet alleen maar inbeeldde, want hij voelde er niets voor zijn hele leven als gestigmatiseerde rond te moeten lopen.

Nadat hij een broek en T-shirt aangetrokken had, pakte hij de schoenendoos en ging op bed zitten. Het touw waarmee het zware pak bijeen werd gehouden was weliswaar gerafeld, maar zat verbazend goed vastgeknoopt. Het lukte hem niet om het kapot te trekken. Hij liep naar de garderobe en haalde zijn zakmes uit zijn windjack. Maar toen het scherpe mes het touw raakte, aarzelde hij en vroeg hij zich af of hij werkelijk wilde weten wat er in de vaal geworden doos zat. Misschien had zijn moeder een goede reden gehad om hem niet te vertellen wie zijn vader was.

Hij dacht aan de woorden die Rosalia Baldanello in paniek had uitgestoten: 'Ga jij ook weg! Je bent net als je vader tot zonde vervallen, dat zie ik aan je. Je hebt dezelfde ogen, dezelfde blik. Je vader heeft God onrecht aangedaan en de straf van de Here over ons gebracht. Heeft hij jou tot zijn uitvoerder benoemd?' En toen had ze met alle kracht die ze nog in zich had tegen Enrico geschreeuwd: 'Ga weg! Vertrek uit mijn huis, Satan, en keer nooit meer terug!' Ook als je het als koortsfantasieën van een oude, doodzieke vrouw beschouwde, was het treurig en schokkend. Maar stel dat die woorden toch waar waren en dat Rosalia Baldanello heel goed had beseft wat ze zei? Dan had Enrico pas echt reden geschokt te zijn. Was hij een satan? Onwillekeurig moest hij aan de gevleugelde gedaante uit zijn dromen denken. Deze engelachtige verschijning veranderde met beangstigende regelmaat in een duivel, waarbij de gevederde vleugels vleermuisachtige vlerken werden. En telkens weer werd hij door afgrijzen bevangen als hij in het duivelsgezicht keek, dat verwrongen menselijke trekken vertoonde. En in die menselijke trekken herkende hij steeds weer zichzelf.

Al dat gepieker bracht hem niet verder, zo wist hij uit ervaring. Met een plotselinge ruk sneed hij het touw door en hij haalde zonder dralen het deksel van de doos af. Hij had een besluit genomen en wilde nu weten waaruit Rosalia Baldanello's nalatenschap aan hem bestond. Enrico had persoonlijke aantekeningen en oude foto's verwacht, misschien met een dagboek zoals dat van Fabius Lorenz Schreiber, maar op het eerste gezicht bestond zijn kleine erfenis uit niets meer dan krantenknipsels. Een hele doos volgepropt met kleine en grote krantenartikelen, stuk voor stuk netjes uitgeknipt, zonder scheve of rafelige randen. Hier had iemand de schaar gehanteerd die veel belang aan orde en netheid hechtte, zoals bij een vrouw uit de generatie van zijn oudtante paste.

Het bovenste krantenartikel telde diverse kolommen en was afkomstig uit een van de grootste Romeinse dagbladen, de *Messaggero di Roma*. Het was op 7 mei dat jaar gepubliceerd en erboven stond een vette kop: WONDER-BAARLIJKE GENEZING IN VATICAAN. De chapeau luidde: 'Is de nieuwe paus een heilige of een charlatan?' Toen hij de eerste regels van het artikel las, herinnerde hij zich het voorval, dat enkele maanden geleden nogal wat opzien gebaard had. Enrico had in een tv-reportage zelf gezien hoe de pas verkozen paus Custos tijdens een audiëntie een vrouw in een rolstoel weer aan het lopen had gebracht. De media hadden er uitvoerig over bericht met reportages die elkaar soms hevig tegenspraken. Nu eens werd beweerd dat de wonderbaarlijk genezen vrouw vanaf de nek verlamd was geweest, dan weer werd gesproken over een staaltje van bedrog of pure hocus po-cus. In elk geval was dit voorval de opmaat tot de sensationele gebeurte-nissen rond de paus en het Vaticaan geweest die in een aanslag op Custos en een ware machtsstrijd in het Vaticaan uitgemond waren. Hoewel En-rico niet echt in de kerk geïnteresseerd was, had hij de gebeurtenissen wel gevolgd. Wie kranten las, naar de radio luisterde of tv-keek, kon er niet omheen.

Hij zocht verder in de doos en ontdekte een groot aantal artikelen, com-mentaren en berichten over de al dan niet vermeende wonderbaarlijke krachten van de paus. Enrico wist niet wat hem meer verbaasde: dat zijn oudtante zoveel belangstelling voor de paus en zijn bijzondere gaven toon-de of dat ze blijkbaar alle grote kranten van Italië, die in het nietige Borgo San Pietro zeker niet verkrijgbaar waren, op deze artikelen had uitge-pluisd. Enkele knipsels betroffen de kerkscheuring en de tegenpaus Lu-cius, maar Enrico kon daarin geen verband ontdekken met de artikelen over de zogenaamde wonderbaarlijke krachten van Custos. In elk geval had Rosalia Baldanello haar grote belangstelling voor de kerk en de pau-sen tot haar dood verzwegen.

Enrico bekeek de inhoud van de doos driemaal zorgvuldig, zonder iets persoonlijks aan te treffen. Geen foto, geen aantekeningen, zelfs geen kor-te notitie waarom de overledene haar verzameling krantenknipsels aan hem vermaakt had. Het was nogal een mysterie en Enrico zou het als een gril van de oude vrouw hebben afgedaan als hij niet die wonderbaarlijke sessie met Angelo had beleefd. Er waren overduidelijk parallellen tussen de gaven van de kluizenaar en die van de paus. Na alles wat Enrico vandaag in het ziekenhuis meegemaakt had, was hij geneigd de genezing van de verlamde vrouw zonder meer voor waar aan te nemen.

Ook al bleek uit de inhoud van de schoenendoos niet waarom zijn oudtante die artikelen aan hem nagelaten had, toch beschikte hij over een aanwijzing: Angelo had hem verteld dat ook hij over deze gaven beschikte. En inderdaad had ook hij rode vlekken op zijn handen. Had Rosalia Baldanello geweten dat hij over dergelijke krachten beschikte? En zo ja, hoe dan? Enrico kwam tot de conclusie dat het iets met zijn vader te maken moest hebben. Hij nam zich voor alle krantenknipsels nog eens rustig te bestuderen. Misschien vond hij op die manier iets wat hem verder hielp. Zodra hij het eerste artikel over de wonderbaarlijke genezing tijdens de pauselijke audiëntie begon te lezen, schrok hij op. Hij had eerst niet op de naam van de auteur van het bericht gelet, maar nu las hij: 'Van onze Vaticaancorrespondent Elena Vida'.

ROME, HET VATICAAN

Ditmaal wachtte paus Custos zijn gasten niet in de bibliotheek op die tegelijk zijn werkkamer was. Don Luu leidde Alexander Rosin en Stelvio Donati naar een comfortabele ruimte waarin de geur van verse koffie hing. Midden op de gedekte tafel stond een grote zilveren kan op een waxinelichtje. Een oudere vrouw in habijt zette een plateau met een cake naast de kan, pakte die op en schonk dampende koffie in de vier kopjes. Custos stond bij het raam en keek over het St.-Pietersplein uit. De menigte die op het plein samengestroomd was na het bericht over de kerkscheuring, was de afgelopen acht dagen langzaamaan verdwenen. Op het grote voorplein waren nu de gebruikelijke toeristen te zien en misschien nog enkele nieuwsgierigen, maar veel waren het er niet. Een buitenlandse tv-ploeg had midden op het plein een camera geplaatst en maakte opnamen van de St.-Pieterskerk. De paus draaide zich om en heette zijn gasten met een hartelijke glimlach welkom, terwijl de vrouw voor ieder een plak cake op een bordje legde.

Custos knikte haar toe. 'Dank u, zuster Amata, de rest verzorgen we zelf wel.' Toen ze de kamer verlaten had, vervolgde hij: 'Neem toch plaats, heren, zodat we in alle rust kunnen bijpraten. Als je je niet een beetje ontspant, raak je in deze enerverende tijden snel afgemat. En tast vooral toe! De cake van zuster Amata is in het Apostolisch Paleis heel geliefd. Vraag dat maar aan don Luu!'

De privésecretaris van de paus knikte vriendelijk. Enkele seconden beantwoordde hij aan het cliché van de glimlachende, onderdanige Aziaat dat Alexander uit B-films kende. Maar het lachje verdween snel en maakte plaats voor een ernstige, geconcentreerde uitdrukking.

Ook de paus ging zitten, nadat hij eerst nog een laatste blik door het raam geworpen had. 'Als je naar de wereld daarbuiten kijkt, lijkt alles vredig en rustig. De opwinding die een week geleden het Vaticaan in een vesting had veranderd die door gelovigen, nieuwsgierigen en vooral de media belegerd werd, lijkt voorlopig weggeëbd. Voor de media zijn nieuwe sensaties interessanter en het publiek krijgt snel genoeg van extra uitzendingen en speciale edities als die de norm worden. Maar schijn bedriegt. Onder de oppervlakte broeit het nog even sterk. De kerk dreigt blijvende schade op te lopen als het de tegenkerk en haar nieuwe paus lukt haar nu al aanzienlijke invloed te verstevigen en nog te vergroten.' Custos zette zijn ellebogen op tafel en ondersteunde zijn kin met zijn samengevouwen handen. Zijn blik gleed over zijn gasten. 'Ik vertel jullie dit niet om op een of andere manier medelijden op te wekken. Ik wil alleen verduidelijken welke druk er op mij en mijn medestrijders hier in het Vaticaan gelegd wordt. Elk lichtpuntje kan die druk verlichten. Het oplossen van die vreselijke moorden zou zo'n lichtpuntje zijn. Mag ik wat dat betreft hoop koesteren?'

Commissario Donati spreidde in een verontschuldigend gebaar zijn armen uit. 'Helaas is een oplossing nog lang niet in zicht,' begon hij zijn verslag over het onderzoek dat de aanleiding voor deze bijeenkomst vormde. Paus Custos had gevraagd tot in detail over de voortgang van het onderzoek geïnformeerd te worden.

Toen Donati na een kwartier klaar was, bleef het enige tijd stil. Custos en zijn secretaris, die ijverig aantekeningen had zitten maken, hadden tijd nodig om te verwerken wat ze gehoord hadden.

Ten slotte vroeg de paus met een gekwelde ondertoon: 'En geloven jullie echt dat de Zwitserse Garde bij de moorden betrokken is?'

'De ketting met het kruis die Elena van signora Ciglio heeft gekregen, wijst daar wel op,' antwoordde Alexander. 'Ik heb toen ook zo'n ketting gekregen van Imhoof, als paascadeau. De ketting uit de Santo Stefanokerk is zonder twijfel van een gardist geweest. Helaas weten we niet wie de ketting daar verloren heeft. Misschien was het geen Zwitser, maar erg waarschijnlijk is dat niet.'

'Het zou een slechte zaak zijn als de garde weer in de vuurlinie zou belanden,' zei Custos. 'De moord op de gardecommandant, jouw oom, is nog maar vijf maanden geleden. Een tweede moord in de kring van de Zwitsers zou het einde van de garde kunnen betekenen.'

'Is dat zo belangrijk voor Uwe Heiligheid?' vroeg Alexander. 'Ik dacht dat u met de gedachte gespeeld hebt de garde op te heffen.'

'Er waren goede redenen om anders te besluiten,' zei don Luu, Alexander half in de rede vallend. 'De ingrijpende kerkhervormingen maken het noodzakelijk dat dierbare tradities blijven bestaan, althans voorlopig. En de aanblik van de Zwitsers in hun kleurrijke uniformen en met hun hellebaarden behoort zonder meer tot die tradities. Zelfs de zogenaamde geloofskerk wist niets beters te verzinnen bij de inhuldiging van hun valse paus dan een afdeling Zwitsers te laten opmarcheren.'

Donati keek eerst Luu en toen de paus aan. 'Eerlijk gezegd snap ik niet waar u naartoe wilt. Wilt u dat we bij het verdere onderzoek selectief te werk gaan? Moeten we de Zwitserse Garde dekken, zelfs als we ontdekken dat zich brute moordenaars in hun gelederen ophouden?'

De paus maakte een afwerend gebaar met beide handen. 'Lieve God, nee! Dat is een misverstand, commissario. Natuurlijk is het mijn wens dat u zo diplomatiek mogelijk te werk gaat en geen vermoedens aan de openbaarheid prijsgeeft zolang u geen zekerheid hebt. Maar weest u ervan verzekerd dat ik de moorden even graag opgehelderd zie als u. En als de moordenaars uit de gelederen van de garde komen, dan zal dat niet verhinderen dat ze hun gerechte straf krijgen. Maar het zou in dat geval wel bijzonder attent van u zijn, signor Donati, als u mij vooraf op de hoogte zou stellen. Ik zou graag terdege voorbereid zijn op de storm die ik dan kan verwachten.'

'Dat spreekt vanzelf, Uwe Heiligheid,' zei Donati.

Custos knikte dankbaar. 'Uw steun is bijzonder waardevol voor mij en voor de kerk. Ik doel daarmee op jullie beiden. Ik vertrouw jullie werkelijk volledig en hoop dat jullie onderzoek snel tot concrete resultaten zal leiden.'

Alexander wisselde een korte blik met Donati en antwoordde: 'We hebben weliswaar nog geen resultaten, maar we beschikken wel over bepaalde aanwijzingen. Er is een vrouw die op de dag van zijn dood met don Dottesio gesproken heeft.' Hij deed verslag over dr. Vanessa Falk. 'De commissario heeft de vrouw sinds we haar gisteren gesproken hebben laten schaduwen en haar gsm-gesprekken afgeluisterd. Dr. Falk heeft contact met een priester in Marino opgenomen, een zekere Leone Carlini, de ...'

'Carlini?' onderbrak don Luu hem. 'Zo heette de vermoorde priester in Ariccia toch!'

'Inderdaad, Giorgio Carlini,' bevestigde Alexander. 'Leone Carlini is zijn neef. Ariccia en Marino liggen niet erg ver van elkaar vandaan. De ene plaats ligt aan de zuidoever van het Lago Albano, de andere aan de noordoever. Leone Carlini bekleedt zijn functie daar al elf jaar. We vermoeden dat hij geholpen heeft bij de benoeming van zijn neef in Ariccia. Het is interessant dat Vanessa Falk Leone Carlini gisteravond opgebeld heeft en voor morgenmiddag een afspraak met hem gemaakt heeft. Ze zal hem in Marino, in de bergen, bezoeken.'

'Heeft Leone Carlini net als zijn neef in het Vaticaan gewerkt?' vroeg de paus.

'Voor zover we weten niet. Maar misschien heeft de vermoorde priester zijn neef iets belangrijks meegedeeld.'

Don Luu krabde bedachtzaam op zijn achterhoofd. 'Welke reden heeft die Duitse dame aan pastoor Carlini opgegeven voor haar bezoek?'

'Geen concrete reden,' antwoordde Alexander. 'Ze heeft hem alleen verteld dat het om zijn overleden neef gaat. Dat was voldoende om Carlini's nieuwsgierigheid op te wekken, evenals de onze.'

PESCIA

Enrico bleef voor de deur van de ziekenkamer staan en aarzelde, hoewel hij zijn hand al opgetild had om te kloppen. Elena was snel hersteld, zoals dr. Addessi hem in een telefoongesprek al verteld had. Volgens de arts lag ze alleen nog maar voor de vorm op de intensive care. Het was nu eenmaal niet de gewoonte iemand die enkele uren eerder nog op sterven had gelegen, zo snel naar een andere afdeling te brengen. Eigenlijk had Enrico dus blij moeten zijn. Zijn grootste wens, waarom hij zelfs nog gebeden had, was in vervulling gegaan. Maar hij had zich het weerzien met Elena anders voorgesteld. Nu hij haar naam bij het krantenartikel had gezien, was alles wat hij de afgelopen dagen gevoeld en gehoopt had, aan het wankelen gebracht. Hij had de redactie van de *Messaggero di Roma* gebeld en naar Elena Vida gevraagd. Een redactieassistente had hem meegedeeld dat signorina Vida er enkele dagen op uit was en daarom niet in Rome verbleef. Op Enrico's vraag of signorina Vida zich misschien in Toscane ophield, had de redactieassistente niet willen antwoorden. Desondanks had hij er niet aan getwijfeld dat de Elena Vida die hij kende, dezelfde was als de auteur van het krantenartikel. Nu bekeek hij ook haar grote belangstelling voor de kerk met andere ogen. Als correspondent bij het Vaticaan had ze natuurlijk de tv-uitzending over de inhuldiging van de tegenpaus willen zien. Enrico voelde zich belogen en bedrogen.

Hij onderdrukte de impuls rechtsomkeert te maken en het hoofdstuk Elena Vida direct en definitief af te sluiten. Hoewel hij haar pas enkele dagen kende, betekende ze veel voor hem. Hij wist dat hij haar niet zomaar kon vergeten. En hij meende recht te hebben op een verklaring. Daarom klopte hij op de deur. Elena's 'Binnen!' klonk zo opgewekt dat het leek alsof ze helemaal niet ziek geweest was.

Er zat nog een verband om haar hoofd, maar de slangen en kabels waren verdwenen. Ze zat half rechtop in bed de krant te lezen. Toen hij dichterbij kwam, zag Enrico dat het de *Messaggero di Roma* van dezelfde dag was. Elena legde de krant opzij en begroette hem met een stralende glimlach. 'Hoe gaat het met je?' vroeg hij, maar gezien haar toestand was dat vooral een retorische vraag.

'Ik voel me als herboren. Geen wonder, want ik heb heel veel geslapen; genoeg voor de rest van het jaar, denk ik. Dr. Addessi heeft me verteld dat ik het aan jou te danken heb dat het zo goed met me gaat. Dank je wel, Enrico!' Hij had de indruk dat ze hem zou omhelzen en kussen als hij vlak bij haar zou gaan staan. Nog maar enkele uren geleden zou hij niets liever gedaan hebben. Maar nu hield een onzichtbare hand hem tegen en zei hij alleen: 'Ik heb niet veel gedaan. Angelo, die kluizenaar uit de bergen, heeft je geholpen.'

'De man die de dorpsbewoners tegengehouden heeft?'

'Precies.'

'Ik kan me hen niet meer zo goed herinneren.'

'Je bent toen ook door een steen geraakt en een tijd in dromenland geweest.'

Ze klopte met haar rechterhand op de zijkant van het bed. 'Ga zitten en vertel me meer over Angelo en hoe die me geholpen heeft. Dr. Addessi heeft gezegd dat hij en jij bij me op de kamer geweest zijn.'

Aarzelend ging hij op de rand van het bed zitten en hij vertelde op zakelijke toon wat er gebeurd was. Ook ditmaal vertelde hij niets over het macabere visioen dat zich tijdens de vreemde ceremonie aan hem had opgedrongen.

'Maar wat heeft Angelo dan precies met me gedaan?' drong Elena aan. 'Je beschrijving is nogal beknopt.'

'Is dat nu werkelijk nodig, Elena?' Hij keek haar bedroefd aan, trok het krantenknipsel met haar artikel uit zijn jaszak en legde dat voor haar neer op bed. 'Jij weet toch heel goed wat wonderbaarlijke genezingen zijn.'

Elena staarde eerst naar het artikel en vervolgens naar Enrico. Haar lippen bewogen, maar ze zei niets. Ze kon kennelijk de juiste woorden niet vinden.

'Heb ik je nu gechoqueerd?' vroeg Enrico. 'Ik moet toegeven dat ik verrast was toen ik op dit artikel stuitte, mevrouw de lerares.'

'Hoe kom je daaraan?'

Hij vertelde over de merkwaardige nalatenschap van Rosalia Baldanello. 'En in die doos zaten alleen krantenknipsels?' vroeg Elena nog eens met nadruk. 'Verder niets, geen brief, geen aanwijzing wat die knipsels te betekenen hebben?'

'Niets.'

'Wat raar.'

'Dat is alles wat je hierover te vertellen hebt?' vroeg hij teleurgesteld.

Elena keek hem indringend aan. 'Ik weet dat ik me bij je moet verontschuldigen, Enrico, en dat wil ik zeker ook niet nalaten. Ik weet alleen niet hoe. Je denkt nu dat ik je gebruikt heb, en in zekere zin klopt dat ook. Maar het was geen boze opzet, echt niet. Toen ik hoorde dat je naar Borgo San Pietro wilde, beschouwde ik dat als een goede gelegenheid die plaats onopvallend te kunnen bekijken. Ik dacht dat twee toeristen minder in het oog zouden lopen dan een journaliste.'

'Je had het me toch kunnen vertellen? Waarom heb je je voorgedaan als lerares op vakantie en me niet gewoon verteld dat je onderzoek wilde doen in de geboorteplaats van de tegenpaus?'

Ze haalde hulpeloos haar schouders op. 'Een beroepsziekte, denk ik. Hoe zei de oude Bernardo het ook al weer, de redacteur bij wie ik het handwerk geleerd heb? "Vertrouw niemand en alleen bij twijfel jezelf!"'

'Dus jij dacht dat ik jou misschien zou verraden.'

'Niet direct, maar ik dacht wel dat je nooit je mond voorbij zou kunnen praten als je de waarheid niet kende.'

'Hartelijk dank voor je enorme vertrouwen!' zei hij sarcastisch.

'Ik wilde je niet kwetsen, Enrico! Hoe kan ik het weer goedmaken?'

'Door me de volledige waarheid te vertellen.'

'Die ken je al.'

'Alleen over je beroep.'

'Aha,' zei Elena met een diepe zucht. 'Dus dát bedoel je.'

'Ja, dát bedoel ik,' zei hij hees. 'Vrouwen zijn heel fijngevoelig in dergelijke dingen. Vermoedelijk heb je allang gemerkt dat je me bepaald niet koud laat. Misschien ben ik te weinig fijngevoelig, maar ik had graag van je vernomen hoe jij erover denkt.'

Elena legde haar hand op de zijne. 'Ik zou me goed kunnen voorstellen dat ik mijn hart aan je zou verliezen, Enrico, als ik het niet al aan een ander verpand had.'

Hij probeerde niet op de lichte duizeligheid te letten die hem overviel en vroeg: 'Kun je me daar iets meer over vertellen? Wie is de gelukkige?'

'Hij heet Alexander. Zodra ik wakker was, heb ik lang met hem gebeld. Stel je voor, hij wist niet eens dat ik in het ziekenhuis lag. Het is de politie dus niet eens gelukt dat aan Rome door te geven.'

'Zoiets kan gebeuren als je te geheimzinnig doet over je eigen identiteit.'

'Dat heb ik nu wel verdiend,' zei Elena ietwat bedroefd, maar ze glimlachte direct weer. 'We zitten in een vervelende situatie, Enrico. Maar we moeten elkaar niet met verwijten bestoken, want daar schieten we niets mee op. Laten we er liever rustig over praten.'

'Goed, vertel me dan wat meer over die Alexander! De naam klinkt niet echt Italiaans.'

'Het is een Zwitser,' zei ze, waarna ze uitvoerig vertelde hoe zij en Alexander Rosin elkaar hadden leren kennen. Ze besloot met de woorden: 'Nu ken je mijn privéleven bijna nog beter dan ikzelf.'

'Ja, en ik heb de indruk dat je hartstikke gelukkig bent met Alexander.'

'We zijn heel gelukkig samen, ja.'

'Leuk voor jullie, niet zo leuk voor mij,' zei hij met een geforceerd lachje, en hij stond op. 'Tja, dan moet ik op zoek naar moeders met leuke dochters.'

Hoewel hij het luchtigjes opmerkte, was hij bepaald niet in een vrolijke stemming. Maar dit was voor hem de enige manier om weerstand te bieden aan de intense treurigheid die hem overmande. De voorstelling was afgelopen en hij wilde zichzelf en Elena een larmoyante afgang besparen.

Verrassend genoeg bleef Elena zijn hand vasthouden. 'Blijf nog even, Enrico!'

'Waarom?'

'Ik weet dat ik er geen recht op heb, maar ik wil je nog eenmaal om je hulp vragen. Ook al gaat het al beter met me, volgens de artsen moet ik nog een tijdje in dit mooie ziekenhuis blijven. Wil jij voor mij naar Rome vliegen? Mijn krant betaalt uiteraard alle kosten. Vertel Alexander over alles wat je hier meegemaakt hebt en vooral ook over je ontmoeting met Angelo. En laat hem de krantenknipsels zien die je van je oudtante hebt gekregen. Ik kan er zelf nog geen chocola van maken, maar ik kan me niet aan de indruk onttrekken dat er een verband bestaat met de geloofskerk en de tegenpaus.'

'Hoezo? Alleen omdat hij uit Borgo San Pietro komt?'

'Is dat niet voldoende reden om de zaak tot de bodem uit te zoeken?'

'Voor jou misschien wel, maar wat heb ik daarmee te maken?'

'Misschien meer dan je lief is, Enrico. Denk aan de woorden van je oudtante, die tijdens jouw bezoek volledig in paniek raakte. En denk aan wat Angelo tegen je gezegd heeft. Zijn krachten, waarover jij kennelijk ook beschikt, herinneren me aan de bijzondere gaven van paus Custos. Voel je niet de aandrang dat uit te zoeken? Ik dacht dat je naar Italië was gekomen om meer over jezelf te weten te komen.'

Daar had ze gelijk in. Haar voorstel om op kosten van de *Messaggero* naar Rome te vliegen, was eigenlijk heel goed, behalve dat het impliceerde dat hij Alexander Rosin moest ontmoeten. Als Enrico ergens geen zin in had, dan was het een ontmoeting met uitgerekend deze man. Maar wat had hij eraan zijn kop in het zand te steken? Misschien was het juist heel goed Elena's vriend persoonlijk te leren kennen. Hij dacht aan oude westerns waarin verwondingen met een gloeiend ijzer uitgebrand werden.

Enrico pakte zijn gsm en gaf die aan Elena. 'Bel je redactie! Laat ze een vlucht en hotelkamer voor me boeken.'

'Bedankt,' zei Elena glimlachend. 'Ik hoop dat je je niet zult vervelen.'

'Ik neem iets te lezen mee,' antwoordde hij, aan het reisdagboek denkend.

Het reisboek van Fabius Lorenz Schreiber,
geschreven naar aanleiding van zijn gedenkwaardige reis
naar Noord-Italië in 1805

VIERDE HOOFDSTUK — HET DORP IN DE BERGEN

De nazomerhitte en de moeizame tocht door de bergkloven deden me aan Egypte denken, ook al zag ik hier dan geen woestijn vol zand en rotsen, maar vooral weilanden en bossen. Het pad liep zo steil omhoog en het terrein was zo onherbergzaam dat kapitein Lenoir en ik allang van onze paarden geklommen waren. De dieren leken nog vermoeider dan wij, en achter ons sjokte de troep van dertig soldaten voort. Meer had Lenoir, die van Elisa Bonaparte de opdracht gekregen had mijn expeditie te beschermen, er niet mee mogen nemen. Het Oostenrijkse leger van aartshertog Karl, dat de noordgrens van Italië bedreigde, zou tegen de honderdduizend man sterk zijn. Elisa had iedere beschikbare soldaat nodig om haar kleine rijk te verdedigen.

We waren nu goed een week onderweg en ik had in de plaatsen langs de weg geïnformeerd naar de mogelijke locatie van het oude Etruskische heiligdom. De gesprekken met de dorpelingen hadden niet veel opgeleverd. De Italiaanse boeren waren niet geïnteresseerd in oud cultuurgoed. Ze waren er slechts bang voor dat opgravingen op hun terrein hun wijngaarden zouden verwoesten. Maar ik had bij deze eenvoudige mensen tal van voorwerpen gezien waarvoor verzamelaars en museumdirecties een aardige som geld betaald zouden hebben: potten en kruiken, en beschilderde of met reliëfs versierde stenen. Deze vondsten werden door hen dagelijks gebruikt, zonder dat ze zich van de werkelijke waarde bewust waren. Door slimme vragen te stellen was ik meer te weten gekomen over de vindplaats. Alles wees erop dat er een verlaten plek hoog in de bergen was, in de buurt waarvan het Etruskische heiligdom volgens mij zou moeten liggen. De naam van deze plaats was Borgo San Pietro.

Het smalle pad, voor zover je tenminste van een pad kon spreken, slingerde zich tussen dichte rijen eiken en kastanjes door, waarvan de wortels vaak uit de bodem staken zodat de doorgang bemoeilijkt werd.

Een schrille kreet boven mijn hoofd deed me opkijken. Tegen de verblindende zon in zag ik de schaduw van een roofvogel, waarschijnlijk een buizerd, die in kringetjes rondvloog alsof hij ons als zijn buit had uitverkoren. Achter me hoorde ik een doffe klap, gevolgd door pijnlijk gekreun. Ik draaide me om en zag Maria op de grond liggen; blijkbaar was ze over een boomwortel gestruikeld. Ik gaf de teugels van mijn bruine paard aan een korporaal en liep snel naar haar toe, maar Riccardo, die naast haar had gelopen, zat al over zijn zus heen gebogen.

'Het is niet zo erg,' zei Maria met een dappere glimlach. 'Ik schrok alleen van die vogel en heb daardoor die wortel niet gezien.'

Ze streek haar lange haar, dat tijdens de voettocht in elkaar geklit was, uit haar gezicht. Ik ontdekte een verwonding op haar voorhoofd, die weliswaar niet groot was, maar toch bloedde. Maria beweerde geen pijn te hebben. Ik liet me deze kans echter niet ontnemen en met hulp van haar broer maakte ik de wond schoon en legde ik een verband aan.

De soldaten genoten van de onverwachte rust. Ze grepen naar hun veldflessen en lieten het water gulzig in hun uitgedroogde keel glijden. De begerige blikken die ze de mooie Italiaanse, de enige vrouw in de verre omtrek, toewierpen, ontgingen me natuurlijk niet. Slechts met tegenzin had ik Maria en Riccardo meegenomen. Ik was bang dat Maria niet tegen de inspanningen opgewassen was. En wat haar broer betrof: die gedroeg zich sinds de bestorming van zijn kamp door de soldaten van kapitein Lenoir dan wel uitermate gedwee, ik liet me daardoor niet in de maling nemen en wist heel goed dat ik met een even sluw als gevaarlijk heerschap van doen had. Maar ik wilde hen ook niet alleen in Lucca achterlaten. Slechts op mijn voorspraak was hun de strop bespaard gebleven en als ze nog langer in de stad waren gebleven, zou de kans steeds groter worden dat er iets bekend werd over het verleden van Riccardo en Maria. Bovendien moet ik bekennen dat de nabijheid van Maria me zeer lief was.

Toen we het verband aangelegd hadden, tilde ze haar hoofd op, haar ogen met haar vlakke linkerhand tegen het felle licht beschermend. 'De onheilsvogel zweeft boven onze hoofden. Onze tocht vindt niet onder een goed gesternte plaats.'

'Hoezo onheilsvogel?' vroeg ik.

Riccardo antwoordde met een wegwerpgebaar. 'Dat is gewoon dom bijgeloof uit onze jeugd.'

Kapitein Lenoir drong erop aan onze weg te vervolgen, en daarom ging ik niet nader op de kwestie met de vogel in. Nog altijd liepen we steil bergopwaarts en zagen we rondom en voor ons niets anders dan dichte bossen. Alleen het uitgelopen voetpad wees erop dat we niet verdwaald waren en dat er een begin en een einde was. Zwijgend zetten we de ene voet bijna mechanisch voor de andere, en na nog twee uur ploeteren lag het doel zo plotseling voor ons dat het iedereen een schok bezorgde. De hele groep bleef staan zonder dat iemand het bevel daartoe gegeven had en tuurde naar de muren van Borgo San Pietro.

De eerste indruk was niet die van een bergdorp, maar van een vesting. Hoge, donkere muren, waar je ook keek. Nauwelijks een vensteropening te zien, alleen maar smalle spleten die op schietgaten leken. De muren staken boven elkaar uit en kruisten elkaar deels en hoe goed ik ook zocht, ik kon geen ingang in dit bolwerk vinden. Rondom deze hooggelegen plaats, die de gehele omgeving in alle windrichtingen beheerste, was het bos verdwenen. Rondom lagen akkers, doorsneden door beekjes.

Lenoir verwoordde wat we allemaal dachten: 'Dat lijkt geen dorp waarin mensen wonen, maar een bastion dat door een garnizoen opgegeven is.'

'Plaatsen als deze tref je vaak hier in de bergen aan,' zei Riccardo, die met Maria naast me was komen staan. 'Ze stammen uit een tijd die al evenzeer door oorlogen werd gekenmerkt als deze, een tijd waarin de Italiaanse vorstendommen elkaar bitter bevochten. Vijandelijke overvallen waren aan de orde van de dag. Daarom werden de dorpen als vestingen gebouwd, en heel vaak moesten ze zich tegen bestormingen en belegeringen verweren.'

'Blijkbaar hebben de bewoners het op zeker moment opgegeven zich te verdedigen,' meende Lenoir. 'De plaats lijkt even dood als het Oostenrijkse leger na de slag bij Rivoli.'

Riccardo kneep zijn ogen samen en tuurde ingespannen naar de donkere opeenhoping van muren, torens en daken. 'Daarvan ben ik nog niet zo zeker. Ik geloof dat er op de toren links iets beweegt.'

Terwijl ik mijn ogen met beide handen tegen de zon afschermde, tuurde ik naar de toren, maar ik kon geen levend wezen ontdekken. Hoewel Lenoir een verrekijker pakte en de toren in het vizier nam, kon hij Riccardo's waarneming evenmin bevestigen.

'Misschien heb ik me vergist, wat in het felle zonlicht niet zo vreemd is,' gaf Riccardo toe. 'Toch geloof ik dat er mensen in het dorp wonen. Hoe valt het anders te verklaren dat de akkers bewerkt zijn?'

Daarin had hij zonder twijfel gelijk, en ook Lenoir viel hem bij. De kapitein trof direct voorbereidingen om het geheimzinnige bergdorp te ver-

kennen. Hij liet tien van zijn mannen achter om de paarden en muildieren te bewaken die onze uitrusting droegen. De anderen moesten met de bajonet op het geweer onder zijn leiding het dorp doorzoeken. Ik sloot me bij deze troep aan, met Riccardo aan mijn zijde. Toen Maria eveneens wilde meekomen, weigerden we dat beiden. Borgo San Pietro leek ons geen veilige plek, en daarom lieten we Maria liever veilig bij de groep achter. Langzaam naderden we het dorp, waarvan de muren voor ons dreigend oprezen, als een angstaanjagend monster dat zich oprichtte om ons te verslinden.
'Een ingang, hier is een ingang!' klonk het aan de linkerflank, waar een soldaat driftig gebaarde. Lenoir, Riccardo en ik liepen naar de man toe en zagen een smalle opening in de muren, nauwelijks breed genoeg voor een kar. Toen onze colonne door deze toegang het dorp binnen ging, zei Lenoir: 'Het bevalt me niks. Dit is een ideale locatie voor een hinderlaag. We moeten in ganzenpas achter elkaar aan lopen en kunnen ons nauwelijks verdedigen als iemand ons vanuit de schietgaten of vanaf de daken op de korrel neemt. We kunnen hier als konijnen neergeknald worden.'
'Vermoedelijk is dat ook het doel van deze bouwwijze,' merkte ik op. 'Een tegenstander die numeriek in de meerderheid is, kan daarvan hier niet profiteren en door een kleine schare verdedigers in bedwang gehouden worden.'
Gelukkig viel er geen enkel schot en we bereikten ongedeerd het dorpsplein. Het was niet bepaald groot, maar na de smalle, bochtige stegen voelden we ons hier bevrijd. Lenoir stelde zijn mannen zo op dat ze het plein naar alle kanten bewaakten.
'En nu, monsieur Schreiber?' vroeg hij mij met een radeloze blik.
'Misschien kunnen we de kerkklok luiden,' stelde ik hem half schertsend voor, op de hoge kerktoren wijzend die boven de daken uitstak. 'Mogelijk laten de inwoners van Borgo San Pietro zich dan eindelijk zien.'
Terwijl ik sprak, liep Riccardo quasi achteloos weg en hij slenterde naar een van de smalle huizen. Met een onverwachte snelle sprong verdween hij in de ingang, waarvan de deur blijkbaar op een kier stond. Even dacht ik dat hij er op deze manier tussenuit wilde knijpen, maar hij keerde al snel terug met een tegenstribbelend pakket onder zijn rechterarm. Het was een kind van een jaar of zes, zeven. Het verwarde donkere haar hing in het gezicht van het kind, zodat ik niet kon zien of het een jongen of een meisje was. Ook de kleding, een grof geweven kiel, maakte me niets wijzer.

'Ik zei toch dat hier mensen waren,' zei Riccardo triomfantelijk, terwijl hij zijn best deed de hevig tegenstribbelende gevangene in zijn greep te houden.

'Een kind,' bromde Lenoir twijfelend.

'Waar kinderen zijn, zijn meestal ook ouders,' hield Riccardo vol. 'En nu zou u me een plezier doen als u uw mannen opdracht geeft zich om dit monstertje te bekommeren, kapitein.'

Na een gebaar van Lenoir pakten twee soldaten het gevangen kind vast en ze hielden het in hun greep. Eindelijk kon ik het besmeurde gezicht zien en vaststellen dat het sjofel geklede kind een jongen was. We vroegen hem naar zijn naam, naar zijn ouders, naar de inwoners van Borgo San Pietro en of hij honger of dorst had. Tevergeefs. Hij hield zijn mond zo stijf dicht dat het leek alsof hij stom op de wereld was gekomen. Een forsgebouwde sergeant bood aan de jongen met een flink pak slaag aan het praten te krijgen.

'Of hij gaat praten, of hij wordt alleen nog maar koppiger,' zei ik vertwijfeld. 'Doodsbange kinderen beginnen meestal niet te praten nadat ze met ruwe soldatenhanden kennisgemaakt hebben. De tedere handen van een vrouw zijn daarvoor veel beter geschikt. We moeten hem naar Maria brengen.'

Het voorstel werd door Riccardo en Lenoir met instemming begroet en zo zette onze colonne zich weer in beweging om het geheimzinnige bergdorp te verlaten via dezelfde bochtige route als we gekomen waren. Nauwelijks hadden we de rand van het plein bereikt of er klonk een opgewonden vrouwenstem achter ons: 'Laat mijn zoon hier, *per amor di Dio!*'

Een vrouw rende met uitgestrekte armen dwars over het plein op ons af. De verraste soldaten die de jongen vasthielden, waren niet op zijn plotselinge verzet voorbereid en even later lag het kind al in de armen van zijn moeder. Achter haar doken meer mensen op. Opeens zag ik zo veel mannen, vrouwen en kinderen dat ik niet begreep hoe die zich zo goed voor ons hadden kunnen verbergen. De kinderen leken nog wel nieuwsgierig, maar de volwassenen keken ons deels angstig, deels vijandig aan. De meeste mannen hielden wapens in hun handen, variërend van knuppels en messen tot hooivorken en enkele oude musketten. Kapitein Lenoir schreeuwde een kort bevel, waarop zijn mannen hun geweren op de dorpelingen richtten. Ik twijfelde er niet aan dat een gevecht in ons voordeel beslecht zou worden. De inwoners van Borgo San Pietro zouden nauwelijks iets kunnen inbrengen tegen de gezamenlijke vuurkracht van de soldaten en hun bedrevenheid in de omgang met de bajonet.

Een dorpeling met een grote, licht grijzende snor legde zijn musket op de grond en liep langzaam op ons toe. Hij bleef naast de vrouw en het kind staan en zei: 'Mijn naam is Giovanni Cavara. Als burgemeester van Borgo San Pietro heet ik u in deze plaats welkom. En ik wil u ervoor bedanken dat u mijn zoon Romolo niets aangedaan hebt.'

'Waarom hebt u zich voor ons verborgen?' vroeg de kapitein.

'Mijn mensen waren bang voor uw soldaten. Ze dragen vreemde uniformen. We dachten dat de oorlog uitgebroken was.'

'Dat is ook zo, tegen de Oostenrijkers. Maar wij zijn Fransen. U weet toch dat vorstin Elisa, de zuster van keizer Napoleon, dit land nu regeert?'

Cavara knikte. 'Ik heb daarover gehoord. Bent u bang voor een aanval op ons dorp?'

'Eigenlijk niet.' Lenoir lachte. 'We zijn hier om een andere reden. We zijn namelijk op zoek naar de ruïnen van een oude Etruskische stad.'

Het gezicht van de burgemeester versomberde plotseling. 'Die hebben we hier niet.'

Aan wie we het in Borgo San Pietro ook vroegen, iedereen gaf ons hetzelfde antwoord of deed alsof hij helemaal niet begreep wat we wilden. Had ik me vergist en onze troep abusievelijk deze bergachtige wildernis in gestuurd? Mijn instinct zei me dat dat niet zo was. Ik achtte de zwijgzaamheid van de dorpelingen verdacht en mijn indruk dat ze iets voor ons verborgen, werd er alleen maar door versterkt. Na overleg besloten Lenoir en ik voor de muren van het dorp ons kamp op te slaan. Er zou zeker genoeg slaapgelegenheid in het dorp geweest zijn, maar vanwege het vijandige gedrag van de dorpelingen leek het ons veiliger buiten het dorp te bivakkeren. Toen het begon te schemeren deelde Lenoir de nachtwakers in. Ondertussen werd er boven het kampvuur een wild zwijn gebraden dat een van de soldaten geschoten had.

Tijdens het eten viel het me op dat Maria erg somber leek. Ze was nog zwijgzamer dan anders en at nauwelijks iets. Terwijl iedereen nog zat te eten, zette Maria haar bord neer en ze stond op. Ook ik zette mijn bord weg en ik volgde haar in het schemerlicht tussen de tenten. In het voorbijgaan ving ik een blik van Riccardo op, die veelbetekenend glimlachte. Zachtjes riep ik Maria's naam. Ze bleef staan en draaide zich naar me om.

'Wat is er met je?' vroeg ik. 'Je hebt nauwelijks iets gegeten.'

'Ik voel me niet echt lekker.'

'Je maakt je ergens zorgen over, hè?'

Ze keek naar het kampvuur, waar de soldaten van het wilde zwijn genoten en luidkeels schuine moppen tapten. Ik begreep het en stelde voor het kamp te verlaten. Het was nog licht genoeg om het smalle pad te kunnen zien dat naar een beek leidde waar onze groep het water vandaan haalde. Niet ver daarvandaan stonden enkele hoge dennenbomen, die met hun brede kruin de avondhemel deels afschermden. Hierachter was dicht struikgewas dat de overgang naar het bos markeerde. We gingen op twee grote rotsblokken aan de oever van de beek zitten en ik vroeg Maria nog eens wat haar dwarszat.

'Het is die vogel,' zei ze. 'Er zal iets ernstigs gebeuren.'

'Die vogel? Waar heb je het over?'

Maria keek me hoogst verbaasd aan. 'Signore, herinnert u zich de buizerd niet die boven ons rondcirkelde?'

'Je bedoelt toen je over die boomwortels struikelde?'

'Ja.'

Ik wist niet meer precies wat Maria gezegd had over de onheilsvogel die een slecht voorteken voor onze onderneming zou zijn. 'Je schrok van die buizerd, maar waarom?'

'Ik heb die vogel al driemaal eerder gezien.'

'De buizerd van vanmiddag?' vroeg ik ongelovig.

'De onheilsvogel. Eerst cirkelde die boven het dorp waar ik woonde toen ik nog een klein kind was. Twee dagen later stierf mijn vader tijdens een onweer. De bliksem sloeg in ons huis in. Toen ik twaalf was en medicijnen voor mijn zieke moeder moest halen bij een kruidenvrouw, zag ik de onheilsvogel op de terugweg weer boven mijn hoofd cirkelen en hoorde ik zijn schrille kreten. Ik liep zo snel als ik kon, maar ik kwam te laat. Mijn moeder had haar ogen voorgoed gesloten. Vanaf dat moment moest ik alleen voor mijn kleine zusje en mij zorgen. We werkten voor een ver familielid, een molenaar die ons in ruil daarvoor onderdak en eten gaf. Maar hij was gemeen tegen ons. Hij werd snel boos en dan sloeg hij ons. Toen ik de onheilsvogel op een ochtend voor de derde keer zag, wist ik dat er iets ergs zou gebeuren. Mijn zusje was nog erg klein en daarom ging ik ervan uit dat ik degene was die moest sterven. Maar de woedende molenaar sloeg mijn zus, die in de Molenbeek viel en verdronk.'

'En je broer dan? Waarom heeft Riccardo jullie niet geholpen?'
Even leek ze in verwarring door mijn vraag, maar ze herstelde zich en zei:
'Die heeft zich pas later om mij bekommerd. Toen mijn moeder overleed,
zwierf hij door het buitenland.'
Ik dacht over haar woorden na. 'Geloof je nu dat je moet sterven omdat
je denkt dat je die vogel vandaag weer gezien hebt?'
'Het was echt de onheilsvogel.'
'Hoe weet je dat zo zeker?'
'Ik weet het gewoon. Is dat niet genoeg?'
'Ben je bang voor je eigen leven of dat van Riccardo?'
'Maakt dat iets uit?'
'Je broer gelooft er niet in. Hij heeft het als bijgeloof afgedaan.'
'Riccardo heeft me altijd uitgelachen als ik hem over de onheilsvogel ver-
telde. Hij is er tot nu toe ook nooit bij geweest als de vogel zich liet zien.'
Maria was zo van de waarheid van haar onheilsvogelverhaal overtuigd, dat
elke poging haar daarvan af te brengen, zinloos zou zijn geweest. Daarom
nam ik simpelweg haar rechterhand in mijn handen; ik hield die stevig
vast en zei: 'Ik ben bij je, Maria. Ik zal op je passen en je bijstaan, dat beloof ik je.'
'Bedankt,' zei ze alleen, en ze slikte. Ze leek verlegen met de situatie.
Ik had eigenlijk de indruk dat ze niet blij was met mijn belofte. Of was
mijn nabijheid, mijn aanraking haar te veel? Ik keek haar ernstig aan en
zei: 'Maria, je betekent heel veel voor me. Misschien heb je er geen idee
van hoeveel. Ik zou willen dat je...'
Verder kwam ik niet. Ze stond opeens op en zei: 'Zwijg alstublieft, signore, zwijg! Spreek daar nooit meer over, nooit meer!'
Nog voordat ik haar naar de reden kon vragen, draaide ze zich om en rende ze in de richting van de dennenbomen weg.
Ik wist niet meer hoe ik het had. Naast teleurstelling en verwarring voelde ik opeens ook woede omdat Maria me zo liet zitten. Ik hield mezelf
voor dat ik recht op een verklaring had en rende haar daarom achterna.
Het was al zo donker dat haar silhouet onder de donkere schaduwen van
de dennenbomen niet te zien was. Daarom riep ik steeds weer haar naam,
maar een antwoord kreeg ik niet. Ik kwam bij de bomen, bleef daartus-
senin staan en keek rond of ik Maria zag. Ik hoorde geritsel uit de richting van het bos en zag hoe een vage schim zich een weg baande door het
struikgewas. Dat kon alleen Maria maar zijn en daarom riep ik haar naam

nog eens. Weer tevergeefs. Ik wilde haar achternalopen, hoorde een korte kreet en weg was ze.

Ik raakte door angst overmand, angst vanwege Maria. Was de duistere profetie over de onheilsvogel die de dood aankondigde, juist op dit moment in vervulling gegaan?

Ik liep het struikgewas in en lette niet op de doornige takken die mijn kleren en mijn vel openreten. Ik werd voortgedreven door mijn zorgen om Maria en liet daarom elke voorzichtigheid varen. Toen de grond opeens onder me wegviel, was ik daar volstrekt niet op voorbereid. Ik verloor mijn evenwicht, viel in een gat en kwam onzacht op een harde ondergrond terecht, terwijl aarde en stenen om me heen neerkletterden. Ik was met mijn linkerzij tegen de grond geslagen en voelde een vreselijke pijn in mijn linkerarm. Er was vuil in mijn ogen terechtgekomen, die direct begonnen te branden. Of ik met mijn tranende ogen nog iets zag of niet deed er niet toe, want het was aardedonker in dit gat. Terwijl ik in mijn pijnlijke ogen wreef, hoorde ik vlak naast me een zacht gekreun.

'Maria?' riep ik. 'Ben jij dat?'

'Ja, hier. Wat is er gebeurd?'

Haar stem klonk ongelooflijk dichtbij. En inderdaad, toen ik mijn rechterhand uitstak, voelde ik Maria's haar.

'Je was opeens verdwenen,' legde ik uit. 'Toen ik je volgde, viel opeens de grond onder mijn voeten weg.'

'Met mij ging het precies zo. Wat moeten we nu doen?'

'Dat is moeilijk te zeggen. Hier beneden is het aardedonker. We hebben licht nodig om de weg naar buiten te vinden.'

Ik had dat nog niet gezegd of ik hoorde een bekende stem boven ons: 'Kan ik jullie misschien behulpzaam zijn?' Tegelijk viel het flakkerende licht van een fakkel op ons. Ik keek omhoog en zag Riccardo over het gat gebogen zitten.

'Wat doe jij hier?' vroeg ik ongelovig.

'Hoor eens, signore, een man van eer laat zijn zus toch niet alleen met een vreemde, en al helemaal niet als het donker is!'

'Hebben wij even geluk dat je een man van eer bent, Baldanello,' zei ik sarcastisch.

'Ik zou maar niet zo spotten als u nog geholpen wilt worden. Bent u gewond, of Maria?'

'Ik heb zelf niets ernstigs,' antwoordde ik, en ik keek Maria aan.

'Ik ook niet,' zei ze. 'De schrik was erger dan de val.'

'Bene.' Riccardo slaakte een zucht van verlichting. 'Blijf daar nog even zitten, dan haal ik hulp. Maar gedraag jullie netjes!'

Nog geen vijf minuten later keerde hij terug met de beloofde hulp in de gedaante van kapitein Lenoir en enkele soldaten. De mannen hadden lantaarns en een touw bij zich, met behulp waarvan Riccardo en de kapitein naar ons afdaalden. In het schijnsel van Riccardo's lantaarn zagen we dat dit niet zomaar een gat in de grond was, maar een deel van een onderaardse gang. De wanden waren van gemetselde steen en in felle kleuren beschilderd. Toen we wat aandachtiger keken, zagen we op de afbeeldingen mannen in kleding uit de oudheid, in toga's en tunica's. Het waren jachtscènes. Jagers te paard, begeleid door honden, zaten achter een vluchtende beer aan. Op een andere schildering stond een eenzame jager, gewapend met een speer en een bijl, tegenover een enorm zwijn. Ik bestudeerde de schilderingen gefascineerd en vergat de pijn in mijn linkerarm volkomen.

'Wat zijn dat voor afbeeldingen?' vroeg kapitein Lenoir.

'Ze zijn heel oud,' antwoordde ik. 'En het zou me zeer verbazen als ze niet van Etruskische oorsprong zijn.' Ik keek de gang in, die in de richting van het bos liep. 'Mon capitaine, we hebben het heiligdom van de Etrusken gevonden!'

II

Boven de wolken bescheen de stralende middagzon het Alitaliavliegtuig, maar beneden op de grond was het grijs en somber. Echt weer dat bij Enrico's stemming paste, en hij werd nog somberder naarmate hij dichter bij zijn bestemming en de ontmoeting met Alexander Rosin kwam. Moest hij de voormalige Zwitserse gardist als zijn rivaal bestempelen? Eigenlijk niet, want dat zou betekenen dat Enrico zichzelf nog een kans bij Elena toedichtte. Na alles wat ze gisteravond gezegd had, koesterde hij geen enkele hoop meer haar te kunnen inpalmen.

Nadat hij eindelijk zijn reistas, die als laatste bagagestuk over de band was gekomen, opgepakt had, verliet hij de aankomsthal van de uitgestrekte luchthaven Leonardo da Vinci, die dertig kilometer ten zuidwesten van Rome lag, en hij liep op de rij wachtende taxi's af. Natuurlijk had hij het traject tussen Pescia en Rome gemakkelijk met de auto kunnen afleggen. Maar als de *Messaggero di Roma,* een van de belangrijkste Italiaanse dagbladen, zijn reis betaalde, wilde hij zo comfortabel mogelijk reizen. Daarom had hij een plaats in de businessclass geëist.

Gisteravond in het hotel en daarnet in het vliegtuig had hij het vierde en een na laatste hoofdstuk van het reisdagboek van Fabius Lorenz Schreiber gelezen. In de taxi naar Rome dacht hij over zijn lectuur na. Het landschap rond de snelweg kon zijn interesse bepaald niet wekken, maar het oude reisverslag des te meer. Hij brandde van nieuwsgierigheid om aan het laatste hoofdstuk te beginnen. Enrico dacht eraan hoe Fabius Lorenz Schreiber met Maria Baldanello's onvrijwillige hulp de oude Etruskische stad ontdekt had. Hij moest aan de dodenstad denken waarin Angelo woonde. Was dit dezelfde plek? Waarschijnlijk niet, tenzij Fabius Lorenz Schreiber een waardeloze archeoloog geweest was, want hij had uitdrukkelijk gesproken over een stad en niet over een necropolis. Vermoedelijk was er een verband. De Etrusken die daar ooit gewoond hadden, hadden hun doden vast en zeker in de buurt van de stad begraven. Was het dan toeval dat Fabius Lorenz Schreiber door Elisa Bonaparte erop uitgestuurd was om de Etruskische stad te zoeken en dat Enrico tweehonderd jaar later op de graven van dat oude volk gestuit was? Hij geloofde daar niet in, maar er ontbraken nog te veel stukjes in de legpuzzel om een duidelijk beeld te kunnen scheppen.

Terwijl de taxi over de snelweg Rome naderde, besloop Enrico het gevoel dat hij een fout maakte. Moest hij de oplossing van het geheim, dat hem als een dichte mist omhulde, niet veel eerder in het kleine Borgo San Pietro zoeken dan in Rome? Met elke kilometer die de taxi aflegde raakte hij verder verwijderd van de plaats waar zijn belangstelling eigenlijk naar uit zou moeten gaan, zo vertelde zijn gevoel hem. Hij kwam bijna in de verleiding de taxichauffeur op te dragen te keren en om de volgende vlucht terug naar Pisa te nemen. Maar toen dacht hij aan kardinaal Salvati, die de tegenkerk tot paus had gekozen. Ook die kwam, net als Enrico's moeder, uit Borgo San Pietro. Was dat ook al toeval of was er toch een verband? In elk geval deed Elena onderzoek naar de tegenpaus, en Rome was met het Vaticaan het centrum van de katholieke Kerk. Misschien loonde de omweg toch wel, dacht Enrico. Hij liet zich op de bank terugzakken en probeerde zich te ontspannen.

Hij had Elena gevraagd waarom Alexander Rosin niet naar Pescia kon komen. Ze had hem iets gezegd over belangrijk onderzoek in verband met twee moorden op priesters die in Rome en de Albaanse bergen gepleegd waren. En vlak daarna had een priester in Toscane een moord gepleegd, waarna hij de hand aan zichzelf had geslagen. Alweer een merkwaardig toeval, als het dat tenminste was. Uit de grijze nevel dook het silhouet van Rome op, maar hij sloot zijn ogen en dacht aan een zin van Friedrich Hebbel die hij had gelezen: 'Het toeval is een raadsel dat het lot aan de mensen opgeeft.' Enrico was vastbesloten dat raadsel op te helderen.

Toen hij zijn ogen weer opsloeg, reed de taxi door een lelijke buitenwijk vol flats die zelfs bij stralend weer nog deprimerend geweest zou zijn. Als Enrico vroeger aan Rome dacht, had hij andere beelden voor zich gezien: het St.-Pietersplein en de Engelenburcht, het Colosseum en de Trevifontein, Audrey Hepburn en Gregory Peck op een scooter. Hij glimlachte over zijn eigen voorstelling. Hoewel er voor honderd procent Italiaans bloed door zijn aderen stroomde, was hij nog nooit in Rome geweest en kende hij de stad alleen van films en kalenders. Aan het begin van het derde millennium, in een wereld die uit haar voegen dreigde te barsten, kon hij nauwelijks verwachten nog altijd het Rome uit de toeristendromen aan te treffen.

Maar opeens veranderde het beeld. De taxi reed door straten met aan weerszijden indrukwekkende oude palazzi, die af en toe op natuurlijke wijze door antieke ruïnen onderbroken werden. Nu had Enrico het gevoel echt in Rome te zijn. Het chaotische autoverkeer deed de rest om hem ervan te overtuigen dat hij zich in het centrum van een andere cultuur bevond. Terwijl Enrico meer dan eens met zijn rechtervoet op een denkbeeldig rempedaal trapte, probeerde de taxichauffeur door agressief te claxonneren en een nog agressievere rijstijl een vrije doorgang te forceren. Het huis in de Via Catalana waarin Alexander Rosin woonde, was smal en vanbuiten zeer eenvoudig. Het leek door de twee palazzi rechts en links ervan bijna samengedrukt te worden. Enrico betaalde de taxichauffeur de forse ritprijs en vroeg een bonnetje voor de *Messaggero*. Al na één keer bellen klonk de zoemer. Met zijn reistas in de linkerhand liep Enrico de hal in, tevergeefs naar een lift zoekend. Waarschijnlijk was het gebouw daarvoor gewoon te smal. Hijgend liep hij de trap op, waarbij zijn voeten opeens loodzwaar aanvoelden. Dat lag niet aan de steile trap, maar aan de gedachte dat hij op de derde verdieping Alexander Rosin zou ontmoeten. Voor de huisdeur haalde hij nog eens diep adem, en net toen hij op de bel wilde drukken, werd de deur geopend. Toen Enrico de lange man met de markante kin, het roodbruine, licht krullende haar en de sprekende ogen zag, kon hij zich direct goed voorstellen dat Elena verliefd op hem geworden was. Helaas.

De ander glimlachte en zei in het Duits: 'Welkom in Rome, meneer Schreiber! Ik ben Alexander Rosin. Kom binnen! Ik zet eerst een kop koffie. Dat zal u goeddoen na de lange reis.'

En hij was nog sympathiek ook!

Enrico volgde Rosin een gezellig keukentje in, waar hij zijn reistas neerzette. Rosin verrichtte enkele handelingen aan het koffiezetapparaat, draaide zich om en zei: 'We kennen elkaar weliswaar nauwelijks, maar Elena heeft me zoveel over u verteld dat ik voorstel elkaar te tutoyeren.'

'Zeker,' zei Enrico aarzelend, overrompeld door dit charmeoffensief. Had Elena haar vriend misschien opgedragen extra aardig tegen hem te zijn?

'Wil je me over je belevenissen in Toscane vertellen terwijl we op de koffie wachten, Enrico?'

'Daarom ben ik hier. Maar je hebt vast en zeker al veel van Elena vernomen. Het lijkt me beter dat je vraagt wat je wilt weten.'

'Oké,' zei Alexander, die vervolgens een aantal vragen stelde over Enrico's belevenissen in de periode dat Elena bewusteloos was. De ex-gardist was vooral geïnteresseerd in de kluizenaar en zijn genezende krachten.

Toen Alexander de koffie inschonk, stelde Enrico een tegenvraag: 'Zijn de bijzondere gaven van de kluizenaar met die van de paus te vergelijken?'

'Qua resultaat zeker,' antwoordde Alexander, terwijl hij weer aan de kleine keukentafel plaatsnam. 'Interessanter lijkt me de vraag hoe die Angelo aan zijn genezende krachten is gekomen.'

Enrico schudde lichtjes zijn hoofd.

'Wat is er?' vroeg zijn gesprekspartner.

'We zijn twee volwassen mannen die toch niet bepaald dom zijn, en nu zitten we hier even vanzelfsprekend over mysterieuze genezende krachten te kletsen als over het weer.'

'Je hebt toch zelf gezien hoe de kluizenaar Elena met zijn bijzondere gave gered heeft? En ik ben daar enorm blij om! En zelf heb ik gezien hoe de paus een verlamde vrouw uit haar rolstoel hielp.'

'Stamt paus Custos werkelijk van Jezus af?' vroeg Enrico twijfelend.

'Ik geloof hem. Waarom zou hij daarover liegen?'

'Misschien om een bijzonder geloofwaardige paus te lijken.'

'Je bent een wantrouwend man, Enrico!'

'Ik ben jurist en eraan gewend zowel door mijn tegenstanders in het proces als door mijn eigen cliënten voorgelogen te worden.'

'Ik heb paus Custos als een verstandig, achtenswaardig man leren kennen. Hij heeft me nooit reden gegeven aan hem te twijfelen. Laten we het liever over de gebeurtenissen in Borgo San Pietro en Pescia hebben. Ook jij zou over die genezende krachten beschikken.'

'Dat heeft Angelo gezegd, ja.' Enrico keek naar zijn handen. De rode vlekken waren bijna volledig verdwenen.

'Wat is er met je handen?'

Enrico vertelde hem over de vlekken, die bij Angelo nog opvallender geweest waren.

'Net stigmata,' meende Alexander.

'Ja, net stigmata,' bevestigde Enrico, en hij dacht weer aan de afbeelding in de St.-Fransiscuskerk.

'En vroeger heb je die nooit gehad?' vervolgde Alexander zijn kruisverhoor.

'Nee. En ik had ook geen idee dat ik over genezende krachten beschikte, als dat al zo is.'

'Waarom zou de kluizenaar liegen? Elena's genezing heeft bewezen dat hij bepaald geen charlatan is.'

Alexander vroeg Enrico of hij het krantenartikel van Rosalia Baldanello mocht lezen. Enrico haalde de schoenendoos uit zijn reistas en zette die midden op tafel.

Alexander las het artikel snel door en mompelde: 'Vreemd, heel vreemd. Blijkbaar was je oudtante in pausen geïnteresseerd.'

'Met name in de genezende krachten van paus Custos,' vulde Enrico aan.

'Maar wat heeft dat allemaal met de tegenpaus te maken?'

'Misschien helemaal niets. Misschien heeft ze de artikelen over hem alleen verzameld omdat hij uit haar geboortedorp komt.'

'Zou een doodzieke vrouw daarvoor belangstelling hebben?'

'Als ze aan bed gekluisterd was, had ze verder toch niet veel te doen.'

'Zou kunnen,' zei Alexander, terwijl hij het deksel weer op de schoenen-doos legde. 'Mag ik deze doos tot morgen houden en er kopieën van maken? Je blijft toch in Rome slapen?'

Enrico grijnsde. 'Jullie krant betaalt mijn overnachting. Ik logeer in hotel Turner.'

Alexander stond op en stak zijn hand uit ten afscheid. 'Dan kom ik morgen in hotel Turner langs en geef ik je de doos terug. Laten we zeggen om tien uur?'

'Prima,' antwoordde Enrico, terwijl hij opstond en Alexanders hand pakte. Hij voelde zich lichtelijk overrompeld door de vriendelijke wijze waarop hij door Alexander uit het huis gegooid werd.

Alexander leek zijn misnoegde blik op te merken en zei: 'Sorry dat ik nu geen tijd meer heb. Ik heb een dringende afspraak, maar ik bel een taxi voor je.'

De taxi wist enkele huizen verderop een gaatje tussen de geparkeerde auto's te vinden en Enrico borg zijn reistas in de kofferruimte. Toen hij de chauf-feur wilde vertellen waar hij heen wilde, ging zijn gsm over. Zonder ver-der op Enrico te letten, begon de chauffeur met een zekere Monica te pra-ten. Zijn glimlach toen hij voor die avond een afspraakje maakte, sprak boekdelen. Enrico betoonde zich geduldig en keek naar het smalle huis waar hij enkele minuten geleden uit gebonjourd was.

Hij voelde zich nu toch enigszins gebruikt. Eerst had hij Alexander Rosin geduldig antwoord gegeven, maar zelf was hij er nauwelijks aan toe gekomen vragen te stellen. Hij had bijvoorbeeld graag van Alexander gehoord hoe die over Borgo San Pietro en de kluizenaar dacht. De Zwitser was er echter op een of andere manier in geslaagd zijn verklaringen uiterst kort te houden. Nu ja, hij was journalist en dat behoorde vermoedelijk tot zijn werk.

Terwijl Enrico naar het huis keek, kwam Alexander de deur uit; hij liep met snelle passen naar een auto die langs het trottoir geparkeerd stond en stapte in. De lichtgroene Peugeot voegde in het verkeer in en passeerde de taxi zonder dat Alexander de inzittenden een blik toewierp. Hij leek inderdaad grote haast te hebben.

'Waarheen, signore?' vroeg de taxichauffeur toen hij zijn telefoontje beëindigd had.

Een ingeving volgend wees Enrico op Alexanders auto en hij zei: 'Volgt u die groene Peugeot!'

De taxichauffeur glimlachte gekweld. 'Dat hoor ik elke dag wel vijf keer. En waar wilt u echt heen?'

Enrico drukte een biljet van vijftig euro in zijn hand. 'Volgt u die auto!'

De chauffeur grijnsde. 'We zijn al onderweg.'

'Goed. Let u er vooral op dat we niet opgemerkt worden!'

'Net als in de film? Ik zal het proberen.'

De taxichauffeur bleek bijzonder handig te manoeuvreren en wist steeds twee of drie auto's achter de Peugeot te blijven. Het werd een lange rit, en Enrico keek slechts met een half oog naar de Romeinse oudheden die her en der tussen de modernere gebouwen opdoken. Hij moest aan Borgo San Pietro denken en hoe hij en Elena de burgemeester stiekem naar de kerk gevolgd waren. Ze hadden hem dood aangetroffen. Enrico hoopte dat dit geen slecht voorteken voor Alexander Rosin was.

De dichte stadsbebouwing nam nu af en aan weerszijden van de rechte weg, die deels erg hobbelig was, verscheen meer groen. De rijbaan werd door platanen overschaduwd en achter struikgewas en bomen gingen grote villa's schuil.

'Waar zijn we hier?' vroeg Enrico.

'Op de Via Appia,' antwoordde de taxichauffeur. 'Het lijkt een lange rit te worden. Mogelijk redt u het niet met dat biljet van vijftig euro.'

'Ik betaal de ritprijs, hoe hoog die ook uitvalt. En als u die Peugeot niet uit het oog verliest en niet ontdekt wordt, verdubbel ik die nog!'

'Zeg dat dan meteen!' riep de chauffeur opgetogen, terwijl hij zijn mobilofoon pakte en de centrale liet weten dat hij een lange rit de stad uit had. Enrico hoopte de taxikosten bij de *Messaggero di Roma* te kunnen declareren. Af en toe liet de chauffeur hem weten waar ze zich bevonden. Al snel bleek dat de rit de bergen in ging.

'Daar liggen mooie dorpen, die een bezoek waard zijn,' vertelde de chauffeur op de toon van een reisleider. 'Zoals Castel Gandolfo, waar de paus zijn zomerresidentie heeft.'

Een tijd lang leek het erop dat Castel Gandolfo inderdaad Alexanders doel was. Wilde hij naar de paus? Maar op Enrico's vraag zei de chauffeur dat de paus momenteel in het Vaticaan was. 'En daar behoort hij ook te zijn in een stormachtige tijd als deze!'

Bij een driesprong reed Alexander niet naar rechts, waar Castel Gandolfo lag, maar ging hij linksaf. Enrico las plaatsnamen die hem onbekend waren, zoals Pascolaro, Monte Crescenzo, Villini en Marino. Alexander bleef steeds op de doorgaande weg rijden, de dorpen leken hem niet te interesseren. Pas bij Marino sloeg hij af, en de taxi bleef hem volgen. Deze plaats leek Alexanders bestemming te zijn.

'Wat weet u over Marino?' vroeg Enrico.

'Niet veel,' bekende de taxichauffeur. 'Ik weet beter de weg in Rome. In Marino maken ze een goede, stevige witte wijn. Volgende week zondag is er een wijnfeest. Als u nog wat langer in Rome blijft, dan kunt u wijn drinken uit de fontein op de grote piazza. Misschien kom ik zelf ook wel.'

Dat was niet bepaald de informatie waarop Enrico gehoopt had. Hij kon zich niet voorstellen dat Alexander zo'n haast had vanwege een wijnproeverij. In elk geval was deze plaats, die groter was dan Enrico gedacht had, wel het reisdoel van de Zwitser. Alexander reed in de richting van een parkeerterreintje en zette zijn richtingaanwijzer uit.

'Passeren en ergens anders stoppen!' beval Enrico de taxichauffeur.

Die wierp hem een schuine blik toe. 'Weet ik toch. Ik ga heel vaak naar de bioscoop.'

Hij stopte in de volgende zijstraat en noemde Enrico de exorbitante ritprijs. 'Voor ritten buiten Rome bereken ik een toeslag.'

Met een zuur lachje betaalde Enrico en hij liet de chauffeur een kwitantie opmaken terwijl hij zijn tas uit de kofferbak haalde. De taxi keerde en Enrico liep snel naar de parkeerplaats terug. Hierbij moest hij concluderen dat de rechercheurs in films een goede reden hadden om geen reistas met zich mee te slepen als ze iemand schaduwden. Hij had de taxichauffeur tegen extra betaling opdracht moeten geven de tas in hotel Turner af te geven, maar daarvoor was het nu te laat.

Enrico zag Alexander nog net in een straat met luxe winkels verdwijnen en liep in zijn richting, waarbij hij er steeds voor zorgde zich niet al te opvallend te gedragen. Toch kon hij zich met zijn tas niet helemaal onzichtbaar maken. Als Alexander zich opeens zou omdraaien, was hij er gloeiend bij en zou hij een modderfiguur slaan. Enrico vroeg zich toch al af of deze achtervolging geen doldwaas idee was. Alexander kon om allerlei redenen naar Marino gereden zijn. Misschien was hij hier wel om privéredenen. Terwijl Enrico de Zwitser door het pittoreske plaatsje volgde, dat bij beter weer zeker aantrekkelijk voor toeristen was, begon hij zichzelf steeds meer te vervloeken. Maar toen Alexander op een kerk af liep, veranderde Enrico van mening. Weer moest hij aan Borgo San Pietro denken en hij kreeg een onbehaaglijk gevoel, alsof er gevaar in de lucht hing.

Alexander bleef op een straathoek staan en keek in de richting van de kerk. De Zwitser leek zijn best te doen om niet gezien te worden. Opeens had Enrico de indruk dat hij iemand volgde die zelf iemand volgde. Alexander begon weer te lopen en liep snel op de kerk af. Hij opende een deur en verdween in de kerk. Er restte Enrico niets anders dan hem te volgen. Als hij hier buiten bleef wachten, zou hij vast niet te weten komen waarom Alexander hiernaartoe gegaan was.

Het was bijzonder donker in de kerk. Enrico's ogen moesten eerst aan het schemerlicht wennen. Voor zover hij kon zien, was hij hier alleen. Hij had geen idee waar Alexander zich verborgen hield. Terwijl zijn blik nog zoekend door het kerkschip met de lange rijen banken gleed, hoorde hij een vreemd geluid, een soort kreet die afgekapt werd voordat die daadwerkelijk uitgestoten kon worden. Weer moest hij aan burgemeester Cavara denken, die dood in de kerk van don Umiliani had gelegen. Voor zijn geestesoog veranderde de dode in Alexander Rosin. Enrico zette zijn tas haastig naast een houten tafel met informatiefolders neer en liep snel het kerkschip door, op zoek naar degene die tevergeefs had geprobeerd te schreeuwen.

Hij stopte toen hij een lichtschijnsel zag dat van rechts de kerk in viel. Naast de biechtstoel stond een deur open. In de gang erachter brandde het licht dat Enrico's aandacht had getrokken. Aan weerszijden waren nog meer deuren, maar deze hier stond als enige open. Enrico liep op de deur af en wilde net de gang in lopen, toen hij verstijfde door een verschrikkelijk déjà-vugevoel. Hij keek verbijsterd de gang in en zag zijn vreselijkste vermoedens bevestigd. Net als enkele dagen eerder in de keuken achter de kerk van Borgo San Pietro zag hij een gedaante onbeweeglijk op de grond liggen. Waarschijnlijk een dode. De gapende halswond, waar het bloed uit gutste, leek weinig hoop te geven.

Hij ontrukte zich aan zijn verstarring en liep naar de op de grond liggende gedaante toe. Het was niet Alexander Rosin, maar een grijsharige man van halverwege de vijftig, gekleed in een zwart priesterhabijt. De eerst zo witte boord was nu doordrenkt met bloed. De geestelijke lag in een verwrongen houding op zijn rug, met een gezicht dat van angst, verrassing of pijn vertrokken was. Enrico knielde naast hem neer en kon geen ademhaling of pols vaststellen. Het lichaam was nog warm en vertoonde geen kenmerken van lijkstijfheid. Enrico twijfelde er niet aan dat de moord daarnet gepleegd was en dat hij er oorgetuige van geweest was. Hij pakte zijn gsm uit zijn jaszak en had enige moeite zich bij de aanblik van de dode het alarmnummer van de Italiaanse politie te herinneren. Hij had het nummer van de carabinieri onthouden omdat dat hetzelfde was als het alarmnummer van de Duitse brandweer: 112. Hij wilde net de cijfers intoetsen, toen hij opschrok omdat hij vlakbij voetstappen hoorde. Ze kwamen uit het kerkschip.

Enrico vervloekte zichzelf weer. Als de moord net gepleegd was, moest de moordenaar natuurlijk nog in de buurt zijn. Hoe had hij zo stom kunnen zijn daar niet aan te denken? De enige verklaring was dat de schok die de aanblik van de dode geestelijke hem bezorgd had, te groot was geweest.

Hij sprong op, liep naar de open deur en keek het kerkschip in. Achter de biechtstoel zag hij iets bewegen en hoorde hij opnieuw voetstappen. Iemand die hij in de schemering niet goed kon herkennen, liep op de uitgang af.

Op school en op de universiteit was Enrico altijd een uitstekend sprinter geweest. Dat kwam goed van pas op het moment dat hij achter de vluchtende persoon aan ging. Het laatste stuk overbrugde hij met een reuzensprong naar de rug van de ander. Hij viel samen met de vluchter op de grond, zich verbazend over de vele haren in zijn gezicht.

Hij betreurde het dat hij geen wapen had. De moordenaar had in elk geval wel een dodelijk scherp mes bij zich. Enrico balde zijn rechtervuist om de man met een snelle vuistslag buiten gevecht te stellen. Opeens hield hij in, toen hij het gezicht van de vermoedelijke moordenaar zag.

Hij keek in het gezicht van een vrouw. Een mooi gezicht, omlijst door lang, rossig haar. Terwijl de doodsangst uit de wijd opengesperde ogen van de vrouw sprak, hijgde ze met overslaande stem: 'Maak me alsjeblieft niet dood! Is één moord nog niet genoeg?'

Enrico raakte in verwarring door deze woorden. Deze vrouw zag hém voor de moordenaar aan!

'Wie bent u?' vroeg hij stotterend.

Het antwoord kwam niet van de vrouw, maar van iemand achter Enrico's rug. 'Dat is dr. Vanessa Falk. Ze heeft een onloochenbare voorliefde voor ontmoetingen met dode priesters.'

Alexander Rosin kwam met snelle passen op hen af. Enrico zag met een zekere opluchting dat de Zwitser geen bloederig mes in zijn hand hield. Maar het was natuurlijk heel goed mogelijk dat Alexander, als hij de moordenaar was, zich al van het moordwapen ontdaan had.

'Meneer Rosin!' bracht de vrouw uit, die tot Enrico's verbijstering Duits sprak. 'Hoe komt u hier?'

'Die vraag zou ik eigenlijk aan mijn nieuwe kennis willen stellen,' zei Alexander eveneens in het Duits, terwijl hij Enrico aankeek.

'Ik ben je gevolgd,' legde Enrico uit. 'Je had na ons gesprek opeens zo'n haast dat ik nieuwsgierig was geworden.'

De vrouw keek Alexander aan en zei verwijtend: 'U hebt mij gevolgd!'

Er verscheen nu een man uit de gang waarin de dode lag. Hij had grijs haar en bewoog zich merkwaardig, alsof hij gehandicapt was. 'We hebben u beiden gevolgd, dottoressa, en met een goede reden, zoals nu blijkt.' Hij wendde zich tot Alexander en vervolgde: 'De collega's zijn ingelicht en de ambulance voor alle zekerheid ook.'

'U bedoelt dat de priester mogelijk nog leeft?'

'Dat geloof ik niet. Maar dat is geen reden om de voorschriften niet te volgen.'

'Ik begrijp het niet helemaal,' zei Enrico met zijn blik op de man met het grijze haar. 'Wie bent u? En wie is de moordenaar?'

'Dat laatste zou ik ook graag willen weten. Maar om uw eerste vraag te beantwoorden: commissario Stelvio Donati van de Romeinse politie.'

Een kwartier later was het Enrico allemaal iets duidelijker geworden. Hij had zich in eerste instantie niet vergist toen de merkwaardige gedachte bij hem opgekomen was dat hij iemand volgde die zelf iemand volgde. Alexander Rosin werkte met een rechercheur samen die Donati heette en beiden waren van een ontmoeting tussen de roodharige vrouw dr. Vanessa Falk en de vermoorde priester op de hoogte geweest. De priester, die Leone Carlini heette, was pastoor van deze kerk. Terwijl Enrico met de vrouw, Alexander en commissario Donati in een kale ruimte in het plaatselijke politiebureau zat, kwam hij meer te weten over de priestermoorden, waarvan er nu inmiddels drie gepleegd waren. De vermoorde Leone Carlini was de neef van een van de twee eerdere slachtoffers.

Alexander keek Enrico hoofdschuddend aan. 'Ik kan nog altijd niet begrijpen dat je het nodig vond hier detective te spelen. Ik had me met Stelvio in de kapel verstopt. Eerst hoorden we een gedempte kreet en vervolgens zag ik jou met dr. Falk worstelen. Wij dachten dat de vluchtende moordenaar die geluiden maakte. Als ik niet naar de verkeerde toe gerend was, dan had ik de dader misschien kunnen pakken.'

'Sorry,' zei Enrico zuchtend. 'Ik zag dr. Falk voor de moordenaar aan en ben daarom achter haar aan gerend.'

Vanessa Falk fronste haar wenkbrauwen. 'Eigenlijk zou ik blij moeten zijn dat de mannen zo achter me aan zitten. Maar onder deze omstandigheden?'

'Zo komen we niet verder,' zei Donati ernstig. 'We moeten ons bij de feiten houden. Dr. Falk, u had zich in de biechtstoel verstopt voordat u voor signor Schreiber wegrende. Waarom deed u dat?'

'Ik had in zijn woning een kort gesprek gevoerd met Carlini, die vervolgens de kerk in liep om iets af te sluiten. Hij zou een paar minuten later terug zijn. Ik hoorde een vreemd geluid, de afgekapte kreet waarvan al sprake was. Ik liep naar de pastoor toe en trof hem dood aan. Op dat moment hoorde ik voetstappen. Ik dacht dat dat de moordenaar was en heb een plek gezocht om me te verstoppen.'

'De biechtstoel,' vulde Donati aan.

'Ja, de biechtstoel.'

'Dit lijkt op een echte klucht in een provinciaal theater,' meende de commissario. 'De een volgt en verdenkt de ander, terwijl de echte moordenaar ongestoord zijn gang kan gaan. En dat allemaal voor de ogen van de politie. Ik zal wel het nodige te horen krijgen als ik weer in Rome ben.'

'Waarom bent u me eigenlijk gevolgd?' vroeg dr. Falk.

'Misschien omdat ik zoiets vermoedde.'

'Hoe bedoelt u dat, commissario?'

'Ook pastoor Dottesio werd kort na een ontmoeting met u vermoord. U lijkt geestelijken geen geluk te brengen, dottoressa.'

'Verdenkt u mij ervan iets met de moorden te maken te hebben?'
Donati glimlachte koeltjes. 'Dat is mijn werk.'
'Signor Schreiber kan net zo goed de moordenaar zijn!'
'Vergeet u niet dat hij ná u de gang in gelopen is waarin de dode lag.'
'Misschien is hij naar de plaats van de moord teruggekeerd,' opperde dr.
Falk.
Enrico wierp haar een giftige blik toe. 'Hartelijk dank dat u mij tot de
moordenaar wilt bestempelen. Werkelijk heel sympathiek van u!'
Donati mompelde hoofdschuddend: 'Amateurtheater, zei ik het niet?'
'Waarschijnlijk zijn we bijna tegen de moordenaars op gebotst,' zei Alexan-
der ontstemd. 'Mogelijk zijn ze zelfs nog in Marino, of misschien zijn ze
al in opperbeste stemming op weg naar Rome.'
'Iedere beschikbare politieagent in Marino kijkt momenteel naar verdach-
ten uit,' zei Donati. 'Er is al versterking onderweg. Op alle wegen richting
Rome worden controleposten in gereedheid gebracht. We maken een goede kans dat we die lui te pakken krijgen.'
'U lijkt ervan uit te gaan dat er meerdere daders zijn en dat ze uit Rome
komen,' zei Enrico verwonderd.
'Dat is een vermoeden, maar wel op feiten gebaseerd,' zei de commissario.
'In de zaak van de vermoorde pastoor Dottesio kunnen we er met aan zekerheid grenzende waarschijnlijkheid van uitgaan dat er meerdere daders
waren. Het is dan niet vreemd aan te nemen dat dezelfde figuren ook achter de laatste moord zitten.'
'Maar als ik het goed begrepen heb, zijn de twee andere pastoors op zeer
ongewone wijze toegetakeld en gedood. De een werd aan het kruis genageld en de ander in een doopvont vermoord. Dat klopt toch?'
Donati knikte. 'Ik begrijp waar u naartoe wilt, signor Schreiber. De doorgesneden keel van Leone Carlini past niet goed in dit beeld en zou dus op
een andere dader kunnen duiden. Maar ik geef daarbij in overweging dat
de daders vandaag – als we van meer dan één dader uitgaan – onder tijds-
druk stonden. Misschien waren ze nog meer van plan met de dode. Toen
eerst dr. Falk en later u ook nog opdook, waren de daders zo slim zich uit
de voeten te maken.'
'Misschien zou de politie zich meer om de moordenaars moeten bekommeren in plaats van onschuldigen te schaduwen,' zei Vanessa Falk bits.
Donati keek haar met een verachtelijke blik bestraffend aan. 'Wat wilde u
eigenlijk precies met Leone Carlini bespreken, dottoressa?'

'Ik meende dat zijn broer hem iets toevertrouwd kon hebben.'

'En waar dacht u dan aan?'

'Ik had daarvan geen concrete voorstelling. Mirakels die diep in het geheime archief van het Vaticaan weggeborgen zijn, iets wat me bij mijn werk verder kon helpen.'

'Dat is wel een heel vaag motief voor een reis naar Marino,' meende de commissario.

Dr. Falk keek hem met een mengeling van ergernis en neerbuigendheid aan. 'Voor mij was het voldoende reden.'

'Toen u Leone Carlini over de telefoon vertelde dat u hem over zijn broer wilde spreken, klonk dat al iets concreter. Het lijkt wel of u iets over Giorgio Carlini's dood weet.'

Nu kwam alle opgekropte woede bij Vanessa Falk naar buiten. Ze sprong van haar stoel en beet Donati toe: 'U hebt mijn telefoon afgeluisterd! U bent...'

'Ook in Italië is het strafbaar om ambtenaren te beledigen,' waarschuwde de commissario haar.

'O ja? En dat afluisteren dan? Was dat dan wel legaal?'

Donati trok een onverschillig gezicht. 'Als u daarover wilt bakkeleien, moet u vooral een advocaat nemen.'

Enrico keek Vanessa Falk aan en vroeg zich af of ze met de moordenaars onder een hoedje speelde. Zo ja, dan was ze een tamelijk goede actrice. Haar woede leek authentiek. Het lichte beven van haar lichaam, haar gespannen houding, de woedende flikkering in haar ogen als ze naar Donati keek, alles wees erop dat ze uitermate opgewonden was. En het paste ook goed bij haar. Ze was zonder meer een aantrekkelijke vrouw met een krachtige uitstraling. Op dit moment leek ze een roodharige amazone die er niet voor terugdeinsde haar tegenstander te verscheuren. Maar zou ze daar werkelijk toe in staat zijn? Hij probeerde zich voor te stellen hoe ze pastoor Leone Carlini met een mes de keel doorsneed. Het was een beeld dat hem niet aanstond. Niet alleen vanwege de dode, maar ook vanwege Vanessa Falk.

'Heb ik een advocaat nodig dan?' vroeg ze. De trilling in haar stem verried dat ze zich nog maar moeilijk kon beheersen.

'Hoe bedoelt u dat?' vroeg de commissario op zijn beurt.

'Ben ik gearresteerd?'

Donati schudde zijn hoofd. 'Dat niet. Maar ik moet u wel vragen u ter beschikking van de Romeinse politie te houden. En verlaat u Rome niet zonder mij vooraf in te lichten!' Hij gaf haar zijn visitekaartje.

Met een snelle beweging stopte ze het kaartje weg, alsof ze zo min mogelijk met de commissario te maken wilde hebben. 'Dus dan kan ik nu vertrekken?'

'Wat mij betreft wel.'

Ze verliet de ruimte zonder gedag te zeggen.

'Hebben we zojuist de moordenaar laten lopen?' zei Alexander, onder woorden brengend wat ze allemaal dachten.

'Misschien wel laten lopen, maar niet laten ontkomen,' antwoordde Donati. 'We laten haar onopvallend schaduwen door een burgerauto.'

'Bent u met mij hetzelfde van plan?' vroeg Enrico. Donati schudde zijn hoofd. 'U bent toch helemaal niet met de auto. Ik stel voor dat u met Alexander terugrijdt naar Rome. Ik wil u ook wel meenemen, maar ik ben hier nog wel enkele uren bezig.'

'Ik dacht al dat ik naast dr. Falk de voornaamste verdachte was. Tenslotte lijk ik zelf de dood ook op magische wijze aan te trekken.'

'U hebt het nu over de zaak in Borgo San Pietro,' stelde Donati vast.

'U hebt daarover gehoord?'

'Ja, van Alexander. Als de pastoor daar was vermoord in plaats van de burgemeester, zou ik bijna gaan geloven dat die zaak verband houdt met deze moorden. Maar gezien de omstandigheden geloof ik dat eigenlijk niet, hoewel de zaak in Borgo San Pietro niet minder mysterieus is.'

'En Elena heeft daar bijna het leven gelaten,' voegde Alexander er somber aan toe.

Donati keek hem vol begrip aan. 'Wil je misschien naar haar toe?'

'Het liefst meteen, maar ik kan nu niet weg uit Rome. Vanavond moet ik voor de *Messaggero* een artikel over de laatste priestermoord schrijven. Een ooggetuigenverslag, zo je wilt.'

Enrico reed met Alexander terug naar Rome, zoals de commissario voorgesteld had. Dankzij een document dat Donati opgesteld had, konden ze de politiecontroles zonder problemen passeren. Alexander zette Enrico voor hotel Turner af en reed naar de redactie om zijn artikel te schrijven.

Na een korte blik in de luxe kamer die hij op kosten van de *Messaggero* had betrokken, stapte Enrico onder de douche. Daarna ging hij naar het restaurant van het hotel, omdat zijn maag behoorlijk knorde. Hij had er een hekel aan alleen in restaurants te eten, maar behalve Alexander kende hij niemand in Rome. Het eten was erg goed, en in gezelschap zou hij er nog meer van genoten hebben.

Hij dacht aan Elena, waarbij haar beeld zich af en toe met dat van Vanessa Falk vermengde. Was hij zo onder de indruk van de Duitse geraakt? Waarom ook niet, tenslotte had hij haar onder uiterst merkwaardige omstandigheden leren kennen. Hij brak zich het hoofd erover of ze echt een moordenares kon zijn. Zijn gevoel vertelde hem van niet, maar zijn verstand twijfelde. Dat ze een bijzonder aantrekkelijke vrouw was, betekende nog niet dat ze ook een onschuldig lammetje was.

Hij had een goed glas wijn bij het eten gedronken en bestelde aan de hotelbar een frozen margarita, gevolgd door nog enkele glazen. Het was een opwindende, maar tegelijk ook frustrerende dag geweest. De alcohol zou hem hopelijk helpen van de broodnodige nachtrust te genieten. Toen hij naar zijn kamer liep, stelde hij vast dat de combinatie van rode wijn met tequila een sterkere uitwerking had dan beoogd. Eigenlijk wilde hij voor het inslapen nog het laatste hoofdstuk van het reisverslag van Fabius Lorenz Schreiber lezen, maar hij was nog niet met het boek op bed gaan liggen of zijn ogen vielen dicht. Toen hij het boek weglegde en het licht uitknipte, hoopte hij dat hij door de alcohol in elk geval van een droomloze slaap zou genieten.

12

Enrico's hoop ging niet in vervulling. Weer werd hij gekweld door zijn nachtmerrie, en ditmaal was het een bijzonder intense variant. Hij stond tegenover de gevleugelde gedaante en wist niet of het een engel of de duivel was. Het gezicht en het gehele lichaam van de gevleugelde gedaante leken in hoog tempo te krimpen en weer uit te dijen, alsof twee verschillende wezens in hetzelfde omhulsel de macht over de ander probeerden te verkrijgen. Nu eens was het een vriendelijk, sympathiek gezicht en een perfect, ivoorkleurig lichaam, dan weer werd hij aangestaard door een smadelijk lachende, boosaardige tronie, en uit de slanke handen groeiden opeens lange klauwen en het lichaam was dan met rode en zwarte schubben bedekt zoals bij een vuurspuwende draak. Terwijl het ivoorkleurige wezen met de gevederde vleugels hem bijzonder fascineerde, vervulde de schubbige demon met de vleermuisvlerken hem ten diepste met afgrijzen. Weer klonk de stem in Enrico's hoofd die hem op magische wijze aantrok en hem bezwoer niet bang te zijn en vol vertrouwen te blijven. Enrico stond aan de rand van het meer en de gevleugelde gedaante versperde hem de weg, zodat hij niet kon vluchten. *Je hoeft niet te vluchten. Er zal je niets ellendigs overkomen. Luister naar je hart en laat je niet door uiterlijke schijn misleiden!*
Terwijl Enrico deze woorden aanhoorde, kwam de geschubde demon op hem af en die spreidde zijn vleugels uit alsof hij Enrico daarmee wilde omhelzen. Enrico werd overmand door paniek. Hij wilde achteruitdeinzen, verloor de vaste grond onder zijn voeten door een misstap en viel omlaag naar het meer...
Op dat moment schrok hij wakker en hij zag dat het buiten al licht was. Er drong een schemerig licht door de gordijnen, waardoor het in zijn hotelkamer noch licht, noch donker leek. Het licht was even tweeslachtig als het gevleugelde wezen in zijn droom. Terwijl hij slaapdronken naar het raam liep en de gordijnen opzij trok om het ochtendlicht ruim baan te geven, dacht hij over de intensiteit van zijn droom na. Hij had gedacht dat hij aan de nachtmerrie, die hem sinds zijn jeugd niet meer losgelaten had, gewend was geraakt. Maar sinds hij in Italië was, was er iets veranderd.

Het beschermende pantser dat hij tegen de angst voor de gevleugelde gedaante opgebouwd had, vertoonde nu grote scheuren. Het leek wel alsof de demon op het punt stond bezit te nemen van Enrico.

Hij keek door het raam naar de stad, die deze zondagochtend in het felle zonlicht baadde. Het dikke wolkendek van de vorige dag was grotendeels verdwenen. Hoewel het nog vroeg was, zag hij al enkele wandelaars op straat. Enrico had van deze ochtend willen genieten, maar hij voelde nog altijd angst voor de gevleugelde gedaante. Diep vanbinnen voelde hij een vreemde angst. Moest hij bang zijn voor een droomgestalte of eerder dat hij zijn verstand dreigde te verliezen?

Hoewel hij nauwelijks honger had, besloot hij een stevig ontbijt te nemen. Het buffet in de ontbijtzaal bood een uitgebreide keuze. Hij nam roerei met ham en bestelde er sterke koffie bij. Nu hij zat te eten, kreeg hij weer het gevoel een mens te zijn en in deze wereld thuis te horen. Terwijl hij zich probeerde voor te stellen hoe de droomdemon roerei met ham at, moest hij hardop lachen, waarop de gasten aan de andere tafels hem geïrriteerde blikken toewierpen. Het interesseerde Enrico niet; het deed hem goed weer eens te lachen.

'Je bent vanochtend in een goed humeur, Enrico,' zei een bekende stem achter hem. 'Mag ik ook weten waarom je zo vrolijk bent?'

Enrico keek om en keek in het gezicht van Alexander Rosin, die een weinig uitgeslapen indruk maakte. 'Ik moest gewoon even lachen. Als je zonder reden lacht, ben je weliswaar onnozel, maar liever onnozel dan neerslachtig, nietwaar?'

Alexander leek geïrriteerd. 'Eerlijk gezegd is dat een vraag waarmee ik me nog niet diepgaand beziggehouden heb. Heb je er bezwaar tegen dat ik bij je kom zitten?'

'Absoluut niet. Heb je al ontbeten?'

'Ja, maar ik wil nog wel een kop koffie. Je moet trouwens de groeten van Elena hebben. Ik heb uitvoerig met haar gebeld.'

'Hoe gaat het met haar?'

'Een stuk beter. Het liefst zou ze meteen uit bed springen en weer aan het werk gaan.'

'Wat houdt haar tegen?'

'De doktoren. Ze vertrouwen dat wonder niet helemaal.'

Enrico schonk Alexander koffie in en vroeg: 'Is er nog nieuws over de moord in Marino? Zijn de daders al gepakt?'

Alexander schudde zijn hoofd. 'Dat zou al te mooi geweest zijn. Die kerels zijn natuurlijk uitgekookt genoeg en weten best hoe ze politiecontroles moeten ontlopen.'

'En dr. Falk? Hebben Donati's mensen al iets ontdekt?'

'Ook al geen nieuws. Ze is rechtstreeks naar haar hotel in Trastevere teruggekeerd en is alleen 's avonds anderhalf uur weg geweest om in een restaurant in de buurt spaghetti carbonara te eten. Daarna is ze weer naar haar kamer gegaan.'

'Je bent verbazend goed geïnformeerd. Sinds wanneer wijdt de Romeinse politie journalisten zo uitgebreid over de onderzoeksresultaten in?'

Alexander lachte. 'Dat doen ze niet, zeker niet als de resultaten zo schamel zijn. Maar aangezien ik in deze zaak op verzoek van het Vaticaan met Stelvio Donati samenwerk, hebben we geen geheimen voor elkaar. Trouwens, nu we het toch over het Vaticaan hebben, ik ben hier niet zonder reden. Een hoogwaardigheidsbekleder in het Vaticaan wil graag met jou lunchen. Ik moet jou naar hem toe brengen, als je dat goedvindt.'

Nu was het Enrico's beurt om geïrriteerd op te kijken. 'Een lunch met een hoogwaardigheidsbekleder? Waarom valt mij die eer te beurt en wie is die hoogwaardigheidsbekleder?'

'De wonderbaarlijke genezing in Pescia en je aanwezigheid gisteren in Marino zijn voor het Vaticaan twee goede redenen om belangstelling voor je te koesteren, Enrico. Wie je gastheer is, zul je vernemen als je de uitnodiging aanneemt.'

'Vanwaar dat geheimzinnige gedoe?'

'Niet alle Romeinse journalisten zijn even zwijgzaam als ik. Het Vaticaan wil geen geruchten in omloop brengen.'

'Maar geruchten verspreiden zich juist als er niets concreets bekend is!'

'Geduld! Ik raad je aan de uitnodiging aan te nemen. Dan zul je vanzelf zien wie er belangstelling voor je koestert.'

'Mij best. Ik heb toch niets beters te doen. Ik hoef alleen vanmiddag mijn vliegtuig maar te halen.'

'Je vliegt morgen pas. Ik heb alles al geregeld. Geen zorgen, de *Messaggero* betaalt de extra overnachting ook.'

'Hoe wist jij dat ik met jou naar het Vaticaan zou gaan?'

'Omdat ik dacht dat je wel nieuwsgierig zou zijn. En nu moet je je roerei opeten, voordat het koud wordt. Bovendien moeten we zo meteen weg.'

'Hoezo?' vroeg Enrico. 'Over tweeënhalf uur is het pas middag.'

'Ik wil graag naar het angelus op het St.-Pietersplein luisteren. De paus zou daarbij belangrijke mededelingen doen in verband met de kerkscheuring. Naar verluidt als reactie op het concilie van de geloofskerk. In elk geval gonst heel Rome al van de geruchten en vanmiddag wordt op het St.-Pietersplein een grote menigte gelovigen en journalisten verwacht. Als we nog een goede plek willen vinden, moeten we niet te lang wachten.'
'En zojuist zei je nog dat het Vaticaan niet graag geruchten in omloop brengt.'
'Als het in het eigen belang is wel natuurlijk.'
'Wat is dat dan voor concilie waarover je sprak?'
'Heb je sinds gisteren geen nieuws meer gezien of gehoord?'
'Nee. Mijn sensatiezucht is in Marino voorlopig voldoende bevredigd.'
'Tegenpaus Lucius heeft voor komende woensdag alle kardinalen van de geloofskerk voor een concilie in Napels uitgenodigd. Daar moeten de grondbeginselen en richtlijnen van de nieuwe kerk vastgesteld worden. Er wordt rekening gehouden met een groot mediaoffensief na het concilie. De Heilige Kerk van het Ware Geloof zal proberen de kerk van Rome zwart te maken en zich als de enige echte katholieke kerk te presenteren.'
Enrico schoof het laatste beetje roerei op zijn vork en zei: 'Dat klinkt als een heuse marketingcampagne.'
'Het ís ook een marketingcampagne. Als je in deze wereld succes wilt hebben, moet je de media en de publieke opinie achter je hebben. Dat weten de afvalligen in Napels even goed als de beleidsmakers in het Vaticaan. Daarom hebben wij het gerucht over de aankondiging van paus Custos verspreid en aan alle grote redacties en mediadiensten in Rome doorgespeeld.'
'Wij? Wat bedoel je daarmee?'
'Nu ja,' zei Alexander langzaam met een ondeugende grijns, 'ik ben zelf niet geheel onschuldig aan de verspreiding van dat gerucht.'

Alexanders voorstel om met de tram naar het Vaticaan te gaan, bleek verstandig. Enrico en hij stonden weliswaar als sardientjes in een blik in de volgepropte tram, maar het autoverkeer richting Vaticaan was inmiddels helemaal tot stilstand gekomen.
'Normaal gesproken is het nooit zo druk voor het angelusgebed,' zei Alexander terwijl de tram de eindeloze file voorbijreed. 'Er lijkt veel belangstelling te zijn voor de aankondiging van de paus.'

'Hij heeft zeker een goede persafdeling,' antwoordde Enrico met een knip-oog naar Alexander.

Al van veraf zagen ze dat het St.-Pietersplein overvol was. Gelovigen, nieuwsgierigen, geestelijken, journalisten, cameralieden en geluidstechni-ci stonden bijna net zo dicht op elkaar gepakt als de passagiers in de tram. De politie en de Zwitserse Garde deden hun best de orde in de enorme menigte te handhaven. Omdat Alexander een perskaart bezat en een van de gardisten goed kende, konden hij en Enrico via een van de smalle gan-gen die met hekken afgeschermd waren, ver naar voren lopen, totdat ze bijna in de schaduw stonden van de enorme koepel van de St.-Pieterskerk. Ze stonden nu dicht bij het hart van de christelijke kerk, maar het lukte Enrico, die hier voor het eerst was, niet om ook maar enigszins in een de-vote stemming te raken. De duizenden mensen om hen heen, die hard met elkaar spraken, elkaar van alles toeriepen, in hun gsm's kletsten en iets aten of dronken, deden hem eerder aan een volksfeest denken dan aan een heilige plaats. Pas toen hij wat beter keek, stelde hij vast dat niet iedereen zo uitgelaten was. Hij ontdekte toch heel wat mensen die zich stilhielden en een serieuze, geconcentreerde indruk maakten. Ze keken vol verwach-ting naar het balkon op de derde verdieping van het Apostolisch Paleis op, vanwaar de paus van oudsher zijn zondagsgebed sprak. Dit waren de ge-lovigen die het diepst getroffen waren door de kerkscheuring en uit de toespraak van de opperherder troost en hoop wilden putten.

Maar op het moment dat hoog in het Apostolisch Paleis het tweede raam van rechts geopend werd en de gedaante van de paus tussen de grote witte luiken verscheen, verstomden ook de minder vrome toeschouwers op het St.-Pietersplein. Enkele seconden lang heerste er een bijna volledige stilte en richtten duizenden mensen vol verwachting hun blik op de paus, die daar boven zo klein en nietig leek. Enrico was lichtelijk teleurgesteld, want hij had paus Custos graag wat dichterbij gezien. Hoewel hij en Alexander tamelijk ver vooraan stonden, kon hij de in het wit geklede Heilige Vader slechts vaag herkennen. De stem van de paus schalde dank-zij de moderne techniek luid en duidelijk over het enorme plein terwijl hij het angelus bad. Toen dat beëindigd was, bleef het stil op het plein en ke-ken de toeschouwers nog altijd vol verwachting naar Custos.

De paus leek zich te vermannen alvorens zijn stem weer over het St.-Pie-tersplein schalde: 'Zonen en dochters, gelovigen en bezoekers, mensen in Rome en de hele wereld, ik wil van deze gelegenheid gebruikmaken om tot u het woord te richten. Sinds enkele dagen vraagt u zich af hoe het met de Heilige Roomse Kerk gesteld is, omdat er een andere kerk gesticht en een andere paus gekozen is. U vraagt zich af aan welke kerk en welke paus u uw vertrouwen dient te schenken. Enkelen van u hebben dat al besloten, anderen twijfelen nog. Ik kan dat goed begrijpen, en het is zeker niet aan mij de aanhangers van de tegenkerk te verdoemen. Ik ben me ervan bewust dat de kardinalen, bisschoppen en priesters van de tegenkerk vanuit hun diepste geloof handelen en dat geldt ook voor de mensen die hun godshuizen en diensten bezoeken.'

Deze verklaring van de paus bracht algemene verwondering teweeg en er ging een gemompel door de menigte. Enkele verslaggevers, die voor de draaiende camera rechtstreeks verslag deden, spraken gehaast hun commentaar in de microfoon.

'Ja, ik heb begrip voor de afvalligen,' vervolgde Custos op iets luidere toon, om ieders aandacht weer terug te winnen. 'Maar ik keur niet goed wat ze doen. Ik begrijp dat we in moeilijke tijden leven, waarin het niet meevalt aan het geloof vast te houden als dat aan zovele veranderingen onderworpen is. Ik heb zelf enkele veranderingen in de kerk doorgevoerd en er zullen er nog meer volgen. Velen van degenen die trouw aan de tegenpaus beloofd hebben, waren het met die veranderingen niet eens. Maar is het verkeerd nieuwe wegen in te slaan als ik, als paus die door de kardinalen gekozen is, van mening ben dat die wegen noodzakelijk zijn? Ik geloof niet dat dat verkeerd is, en mijn hart is voor God de Almachtige volkomen rein. Als paus is het mijn taak de kerk te leiden en naar een glanzende toekomst te leiden, en niet om mijn ogen voor noodzakelijke hervormingen te sluiten. Teleurstelling, ergernis en misschien ook een gebrek aan vertrouwen hebben de aanhangers van de tegenkerk ertoe gebracht Rome en mij de rug toe te keren. Maar is vertrouwen niet hetzelfde als geloof, en is het geloof niet juist datgene wat het christen-zijn bepaalt? Als de zoon de vader en de broer de broer niet meer vertrouwt, is het geloof vernietigd en de gemeenschap der gelovigen uiteengevallen. Wees daarom sterk en hou ook in moeilijke tijden aan uw geloof vast! Denkt u aan Mozes, David of Jezus Christus, de zoon van God! U allen hebt door uw vertrouwen – door uw geloof – in God zware beproevingen doorstaan. Wees nu sterk, dan blijft uw geloof ook in de toekomst vast verankerd!'

Nadat Custos deze oproep uitgesproken had, bleef het stil. Er ging ditmaal geen gefluister door de menigte, want men had iets dergelijks verwacht. Maar dit kon toch nog niet alles zijn, leken de meesten zich af te vragen. De Heilige Vader zou toch nog wel iets achter de hand houden? En inderdaad vervolgde Custos zijn toespraak: '"Het geloof verzet bergen", schrijft Paulus in de eerste brief aan de Korintiërs, waarbij hij er de nadruk op legt dat het geloof alleen niets is zonder de liefde. Omdat ik ook degenen liefheb die zich van mij afgewend hebben, en omdat ik me grote zorgen maak over de toekomst van de kerk, zal ik nu de stap zetten die de afvalligen nog niet gewaagd hebben. De stap van de toenadering, van de dialoog. Hoe zeggen de islamieten het ook alweer? Als de berg niet naar de Profeet wil komen, moet de Profeet naar de berg komen. De tegenpaus heeft zijn kardinalen de komende week voor een concilie in Napels bijeengeroepen. Ook ik zal het concilie bezoeken en ik hoop vurig dat men mij de toegang niet zal ontzeggen. Dan zal ik iedereen die zijn oren en hart niet voor mij afsluit, van repliek dienen. Ik weet niet of ik de afvalligen van hun verkeerde weg af kan brengen, maar mijn geloof daarin en mijn vertrouwen in God laten zich niet aan het wankelen brengen.' Na een korte pauze strekte hij zijn armen naar voren en zei: 'De Heer zegene u allen!'

Custos verdween en de menigte ontwaakte uit haar verstarring. Er klonk hier en daar applaus, dat zich door de rijen verplaatste en steeds harder opklonk, tot er uiteindelijk een hartstochtelijk gejuich klonk, dat naar Enrico's mening beter in een voetbalstadion paste dan hier. Maar hij kon goed begrijpen dat de menigte de paus toejuichte. Het was een eerlijke, ontroerende toespraak geweest, die genoeg explosief materiaal bevatte om de verzamelde journalisten in actie te brengen. Een vrouw die vlak voor de camera stond en razendsnel in de microfoon sprak, kwalificeerde het besluit van de paus om naar Napels af te reizen als tweeslachtig. 'Custos wil daarmee uitdrukking geven aan zijn liefde en vertrouwen, maar misschien zaagt hij daarmee juist aan zijn eigen stoelpoten. Velen zullen niet begrijpen dat de rechtmatige paus bij de tegenpaus op bezoek gaat en niet andersom. Ze zullen zeggen dat Custos daarmee de tegenpaus en zijn zogenaamde geloofskerk als gelijkwaardig erkent.'

'Is dat zo?' vroeg Enrico aan Alexander. 'Zullen ze inderdaad zeggen dat de paus de tegenpaus als zijn gelijke behandelt? Is dit de ridderslag voor Lucius?'

'Enkelen zullen dat zeker beweren. Maar wat moet Custos anders doen?

Zoals hij daarnet al zei: als de berg niet naar de Profeet wil komen, moet de Profeet naar de berg komen. Een van beiden moet de eerste stap zetten, anders blijft alles zoals het is.'

'En dan blijft de kerk in tweeën gedeeld,' voegde Enrico eraan toe.

'Dat is nu juist wat de paus drijft. En nu moeten we opschieten, want onze lunch staat klaar. Om eerlijk te zijn knort mijn maag al een beetje.'

'De mijne niet. Het ontbijt in hotel Turner was bepaald voedzaam.' Misschien, hield Enrico zichzelf voor, was zijn gebrek aan eetlust ook te wijten aan een zekere spanning. Hij werd tenslotte niet elke dag voor de lunch in het Vaticaan uitgenodigd en door het geheimzinnige gedrag van Alexander leek alles nog meer gewicht te krijgen. Vermoedelijk stelde Enrico zich er te veel van voor. Een van Alexanders kennissen uit zijn tijd als Zwitsers gardist, misschien wel een kardinaal, had over Enrico gehoord en was natuurlijk nieuwsgierig geworden. Zoiets zou het wel zijn.

Hij volgde Alexander naar een brede toegang, die naar het eigenlijke Vaticaanterrein voerde. Bij de toegang stond een Zwitserse gardist in het bekende kleurige uniform op wacht, die verbaasd zijn wenkbrauwen optrok toen hij Alexander en Enrico opmerkte. 'Hallo, Werner!' zei Alexander, op zijn metgezel wijzend. 'Dit is meneer Schreiber uit Duitsland. We zijn aangekondigd. Moet ik je het toegangsdocument laten zien?'

De gardist trok een verontschuldigend gezicht. 'Je kent de voorschriften, Alexander.'

Alexander haalde een opgevouwen papier uit een binnenzak van zijn donkere colbertjasje en gaf dat aan de soldaat. Die vouwde het open en bekeek het met een steeds verbaasder gezicht.

'Afgegeven door de hoogste instantie, dan kunnen jullie natuurlijk doorlopen. Wat is er zo belangrijk?'

'Een lunch,' zei Alexander, die het vel papier weer aannam en de Zwitser met Enrico naast zich passeerde. 'We spreken elkaar nog wel, Werner.'

Toen ze de wachtpost achter zich gelaten hadden, vroeg Enrico: 'Een oude kameraad?'

'Ja, zo zou je het kunnen zeggen.'

'Jullie lijken elkaar heel goed te kennen.'

'Zo goed kennen we elkaar nu ook weer niet. Werner Schardt en ik zijn tegelijkertijd bij de garde in dienst getreden.'

Alexander leek er niet erg in geïnteresseerd zijn voormalige kameraad te spreken. Het kwam Enrico voor alsof Alexander om een of andere reden niet over Werner Schardt wilde praten. Maar hij dacht er verder niet over na, want de onbekende wereld van het Vaticaan eiste nu zijn aandacht op. 'Zonder uitnodiging kom je hier vast niet binnen,' zei hij terwijl hij omkeek.

'Eigenlijk niet, maar er zijn wel een paar trucjes. Als Duits staatsburger kun jij op elk moment het Vaticaan betreden, ook zonder uitnodiging.'

'Neem je me in de maling?'

'Helemaal niet. Kom mee, dan laat ik het aan je zien. Zoveel tijd hebben we nog wel.'

Alexander bracht hem naar een pleintje dat een kerkhof bleek te zijn. De grafstenen die Enrico van nabij bekeek, waren al tamelijk oud en er stonden alleen Duitse namen op.

'Dit hier is de Campo Santo Teutonico ofwel Campo Santo,' legde Alexander uit. 'Dit kerkhof bevindt zich weliswaar in het Vaticaan, maar is toch extraterritoriaal gebied.' Hij wees op het aangrenzende gebouw. 'Dit hier is een wetenschappelijk priestercollege dat samen met het kerkhof een Duitse stichting vormt. De rechtspersoon draagt de naam Aartsbroederschap voor de Smartelijke Moeder Gods op de Campo Santo Teutonico. De leden van deze broederschap, evenals die van andere Duitse orden in Rome, kunnen hier begraven worden, naast katholieke overledenen uit het Duitse taalgebied die op een kerkelijke bedevaart naar Rome zijn.'

'Dat is een mooie truc om het Vaticaan in te komen!' zei Enrico spottend. 'Dus je moet eerst overlijden of zo?'

'Fout gedacht. Als je tegen de bewakers zegt dat je Duitser bent en de Campo Santo wilt bezoeken, laten ze je door.'

'Merkwaardig, en dat terwijl het Vaticaan zo'n afgezonderde wereld vormt.'

'Een eigen staat met eigen grenzen, ja. Maar je hebt gelijk als je zegt dat veel zaken in het Vaticaan voor een buitenstaander vreemd, of laten we zeggen "anders" zijn.'

'Geen wonder dat ze jou bij de *Messaggero* als Vaticaanjournalist aangesteld hebben, want je weet hier de weg.'

'Dat enerzijds, en anderzijds heeft Elena een goed woordje voor me gedaan.'

Nu de naam Elena eenmaal gevallen was, verstomde hun gesprek. Ze liepen om de St.-Pieterskerk heen en betraden uiteindelijk een groot gebouw dat door de Zwitserse Garde bewaakt werd.

'Is dat niet het paleis van de paus, waarover je eerder gesproken hebt?' vroeg Enrico verbaasd.

Alexander knikte alleen maar, leidde hem naar een lift en liet de liftbediende, die een sober uniform droeg, de uitnodiging zien. De lift bracht hen naar de derde verdieping, en Enrico vroeg zich al weer af welke hoogwaardigheidsbekleder van het Vaticaan hij hier zou ontmoeten. Toen de liftdeur openging, werden ze door een slanke man opgewacht, die het zwarte habijt en de witte kraag van een geestelijke droeg en wiens gezicht door de hoge jukbeenderen en de smalle ogen Aziatische trekken had.

'Don Henri Luu, privésecretaris van Zijne Heiligheid,' zei Alexander tegen Enrico. 'En dit is signor Enrico Schreiber uit Duitsland, don Luu.'

Luu gaf Enrico een hand. 'Welkom in het Apostolisch Paleis. Komt u mee, de soep wordt al opgediend. Het is maar een bescheiden lunch, en ik hoop dat die u zal smaken.'

'Dat zal zeker het geval zijn,' zei Enrico, in het besef dat elke andere opmerking onbeleefd zou zijn. Nog altijd had hij helemaal geen trek.

Ze betraden een ruimte waarin twee nonnen een tafel voor vier personen gedekt hadden. Een man in een wit gewaad zat door het raam naar buiten te kijken en draaide zich om toen de drie mannen binnenkwamen. Het was de paus.

'Buiten heeft zich een grote menigte verzameld,' zei Custos, terwijl hij zijn blik op Alexander en Enrico richtte. 'Hoe was de reactie op mijn toespraakje?'

'Heel goed, Uwe Heiligheid,' verzekerde Alexander hem. 'U hebt het applaus natuurlijk wel gehoord.'

'Ja, ik was daar zeer verheugd over. Niet uit ijdelheid, maar omdat daaruit blijkt dat velen nog een rotsvast geloof bezitten.' Na een korte pauze voegde de paus eraan toe: 'Als ik eerlijk ben, toch ook een beetje uit ijdelheid. Ik heb de afgelopen dagen niet bepaald van een overmaat aan instemming mogen genieten.'

'Dat geeft je weer goede moed,' flapte Enrico eruit voordat hij zijn lippen op elkaar kon klemmen.

Custos glimlachte, waardoor zijn open gezicht nog sympathieker leek. 'Zeker, signor Schreiber, heel treffend verwoord. Het doet me genoegen dat u aan mijn uitnodiging gehoor hebt gegeven. Sinds u in Italië bent, hebt u verbazingwekkende dingen beleefd. Het zou me plezier doen als u mij in uw belevenissen wilt inwijden.' Hij wees uitnodigend op de tafel, waarop een kom met stevige aardappelsoep stond. Nog voordat Enrico de eerste lepel naar zijn mond bracht, kreeg hij opeens trek. Op het moment dat de paus tegen hem gesproken had, was elke verlegenheid van hem af gevallen. Custos beschikte over de zeldzame gave anderen gemakkelijk voor zich in te kunnen nemen. Wat hier in kleine kring zichtbaar werd, werkte kennelijk ook op grote schaal, zo was bij zijn toespraak van zojuist gebleken.

Alsof don Luu de bezwaren van Enrico eerder die dag gehoord had, zei hij: 'Ik twijfel er nog altijd aan of uw reis naar Napels wel de juiste beslissing is, Uwe Heiligheid. Het publiek krijgt daardoor de indruk dat u de afvalligen als uw gelijken erkent.'

'Wat had ik anders moeten doen? De leiders van de tegenkerk zouden echt niet naar Rome zijn gekomen, en ze hadden me vast en zeker ook niet uitgenodigd. Er restte mij dus niets anders dan mezelf uit te nodigen. Omdat ik dit voor de ogen van de hele wereldpers heb gedaan, kunnen de afvalligen me moeilijk negeren. Dan zou het lijken alsof ze de discussie met mij willen ontlopen.'

'We hadden de contacten met de tegenkerk voorlopig toch op een lager niveau kunnen aanknopen,' stelde Luu voor. 'Dan zouden de verwachtingen niet zo hooggespannen zijn en zou een mogelijke mislukking niet zulke ernstige gevolgen hebben.'

'Maar Henri, heb je soms niet goed naar me geluisterd?' vroeg de paus oprecht verbaasd. 'Je mag helemaal niet over een mogelijke mislukking spreken en er niet eens aan denken. Geloof liever in het succes. Je weet toch dat het geloof bergen kan verzetten!'

Luu glimlachte zwakjes en leek niet overtuigd.

'Bovendien moeten we wel actie ondernemen,' vervolgde de paus. 'De tijd is in het voordeel van de tegenkerk. Hoe meer tijd er voorbijgaat, des te meer wordt het bestaan van een tweede katholieke kerk en een tweede paus door het publiek en de gelovigen als een gegeven beschouwd. Nee, als we er iets tegen willen ondernemen, moeten we het nu doen!'

De nonnen ruimden de soepkommen af, serveerden een groenteschotel en daarna chocoladepudding als dessert. Het was stevige burgerkost, die Enrico goed smaakte. Onder het eten wisselde het gespreksonderwerp: de paus en zijn privésecretaris informeerden naar bijzonderheden over de moord in Marino. Ze toonden zich zeer ontsteld over het voorval en Custos zei: 'Alsof het nog niet genoeg is dat onze kerk vanbinnen gespleten is, moet een vijand vanbuiten ook nog onze priesters vermoorden. We leven werkelijk in een tijd van zware beproevingen.'

'Misschien bestaat er een verband tussen de kerkscheuring en de priester-moorden,' zei Alexander. 'De andere twee slachtoffers hebben vroeger in het Vaticaan gewerkt. Mogelijk waren ze de tegenkerk om een of andere reden een doorn in het oog.'

'En de dode priester uit Marino?' vroeg Luu.

'Die moest sterven omdat hij als neef van Giorgio Carlini iets wist. Of omdat de moordenaars bang waren dat hij iets wist.'

'Dat klinkt plausibel,' meende Luu.

'Voor mij eigenlijk niet,' wierp paus Custos tegen. 'Die mensen in Napels en hun aanhangers zijn afvalligen en hebben op velerlei wijze tegen de Almachtige en Zijn kerk gezondigd, maar ik beschouw hen niet als door-trapte moordenaars. Ook deze afvalligen zijn christenen. Ze beschouwen zich zelfs als betere christenen en zullen daarom aan Gods geboden ge-hoorzamen.'

'De meesten wel,' zei Alexander instemmend. 'Maar misschien zijn er toch enkelen onder hen die het vestigen van hun macht belangrijker ach-ten dan het opvolgen van de tien geboden.'

'Misschien wel,' verzuchtte Custos, terwijl hij het puddingschaaltje met een demonstratief gebaar van zich af schoof. 'Je zou eens diepgaand met don Luu van gedachten moeten wisselen, Alexander. Hij heeft je boven-dien nog iets belangrijks mee te delen. Ik zou me er op mijn beurt over verheugen als signor Schreiber me bij een wandelingetje op het dakterras zou begeleiden.'

'Graag,' zei Enrico, zich afvragend waarom deze eer hem te beurt viel. Blijkbaar wilde de paus hem onder vier ogen spreken.

Via een kleine trap kwamen ze in de daktuin, waar allerlei grote planten en zelfs bomen groeiden. In een fontein zwommen talrijke goudvissen. 'Ik heb deze tuin van mijn voorganger overgenomen en er verder niet veel in veranderd,' legde Custos uit. 'Het is een goede gelegenheid om je tussen het werk door even te ontspannen in de frisse lucht.'

'Ook buiten alle huidige gebeurtenissen om zal uw dag gewoonlijk wel met verplichtingen gevuld zijn, Uwe Heiligheid,' zei Enrico. 'Daarom ver-baast het me des te meer dat u mij zoveel van uw kostbare tijd gunt.'

De paus keek hem glimlachend aan. 'Dat is een wel zeer diplomatieke aansporing eindelijk ter zake te komen. Maar u hebt gelijk, ik heb u niet zonder bijbedoelingen naar mijn dakparadijsje ontvoerd. Uw aanwezigheid in Marino toen de arme Leone Carlini vermoord werd, is slechts een van de twee redenen waarom ik u wilde spreken. De andere reden kent u vermoedelijk ook wel.'

'Als u de gebeurtenissen in Borgo San Pietro en in Pescia bedoelt, dan luidt het antwoord ja.'

'Dat is precies wat ik bedoel. Ook daar was u bijna getuige van een moord. Maar hebt u geen enkel idee waarom de pastoor de burgemeester vermoord zou hebben?'

'Een idee niet, maar ik heb wel een vaag vermoeden. Maar dat is zo speculatief, dat ik er maar beter niet over kan praten.'

'Zegt u het toch maar,' drong Custos bij hem aan. 'Ik vraag u dat uitdrukkelijk.'

'Misschien weet u dat ik naar Borgo San Pietro ben gereden om familie van mijn moeder te zoeken.'

'Ja. Uw moeder was toch uit dat dorp afkomstig?'

Enrico knikte en vertelde hoe burgemeester Cavara hem en Elena Vida voorgelogen had en vervolgens direct naar de pastoor was gerend.

'Ik begrijp dat u een bepaald verband veronderstelt. Maar als er een verband met de familie van uw moeder is, hoe kan dat dan zo gewichtig zijn dat het een moord rechtvaardigt?'

'Dat is een vraag die ik mezelf sinds enkele dagen ook stel, Uwe Heiligheid, helaas nog zonder een antwoord gevonden te hebben.'

'Vertel me eens wat meer over uw belevenissen,' verzocht Custos.

Toen Enrico over de kluizenaar begon, luisterde de paus extra scherp toe en stelde hij af en toe een vraag tussendoor. Custos wilde precies weten wat er bij de zogenaamde wonderbaarlijke genezing van Elena gebeurd was, wat er in de ziekenkamer gezegd was en wat Enrico gevoeld had.

Enrico beschreef de lichte jeuk die van zijn vingertoppen zijn handen in kroop en vervolgens van zijn hele lichaam bezit had genomen. 'Het leek of ik door een golf warm water gegrepen werd die me zachtjes overspoelde. Het was een gevoel van geborgenheid dat ik slechts uit mijn vroege jeugd kende.'

'Velen die over deze gave beschikken, hebben soortgelijke ervaringen als u opgedaan,' zei Custos tot Enrico's verwondering. 'Bij iedereen is dit vermogen verschillend ontwikkeld en ieder ervaart daarbij ook iets van elkaar verschillende gevoelens. Maar de warmte en geborgenheid waarover u spreekt, wordt door bijna iedereen bevestigd.'

'Ik begrijp het niet, Heilige Vader.'

'Vast wel, maar waarschijnlijk wilt u me niet begrijpen omdat u bang bent voor het onbekende. De kluizenaar Angelo heeft het u echter al gezegd: ook u beschikt over de gave anderen te genezen. Angelo is erin geslaagd zijn eigen krachten met de uwe te combineren en zo bent u samen erin geslaagd Elena aan de dood te ontrukken.'

Enrico moest bekennen dat Custos gelijk had. Hij wilde niet onder ogen zien wat zo ongelooflijk klonk en toch niet te ontkennen viel. Als hij zijn bijzondere gave accepteerde, moest hij ook de volgende stap zetten en zich afvragen wat de vreemde vlekken op zijn hand en de gevleugelde gedaante uit zijn dromen betekenden. Hij voelde zich van de ene op de andere seconde onpasselijk worden en kreeg het ijskoud, ook al baadde het dakterras in het licht van de warme middagzon. Zijn hele lichaam begon te beven.

Custos kwam naast hem staan en sloeg zijn arm om hem heen, alsof hij zijn lichamelijke warmte met Enrico wilde delen. En inderdaad had Enrico het niet koud meer. Opeens voelde hij een innerlijke warmte alsof iemand diep vanbinnen een vuur had aangestoken. Het was een weldadige warmte, die zich overal in hem nestelde en hem hetzelfde gevoel van geborgenheid gaf dat ook bij Elena's genezing bezit van hem had genomen. Enrico sloot onwillekeurig zijn ogen en zag zichzelf als klein kind met zijn ouders over een bloemenweide lopen. De man die hij voor zijn vader had gehouden, tilde hem op, wierp hem in de lucht en ving hem weer op. Enrico's moeder stond ernaast en lachte. Op dat moment wenste hij vurig dat die heerlijke herinnering eeuwig zou voortduren. Maar het gelukzalige gevoel verdween en hij opende zijn ogen weer.

Paus Custos stond naast hem en keek hem onderzoekend aan. 'Hoe voelt u zich?'

'Een beetje onvast op mijn benen, maar verder heel goed.'

Custos wees op een wit bankje bij de fontein met vissen. 'Laten we even gaan zitten.'

Toen ze naast elkaar plaatsgenomen hadden, vroeg Custos Enrico te omschrijven wat hij daarnet gevoeld had.

'Het was eenzelfde warmte en geborgenheid als in Elena's ziekenkamer, toen Angelo en ik onze handen op haar legden.'

'Dat dacht ik al,' zei Custos. Na hem langdurig aangekeken te hebben, zei hij tegen zijn gast: 'Enrico, je bent een van de onzen.'

'Van wie?'

'Wat weet je van de uitverkorenen?'

'Dat zijn de mensen die over zichzelf beweren dat ze de afstammelingen van Jezus zijn. Zoals...' Enrico slikte zijn woorden in op het moment dat hij zich realiseerde wat hij wilde zeggen.

'Net zoals ik, zeg het maar gerust. Je hoeft je er niet voor te schamen als die gedachte je vreemd voorkomt. Veel mensen, onder wie juist veel gelovigen, hebben een probleem met het idee dat onze Verlosser niet voor onze zonden aan het kruis gestorven is. Dat Jezus uit de schijndood ontwaakt is en nog vele jaren geleefd heeft en daarbij kinderen heeft voortgebracht, valt niet te verenigen met wat ze in de kerk, op school en thuis van oudsher te horen hebben gekregen. Het maakt nogal een verschil of je Jezus Christus als de verheven heilige uit het godsdienstonderwijs ziet of als de mens van vlees en bloed die hij geweest is.'

'Maar als dat allemaal waar is en hij niet voor onze zonden gestorven is, hoe kunt u Jezus dan nog als Verlosser beschouwen?'

'Ook al is hij niet voor onze zonden gestorven, hij was daar wel degelijk toe bereid en heeft dat ook bijna gedaan. Hij heeft zich voor ons aan het kruis laten slaan. Maar daar gaat het niet om. Zijn leven en daden, zijn denken en het voorbeeld dat hij ons gegeven heeft, moeten voor ons de leidraad zijn. Hij heeft zijn leven aan de Almachtige Vader in de hemel gewijd en het maakt niet uit of hij zijn leven aan een onbevlekte ontvangenis te danken heeft of niet.'

'En u, Heilige Vader, bent u werkelijk een nazaat van Jezus Christus?'

'Daar ga ik van uit. En op basis van alles wat ik van jou weet, Enrico, behoor jij ook tot de onzen. Heeft je moeder je nooit iets over een bijzondere gave verteld?'

'Nee, nooit. En het is mij ook niet bekend dat mijn moeder over een dergelijke gave beschikte.'

'Toch zal dat zo geweest zijn, want hoe zou jij anders over deze helende kracht kunnen beschikken?'

'Misschien via mijn vader.'

'Maar die was Duitser en kwam niet uit Borgo San Pietro. Alleen als je moeder tot de uitverkorenen behoorde, zou er een begin van een verklaring zijn voor het vreemde gedrag van pastoor Umiliani.'

'Er is nog een andere verklaring,' zei Enrico, waarna hij de paus over zijn echte, onbekende vader inlichtte.

Custos was blijkbaar hoogst verbaasd over deze mededeling. De paus bleef zwijgend naast Enrico op de bank zitten, over de Vaticaanse tuin uitkijkend. In deze gesprekspauze realiseerde Enrico zich opeens hoe absurd de situatie was waarin hij zich bevond. Tot enkele dagen terug had hij tot de gelovigen behoord die sommige priesters zo treffend als duikbootchristenen omschreven. Ze doken met Pasen en Kerstmis in de kerk op omdat dat een familiegewoonte was of omdat het zo sfeervol was en betaalden braaf de kerkbelasting, maar hadden verder bijzonder weinig op met religieuze vraagstukken. Dat hij opeens in de St.-Franciscuskerk in Pescia een gebed had gepreveld en zich als gelovige had gemanifesteerd, was voor hem volkomen onverwacht geweest en aan de verwerking daarvan was hij nog niet toegekomen. Het ontbrak hem in deze opwindende dagen aan tijd om God en alles wat God voor hem betekende, een plaats te geven. Maar hij had het gevoel dat zijn gebed in de St.-Franciscus niet alleen uit angst om Elena was voortgekomen, maar dat het dieper in zijn binnenste een oorsprong vond, in een gedeelte van zijn geest waaraan hij tot nu toe geen aandacht had geschonken. Dat hij nu ook nog naast de paus zat en van hem hoorde dat niet alleen de Heilige Vader, maar ook hijzelf een nazaat van Jezus was, was een ervaring die hij onmogelijk in woorden kon uitdrukken. Als een ander dan de paus zelf hem ditzelfde verteld had, dan had hij dat als een bijzonder flauwe grap of gebazel van een dwaas beschouwd. Maar paus Custos had geen grap gemaakt, en Enrico zag geen reden om aan zijn woorden te twijfelen. Sterker nog, wat hij in Pescia met Angelo meegemaakt had, leek door de woorden van de paus bevestigd te worden.

Nadat het lang stil was gebleven, wendde Custos zich weer tot Enrico en hij zei: 'Dit werpt een geheel nieuw licht op je afkomst. We moeten absoluut uitzoeken wie je vader is.'

'Niets liever dan dat, maar blijkbaar bestaat er ook niets moeilijkers dan dat. In Borgo San Pietro wilden ze me al niets vertellen over de familie van mijn moeder, laat staan over mijn vader. En waartoe mijn navorsingen in dat bergdorp geleid hebben, is u inmiddels bekend.'

'Misschien hangt het een met het ander samen. De burgemeester van Borgo San Pietro wilde je misschien niets over je familie vertellen omdat hij niet wilde dat je meer over je vader te weten kwam.'

'Mogelijk, maar helpt ons dat verder?'

'Ik ben helaas geen father Brown,' verzuchtte Custos. 'Heb je in Borgo San Pietro helemaal geen aanwijzingen over je vader kunnen vinden?'

Nadat hij even nagedacht had, antwoordde Enrico: 'Je kunt het misschien nauwelijks een aanwijzing noemen, maar ik heb wel iets vreemds meegemaakt.' Hij vertelde over het bezoek aan zijn oudtante, over haar paniekaanval en de schoenendoos met krantenknipsels.

'Misschien is dat toch een aanwijzing,' zei de paus, die pijnlijk getroffen leek. 'Kun je je misschien nog herinneren wat je oudtante precies zei?'

Enrico zag zichzelf weer in het donkere huis staan, rook de muffe geur en hoorde Rosalia Baldanello zeggen: 'Je vader is een bijzondere man, maar hij heeft de verkeerde keuze gemaakt. Hij heeft voor Satan gekozen.'

'Een bijzondere man die voor Satan gekozen heeft,' herhaalde Custos langzaam. 'Wat bedoelde ze daarmee? Heeft je vader een grote zonde begaan?' Hij keek Enrico onderzoekend aan. 'Mogelijk vind je dit een merkwaardige vraag, maar heb je wel eens een ontmoeting met Satan gehad?'

'Afgelopen nacht en vele nachten daarvoor ook.' Enrico voelde tegenover Custos geen schroom om over zijn nachtmerrie te praten. Hij wist dat de paus het goed met hem meende en dat hij hier, op het dak van het Apostolisch Paleis, dichter bij de waarheid was dan ooit tevoren. Daarom deed hij verslag van zijn dromen, van het onderaardse labyrint en het meer, van de verleidelijke stem en de gevleugelde gedaante met het zachtaardige gezicht die plotseling in een angstaanjagende demon veranderde.

'In Satan?' vroeg Enrico.

De paus keek nu nog onthutster en leek zelfs enige angst te hebben. 'Ik weet het niet,' zei hij langzaam. 'Ik moet daarover nadenken. Maar als ik jou was, zou ik proberen niet de kluts kwijt te raken. Als er een duistere macht in je zetelt, dan heeft die nog altijd een stralende tegenstander.'

'De gedaante met de engelenvleugels?'

'Ja, misschien is het een engel.'

'Gelooft u in engelen, Heilige Vader?'

'Hoezo niet?'

'Ik weet het niet,' zei Enrico onzeker. 'Ik heb ergens gelezen dat engelen in de katholieke Kerk niet officieel erkend worden.'

'Dat is niet geheel onjuist, maar ook niet helemaal juist. Dat er in de Heilige Schrift van engelen sprake is, kunnen zelfs theologen die niet veel met die wezens op hebben, niet ronduit ontkennen. Wel bestaat er onenigheid over de aard van de engelen, en daar zijn echt allerlei meningen over. Aan de ene kant van het spectrum staat het geloof in engelen als lichamelijke wezens, aan de andere zijde de opvatting dat berichten over engelverschijningen symbolisch opgevat dienen te worden. De engel zou slechts een zinnebeeld voor de goddelijke inspiratie zijn. Het woord engel komt overigens van het Griekse *angelos,* dat een vertaling van het Hebreeuwse *malach* is. En dat betekent niets anders dan boodschapper. En zo redetwisten de geleerden erover of de boodschappers van God lichamelijke wezens zijn of slechts symbolen voor het overbrengen van de boodschap. De katholieke Kerk heeft de betekenis van de engelen inderdaad sterk ingeperkt. Een belangrijke reden daarvoor is dat veel engelverschijningen en engelvereringen niet gebaseerd zijn op de christelijke leer, maar aan het volksgeloof ontsproten zijn, om nog maar niet te spreken van bijgeloof. Overdreven gezegd mag niet elk onverklaarbaar licht voor een goddelijke gezant of een ufo aangezien worden.'

'En wat gelooft u, Heilige Vader?'

'Als paus ga ik zeer terughoudend om met dergelijke waarderingen. Als denkend en onderzoekend katholiek moet ik in elk geval in overweging nemen dat de engelen geen verzinselen van de Heilige Schrift of van de christelijke cultuur zijn. In alle culturen en in alle tijdperken bestaat het geloof in engelen, ook al heetten ze misschien anders. Het geloof in het bovennatuurlijke, in de nabijheid en de verbinding met God is ook buiten de christelijke leer diep in de mens verankerd.'

Enrico dacht aan de op engelen lijkende figuren bij de Etrusken, die hem in het licht van Custos' woorden helemaal niet meer zo vreemd voorkwamen.

'Maar doet u daarmee geen afbreuk aan uw eigen geloof, Heilige Vader?' vroeg hij. 'Als de engelen er al eerder waren, kunnen ze toch geen boodschappers van God zijn?'

'Hoezo niet? Je kunt uiteraard aannemen dat het geloof in engelen slechts overal aangetroffen wordt omdat het een basisbehoefte van de menselijke geest vervult, namelijk de bevestiging niet zonder de bijstand en bescherming van een hogere macht op deze wereld te leven. Maar dat is slechts een van de verklaringen van het wijdverbreide geloof in engelen. Een andere is dat dit geloof op een fundamentelere waarheid gebaseerd is. God bestaat niet pas sinds het christendom bestaat, en dat geldt dan ook voor engelen.'

'Maar wat is dan de ware natuur van de engelen? Zijn het lichamelijke wezens of slechts symbolen?'

Custos keek hem hulpeloos aan. 'Ik ben slechts de paus, niet God. Waarom is deze vraag zo belangrijk voor je, Enrico?'

'Ik wil eindelijk weten hoe het met mijn dromen zit. Soms denk ik namelijk dat het niet alleen maar dromen zijn. Het lijkt wel een soort tweede werkelijkheid, waarin ik dreig af te glijden. Maar dan zou die gedaante ook werkelijk bestaan. Kan het zo zijn dat een engel tegelijk ook een duivel is?'

'Jazeker!' antwoordde Custos met een felheid die Enrico verbaasde en deed opschrikken. 'Denk maar aan Lucifer, de lichtdrager. Zo zou de naam van Satan geluid hebben toen hij nog niet met God gebroken had en de mooiste en schitterendste van alle engelen was. Daarna kwam het tot de engelenzonde en de engelenval, waarbij de door Lucifer aangevoerde rebelse engelen door God verbannen werden. In elk geval zien sommige theologen het zo. Ze menen dat het bewijs daarvoor in het boek Genesis te vinden is, waarin de scheiding van licht en water op de eerste scheppingsdag vermeld wordt. De opstandige engelen zouden op dat moment in de diepten van de hel geworpen zijn.'

'Neemt u me niet kwalijk dat ik niet zo onderlegd ben in deze zaken, maar wat was die engelenzonde dan precies?'

'Citeer me alsjeblieft niet letterlijk over wat ik nu ga zeggen,' zei Custos met een knipoog. 'De bewijzen daarvoor zijn namelijk niet in de Bijbel te vinden, maar in geschriften die in dezelfde tijd als het Nieuwe Testament opgesteld zijn. In het boek Henoch, dat geen deel uitmaakt van de Bijbel, wordt de zondeval van Lucifer en zijn medestrijders geweten aan de aantrekkingskracht van aardse vrouwen op de zonen van God, wat overigens ook in het boek Genesis in het Oude Testament terug te vinden is. Lucifer en de zijnen hadden geslachtsgemeenschap met aardse vrouwen en werden daarvoor door God met verbanning gestraft. De kerkelijke leer houdt echter vast aan een andere versie van de zondeval van Satan. Volgens die versie zou Satan geweigerd hebben voor Adam, de nieuwe schepping van God, te buigen, omdat hij van mening was dat de nieuw geschapen mens de engel, die een ouder wezen was, moest vereren en niet omgekeerd. Toen God hem ter verantwoording riep, zou Satan botweg geantwoord hebben: "Hoe kan een zoon van het vuur voor een zoon van de aarde buigen?" God zou hem daarop de diepte in geslingerd hebben, en een derde van alle engelen, die zich eveneens te trots en hoogmoedig toonden om de mens te vereren, zou zich bij Satan aangesloten hebben.'

'Een engel die een duivel geworden is,' zei Enrico peinzend. 'Is dat niet precies hetzelfde als wat mijn droom wil zeggen?'

'Zo zou je de droom kunnen duiden, ja. Ik wil je daar graag meer over vertellen, maar dat kan ik op dit moment niet.'

'Zo snel kan het gaan,' zei Enrico met een bittere ondertoon. 'Daarnet was ik voor u nog een nazaat van Jezus en nu misschien wel een zoon van Satan. En verder...' Hij maakte zijn zin niet af en keek naar zijn handen.

'Ja?' drong Custos aan.

'Heilige Vader, bezitten duivels stigmata?'

De paus toonde zich verbluft over Enrico's vraag. 'Wat bedoel je daarmee?' Enrico vertelde hem over de rode vlekken die hij bij Angelo en in mindere mate ook bij zichzelf had opgemerkt. 'U hebt toch ervaring met eh... bijzondere genezingen? Treden die vlekken, die wondtekenen, daarbij altijd op?'

'Nee, Ik hoor daar nu voor het eerst over.'

'Dan ben ik misschien toch niet een van de uwen, een van de uitverkorenen. Ik mag dan over soortgelijke krachten beschikken, toch stam ik misschien van iemand of iets heel anders af.'

'Ik moet daar eens rustig over nadenken,' zei Custos. 'Het liefst zag ik dat je langer in Rome bleef zodat we ons gesprek na mijn terugkeer uit Napels kunnen voortzetten. Voor die tijd heb ik het helaas te druk.'

'Ik geloof dat ik in Borgo San Pietro eerder antwoorden op mijn vragen zal vinden, Heilige Vader. Ik vlieg morgen terug naar Toscane. Maar het zou me een genoegen zijn ons gesprek voort te kunnen zetten. Het heeft me nieuwe inzichten opgeleverd. En nog iets...'

'Ja?'

'U zult onder de leden van uw kerk miljoenen gelovigen aantreffen die vaker naar de kerk gaan dan ik. Maar gelooft u mij, Heilige Vader, ik wens u van ganser harte succes op uw reis naar Napels!'

'Ik wil jou ook van ganser harte bedanken,' zei Custos, terwijl hij Enrico's handen beetpakte.

Weer voelde Enrico die merkwaardige warmte en geborgenheid die van binnenuit bezit van hem nam en hij vond het jammer dat hij nu afscheid moest nemen van de paus.

Beneden ontmoetten ze don Luu en Alexander Rosin weer, wiens stemming geheel omgeslagen was. Hij leek bijzonder nerveus en zei tegen Enrico dat hij niet met hem mee terug kon rijden omdat hij nog iets belangrijks te doen had.

'Dat geeft verder niet,' zei Enrico. 'De zon schijnt en ik was sowieso van

plan Rome wat beter te leren kennen tijdens een uitgebreide wandeling.'
Hij vond het bepaald geen ramp enkele uren zonder het gezelschap van anderen te moeten doorbrengen. Hij moest eens goed overdenken wat hij met Custos besproken had.

Met gemengde gevoelens liep Alexander naar het Vaticaanse spoorweg-station, waar ook de nieuwe gevangenis gelegen was. Don Luu had hem meegedeeld dat zijn vader hem wilde spreken. Markus Rosin had uiterst geagiteerd geklonken en gezegd dat het een kwestie van leven of dood be-trof. Meer had Alexanders vader niet willen zeggen. Hij wilde zijn zoon spreken en verder niemand. Na de laatste ontmoeting met zijn vader had Alexander niet gedacht dat die hem zo snel weer wilde zien, of zelfs dat hij hem ooit nog wilde zien. Had zijn vader ingezien dat hij hem onrecht aangedaan had en wilde hij spijt betuigen? Voor de zoveelste keer sinds het gesprek met don Luu vroeg Alexander zich af of hij de gevangenis met een wat vrolijker gemoed of weer een teleurstelling rijker zou verlaten.
De procedure was dezelfde als altijd en Alexander werd naar de bezoekers-ruimte met de grote houten tafel gebracht. Vermoedelijk was dit de enige bezoekersruimte, want de gevangenis was niet bepaald groot. Ditmaal was Alexander als eerste aanwezig. Hij nam plaats op de bezoekersstoel en wachtte ongeduldig op zijn vader. Die werd enkele minuten later door een gendarme binnengebracht en liep zonder hulp van de bewaker naar een stoel toe. Zijn bewegingen waren zelfverzekerd, alsof hij intussen aan zijn blindheid gewend was, maar misschien leek dat alleen maar zo. Als je en-kele maanden blind was, kon je onmogelijk je hele ziende leven achter je gelaten hebben. Markus Rosin struikelde opeens over een stoelpoot en sloeg met zijn elleboog hard op het tafelblad. Alexander onderdrukte de neiging om op te springen en zijn vader te helpen; een onbestemd gevoel weerhield hem daarvan. Slechts een korte trilling van de mondhoeken verried dat Markus Rosin zich bezeerd had. Zonder dat er verder enige emotie uit zijn gezicht sprak, ging hij zitten en hij zei: 'Bedankt dat je me niet geholpen hebt, Alexander. Ik hou er niet van als een hulpeloos kind behandeld te worden.'
'Je weet dat ik hier al ben?'
'Ik heb je adem gehoord. Je hebt vast wel eens zo'n slechte film gezien waarin beweerd wordt dat de overige zintuigen scherper worden als iemand blind geworden is. Dat klopt.'

'Het is toch mooi dat je er langzaam aan gewend raakt.'

'Wat rest me anders?' zei Markus Rosin, in wiens stem nu enige verbittering doorklonk.

'Niets,' zei Alexander, die besefte dat dit noch een origineel, noch een troostrijk antwoord was. Er was geen troost mogelijk voor zijn vader. Er restte hem niets anders dan zijn lot te aanvaarden.

Markus Rosin boog zich naar Alexander toe en begon zachter te praten. 'Was het gisteren gevaarlijk voor je?'

'Hoe bedoel je dat?' vroeg Alexander, die zijn toon eveneens dempte.

'Je was toch in Marino, toen die pastoor vermoord werd? Ben je daarbij in gevaar gekomen?'

'Nee, jammer genoeg niet.'

'Jammer genoeg?'

'Als ik in gevaar gekomen was, had ik de moord in elk geval met eigen ogen gezien. Maar ze bleven onzichtbaar, als een stel spoken. Hoe weet jij daarvan, trouwens?'

'Bij je vorige bezoek heb je zelf nog het vermoeden geuit dat ik nog altijd over goede contacten beschik.'

'Dat heb je niet bevestigd.'

'Ik wil niemand in problemen brengen. Stel je er daarom tevreden mee dat ik over de gebeurtenissen in Marino geïnformeerd ben.'

'Is de moord op Leone Carlini de reden dat je me wilt spreken?'

'In zekere zin wel. Je komt zo langzamerhand te dicht bij degenen achter wie je aan jaagt. Ik wil je waarschuwen. Stop liever met dat gesnuffel, anders kun je in ernstige problemen raken!'

'Heb je me hier laten komen om me te bedreigen, pa?'

Markus Rosin schudde zijn hoofd. 'Je begrijpt me verkeerd. Het is geen dreigement maar een waarschuwing. Niemand heeft me opdracht gegeven met je te praten en niemand weet wat ik tegen je zeg.'

'Daar ben ik in elk geval blij om. Daaruit blijkt dat je toch nog om me geeft.'

'Tja, je volgt toch de inspraak van het bloed. Luidt dat gezegde niet zo? Ik heb moeten vaststellen dat daar een grond van waarheid in zit.'

'Dus je bent bij jezelf te rade gegaan?' vroeg Alexander hoopvol. 'Zie je eindelijk in dat je een verkeerde weg ingeslagen was?'

'Helemaal niet. Dat ik nu met je praat, betekent niet dat ik alles overboord gooi waarin ik tientallen jaren geloofd heb en waarvoor ik gewerkt en geleefd heb. Maar ik wil niet dat je sterft. Stop met het opsporen van die mensen, Alexander!'

'Wie mag ik niet meer opsporen?'

Zijn vader zweeg, alsof Alexanders vraag tegen het zwarte glas van de zonnebril afketste.

'Hoe kan ik nu oppassen als ik niet weet voor wie ik uit moet kijken?' vroeg Alexander, een laatste poging wagend.

'Ik zit hier niet om iemand te verraden. Ik wil je ook niet om de tuin leiden om je daarmee van je onderzoek af te brengen. Maar sla mijn waarschuwing alsjeblieft niet in de wind, Alexander! Iemand die je vertrouwt, zal je in de val lokken. Stop met het onderzoek naar de vermoorde priesters, want anders...'

'Anders wat?' vroeg Alexander, terwijl zijn vader opeens zijn lippen op elkaar perste, alsof hij al te veel gezegd had.

Markus Rosin zuchtte diep voordat hij langzaam en zacht zei: 'Of je zult sterven!'

Het reisboek van Fabius Lorenz Schreiber,
geschreven naar aanleiding van zijn gedenkwaardige reis
naar Noord-Italië in 1805

VIJFDE HOOFDSTUK – DE BEDOLVEN STAD

Nu ik jaren later alles op papier zet wat ik meegemaakt heb, ontbreken me nog altijd de juiste woorden om te beschrijven wat ik door stom toeval niet ver van het bergdorp Borgo San Pietro ontdekt heb. Het gat in de grond waarin Maria en ik gevallen waren en dat een deel van een onderaardse gang bleek te zijn, behoorde tot een wijdvertakt conglomeraat, dat zich tot ver in het dichte bos leek uit te strekken. Er lag een gehele antieke stad onder het dichte bos verborgen, geheel bedolven onder de aarde. Deze nederzetting moest zo'n tweeduizend jaar geleden door een aardverschuiving vanaf de omringende bergen bedolven zijn. En het belangrijkste was dat mijn aanvankelijke indruk bevestigd werd: de ruïnen en kunstvoorwerpen die we aantroffen, waren beslist van Etruskische oorsprong. Opvallend vaak stuitten we op afbeeldingen van mannen met engelenvleugels zoals op de vaas die Elisa Bonaparte me had laten zien. Een terugkerend motief in de Etruskische kunst, waarvan de betekenis mij al even onduidelijk was als alle andere wetenschappers die zich met deze oude cultuur bezighielden. Zonder twijfel hadden we het geheimzinnige Etruskische heiligdom opgespoord dat Elisa zo na aan het hart lag.
Doordat de stad zo groot was en er een groot stuk bos gekapt moest worden om uitgebreide opgravingen te kunnen verrichten, moesten we een flink aantal hulpkrachten werven. De bewoners van Borgo San Pietro bleven ons echter ontwijken en gezien de Oostenrijkse dreiging aan de Noord-Italiaanse grenzen had het geen zin om meer soldaten te vragen. De weinige soldaten die we hadden, deden zeker hun best, maar na drie dagen hadden we slechts een bescheiden plek vrijgemaakt en waren we slechts weinig opgeschoten in de onderaardse gang.
De ochtend van de volgende dag merkte ik dat de helft van de soldaten zich met hun musketten gereedmaakte om af te marcheren. Toen kapitein Lenoir het voortouw wilde nemen, liep ik snel op hem toe en ik vroeg hem wat hij van plan was.

Hij wees in de richting van de opgravingen. 'Mijn mannen matten zich daar af, maar het leidt tot niets. Ik ga nu met deze groep naar Borgo San Pietro en haal daar alle dorpsbewoners op die een steen kunnen optillen.

'Nee, niet met geweld!' verbood ik hem.

'Dat lijkt me toch de enige manier. De dorpsbewoners mijden ons zoals de duivel een hekel heeft aan wijwater.'

'We hebben hulp nodig, dat zeker, maar alleen vrijwillige. Ik verbied u om geweld te gebruiken!'

'Hoe wilt u dat doen? Deze soldaten staan onder mijn bevel.'

'Maar ik leid de expeditie. Moet ik de vorstin melden dat u zich aan mijn bevelen onttrokken hebt?'

We keken elkaar strak in de ogen, alsof het een zwijgend duel betrof. Opeens begon Lenoir te grijnzen en hij haalde zijn schouders op. 'Zoals u wilt, monsieur Schreiber. U leidt de expeditie, dat is juist, en u zult zich bij de vorstin voor het welslagen of mislukken moeten verantwoorden.'

De kapitein draaide zich naar de soldaten toe en beval hun de musketten neer te leggen en voor de spaden te verwisselen om bij de opgravingen te helpen. Ik besloot de burgemeester om hulp te vragen. Om geen kwaad bloed te zetten, bezocht ik Borgo San Pietro zonder militair escorte. Ik nam alleen Riccardo Baldanello mee, omdat ik me in het Italiaans weliswaar redelijk kon redden, maar ik bepaalde uitdrukkingen van de mensen hier in de bergen niet begreep.

Onderweg informeerde ik naar zijn zus. 'Maria lijkt iets tegen me te hebben en ik zou graag willen weten wat.'

Riccardo keek me van opzij aan. 'U ziet wel iets in Maria, nietwaar?'

'Dat kan en wil ik niet ontkennen.'

'Maria is geen meisje met wie een man zomaar even zijn gang kan gaan.'

'Dat heb ik niet beweerd en ook nooit verondersteld.'

'U komt uit een ander land, uit een andere wereld, signore. Als u hier klaar bent met uw werk, keert u naar uw eigen wereld terug en daar past Maria waarschijnlijk niet in.'

'Waarom wil je dat weten?'

Riccardo tikte met de vingers van zijn rechterhand tegen zijn voorhoofd. 'Ik ben weliswaar een eenvoudig man, maar dat wil niet zeggen dat daarbinnen alleen stro zit.'

'Mogelijk heb je gelijk met je verschillende werelden. Maar Maria moet zelf beslissen of ze het wil wagen een nieuw leven te beginnen.'

'*D'accordo*, vraagt u het aan Maria!'

'Hoe dan? Ze mijdt me net zoals de dorpsbewoners.'

'Ze is bang voor uw wereld en voor die vervloekte onheilsvogel.'

'Maakt Maria zich nog altijd zorgen vanwege de buizerd?'

'Ze is heel gelovig opgevoed en het geloof hier te lande is nauw verwant aan bijgeloof.'

Ik had graag nog wat langer met Riccardo over zijn zuster gepraat, maar we hadden inmiddels de dorpsmuren bereikt, waarvan de sombere uitstraling ons deed verstommen. Enkele gedaanten die we uit de verte waargenomen hadden, verdwenen zodra ze ons opmerkten, en wederom leken de nauwe straatjes volledig uitgestorven.

Toen we het dorpsplein betraden, liepen we naar het huis van de burgemeester, waaruit net de kleine Romolo tevoorschijn kwam met een doek in zijn handjes waarin iets gewikkeld zat. Ik riep hem en vroeg of zijn vader thuis was.

Hij keek me zwijgend aan en schudde zijn hoofd.

'Waar is hij dan?'

'Op het land,' antwoordde de jongen. 'Ik wil hem wat brood brengen.'

We sloten ons bij Romolo aan en begeleidden hem naar zijn vader, die al sinds de vroege ochtend op het land werkte en aardig begon te zweten onder de warmer wordende stralen van de septemberzon. Hij keek ons verbaasd aan, maar liep in elk geval niet direct weg. Hij sloeg de doek open en bood ons een stuk van het versgebakken, geurige brood aan.

'Zoveel gastvrijheid zijn we van uw medeburgers niet gewend,' zei ik verbaasd.

'De dorpelingen zijn bang voor u en uw soldaten.'

'De soldaten begeleiden me om me te beschermen.' Met een veelzeggende blik op Riccardo voegde ik eraan toe: 'Ik ben onlangs nog door bandieten overvallen.'

Giovanni Cavara stak een stuk brood in zijn mond en zei al kauwende: 'Ik heb niets tegen u persoonlijk, signore, maar ik had graag gezien dat de bandieten u hadden vastgehouden.'

'Waarom?'

'Omdat u ons dorp onheil brengt.'

'Het gaat om de oude Etruskische stad, hè? U weet daar meer over dan u

ons vertelt, signor Cavara.' Dat was van mijn kant eerder een vaststelling
dan een vraag. Een andere reden voor de afwijzende houding van Cavara
en zijn mededorpelingen kon ik niet bedenken.

Cavara stopte met kauwen en draaide zijn gezicht naar het westen, naar
de plek waar we op de resten van de Etruskische nederzetting gestuit waren. Op ernstige toon zei hij: 'Wie de slaap van de engelen verstoort, roept
het verderf op!'

'Wat wilt u daarmee zeggen?'

'Laat de engelen in vrede rusten, dan zullen de engelen ook de mensen
met rust laten!'

'Welke engelen?'

'De gevleugelde gedaanten.'

Langzaam begon ik het te begrijpen. Ik dacht aan de Etruskische schilderingen, aan de vele afbeeldingen van engelachtige wezens, die uit een tijd
dateerden waarin het Bijbelse geloof in engelen hier te lande nog onbekend was. De dorpsbewoners waren ooit op resten van deze kunstwerken
gestuit en sindsdien was de bedolven stad een soort heiligdom, een toevluchtsoord van de engelen, die niet gestoord mochten worden.

'Het zijn geen engelen,' probeerde ik uit te leggen. 'Dat de afbeeldingen
van de Etrusken op die in de kerk lijken, is puur toevallig.'

'Wat weet u daarvan,' bromde Cavara, en hij richtte zich weer op zijn werk.
Zonder ons nog aan te kijken zei hij: 'Ga weg, verlaat deze bergen zo snel
mogelijk, anders zullen we allemaal door het ongeluk getroffen worden!'

'We zullen pas vertrekken als ons werk klaar is. Als niemand ons helpt,
gaat dat heel lang duren.'

'Niemand uit Borgo San Pietro zal u helpen!' Teleurgesteld gingen we
weer op weg naar het kamp. Ik zei tegen Riccardo: 'Het ziet ernaar uit dat
we hier een hele tijd moeten doorbrengen.'

Hij schudde zijn hoofd. 'Nee, we hebben hulp nodig.'

'Maar wie kan ons dan helpen?'

'De inwoners van andere dorpen, voor wie een goed arbeidsloon meer betekent dan een bedolven stad. Met uw toestemming, signore, zal ik vandaag nog opbreken om arbeiders te werven. U moet me alleen wat geld
meegeven zodat ik de belangstelling van de mensen kan opwekken. En u
moet beloven dat u tijdens mijn afwezigheid goed op Maria zult passen.'

Dat beloofde ik maar al te graag, waarbij ik niet vermoedde dat ik mijn
belofte al heel snel zou moeten breken.

Op de tweede dag na Riccardo's afscheid werden we door het noodlot getroffen, als een donderslag bij heldere hemel, waarvan de bliksem dodelijk lood spuwde. Ik was met de helft van de soldaten bezig de onderaardse gang uit te graven, toen we luide kreten en het geknal van geweren hoorden. Het lawaai kwam uit de richting van het kamp, waar kapitein Lenoir met de andere helft van de mannen verbleef en waar Maria bezig was het middagmaal te bereiden. Midden in het werk verstijfden we, aandachtig luisterend. Ik klauterde als eerste naar boven en riep de mannen op me te volgen.

'Maar we hebben onze musketten in het kamp gelaten,' antwoordde een sergeant. 'We hebben hier alleen onze spaden.'

'En wat dan nog?' vroeg ik, en ik rende weg, zonder me nog om de sergeant en zijn kameraden te bekommeren. De angst om Maria dreef me voort. Toen ik achter me in het struikgewas geritsel hoorde, wist ik dat de soldaten me volgden.

Voor ons doken de tenten en onderkomens van het kamp op en ik zag direct al lichamen onbeweeglijk op de grond liggen. Onbekende mannen in burgerkleding hielden hun musketten op ons gericht. Ik liet me direct in het gras vallen en bedekte mijn hoofd ter bescherming met mijn armen. Het geknal van schoten werd gevolgd door de kreten van de getroffenen, en achter me hoorde ik de Fransen, die zonder hun wapens kansloos waren, op de grond vallen.

Weer klonken er knallen in de lucht en vlak voor me zag ik met modder besmeurde laarzen door het gras dichterbij komen.

Ik begreep dat de onbekenden iedere soldaat doodden die nog in leven was. Ook op mijn hoofd werd de loop van een musket gericht en een mager gezicht keek me zonder enig medelijden aan.

'Die niet!' klonk opeens een krassende stem. 'Hij draagt geen uniform. Dat schijnt de archeoloog te zijn.'

De monding van de musket bewoog zich van mij weg en de man met het magere gezicht zei: 'Begrepen, majoor.'

Ik realiseerde me dat de twee mannen Duits met elkaar spraken. Het klonk als het Duits zoals dat in Zuid-Duitsland of Oostenrijk gesproken werd.

'Breng die man naar het kamp!' beval de man met de krassende stem, de majoor.

Ik werd door twee mannen opgetild. Tussen alle lijken ontdekte ik tot mijn verwondering Riccardo. Hij zat gehurkt naast het kampvuur en hield Maria in zijn armen. De tranen stroomden over zijn wangen. Maria's ogen waren gesloten en op haar kleren was een grote bloedvlek zichtbaar die zich over haar borst verspreidde.

Toen Riccardo mij zag, zei hij met bevende stem: 'Maria... ze had gelijk met de onheilsvogel...'

'Is ze...' Mijn stem brak.

'Dood,' zei hij zachtjes. 'Dood.'

De majoor, die ook in burger was, liep op ons toe. Het was een grote, sterke man met een vuurrood litteken op zijn linkerwang. 'Dat met het meisje was een ongeluk,' zei hij in het Italiaans. 'Ze is zeker getroffen door een verdwaalde kogel. Het spijt me voor u, signor Baldanello.'

Ik keek ongelovig eerst de officier en toen Riccardo aan. Langzaam begon ik erover na te denken waarom Riccardo precies op dit moment teruggekeerd was. Daarbij drong zich de vraag op waarom de aanvallers hem ongemoeid lieten en waarom de officier hem ook nog met respect behandelde en helemaal niet als een gevangene. De dood van Maria vervulde me met droefenis, maar bood nog voldoende ruimte voor de opkomende verontwaardiging.

'Jij hebt die kerels hierheen gebracht, Riccardo!'

'Ja, antwoordde hij zacht. 'Dat was mijn opdracht.'

'En wie heeft jou die opdracht gegeven?'

'Wie anders dan de Oostenrijkers?'

De majoor ging voor me in de houding staan, wat er gezien zijn burgerkloffie nogal grotesk uitzag, en hij zei in het Duits: 'Majoor Von Rotteck, van de grenadiers van Zijne Majesteit de keizer.'

Ik antwoordde niet. Met het oog op de doden en de levenloze Maria in Riccardo's armen stond mijn hoofd helemaal niet naar beleefdheidsfrasen. Ik liet mijn blik vluchtig langs de majoor glijden en keek weer naar Maria. Ik kon gewoon niet geloven dat het leven uit haar weggevloeid was. Het leek wel of haar neusvleugels heel licht bewogen en of haar oogleden trilden. Ik veegde met mijn vlakke hand over mijn ogen, die me zo pijnlijk voor de gek hielden. Maar weer zag ik haar neusvleugels trillen en haar oogleden nauwelijks merkbaar trekken. Snel stak ik mijn hand uit en ik hield die vlak boven Maria's gezicht. Ik voelde haar adem, die weliswaar heel zwak was, maar toch onmiskenbaar aanwezig.

'Ze leeft nog!' riep ik zo hard dat het in Borgo San Pietro te horen moest zijn. 'Maria leeft!'

Maria's leven hing aan een zijden draad. De kogel zat diep in haar borst, vlak bij het hart, en de troep van majoor Von Rotteck beschikte niet over een dokter. Riccardo rende naar het dorp om burgemeester Cavara om raad te vragen en hoorde van hem dat er in het stadje Pescia aan de voet van de bergen een dokter zou wonen. Riccardo draafde direct op het paard van de dode kapitein Lenoir naar Pescia, terwijl ik me om Maria bekommerde, als je dat tenminste zo mocht noemen. Ze was niet bij bewustzijn en ademde oppervlakkig; het was goed mogelijk dat ze niet meer zou ontwaken uit de sluimertoestand waarin ze verkeerde. Ik probeerde mezelf voor te houden dat het zo beter was voor Maria. Ze voelde geen pijn, en als ze toch moest sterven, dan kon de dood zich nauwelijks aangenamer aankondigen. Maar mij bood dat geen troost. Ik wilde niet dat Maria overleed.

Het schemerde al toen Riccardo met de dokter terugkeerde, die zich direct om Maria bekommerde. Na tien minuten kwam hij met een bleek gezicht uit de tent waarin Maria lag en hij zei: 'Ik kan niets doen. De kogel zit te dicht bij het hart om die eruit te halen. Als ik het zou proberen, dan zou ze het naar alle waarschijnlijkheid niet overleven.'

'En als u het niet doet, dottore?' vroeg Riccardo.

'Dan zal ze sterven,' antwoordde de dokter zacht.

'Opereer Maria dan nu meteen!'

De dokter schudde zijn hoofd. 'Dat kan ik niet. Ik kan de verantwoordelijkheid niet op me nemen.'

Riccardo keek hem indringend aan. 'Als u Maria niet opereert, dottore, zult u niet meer naar uw familie in Pescia terugkeren.'

'U bedoelt...'

'Ik bedoel dat ik u dan hier ter plekke zou ombrengen!'

De dokter zweeg langdurig, terwijl het zweet op zijn voorhoofd begon te parelen, hoewel de avondlucht steeds koeler werd. 'Goed, ik zal het doen,' zei hij uiteindelijk. 'Maar ik wijs elke verantwoordelijkheid af. Ik heb heet water en schone doeken nodig. In het dorp woont een vrouw die wel wat verstand van medische zaken heeft. Ze helpt daar bij geboorten. Zij moet me nu helpen. Haar naam is Margherita Storaro.'

We lieten de vrouw halen, die verbazend genoeg geheel vrijwillig meekwam. Misschien lag het aan de naam van de dokter, die voor de dorpelingen van Borgo San Pietro een erkende autoriteit was. Riccardo en ik wachtten buiten, terwijl de dokter en de vroedvrouw zich met Maria bezighielden.

Ik wilde Riccardo wel duizend vragen stellen, maar kon geen woord uitbrengen. Het was een spookachtig tafereel. Terwijl hier geprobeerd werd het leven van Maria te redden, zaten de mannen van de majoor iets verderop luidruchtig van hun avondeten te genieten.

Ik had geen idee hoe lang het duurde, maar op zeker moment kwam de dokter de tent uit. Hij zag eruit als een geest: uitgeput en met een holle blik, terwijl zijn haar in verwarde strengen over zijn voorhoofd viel.

Toen hij op onze dringende vragen geen antwoord gaf, pakte Riccardo hem bij zijn schouders en schudde hij hem stevig door elkaar. 'Hoe is het met Maria? Vertel op!'

'De kogel is eruit,' zei de dokter op een toon waarin ongeloof over zijn eigen prestatie doorklonk. 'Het is me gelukt.'

'Leeft Maria nog?'

'Ja, ze leeft.' Riccardo en ik wilden al opgelucht ademhalen, maar de dokter voegde eraan toe: 'Maar ik weet niet hoe lang nog.'

Weer schudde Riccardo hem door elkaar. 'Wat betekent dat, dottore?'

De arts keek naar de tent waar hij zojuist uit gekomen was. 'Ze is erg zwak en heeft veel bloed verloren. Ik ben bang dat het slechts een kwestie van uren is voordat ze bezwijkt.'

'Help haar dan!' drong Riccardo aan. 'Wat staat u hier nou werkeloos te kijken?'

'Ik heb alles gedaan wat in mijn macht ligt. U kunt me bedreigen, me folteren en doden, signore, maar meer kan ik niet doen voor de dame.'

Ik vocht tegen de brok in mijn keel die me dreigde te verstikken. 'Is Maria aanspreekbaar?'

De dokter schudde zijn hoofd. 'Ze is nog verdoofd door de operatie en is zo zwak dat ze misschien niet meer wakker wordt.'

Ik liep aarzelend met Riccardo naar de tent toe en keek naar binnen. Maria lag in het licht van een olielamp heel rustig op haar bed, met haar hoofd opzij. Mijn hart sloeg over bij deze aanblik. De vroedvrouw verliet de tent, knikte kort naar de dokter en verdween in het donker.

Ik liep naar de dokter toe en legde mijn hand op zijn schouder. 'U hebt geweldig uw best gedaan, dottore, en daarvoor wil ik u bedanken. En vergeef ons dat we ons zo onbehoorlijk gedragen hebben. Dat komt alleen...'

Ik kon geen woord meer uitbrengen, maar de tranen in mijn ogen zeiden de dokter genoeg. Hij schudde mij de hand en liep naar het kampvuur om bij te komen.

Riccardo ging in kleermakerszit voor de tent op de grond zitten en begon zwijgend voor zich uit te staren. Ik ging bij hem zitten en hoorde hoe hij zachtjes zei: 'Dit is mijn straf. Ik heb niet anders verdiend, Almachtige. Maar waarom wreekt u zich op Maria?'

'Jouw straf?' vroeg ik. 'Waarom? Misschien voor het verraad dat je gepleegd hebt en dat kapitein Lenoir en al zijn mannen fataal geworden is?' Terwijl ik dat zei, keek ik naar het noorden, waar ergens buiten het kamp de enorme groeve lag waarin Rottecks mannen de doden begraven hadden.

'Ik heb meer op mijn geweten dan dat,' zei Riccardo. 'En hoewel ik mijn leven zou geven om Maria te redden, kan ik niet beweren dat ik veel om de Fransen geef. Maakte het u wat uit om mijn mannen neer te schieten? Als de legers van keizer Napoleon en zijn vijanden elkaar op het slagveld treffen, sterven de mensen bij bosjes, maar niemand waagt het de doorluchtige majesteiten ook maar iets te verwijten.'

'Misschien hun geweten wel,' zei ik. 'Maar het gaat hier niet om keizer Napoleon en keizer Frans, maar om jou, Riccardo. Vanwaar dit verraad?'

Zonder me aan te kijken antwoordde hij: 'Alles behoort min of meer tot het grote plan. Ik moet toegeven dat ik gedwongen was te improviseren toen Lenoirs soldaten mijn kamp overvielen en mijn mannen neerschoten.'

Pas toen ik er enige tijd over nagedacht had, begon ik me te realiseren hoe onvoorstelbaar het was wat hij daarnet gezegd had. 'Wil je daarmee beweren dat alles van tevoren gepland was, ook de overval op mijn rijtuig?'

Pas nu keek hij me aan en ik zag hoe verbaasd hij was. 'Ja, had u dat dan nog niet begrepen, signor Schreiber? Ik heb uw rijtuig overvallen omdat ik daartoe opdracht gekregen had.'

'Wie heeft je daartoe dan opdracht gegeven?'

'Wie zou dat zijn? Onder wiens bevel staan majoor Von Rotteck en zijn soldaten?'

'De Oostenrijkers?' vroeg ik aarzelend.

Hij knikte. 'Vorstin Elisa heeft er de nodige moeite voor gedaan u in het geheim naar Italië te brengen, maar wat minder moeite zou misschien minder opgevallen zijn. De Oostenrijkers zijn er via hun spionnen achter gekomen en besloten daarop u op te wachten. Die opdracht viel mij te beurt. Toen Lenoirs soldaten verschenen, moest ik snel een nieuw plan verzinnen. Het was geen slechte inval om me voor uw dienaar uit te geven. De lof daarvoor komt u toe, want u kwam zelf met die leugen aanzetten. Ik begreep al snel dat mijn nieuwe rol me ongekende mogelijkheden bood. Ik besloot u te begeleiden totdat u de stad van de Etrusken ontdekt had.'

'En toen heb je onder het voorwendsel dat je arbeidskrachten voor de opgravingen ging werven, majoor Von Rotteck hierheen gebracht.'

'Dat hebt u weliswaar laat, maar wel juist begrepen,' zei Riccardo zonder een spoortje ironie.

'Maar waarom dan? Wat is er zo belangrijk aan deze oude Etruskische stad?'

'Gelooft u echt dat het vorstin Elisa er alleen om gaat met een paar oude scherven indruk te maken op haar broer de keizer? Denkt u dat daarom al die moeite is gedaan en al die geheimzinnigheid nodig was? Denkt u dat de vorstin van Piombino en Lucca geen andere zorgen heeft, gezien de huidige oorlogssituatie met Oostenrijk en zijn bondgenoten?'

'Maar waar gaat het dan om?'

Riccardo's gezicht stond weer ernstig en opeens leek hij tien jaar ouder.

'Het gaat om de macht. Daarom gaat het alle adellijke lieden die over ons regeren, of ze zich nu vorst, koning of keizer noemen.'

'Je spreekt in raadselen, Riccardo.'

'Omdat ik ook niet veel meer weet dan u. Ik ben in het grote spel om de macht en de heerschappij slechts een heel klein radertje, signor Schreiber. Ik weet alleen dat de inwoners van Borgo San Pietro niet de enigen zijn die aan deze bedolven stad een bijzondere betekenis toekennen. Volgens een oude legende zouden hier de voortreffelijkste priesters van de Etrusken samengekomen zijn, de wijste en machtigste mannen van dat volk. Hier zou de bron zijn van een onweerstaanbare macht, die de Etrusken moest helpen de steeds verder oprukkende Romeinen te verdrijven. Maar deze macht keerde zich tegen degenen die hem wilden toepassen. Dit leidde tot een enorme ramp, waarbij de stad van de aardbodem verdween. Zo luidt de legende ongeveer. Vraag me niet wat daarvan waar is en wat bijgeloof! Ondertussen lijken enkele invloedrijke lieden toch belangstelling voor deze merkwaardige machtsbron te koesteren: keizer Napoleon en zijn tegenstrever Frans.'

'En voor die laatste werk jij.'

'U zegt dat zo verwijtend, maar vindt u het dan eervoller om in dienst van Bonaparte te zijn?'

'Ik ben niet bij hem in dienst, maar bij zijn zuster.'

'Dat maakt niet veel uit. Als het Elisa lukt deze machtsbron in bezit te krijgen, als die echt bestaat, dan zal Napoleon er vroeg of laat ook over beschikken.'

'Geloof je dan dat deze macht beter in handen van de Habsburgers kan zijn?'

'Dat niet, maar de Oostenrijkers hebben me nu eenmaal betaald, zoals u door Elisa betaald wordt.'

'Zo is het, Riccardo, bij de vorsten en keizers draait alles om de macht en bij ons om het geld.'

Riccardo spuugde minachtend op de grond. 'Had ik me maar nooit met deze toestand ingelaten. Maria betekent meer voor mij dan al het geld op de hele wereld.'

'Je houdt erg veel van je zus,' stelde ik vast.

Riccardo keek me aan alsof hij me iets belangrijks wilde vertellen. Maar opeens keek hij naar de grond en hij wist slechts een kort 'ja' uit te brengen.

Ons gesprek verzandde en ik keek in het duister voor me uit naar de plek waar de opgravingen moesten liggen. De Etrusken waren een raadselachtig volk, maar aan de legende waarover Riccardo me zojuist verteld had, hechtte ik niet veel geloof. Overal waar in het verleden grote ongelukken gebeurd waren, probeerden de mensen die gebeurtenissen met dergelijke verhalen te verklaren. In dit geval zouden de Etrusken zichzelf een macht toegeëigend hebben die ze blijkbaar niet mochten bezitten en daarom waren ze er zelf aan ten prooi gevallen. Dit verhaal deed me sterk denken aan het verhaal over de zondeval van Eva. Vermoedelijk hadden de mensen dit Bijbelse motief gebruikt om een verklaring voor de ondergang van deze Etruskische stad te bedenken. Wat me echter verbaasde, was dat intelligente mensen als keizer Frans en Elisa Bonaparte en mogelijk ook haar broer Napoleon daar geloof aan hechtten. Maar misschien grepen deze heersers simpelweg elke mogelijkheid, hoe onwaarschijnlijk ook, aan om de strijd om de macht in Europa in hun voordeel te beslechten.

Luide kreten uit de richting van het kampvuur deden me uit mijn overpeinzingen opschrikken. Er was blijkbaar iets gebeurd. Samen met Riccardo liep ik naar het vuur waar de Oostenrijkers zich omheen geschaard hadden. Giovanni Cavara stond in het midden op majoor Von Rotteck in te praten. De dokter stond naast de burgemeester van Borgo San Pietro en probeerde te vertalen, maar kon hem nauwelijks bijhouden.

Toen de majoor ons zag, klaarde zijn sceptische gezicht op en gebaarde hij ons snel naar hem toe te komen. 'Misschien kunt u erachter komen wat deze boer van ons wil, signor Baldanello. Hij is een echte spraakwaterval en ik versta er geen woord van.'

Cavara keek naar mij en Baldanello. 'Ik moet u spreken, en wel alleen!'

'Dat is de burgemeester van het dorp,' legde Riccardo aan de majoor uit. 'Hij wil graag afgezonderd met mij en signor Schreiber spreken.'

'Mij best,' zei de Oostenrijker. 'Neem hem maar mee en spreekt u in alle rust met hem!'

Nadat we ons tussen de tenten hadden teruggetrokken, zei Cavara: 'Ik weet van Margherita Storaro wat hier gebeurd is. Hoe gaat het met de gewonde vrouw?'

'Maria leeft nog,' antwoordde ik, 'maar de dokter geeft haar nog maar een paar uur.'

'Dat heeft Margherita me ook verteld. Ik ben gekomen om u een voorstel te doen.'

'Uitgerekend nu, op het moment dat Maria er zo slecht aan toe is?' riep Riccardo verwijtend tegen de burgemeester.

'Het gaat om Maria. Samen met een paar vrienden zal ik haar helpen, als u belooft dat u hier niet meer zult graven en Borgo San Pietro zo snel mogelijk verlaat.'

'Maria helpen?' vroeg Riccardo. 'Hoe wilt u dat doen? Zelfs de dokter kan niets meer voor haar doen.'

'Er bestaan bepaalde krachten waarover zelfs een gestudeerd arts niet beschikt,' zei Cavara. 'We zullen Maria weer gezond maken, als u mij de belofte doet waarom ik u gevraagd heb.' De burgemeester zei dit alles op een vanzelfsprekende toon, alsof het om een ruilhandeltje op de markt ging.

Riccardo wierp zich zonder enige waarschuwing op Cavara en trok hem op de grond, waarna hij met gebalde vuisten op hem in begon te slaan. 'Gemene hond! Maria ligt op sterven en dan drijf jij nog de spot met haar!'

Ik sprong tussen hen in, en het lukte me slechts met grote moeite Riccardo te kalmeren en van Calvara af te trekken.

'Beheers je, Riccardo! Cavara is er de man niet naar om anderen te bespotten. Ik geloof dat hij het werkelijk meent.'

De burgemeester stond moeizaam op en vroeg: 'Waarom laat u het me niet gewoon proberen? Wat hebt u te verliezen?'

Nog geen halfuur na dit voorval betrad Cavara met zes andere dorpelingen, zowel mannen als vrouwen, de tent waarin de nog altijd slapende Maria lag. Als laatste verdween Margherita Storaro door de ingang. Majoor Von Rotteck aanschouwde de gebeurtenissen van enige afstand met gefronst voorhoofd. Riccardo had hem maar de helft verteld. Hij had tegen de majoor gezegd dat de mensen Maria wilden helpen zonder hem te verraden wat ze in ruil daarvoor verlangden.

Het bleef opvallend rustig in Maria's tent, en Riccardo vouwde nerveus zijn handen. 'Wat is daar in godsnaam gaande?'

De dokter, die dit gehoord had, kwam enkele passen dichterbij en zei: 'Vertrouwt u hen toch! Misschien zijn de dorpelingen van Borgo San Pietro de enigen die de vrouw nu nog kunnen helpen.'

'En dat zegt u, die meende dat Maria ten dode opgeschreven was?' vroeg ik verbaasd.

'Ik kan het niet precies verklaren, maar de mensen in Borgo San Pietro beschikken over bijzondere gaven. Ik was ooit aanwezig bij een geboorte in het dorp. Ze hadden me laten komen omdat het kind in een ongunstige houding lag en het moederlichaam niet wilde verlaten. Ik kon het kind uit de moeder halen, maar de moeder overleed door uitputting. Toen ik de kamer verliet, zag ik tot mijn verbazing dat diverse mensen naar binnen gingen, zoals signor Cavara nu met de anderen in de tent verdween. Cavara was er toen ook bij, en uiteraard signora Storaro. Om kort te gaan, na een kwartiertje kwamen de mensen weer naar buiten en vertelden me dat het goed ging met de moeder. Natuurlijk ben ik direct de kamer in gelopen en ze hadden inderdaad gelijk. Tot op de dag van vandaag kan ik het niet verklaren.' Riccardo keek hem bijna medelijdend aan. 'Misschien hebt u zich gewoon vergist toen u de moeder als overleden beschouwde.'

'Ja, misschien wel,' zei de dokter, maar zijn blik verried dat hij dat nauwelijks voor mogelijk hield.

Ik kon ook niet geloven dat je een dode weer tot leven kon wekken, hoezeer ik dat ook gewenst had. Maar misschien was er nog een spoortje leven aanwezig geweest in de vrouw over wie de dokter zojuist verteld had. En misschien was dat ene vonkje voldoende geweest om de vlam weer te ontsteken. Dat hield ik mezelf voor in de hoop dat het bij Maria op dezelfde manier zou gaan.

Toen de tentflap openging en de ene na de andere dorpeling naar buiten kwam, bonsde mijn hart in mijn keel. De dorpelingen leken uitgeput, alsof ze een grote inspanning hadden geleverd, maar ik lette daar niet echt op, zo groot waren mijn zorgen om Maria.

De burgemeester kwam als laatste naar buiten en keek ons aan met een glimlach die ik bij hem nog nooit gezien had. 'De vrouw is bij bewustzijn. Het ergste ligt nu achter haar. Ze moet zich de komende weken alleen in acht nemen.'

Dat was alles. Geen verdere uitleg, geen waarschuwing aan ons om ons deel van de afspraak na te komen. Giovanni Cavara volgde zijn mensen, die in de koele nacht naar hun bergdorp terugliepen.

Riccardo rende de tent in en toen ik binnenkwam, zat hij al naast Maria geknield; hij streelde haar voorhoofd en zei zachtjes: 'Ik ben zo gelukkig dat ik je terug heb, liefste. Niets kan ons ooit meer scheiden!'

Hoewel ik ongelooflijk opgetogen was over Maria's redding, kreeg mijn vreugde nu een bittere bijsmaak. Ik bleef halverwege de tent staan en keek naar de twee mensen die ik zo lang voor broer en zus had aangezien. Op dat moment brak mijn hart.

De volgende ochtend toonde Riccardo zich ongewoon begaan met mijn lot en probeerde hij me uit te leggen waarom hij en Maria deze afschuwelijke komedie voor mij hadden opgevoerd. Het behoorde tot Riccardo's plan mijn vertrouwen te winnen. Zijn 'zus' Maria leek daarvoor beter geschikt dan zijn geliefde. Ik had geen behoefte aan verdere verklaringen en richtte me tot de dokter, die Maria nog eens wilde onderzoeken voordat hij de terugweg naar Pescia aanvaardde.

'Wat zich vannacht al aankondigde, is nog eens bevestigd,' zei hij. 'Maria is aan de beterende hand. Ik heb geen idee hoe de dorpelingen van Borgo San Pietro dat voor elkaar gekregen hebben. Maar als er meer van dergelijke mensen waren, zou mijn beroepsgroep al snel overbodig zijn.'

'En?' vroeg ik aan Riccardo nadat de dokter afscheid genomen had. 'Wat zeggen we nu tegen de majoor?'

'Ik heb al een idee.'

We waren beiden vastbesloten ons deel van de afspraak na te komen. Geen van ons zei het hardop, maar Riccardo vreesde evenzeer als ik dat het voor Maria niet veel goeds zou betekenen als we onze belofte zouden breken en dat dat misschien zelfs haar einde zou inhouden. Het was een soort vloek die slechts op afstand kon worden gehouden zolang wij ons aan de afspraak hielden.

Daarom voerde ik voor majoor Von Rotteck een toneelstuk op van een kaliber waartoe ik mezelf nooit in staat geacht had. Voor zijn ogen veranderde ik op het opgravingsterrein in een woesteling en sloeg ik twee kostbare, bijna volledig bewaard gebleven vazen kapot, kostbare exponenten van de Etruskische kunst, terwijl ik als een krankzinnige begon te vloeken. De Oostenrijkse officier werd zo bleek dat het leek alsof hij in zijn eentje tegenover een heel vijandelijk regiment stond. Begeleid door Riccardo begaf hij zich in de groeve en hij vroeg me of ik misschien ziek geworden was.

'Ik ben woedend,' antwoordde ik, terwijl ik als een dolle op de scherven van de vazen trapte. 'Woedend op mezelf, omdat ik me zo lang bij de neus heb laten nemen.'

Het viel me niet zwaar zo'n grote woede te simuleren, want ik hoefde alleen maar aan Riccardo en Maria te denken.

Von Rotteck keek me vragend aan. 'Wie heeft u bij de neus genomen, meneer Schreiber?'

'Die zogenaamde Etruskische kunstenaars!' Ik spuugde minachtend op de grond. 'Het zijn niets anders dan Romeinse imitators. Eerst hebben ze de cultuur van de Etrusken vernietigd en daarna hebben ze die nageaapt. Typisch Rome!'

De majoor spreidde in een hulpeloos gebaar zijn armen uit. 'Ik begrijp er niets van.'

'Daar hoeft u zich niet voor te schamen, majoor, want ik begrijp mezelf ook niet. Hoe heb ik me met al mijn ervaring door die Romeinse imitaties kunnen laten bedotten? Misschien ligt het aan de hoge kwaliteit van deze kunstobjecten.'

'U bedoelt dat deze vazen niet Etruskisch waren?' informeerde de Oostenrijker.

'U hebt het begrepen, majoor. Het waren geen Etruskische vazen, en deze opgraving hier was ook geen Etruskische stad maar een Romeinse. De Romeinen zijn er altijd meesters in geweest andere culturen te incorporeren en na te bootsen. Al onze moeite is vergeefs geweest.'

Von Rotteck leek oprecht geschokt. 'Maar... hoe heeft dat kunnen gebeuren?'

'Waarschijnlijk zijn er helemaal geen Etruskische heiligdommen hier in de bergen,' zei ik, terwijl ik vurig hoopte dat ik oprecht genoeg klonk. 'Alle legenden zijn gebaseerd op een valse basis, namelijk deze Romeinse nederzetting. Wat u hier ook had gehoopt aan te treffen, majoor, het is hier nooit geweest.'

'Hoe moet ik dat aan de keizer uitleggen?' De majoor zuchtte diep en keek me radeloos aan. 'Nee, u moet het hem zelf uitleggen, meneer Schreiber!' Ik deed alsof ik dat geen bijzonder aanlokkelijk vooruitzicht vond. In werkelijkheid was ik echter opgetogen, aangezien Rottecks opmerking aantoonde dat hij in mijn verzinsels getrapt was.

De majoor hield een korte bespreking met zijn officieren en onderofficieren en besloot daarna nog dezelfde dag op te breken. Gezien de oorlogssituatie met Frankrijk leek het hem niet verstandig langer dan noodzakelijk in vijandelijk gebied te blijven.

Riccardo wilde met Maria in Borgo San Pietro blijven totdat ze voldoende hersteld was. Daarom zocht hij Giovanni Cavara op en even later kwamen ze beiden terug met een ezelskar, waarop Maria voorzichtig neergelegd werd. De burgemeester had aangeboden de twee voorlopig in zijn huis onderdak te verschaffen. Nu we aanstalten maakten om te vertrekken, leken de dorpelingen opeens toeschietelijker te worden.

Toen Maria op de kar lag, wenkte ze naar me. Ze legde haar hand op mijn wang en zei: 'Het spijt me toch zo. Ik wilde het je de hele tijd al vertellen, maar wist niet hoe ik dat kon doen zonder Riccardo te verraden. Ik had je niet zo voor de gek moeten houden.'

'Jij hebt me niet voor de gek gehouden, Maria. Ik heb mezelf in mijn verliefdheid voor de gek gehouden.'

Wat moet ik verder nog vertellen? Ik heb noch Maria noch Riccardo ooit teruggezien en ben ook nooit meer in Borgo San Pietro geweest. Pas na drie jaar keerde ik naar mijn vaderland terug. Zelfs de route naar Oostenrijk bleek al bijzonder moeilijk en vol gevaren. Toen we eindelijk onze bestemming naderden, hoorden we over Napoleons grote overwinning bij Austerlitz op de verenigde legers van de Oostenrijkers en de Russen. De oorlog was bijna ten einde en weer heette de overwinnaar Napoleon Bonaparte. In het licht daarvan had keizer Frans wel wat anders aan zijn hoofd dan zich met mij bezig te houden. In elk geval werd ik nooit in de verleiding gebracht hem vanwege de Etruskische stad iets op de mouw te spelden. Overigens heb ik ook Lucca en Elisa nooit teruggezien, wat ik niet echt betreurde. Vijf jaar na de hier beschreven gebeurtenissen kreeg ik een brief uit Italië. Hij kwam van Riccardo. Tot mijn verwondering las ik dat hij met Maria in Borgo San Pietro was gebleven. Ze hadden al drie kinderen, en de oudste zoon hadden ze te mijner ere Fabio gedoopt. Ik zal niet verhelen dat dit me ontroerde. Er ontspon zich een regelmatige briefwisseling tussen Riccardo en mij, en zo kwam ik te weten dat de dorpelingen van Borgo San Pietro de opgravingen zorgvuldig weer met aarde volgestort hadden. Welk geheim deze oude Etruskische stad echter herbergde, vermeldde Riccardo niet in zijn brieven, zoals hij ook nooit schreef over wat er precies gebeurd was in de nacht waarin de dorpelingen Maria van de dood gered hadden.

Misschien zijn sommige lezers van mening dat mijn wetenschappelijke nieuwsgierigheid mij naar Noord-Italië had moeten terugvoeren. Ik had echter het onmiskenbare gevoel dat de dorpelingen van Borgo San Pietro hun geheim op goede gronden voor zich hielden.

13

Het laatste hoofdstuk van het reisdagboek van Fabius Lorenz Schreiber leverde Enrico een hoop stof tot nadenken, maar geen definitieve antwoorden. Hij las het slot van het reisverslag 's avonds in zijn Romeinse hotel en tijdens de terugvlucht naar Pisa en de autorit naar Pescia piekerde hij er voortdurend over hoe hij de avonturen van de archeoloog met zijn eigen belevenissen in verband kon brengen. Dat er een dergelijk verband bestond, was duidelijk. De genezing van Maria, waarover Fabius Lorenz Schreiber berichtte, leek op dezelfde onbegrijpelijke wijze te hebben plaatsgevonden als die van Elena. En dat leidde tot de conclusie dat de genezende krachten hun oorsprong in Borgo San Pietro vonden. De kluizenaar Angelo en ook Enrico zelf waren slechts late beoefenaren van een geneeswijze waarvan de werking voor Enrico al even duister was als de oorsprong. Of moest hij na het gesprek met paus Custos werkelijk geloven dat iedereen in Borgo San Pietro – of althans iedereen die over genezende krachten beschikte – een nazaat was van Jezus Christus? Dat leek hem een nogal vermetele gedachte, maar anderzijds was het onmiskenbare bestaan van deze genezende krachten een uiterst merkwaardig feit dat bepaald niet simpel te verklaren was.

Steeds weer moest hij aan één bepaald begrip denken. Op zeker moment sprak Fabius Lorenz Schreiber over het 'toevluchtsoord van de engelen' en burgemeester Cavara – blijkbaar een voorvader van de vermoorde Benedetto Cavara – zei daarop tegen hem: 'Laat de engelen in vrede rusten, dan zullen de engelen ook de mensen met rust laten!'

Weer moest hij aan zijn gesprek van gisteren met de paus denken, waardoor het noemen van de engelen een bijzondere betekenis kreeg. Hadden ze misschien met de oude macht van doen die tot de ondergang van de Etruskische stad geleid had? Maakte de genezende kracht deel uit van die macht of bestond die onafhankelijk daarvan? Deze en andere vragen bleven maar in zijn hoofd rondtollen zonder dat hij een bevredigend antwoord vond. Dat hoopte hij nu in de bergen te vinden, in Borgo San Pietro.

De weg naar hotel San Lorenzo voerde door Pescia. Maar toen de rivier en de brug naar het ziekenhuis voor Enrico opdoken, boog hij naar rechts af en stak hij de rivier over. Omdat het vroeg in de middag was, was de kleine parkeerplaats voor het ziekenhuis helemaal vol. Hij volgde de weg links langs het ziekenhuis die naar grotere parkeerplaatsen voerde waar nog voldoende plek voor zijn kleine gehuurde Fiat was. Daarvandaan was het nog geen vijf minuten lopen naar het ziekenhuis, waar Elena hem met een glimlach ontving.

Hij was blij dat het goed met haar ging en hij wist zich tijdens de ontmoeting tot zijn verbazing goed te beheersen, hoe verdrietig hij er ook over was dat ze zijn gevoelens niet beantwoordde. Misschien was het goed geweest dat hij Alexander Rosin ontmoet had. Nu was de Zwitser voor Enrico geen fantoom meer, maar een man van vlees en bloed die hij als rivaal nu beter kon accepteren. Hij sprak lang met Elena over de moord in Marino. Ze had van Alexander telefonisch al vernomen wat er gebeurd was, maar bleek erg geïnteresseerd in Enrico's versie van het verhaal. Terwijl hij nog aan het vertellen was, sloeg ze opeens met haar gebalde vuist op het matras, wat hem nogal verbaasde, gezien haar opgewekte stemming tot dat moment.

'Is er iets? Heb ik je boos gemaakt?'

'Ik maak me niet boos over jou, maar over de artsen.'

'Waarom?'

'Omdat ik hier moet liggen terwijl ik kerngezond ben. Het gaat echt alweer geweldig met me!'

'Maar er zit nog een verband om je hoofd.'

'Ach, dat is niet meer dan een stomme buil. Ik merk er nauwelijks iets van. Ik voel dat ik alles weer kan, maar ik moet hier toch blijven liggen en mijn tijd verspillen.'

'Daar zullen de artsen hun redenen wel voor hebben,' bracht Enrico daartegen in.

'Pff, wat weten die er nou van! Ze vertrouwen het gewoon niet omdat niet zij me genezen hebben, maar Angelo en jij.'

'Het was beslist een succesvolle genezing, maar ook een heel mysterieuze. Ik wil het noodlot echter niet tarten; misschien zijn er bijwerkingen of krijg je een terugslag. De artsen tonen juist verantwoordelijkheidsbesef door jou hier nog ter observatie te houden.'

'Je klinkt nu net als die kwakzalvers!'

Enrico lachte. 'Ik ben niet door hen omgekocht om jou tot kalmte te manen. Ik begrijp je best, maar hoe meer je jezelf spaart, des te eerder ben je weer op de been.'

'Ik zou ook heel graag op bezoek gaan bij Angelo om meer te weten te komen over zijn geheimzinnige gaven.'

'Ik ben hetzelfde van plan. Als ik me in het hotel opgefrist heb, wil ik de bergen in om het geheim van Borgo San Pietro te doorgronden.'

Elena trok haar wenkbrauwen op. 'Ben je iets nieuws te weten gekomen?'

Enrico vroeg zich af of hij haar op de hoogte moest stellen. Ze was een intelligente vrouw, die alleen al vanwege haar beroep ervaring had in het opsporen van verborgen zaken. Misschien vond zij in het reisverslag van Fabius Lorenz Schreiber een aanwijzing die hij over het hoofd had gezien.

'Spreek je Duits?' vroeg hij.

'Een beetje. Sinds ik met Alexander samen ben, is mijn Duits wel verbeterd.'

'Kun je het ook lezen?'

'Beter dan spreken, eerlijk gezegd, maar niet bijzonder goed. *Oorlog en vrede* zou ik in het Duits niet kunnen lezen, maar een krantenartikel snap ik nog wel.'

'Wacht dan even op me. Ik ben over tien minuten terug.' Hij liep naar zijn auto en haalde het oude dagboek uit zijn reistas. Toen hij het Elena overhandigde, bekeek ze het verbaasd.

'Wat is dat?'

'Een minstens even interessant boek als *Oorlog en vrede*, dat eveneens in de tijd van Napoleon speelt. Het is alleen niet zo dik.'

Toen Elena het boek opensloeg, zette ze grote ogen op. 'Mijn God, wat is dat voor een handschrift?'

'Een oud handschrift. Het kostte mij ook moeite eraan te wennen.'

'Maar jij bent met de Duitse taal opgegroeid. Het kan wel een eeuwigheid duren voordat ik dit uitgelezen heb!'

Enrico grijnsde. 'Je hebt tijd zat! Bovendien loont het de moeite. Je zult je beslist niet vervelen.'

Na het bezoek aan Elena reed Enrico naar het hotel.

Hij bracht zijn spullen naar zijn kamer, douchte zich en kleedde zich om. Daarna stapte hij weer in zijn Fiatje en reed hij richting de bergen. Het weer was slechter geworden. Boven de bergen trokken de wolken samen, alsof ze het geheim van Borgo San Pietro voor Enrico wilden verbergen. Hij hoopte dat het niet ging regenen. Het idee om over modderige, glibberige bospaden naar Angelo op zoek te gaan, leek hem weinig aanlokkelijk. Het zou toch al niet gemakkelijk zijn Angelo te vinden. Hopelijk kon hij de weg weer vinden die Ezzo Pisano drie dagen geleden genomen had. Natuurlijk kon hij de oude man om hulp vragen, maar daar stelde hij zich niet al te veel van voor. Angelo had duidelijk gemaakt dat hij alleen wilde blijven en Pisano zou dat vermoedelijk respecteren. Sterker nog, misschien zou Pisano de kluizenaar wel waarschuwen dat Enrico naar hem op zoek was. Daarom leek het Enrico het beste om eerst op eigen houtje te proberen Angelo te vinden.

Zoals gewoonlijk was het erg rustig op de weg de bergen in. Af en toe dook er een kleine gele auto in zijn binnenspiegel op, die echter niet probeerde vlak achter hem te gaan rijden of hem zelfs in te halen. Dat laatste zou vanwege de smalle rijbaan ook een riskante actie geweest zijn. De gele auto leek precies dezelfde route te volgen als hij. De auto was hem al opgevallen toen hij nog maar net vertrokken was. Intuïtief reed Enrico bij een splitsing niet verder in de richting van Borgo San Pietro, maar precies de andere kant op. Een verweerd bord verwees naar enkele bergdorpen waar dit smalle, slecht geasfalteerde weggetje langs voerde. Vol bochten voerde de route de hoogte in. Bij het eerste rechte stuk zag hij de gele auto weer in zijn binnenspiegel. Honderd meter voor Enrico was een onverharde weg naar links, net breed genoeg voor een kleine personenauto. Hij zette de richtingaanwijzer ruim op tijd aan, zodat de chauffeur van de gele auto in elk geval zag dat hij wilde afslaan.

Hij had geen idee waar de onverharde weg heen leidde. Er stond geen richtingbord, maar dat was ook niet belangrijk, want hij was niet van plan lange tijd over deze hobbelige weg te blijven rijden. Toen hij de gele auto weer in zijn binnenspiegel zag, stond zijn plan vast. In de eerste bocht stopte hij en stapte uit. Hij zag de andere auto, eveneens een Fiat, direct al de bocht om komen. Toen de chauffeur zag dat hij gestopt was, trapte hij direct op de rem; de auto gleed door, maar kwam op een decimeter afstand van Enrico's bumper tot stilstand.

Enrico sprong direct naar het portier van de gele auto toe en trok dat open. Verbaasd stelde hij vast dat hij geen chauffeur, maar een chauffeuse voor zich had, die hem met fonkelende groene ogen woedend aankeek.

'U hier?' flapte hij er hoogst verbaasd in het Duits uit.

'Hebt u daar bezwaar tegen?' vroeg dr. Vanessa Falk.

'Inderdaad, want ik hou er niet van om achtervolgd te worden.'

'Ik ook niet, meneer Schreiber.'

'Mocht u het over onze ontmoeting in Marino hebben: ik heb u niet achtervolgd; ik zat Alexander Rosin op de hielen.'

'Dat maakte voor mij allemaal niet veel uit. U was tenslotte degene die me als een wild geworden panter van achteren besprong. Ik heb nu nog pijn in de elleboog waarop ik toen gevallen ben.' Ze wreef demonstratief met haar linkerhand over haar rechterarm.

'Het spijt me als ik u pijn gedaan heb, mevrouw Falk. Maar wat had ik anders moeten doen, toen ik u eenmaal voor de vluchtende moordenaar aanzag?'

Vijf of tien seconden lang bleven ze elkaar aankijken, als in een zwijgend duel, waarna ze opeens als op commando begonnen te lachen. Hoe vreselijk het gebeurde in Marino ook voor Enrico geweest was, achteraf gezien kwam het hem even lachwekkend voor als een film van Jacques Tati.

'Vier mensen op jacht naar of op de vlucht voor de moordenaar,' riep hij, terwijl hij nog altijd moest lachen. 'Ik geloof dat de moordenaars zelf de enigen waren die in de kerk absoluut niet lastiggevallen werden.'

Vanessa Falk knikte. 'Waarschijnlijk moesten ze hun best doen zich niet door luid gelach te verraden omdat ze zoveel plezier hadden om ons gestuntel.'

Vanessa wilde nog iets zeggen, maar op dat moment schoot er een felwitte flits door de hemel, enkele seconden later gevolgd door een donderklap. Ook begon het opeens hard te regenen en klonk er een geroffel van druppels op de auto's.

'We kunnen beter ergens anders verder praten,' stelde Enrico voor. 'Omdat u mij gevolgd bent, weet u vast wel in welk hotel ik logeer.' Toen ze knikte, voegde hij eraan toe: 'Wegwezen dan!'

Toen hij achter het stuur van zijn Fiat kroop, was hij al half doorweekt. Met zulk weer was er geen sprake van dat hij op zoek kon gaan naar Angelo. Bovendien had hij het gevoel dat een gesprek met dr. Falk best eens nuttig kon zijn. Dat ze hier in de bergen opgedoken was, kon maar één ding betekenen: ze wist meer dan ze tot nu toe gezegd had.

Nadat Enrico in zijn kamer droge kleren had aangetrokken, begaf hij zich naar Vanessa Falk, die in de kleine hotelbar zat. Nog altijd kletterde de regen tegen de ramen van het hotel. Hoewel het pas rond halfvijf in de middag was, brandde het licht in de bar al. Behalve als het net bliksemde, was het buiten aardedonker. Dr. Falk had een *latte macchiato* besteld en staarde naar de regen buiten, alsof ze daar iets kon zien wat voor anderen verborgen bleef. Enrico bestelde een cappuccino met een stuk zandgebak erbij, omdat hij alleen nog maar een broodje op het vliegveld gegeten had. Hij ging naast de roodharige vrouw zitten en zei: 'Geen weer voor een uitstapje in de bergen, mevrouw Falk.'

'Vanessa,' zei ze.

'Pardon?'

'Zegt u maar gewoon Vanessa tegen me, anders voel ik me 158 of zo.'

'Goed, Vanessa, als jij me dan Enrico noemt.'

'Natuurlijk. Mannen die me van achteren bespringen, spreek ik principieel bij hun voornaam aan.'

Enrico glimlachte. 'Komt dat vaker voor?'

'Dat ik mannen bij hun voornaam noem?'

'Dat je in zulke opwindende situaties belandt.' Ze schudde haar hoofd. 'Als theologe raak je niet dagelijks in levensgevaar, of dat nu reëel of ingebeeld is. Het grootste risico is waarschijnlijk dat je onder een vallende boekenkast terechtkomt of je hand in het kopieerapparaat beklemd raakt.'

'Wat Marino betreft zou ik toch niet van ingebeeld levensgevaar willen spreken. Als de moordenaars op dat moment nog in de kerk waren, en daar mag je toch wel van uitgaan, dan was je echt in levensgevaar. In zoverre mag je je gelukkig prijzen dat ik jou besprongen heb en niet een ander.'

'Ik zal ter ere van jou bij gelegenheid een vreugdedansje opvoeren,' zei ze quasi boosaardig. 'Toch ben ik nu wel een beetje gerustgesteld. Als ik je goed beluister, beschouw jij me niet als de moordenaar of medeplichtige van de dader.'

'Waarom zou ik?'

'Vraag dat maar aan die commissario uit Rome, die Donati!'

'Trouwens, heeft die je toestemming verleend om Rome te verlaten?'

Vanessa glimlachte geheimzinnig. 'Wat niet weet, wat niet deert.'

'Als hij te horen krijgt dat je een uitstapje hebt gemaakt, loop je de kans dat hij een arrestatiebevel tegen je uitvaardigt.'

'Dat moet hij vooral doen. Dan zien we of zijn mensen wél valse moordenaars kunnen vangen, als ze de echte niet te pakken kunnen krijgen.'

'Je moet wel eerlijk blijven, Vanessa! We zijn er zelf door de chaos die we in de kerk veroorzaakt hebben, in zekere zin schuldig aan dat de moordenaars konden ontkomen. Maar goed, uiteindelijk moet je zelf weten of je het risico wilt lopen gearresteerd te worden. Mij interesseert vooral waarom je zoiets doet.'

'Aha, is dit het begin van het kruisverhoor, meneer de advocaat?'

'Vind je niet dat je me een verklaring schuldig bent? Tenslotte ben jij achter mij aan gereden en niet andersom!'

'Ja ja, wij moderne vrouwen nemen graag de actieve rol op ons,' zei ze spottend. Ze was blijkbaar niet van plan het Enrico gemakkelijk te maken.

'Het noodweer lijkt nog een hele poos aan te houden,' stelde hij met een blik naar buiten vast. 'We hebben dus tijd genoeg om spelletjes te spelen. Mij lijkt het echter zinvoller als we ophouden met geklets over koetjes en kalfjes.'

'Mij best,' zei ze opeens op uiterst zakelijke toon. 'Maar dan moet dit geen eenzijdig gesprek worden.'

'Hoe bedoel je?'

'Ik wil ook een paar dingen weten.'

'Dat kan ik me voorstellen.'

'Hoezo?'

'Omdat je me daarnet, toen ik de bergen in reed, even trouw bent gevolgd als Sancho Panza zijn meester Don Quichot. Dan mag ik toch wel uitgaan van een gezonde portie nieuwsgierigheid, ook al ben je een "moderne vrouw".'

'We spelen dus open kaart?' vroeg ze.

'Graag, wat mij betreft.'

'En beantwoord je dan ook mijn vragen?'

'Ja, voor zover ik de indruk heb dat je open en eerlijk tegen me bent.'

'Goed, laten we het maar proberen. Wat wil je weten, Enrico?'

'Wat zoek je hier in de bergen?'

'Ik wil uitzoeken welk geheim Borgo San Pietro herbergt, net als jij.'

'Ik ben hier alleen als toerist onderweg.'

Vanessa lachte hard. 'Was jij niet degene die ik net de woorden "open en eerlijk" hoorde gebruiken? Zo ja, vertel me dan eens wat meer over die mysterieuze kluizenaar!'

Enrico was oprecht verrast. 'Hoe weet je van het bestaan van die man af?'

'Ik heb een informant in het Vaticaan. Dat is erg nuttig als je op zoek bent naar de echte geheimen van het Vaticaanse geheime archief. Die informant heeft me bijvoorbeeld verteld wat jij hier meegemaakt hebt.'

'En wie is dat dan?'

'Ik ben best bereid je het een en ander te vertellen, maar dát beslist niet. Ook jij zou als advocaat moeten weten dat informanten geen informanten meer zijn als je hun identiteit verraadt.'

'Kun je me dan misschien vertellen wat je wilt weten over die kluizenaar, die overigens Angelo heet?'

'Angelo?' vroeg Vanessa opeens opgewonden. 'Echt waar?'

'Zo laat hij zich noemen. Waarom is dat zo belangrijk voor je?'

'Omdat dat erop duidt dat hij de man is naar wie ik op zoek ben.'

'Welke man?'

'Angelo Piranesi.'

'Die naam zegt me niets.'

'De man die ik zoek, moet heel oud zijn, wel honderd jaar of ouder.'

'De Angelo die ik ken, is heel oud. Maar of hij echt honderd of ouder is? Daarvoor lijkt hij me wel erg kranig.'

'Vertel me wat meer over hem!' drong Vanessa aan.

Omdat ze toch al van de gebeurtenissen in Borgo San Pietro en Pescia op de hoogte leek te zijn, althans in grote lijnen, leek het Enrico geen bezwaar gevolg te geven aan haar verzoek. Hij vertelde hoe hij en Elena door de dorpelingen achtervolgd waren en gered waren door de oude man die opeens opdook. Toen hij daarna over Elena's genezing vertelde, observeerde hij zijn gesprekspartner aandachtig. Hij meende in Vanessa's blik een zekere verrassing te zien, in elk geval geen ongeloof of zelfs spot.

'Maar vraag me nu alsjeblieft niet hoe Angelo aan die wonderbaarlijke kracht komt,' besloot hij.

'Misschien van God,' zei ze met een ernstig gezicht. 'Of van een engel, wat op hetzelfde neerkomt.'

'Van God of een engel?' herhaalde hij gefascineerd. 'Hoe kom je daarbij?'

'Ik zal je een verhaaltje vertellen, Enrico. Het begint in mei 1917, toen de Europese staten, waaronder ook Italië, met elkaar in oorlog waren. Italië begon die maand een van de talrijke en even bloedige als vruchteloze aanvallen langs de rivier de Isonzo, die in de Alpen ontspringt en in de Golf van Triëst uitmondt. Ook hier in de bergen rond Pescia zal de oorlog niet ongemerkt voorbij zijn gegaan, omdat de meeste mannen aan het front streden. Maar voor de thuisblijvers, dus voornamelijk bejaarden, vrouwen en kinderen, ging het dagelijks leven zijn gewone gangetje. Aangezien veel mannen weg waren, moesten de anderen het werk doen. Op 13 mei gingen twee kinderen, de broers Angelo en Fabrizio Piranesi, zoals altijd met een kleine kudde geiten van Borgo San Pietro naar het weiland, dat enkele kilometers van het dorp vandaan achter een heuvel lag. Wat er precies gebeurd is, is nooit helemaal duidelijk geworden. De twee zouden een soort verschijning hebben gezien. Er zou een bewegend licht in de hemel opgedoken zijn waaruit een engel naar hen afgedaald was. Deze engel, een boodschapper van God, zou hun een verschrikkelijke profetie hebben gedaan.'

'En jij gelooft dat de kluizenaar die Angelo Piranesi is?'

'Dat zou kunnen. Fabrizio Piranesi is enkele jaren na de profetie, zodra hij volwassen was, het klooster in gegaan en is daar in 1989 overleden. Over het lot van zijn broer is verder niets bekend. In een oud krantenartikel staat dat hij zich in alle eenzaamheid heeft teruggetrokken. Zou het niet mogelijk zijn dat de engel, als die echt aan de broers verschenen is, niet alleen de profetie, maar ook de genezende kracht heeft overgebracht?'

'Dat is pure speculatie,' verzuchtte Enrico, terwijl hij bedacht dat de mensen in Borgo San Pietro helemaal geen engel nodig hadden om hun de genezende kracht te schenken. Volgens het reisdagboek van Fabius Lorenz Schreiber beschikten ze tweehonderd jaar geleden al over die mysterieuze gave. Enrico besloot voorlopig niets over het dagboek aan Vanessa te vertellen. Hij kende haar nauwelijks en had geen idee van haar echte motieven. 'Hoe komt het dat ik nog nooit van die profetie gehoord heb?'

'Het was oorlog, de Eerste Wereldoorlog. De mensen hadden wel wat anders te doen dan zich druk maken over een vreemd avontuur van twee jonge geitenherders in de Noord-Italiaanse bergen. Bovendien heb ik de indruk dat het Vaticaan al het mogelijke heeft gedaan om de profetie geheim te houden. Volgens mijn informatie ligt er een verslag van de profetie in het geheime archief van het Vaticaan, en wel in het deel dat voor onderzoekers niet toegankelijk is. Om de een of andere reden wil de kerk niet dat de inhoud bekend wordt.'

'En nu hoop jij van Angelo de waarheid te horen?'

'Als hij Angelo Piranesi is, ja.'

'Ik had niet de indruk dat hij er grote behoefte aan heeft over zichzelf te vertellen.'

'Als ik het niet probeer, zal ik het zeker niet te weten komen.'

Enrico deed een schep suiker in zijn cappuccino en zei bedachtzaam: 'Dit verhaal doet me denken aan de profetie van Fátima. Dateert die ook niet uit het begin van de twintigste eeuw?'

'Precies uit 1917 zelfs. Daar ging het om drie kinderen, die diverse Maria-verschijningen meemaakten. De eerste dateert overigens van 13 mei.'

Hij wilde net een slok koffie nemen en bracht zijn kopje daartoe naar zijn mond, maar hield halverwege opeens stil. 'Maar dat is precies dezelfde dag!'

'Heel juist, dezelfde dag. Een merkwaardig toeval, als het er al een is, nietwaar?'

'Ik weet van die Fátimaprofetie niet veel meer dan de naam. Misschien kun jij me er iets meer over vertellen?'

'Zeker,' zei Vanessa glimlachend, en ze deed verslag over de drie herderskinderen uit het Portugese dorp Fátima, over hun verschijningen en over de drie profetieën, waarvan de derde pas enkele jaren geleden door het Vaticaan geopenbaard was.

'Is er in de derde profetie geen sprake van een aanslag op de paus?' vroeg Enrico. 'In mei nog hebben ze geprobeerd paus Custos te vermoorden.'

'Ja, maar in de profetie gaat het over een berg en een groot kruis. De aanslag op Custos vond in het Vaticaan plaats.'

'Er zijn daar heel wat kruisen. En is het Vaticaan in zekere zin niet de berg van het christendom? De pausen beschouwen zich als opvolgers van Petrus, en die naam betekent niets anders dan rots.'

'Heel goed, Enrico! Misschien had je beter theologie dan rechten kunnen studeren. Dan had je veel profijt gehad van je voorliefde voor gedurfde interpretaties.'

'Ik geloof dat juristen niet veel onderdoen voor theologen als het om verklaren en interpreteren gaat,' zei Enrico, terwijl hij het gebak proefde. 'Hoe zei de jurist Goethe het ook alweer: "Wees fris en monter bij het verklaren! En wordt iets niet verklaard, dan steekt er iets achter."'

'Goethe had ook veel op met theologie, als ik aan de *Faust* denk. Om op de derde profetie van Fátima terug te komen, natuurlijk bestaan daarover de meest uiteenlopende theorieën. Ik hoop nu dat de profetie van Borgo San Pietro helpt om de derde profetie van Fátima te ontraadselen.'

'Nu spreek jij een wel heel vermetele gedachte uit, Vanessa. Hoe kom je daarbij?'

'Volgens een gerucht zouden beide profetieën hetzelfde inhouden. Ze vonden tenslotte op dezelfde dag plaats.'

'Met dat verschil dat Fátima wereldberoemd is, terwijl niemand ooit van Borgo San Pietro gehoord heeft.'

'Dat is makkelijk verklaarbaar. Zowel Portugal als Italië heeft in de Eerste Wereldoorlog weliswaar tegen Duitsland en Oostenrijk-Hongarije gevochten, maar de Portugezen waren niet zo direct bij de oorlog betrokken als de Italianen, die langs de eigen grens de ene na de andere veldslag leverden. De Portugezen hadden weliswaar een expeditieleger naar het westelijk front in Frankrijk gestuurd en er vochten ook Portugese troepen in Afrika, maar de oorlog was voor hen veel verder weg dan voor de Italianen. De verschijning van Fátima trok daarom veel gemakkelijker de aandacht. Ook waren er in Fátima diverse verschijningen, die in een tijdsbestek van zes maanden plaatsvonden, terwijl het in Borgo San Pietro bij de verschijning van 13 mei gebleven is. In elk geval is er geen andere verschijning in deze omgeving bekend geworden. Het was voor het Vaticaan dus veel gemakkelijker om aangaande Borgo San Pietro het deksel gesloten te houden.'

'Klinkt logisch. Desondanks heb ik nog een paar vragen.'

'Welke dan?'

'Geloof jij dat God boodschappers, engelen dus, met berichten naar de mensen stuurt?'

'Waarom vraag je me niet meteen of ik in God geloof, Enrico?'

'Daarvan ga ik uit bij een theologe.'

Vanessa dronk haar latte macchiato op en zei aarzelend: 'Ik weet niet wat de drie herderskinderen in Fátima en wat de twee broers hier echt gezien hebben of meenden te hebben gezien. Van de hemellichten in Fátima bestaan talloze getuigenissen, maar wat de verschijning van Maria betreft, die soms ook als engel wordt beschouwd, beschikken we alleen over de getuigenis van de drie kinderen. Niemand heeft haar verder gezien. Hebben die drie zich op grond van de hemellichten iets ingebeeld waarvan ze later een mooi verhaal gemaakt hebben om niet door de mand te vallen of gewoon omdat ze dat leuk vonden? Kan zijn, maar ik geloof het niet. Dan zou het Vaticaan niet zoveel belangstelling voor die gebeurtenis getoond hebben. Bovendien hadden de verschijningen een diepgaande invloed op het verdere leven van de Portugese herderskinderen, als je bij Francisco en Jacinta Marto, die broer en zus waren, nog van een leven kunt spreken. Ze zijn beiden niet oud geworden. Als je Francisco vroeg wat hij wilde worden als hij volwassen was, zei hij dat hij niet volwassen wilde worden.

Hij wilde alleen maar sterven en in de hemel komen. In augustus 1918 kreeg hij een zware griep, waaraan hij in april het jaar daarop overleed. Zijn kleine zusje Jacinta ontwikkelde zich door de verschijningen tot een ascete pur sang. Ze liet de lunch vaak aan zich voorbijgaan of dronk op warme dagen helemaal niets. Ook daarin werd de wens naar een vroege dood zichtbaar, en dat gebeurde uiteindelijk ook. Jacinta raakte eveneens met de griep besmet en liep daarbij ook tbc op, aan de gevolgen waarvan ze overleed. Slechts haar nicht Lucia de Jesus Santos viel een lang leven te beurt, dat ze in het klooster doorbracht.'

'Net als Fabrizio Piranesi, de vermeende broer van onze kluizenaar.'

'Ja. En zeg nu zelf, Enrico, klinkt dit als kattenkwaad van een paar kinderen?'

'Nee. Maar misschien hadden de kinderen al op jonge leeftijd voor een leven in het klooster gekozen en meenden ze dat zo'n vertoning dan geen kwaad kon. Dat die broer en zus uit Fátima ziek werden en overleden, kan toeval geweest zijn.'

Vanessa schudde driftig haar hoofd. 'Voor een leven als priester, monnik of non kies je als jongvolwassene, maar niet als kind. Wat wilde jij worden toen je tien was?'

'Eerst profvoetballer, later popster.'

'Zie je nu wel?'

'En jij, Vanessa, wat wilde jij worden?'

'Geen commentaar.'

'We zouden toch eerlijk zijn tegen elkaar!' maande hij haar.

'Nu ja, ik wilde ooit fotomodel worden.'

'En waarom ben je dat dan niet geworden?'

Nu begon Vanessa te grijnzen. 'Als je wilt, kun je een echte charmeur zijn. Als je echt zo aardig bent, moet ik daar gebruik van maken. Wil je me meenemen naar die kluizenaar?'

'Hangt ervan af.'

'Waarvan af?'

'Van wat je van plan bent. Laten we eens aannemen dat Angelo je wil zien en de gezochte persoon blijkt te zijn. Stel dat hij je de waarheid over de mysterieuze profetie vertelt, wat doe je dan met die informatie?'

'Die komt uiteraard in het boek dat ik aan het schrijven ben.'

'Hoe dan? Geen egoïstische motieven?'

'Ik ben een engel,' zei ze met een hoog stemmetje. 'Natuurlijk denk ik ook aan mezelf. Ik wil graag dat mijn boek een succes wordt, zeker in het theologische vakgebied. Misschien mag je me dan binnenkort professor noemen.'

'Ik denk dat ik met zoveel baatzucht wel kan leven. Goed dan, zodra het weer opknapt, neem ik je mee de bergen in. Hopelijk is dat morgen al.'

Ze boog zich over de tafel heen en kuste Enrico op zijn wang. Hij vond de aanraking en het gekriebel van haar haar in zijn gezicht niet onaangenaam, integendeel zelfs.

14

De ruitenwissers veegden op de hoogste stand razendsnel over de voorruit, maar toch kon hij nog geen vijf meter voor zich uit kijken. Enkele uren geleden was het noodweer niet alleen boven Rome, maar over een groot deel van Italië losgebroken. Wie niet per se naar buiten moest, bleef thuis. De straten van Rome waren zeldzaam leeg, en dat was maar goed ook, want anders was hij vermoedelijk allang bij een ongeluk betrokken geraakt. Weer schoot er een bliksemstraal door de donkere wolkenhemel en vrijwel tegelijkertijd sloeg er iets tegen zijn voorruit aan. Het was een losgeraakte tak, die een kleine barst in de ruit achterliet.

Alexander vloekte luid en haalde zijn rechtervoet nog iets verder van het gaspedaal, totdat hij bijna stapvoets over het hobbelige plaveisel van de Via Appia reed. Vermoedelijk zou hij te laat komen op zijn afspraak, maar daarvoor moest Werner Schardt met dit weer maar wat begrip hebben. Hij had heel gewichtig gedaan toen hij Alexander die middag opbelde. Schardt had gezegd dat hij over een aanwijzing omtrent de identiteit van de moordenaar van de priester beschikte. Aan de telefoon had hij niet meer willen vertellen en hij had ook geen afspraak met Alexander in de stad willen maken. Hij leek ronduit bang te zijn en had als ontmoetingspunt restaurant Antico voorgesteld, dat langs de Via Appia Antica lag, de oude Romeinse verbindingsweg.

Steeds weer klonk het gekraak van takken onder de banden, terwijl Alexander door een wereld reed die slechts uit zijn auto, een stukje weg en de hoge pijnbomen en cipressen aan weerszijden leek te bestaan, die een duistere, snel vervagende haag leken te vormen. Bijna had hij de afslag gemist waar een bordje naar restaurant Antico verwees. Het restaurant zou achthonderd meter verderop liggen, maar het leek Alexander, die hier voor het eerst kwam, wel tweemaal zo ver. De toegangsweg werd door hoge hekken omzoomd en kwam uit op een grote, volkomen lege parkeerplaats, waarnaast een villa in antieke Romeinse stijl opreer. Dat het gebouw nieuw was, viel bij dit noodweer nauwelijks te zien. Voor zover Alexander wist, had Antico pas twee of drie maanden geleden zijn deuren geopend.

De lantaarnpalen rond de parkeerplaats brandden niet en ook het restaurant was in het duister gehuld. Alexander parkeerde de Peugeot voor de toegangsdeur, opende het portier en bereikte in twee snelle passen het beschermende glazen portiek, waarop de regen luid trommelde. In het restaurant was echt alles donker en aan de deur hing een groot bord: MAANDAG GESLOTEN. Alexander draaide zich langzaam om en zocht de parkeerplaats af, maar kon noch een auto noch Werner Schardt ontdekken. Hij voelde ergernis opkomen. Als Schardt er gezien het weer de voorkeur aan had gegeven op de kazerne te blijven, dan had hij Alexander op zijn minst kunnen inlichten. Zijn ergernis maakte al snel plaats voor een nieuwe gedachte: was Werner misschien met geweld van een ontmoeting met hem afgehouden? Dat zou betekenen dat hij in handen van de moordenaars was gevallen. Maar misschien had hij gewoon wat vertraging opgelopen door het slechte weer of reed zijn taxi net zo langzaam over de Via Appia als hijzelf daarnet. Hij besloot in de droge auto op Werner te wachten. Op dat moment zag hij lichten bij de oprit van de parkeerplaats. Het waren de koplampen van een donkere auto, waarvan hij het merk niet herkende. Werner Schardt had geen auto, dus als hij het was, moest hij de auto geleend hebben. Alexander werd verblind door de schijnwerpers en hij kon niet zien wie er in de donkere auto zat. De auto stopte enkele meters achter de Peugeot en de motor sloeg af, maar de verblindende koplampen bleven branden. Alexander kneep zijn ogen toe toen hij in het luide geroffel van de regen een autodeur hoorde dichtslaan.

Een stem riep: 'Alexander, ben jij dat?'

Het was Werner Schardt, geen twijfel mogelijk.

'Hier in het portiek,' antwoordde Alexander. 'Het restaurant is dicht.'

'Kom dan in mijn auto zitten, dan kunnen we ongestoord praten.'

Met zijn hoofd tussen zijn schouders rende Alexander naar Schardts auto. Toen hij daar bijna was, zag hij de silhouetten erin; zo te zien waren het mannen. Alexander draaide zich spoorslags om en rende naar zijn auto terug. Toen hij het portier van de Peugeot wilde openen, versplinterde de zijruit en vielen er met de regendruppels ook glaskristallen op zijn hand. Tegelijk hoorde hij een schot klinken.

Hij keek in de richting van het restaurant, terwijl hij een plotselinge zijsprong maakte om de drie anderen het richten te bemoeilijken. Voor hem ketste een schot tegen de muur af; de kogel verdween in het duister. Met een snoekduik wist hij zich achter de dichtstbijzijnde hoek in veiligheid te brengen. Toen hij wegrolde, stootte hij met zijn hoofd tegen iets hards. Het was een van de grote kuipen die daar stonden, gevuld met planten of wat er nog van over was door het noodweer. Alexander ging op zijn hurken tussen de kuipen zitten, die door het slechte zicht een goede bescherming boden, en had nu eindelijk tijd zijn wapen uit de ouderwetse schouderholster onder zijn leren jack te trekken. Het was een automatisch pistool, een SIG-Sauer P225, het dienstwapen van de officieren en onderofficieren van de Zwitserse Garde. Toen Alexander na zijn vertrek uit de dienst op de zwarte markt op zoek was gegaan naar een wapen, had hij speciaal voor dit model gekozen.

Met de doorgeladen P225 in de aanslag bleef hij tussen de plantenkuipen in zitten en tuurde de regen in, die hem inmiddels doornat had gemaakt. Het haar plakte als een helm op zijn hoofd en het water liep in straaltjes zijn kraag in. Vanuit zijn schuilplaats kon hij de parkeerplaats niet overzien en hij hoorde ook niets verdachts. Als de drie mannen naar hem op zoek waren, waar hij wel van uitging, dan communiceerden ze waarschijnlijk via gebarentaal. En zelfs als ze zacht met elkaar spraken, zouden hun woorden in de regen en donder verloren zijn gegaan. Hij was nu uiterst geconcentreerd en wenste bijna dat zijn vijanden zich eindelijk lieten zien. Liever werd hij nu met het gevaar geconfronteerd dan dat hij moest wachten totdat het opeens opdook. In zijn hoofd weerklonk nu de stem van zijn vader tijdens hun laatste gesprek: *Stop met het onderzoek naar de vermoorde priesters, want anders zul je sterven!*

Hij hoorde een geluid achter zich, een zachte tik, en draaide zich direct om. Hij zag een schimmige gedaante die net in dekking ging achter de kuipen die het verst van Alexander vandaan stonden. Op handen en voeten kroop hij naar de ander toe, waarbij hij erop lette dat zijn pistool niet nat werd in een van de vele plassen. Na vijf of zes meter zag hij twee benen achter twee kuipen die vlak naast elkaar stonden. Hij zette af, sprong en kwam op de andere man terecht, die hij met zijn buik tegen de grond drukte. Alexander drukte de loop van zijn automatische pistool tegen het achterhoofd van de ander en siste zacht: 'Laat je wapen vallen! En geen geluid, anders ben je er geweest!'

Het wapen van zijn tegenstander gleed met een metaalachtige tik op het asfalt. De man die hij tegen de grond drukte, had donker, kortgeknipt haar, als bij een soldaat. Het jonge, naar de kin toe spits toelopende gezicht kwam Alexander niet bekend voor.

'Zwitser?' vroeg hij kortaf.

'Ja,' klonk het half luid.

'Naam?' Toen hij geen antwoord kreeg, snauwde hij: 'Je naam, man!'

'Peter Grichting.'

'Waar zijn de twee anderen, Grichting?'

'Achter je, stommeling!' hoorde hij Werner Schardt nu zeggen, en dichterbij dan hem lief was. 'En nu weg met dat wapen, kameraad!'

'En als ik Grichting doodschiet?' vroeg Alexander zonder om te kijken.

'Dan vindt de politie hier morgen twee doden,' zei Schardt op onverschillige toon.

Alexander legde zijn P225 voorzichtig op de grond. Hij had het pistool nog niet losgelaten of de man die onder hem lag schudde hem van zich af. Alexander viel op het natte asfalt en keek nu naar de twee mannen achter hem. Werner Schardt en een onbekende, die er met zijn jongensachtige gezicht en het stekeltjeshaar eveneens als een van de jonge rekruten uitzag met wie de Zwitserse Garde de uitgedunde gelederen versterkt had. Beiden hielen een pistool op hun slachtoffer gericht.

'Pistolen!' zei Alexander misprijzend. 'Is dat niet wat gewoontjes voor jullie? Bij de vermoorde priesters waren jullie veel creatiever.'

'Jij bent geen geestelijke en mag dus niet op dezelfde behandeling rekenen,' antwoordde Schardt koeltjes.

'Waarom eigenlijk al die moeite met een kruisiging en het verzuipen in een doopvont? Jullie zijn toch zeker geen dolgedraaide psychopaten? Als ik me niet enorm vergis, handelen jullie in opdracht van hogerhand en waren jullie van plan de vermoorde tot zwijgen te brengen. De twee eerste slachtoffers wisten te veel uit hun tijd in het Vaticaanse geheime archief, nietwaar?'

'Je bent een slimme vos, Alexander Rosin. Maar wat heeft dat je opgeleverd?'

'Je hebt mijn vraag niet beantwoord.'

'We wilden het de politie niet te gemakkelijk maken, vandaar het idee met die zogenaamde rituele moorden. De media slikten het voor zoete koek.'

Peter Grichting had zich opgericht en zowel zijn eigen wapen als dat van Alexander opgepakt. Nu waren er vier pistoollopen op Alexander gericht. Hij probeerde de opkomende doodsangst uit alle macht de baas te blijven en concentreerde zich op zijn gesprek met Werner Schardt. Hij moest tijd proberen te winnen.

'En jullie opdrachtgever?' vroeg Alexander. 'Is die ook tevreden met jullie?'

'Anders waren we hier niet, hè?'

'Mag ik misschien nog weten waaraan ik mijn dood te danken heb?'
'Daar zou ik me maar niet het hoofd over breken, Rosin, echt niet. Over enkele seconden ben je er geweest.'
'Beantwoord dan in elk geval nog een laatste vraag, Werner: welke ketting werd er bij de vermoorde priester Dottesio gevonden? Jij draagt de jouwe nog. En de jonge Zwitsers hier waren nog niet bij de garde toen Franz Imhoof zijn paasgeschenken uitdeelde.'
'Het was mijn ketting. Ik heb daarna de ketting van een kameraad moeten stelen. Dat was eigenlijk de enige fout die ik gemaakt heb.'
Een stem achter de drie Zwitsers zei: 'Dat zou ik maar niet te hard zeggen. Onverbeterlijke loslippigheid behoort beslist niet tot de kwaliteiten van een succesvol moordenaar.'
Stelvio Donati boog zich om de hoek van het gebouw heen en richtte een vuurwapen op Schardt. Tegelijkertijd kwamen uit alle richtingen politieagenten in burger en uniform uit het regengordijn tevoorschijn, bewapend met automatische pistolen en machinepistolen.
'En mag ik dan nu om de wapens vragen?' zei Donati. 'En dan de handjes omhoog, natuurlijk, zoals het een moordenaar past die in zijn eigen val gelopen is.'
Terwijl de drie gardisten gehoorzaamden, stond Alexander op en keek Donati verwijtend aan. 'Je hebt wel de tijd genomen, Stelvio.'
De commissario grijnsde. 'Ik wilde jullie opgewekte kletspraatje niet onderbreken. Het klonk verdomd interessant.'
Werner Schardt wierp Alexander een van haat vervulde blik toe. 'Ik had je gewoon een kogel door je kop moeten jagen!'
'Nee toch,' zei Donati, terwijl hij dreigend zijn linkerwijsvinger opstak. 'Op zo'n korte afstand kan dat tot ernstige verwondingen leiden, zelfs als je een kogelvrij vest draagt.'
Schardt keek ongelovig van Alexander naar Donati en weer terug. 'Hoe wisten jullie dat dit een hinderlaag was?'
'We wisten het niet, maar vermoedden het wel,' zei Donati. 'Het is nu eenmaal verdacht om met Rosin af te spreken voor een etentje in een restaurant dat nogal afgelegen ligt en op maandag gesloten is.'
'Ik had me toch gewoon vergist kunnen hebben met het restaurant,' opperde Schardt.
'Ja,' zei Alexander instemmend. 'Ik zou ook niet bijzonder wantrouwend geweest zijn als ik niet vooraf voor een hinderlaag gewaarschuwd was.'

'Gewaarschuwd? Door wie dan?'
'Ook al ben jij hier voorlopig nog niet klaar mee, toch hoef je je daarover niet het hoofd te breken.'

Tweeënhalf uur later betrad Alexander, die inmiddels had gedoucht en schone kleren had aangetrokken, Donati's kantoor in het hoofdbureau op de Quirinaal. De commissario zat ontspannen achter zijn bureau, hield het been met de prothese gestrekt voor zich en rookte een van zijn geliefde cigarillo's.

'Is roken eigenlijk toegestaan op het hoofdbureau?' vroeg Alexander toen hij de deur achter zich sloot.

'Geen idee,' antwoordde Donati, terwijl hij een grote rookwolk uitblies. 'Heb jij eigenlijk een wapenvergunning?' Alexander grijnsde voluit. 'Ander onderwerp, Stelvio! Je bent opvallend goedgehumeurd. Hebben de drie Zwitsers misschien een volledige bekentenis afgelegd?'

'Dat niet, integendeel zelfs. Ze zwijgen nog altijd als het graf. Maar we hebben ze in elk geval te pakken, en zojuist heeft de minister van Justitie me persoonlijk opgebeld en me flink wat stroop om de mond gesmeerd. Daar mag je toch wel blij over zijn, of niet soms?'

'Zeker,' zei Alexander, die naast Donati plaatsnam. 'Maar ik zou nog liever gezien hebben dat we ook hun opdrachtgever te pakken hadden. Als hij wil, kan hij zo nieuwe moordenaars inhuren.'

'Je moet het noodlot niet tarten!' Donati drukte de cigarillo in de overvolle asbak uit en stond op. 'Laten we naar je vriend Werner gaan. Eens kijken of hij nog bereid is jullie gesprekje voort te zetten.'

Toen ze tegenover Schardt in de raamloze verhoorkamer zaten, moest Alexander opeens aan de bezoekjes aan zijn vader denken. Hier heerste dezelfde steriele atmosfeer, dezelfde kilte, hetzelfde kunstlicht. Schardt, die intussen eveneens schone kleren aanhad, zat met geboeide handen op een van de oncomfortabele stoelen en staarde voor zich uit. Hij deed alsof Alexander en Donati helemaal niet aanwezig waren.

De commissario lachte de gevangene quasi vriendelijk toe. 'Signor Schardt, is nu niet het moment aangebroken om een volledige bekentenis af te leggen? U kunt uw situatie daarmee aanzienlijk verbeteren. We vragen het u eerst vriendelijk, maar als u niet praat, komen uw medeplichtigen aan de beurt. Wie het eerst praat, heeft voor de rechtbank de beste papieren.'

'Niemand van ons zal praten,' zei Schardt zonder enige emotie. 'Het maakt niet uit of we in de gevangenis zitten of niet. Het gaat alleen om de zaak waar we voor staan.'

'En wat is dat voor zaak?' vroeg Donati direct.

'Dat begrijpt u toch niet,' luidde het geringschattende antwoord.

'U kunt toch proberen het uit te leggen.'

Schardt schudde lichtjes zijn hoofd. 'Gelooft u nou echt dat ik in uw doorzichtige trucs trap? Ik ga helemaal niets uitleggen!'

Alexander boog zich naar hem toe. 'Maar je bent mij wel degelijk een verklaring schuldig, Werner!'

'Jou, Rosin? Ik zou niet weten waarom.'

'Om twee redenen. Ten eerste wilde je me vermoorden. Ten tweede heb je de Zwitserse Garde voor de tweede keer in diskrediet gebracht, terwijl die nog niet eens hersteld is van alle oproer in mei.'

'De tranen staan me in de ogen. Maak jij je druk om de reputatie van de garde? Je hebt onze club toch verlaten!'

Het klonk bijna alsof hij Alexander van verraad wilde beschuldigen. Alexander begreep dat Schardt absoluut geen last had van enig schuldgevoel. Integendeel, de gardist leek het idee te koesteren dat hij volledig in zijn recht stond, toegewijd als hij was aan zijn schimmige 'zaak'. Schardt was een fanaticus van het gevaarlijkste soort, iemand die volstrekt koelbloedig en weloverwogen te werk ging.

'Ik geloof dat we van hem en de twee anderen echt niets wijzer zullen worden,' zei Alexander tegen Donati. 'Was je er eigenlijk bij toen ze schone kleren aantrokken?'

De commissario schudde zijn hoofd. 'Ik ben geen gluurder.'

'Maar ik wel,' zei Alexander, op Schardt wijzend. 'Ik zou graag zijn naakte bovenlichaam eens zien.'

Donati wierp hem een schuine blik toe. 'Pardon?'

'Ik zou graag Schardts naakte bovenlichaam eens zien,' herhaalde Alexander. Voor het eerst in het verhoor gaf de gevangene blijk van enige emotie. Met een woedende blik op Alexander vroeg hij: 'Is dit toegestaan? Mag Rosin hier eigenlijk wel zijn? Sinds wanneer is het de pers toegestaan politieverhoren bij te wonen?'

Donati speelde de verbaasde rechercheur. 'Eerst een paar priesters afslachten en je dan op rechten en wetten beroepen, dat zien we hier graag!' Hij gebaarde de geüniformeerde politieman bij de deur dichterbij te komen. 'Collega, vervult u alstublieft de hartenwens van mijn vriend!'

Zonder veel omhaal trok de agent Schardts trui en T-shirt omhoog. Zijn rug was bedekt met talrijke bloedige striemen, waarvan een aantal litte-kenweefsel vertoonden, maar andere duidelijk vers waren.

Zachtjes zei Alexander: 'Totus tuus, Domine. Hic iacet pulvis, cinis et nihil. Mea culpa, mea culpa, mea maxima culpa. Geheel de uwe, Heer. Hier liggen stof, as en niets. Door mijn schuld, door mijn schuld, door mijn grote schuld.'

Zo luidde de boeteformule van de leden van de geheime orde Totus Tuus als ze elkaar geselden. In mei had Alexander dergelijke littekens vaker gezien, onder andere bij Elena, die in een door Totus Tuus geleid weeshuis opgegroeid was. Het vermoeden dat hij tegenover zijn vader geuit had, bleek nu bewaarheid. De orde was niet geheel uitgeroeid, maar nog altijd actief. Sterker nog, Totus Tuus was zonder twijfel betrokken bij de priestermoorden.

'Verdomme!' vloekte Donati. 'Waarom ben ik daar niet zelf op gekomen?'

'Gun mij nou ook eens een geniale inval, Stelvio! Ik weet zeker dat we ook bij de twee andere gevangenen sporen van geselingen vinden. Lichamelijke pijn is een essentieel onderdeel van de hersenspoeling waarmee Totus Tuus van zijn leden willoze volgelingen maakt. Het ziet er somber uit voor de Zwitserse Garde. Totus Tuus lijkt vastbesloten de garde als uitvoerend orgaan te blijven misbruiken.'

'Waar vind je verder zoveel overtuigde katholieken bij elkaar die in het gevecht van man tot man en de omgang met wapens getraind zijn,' zei Donati. 'De perfecte soldaten voor de orde.'

Alexander knikte, maar was met zijn gedachten al ergens anders. 'Zijn er bij de vermoorde priesters sporen van geselingen gevonden?'

'Nee,' luidde Donati's antwoord.

'Staat dat vast?'

'Absoluut. In twee gevallen ben ik bij de lijkschouwing aanwezig geweest en het autopsieverslag van Giorgio Carlini heb ik regel voor regel gelezen. Dergelijke littekens waren absoluut opgevallen.'

Werner Schardt, wiens trui en T-shirt nog altijd omhooggetrokken waren, zei: 'Ik heb het koud.'

Alexander keek hem vol walging aan. 'Ik ook.'

15

Het noodweer was 's nachts weggetrokken. Toen Enrico die ochtend opstond en naar het raam liep, was de lucht nog grijs, maar het regende niet
meer. Vermoedelijk zou het in het bos nog modderig zijn. Maar aan de
andere kant wist hij niet hoe lang het droog zou blijven. Hij besloot Vanessa Falk in haar hotel op te bellen en een afspraak te maken voor een
uitstapje naar de bergen. Over een uur zou ze bij hem zijn. Nadat hij uitvoerig ontbeten had, liep hij naar de parkeerplaats. Buiten rook het nog
intens naar de regen en boven de bergen hingen dichte wolkenmassa's.
Een van de wolkenformaties leek een gigantische uitgestrekte hand die
een afwerend gebaar maakte. Enrico ademde diep in en schudde zijn hoofd.
Hij liet zich niet gek maken. Hij was hier al zoveel mysteries tegengekomen dat het niet nodig was er nog eentje bij te verzinnen.

Met een korte claxonstoot kondigde Vanessa haar komst aan. In een gele
huurwagen reed ze de smalle brug over. Enrico liep haar tegemoet, opende het portier aan de passagierskant en wurmde zich op de stoel. Zijn
jas gooide hij op de achterbank. Hij vond dergelijke kleine autootjes niet
bijzonder comfortabel, maar op de smalle bergwegen waren ze bijzonder
praktisch.

Vanessa had zich goed voorbereid op het uitstapje. Ze droeg kniehoge
laarzen, een stevige spijkerbroek, een denim bloes en daaroverheen een
vest met tal van zakken. Haar rode haar had ze in een paardenstaart gebonden. Ze leek helemaal niet op een theologe, eerder op een wandelen-
de reclame voor een buitensportmerk. Weer moest Enrico vaststellen dat
ze een bijzonder aantrekkelijke vrouw was, hoewel hij nog niet precies
wist wat haar motieven waren. Werd ze werkelijk alleen door wetenschappelijke nieuwsgierigheid gedreven?

'Goedemorgen, Indiana Jane,' begroette hij haar goedgehumeurd. 'Welke
verborgen tempel gaan we vandaag ontdekken?'

'Misschien eentje van de Etrusken, dat lijkt me een goed begin,' antwoordde ze, terwijl ze de auto keerde en weer de brug op stuurde. 'We doen net
alsof ik rijles heb. Vertel me gewoon waar we heen moeten.'

'Akkoord,' zei Enrico met een brede grijns. 'Zoiets hoort een man graag van een vrouw als jij.'

Ze schonk hem een boze blik, waarvan hij niet goed kon inschatten of die serieus gemeend of slechts gespeeld was.

Het weer van de voorgaande dag had duidelijk zijn sporen nagelaten. Steeds weer stuitten ze op afgebroken takken en de rijbaan was op tal van plaatsen met een laag modder bedekt. Vanessa betrachtte de nodige voorzichtigheid en reed erg langzaam. Gelukkig waren er nauwelijks tegenliggers.

'Erg stil hier,' stelde ze vast.

'Dat verbaast me,' zei Enrico. 'Elena had gedacht dat hier al snel een heel leger journalisten zou opduiken om de geboorteplaats van de tegenpaus binnen te trekken. Maar tot nu toe lijkt ze de enige van de schrijvende pers te zijn die zich voor Borgo San Pietro interesseert.'

'Ik vind dat minder verbazingwekkend dan jij. De krantenredacties en tv-stations hebben vermoedelijk alle beschikbare journalisten naar Napels gestuurd. Daar gebeurt het momenteel allemaal. Borgo San Pietro loopt echt niet weg. Als de eerste grote opwinding over de tegenkerk en de paus daarvan is geluwd, zal dat dorp echt zijn D-day nog wel beleven.'

'Wat gebeurt er dan allemaal in Napels? Is paus Custos daar behoorlijk ontvangen of kwam er meteen ruzie?'

Vanessa wierp hem een verbaasde blik toe voordat ze zich weer op de weg concentreerde. 'Heb je dan geen kranten gelezen en geen nieuws gezien of gehoord?'

Hij schudde zijn hoofd. 'Momenteel zorg ik zelf al voor genoeg sensationele berichten.'

Ze lachte. 'Dan weet je dus ook niet dat paus Custos bepaald niet euforisch is verwelkomd toen hij gistermiddag in Napels aankwam. De vertegenwoordigers van de tegenkerk hebben botweg geweigerd met hem te praten. Voor hen is hij de valse paus, een ketter, en volgens sommigen zelfs de antichrist. Dat is krasse taal, die de media natuurlijk maar al te graag breed uitmeten.'

'En Custos? Hoe reageert hij daarop?'

'Hij heeft onderdak gevonden in een klooster dat de officiële kerk trouw is gebleven. Er wordt relatief weinig van hem vernomen en men vermoedt dat hij de tegenkerk niet met harde uitspraken wil provoceren, maar liever probeert achter de coulissen alle diplomatieke kanalen te activeren.'

'Zoals ik hem ken, past dat wel bij hem.'

'Dat is waar ook, jij hebt hem zondag persoonlijk leren kennen. Wat is hij voor een man?'

'Je informant in het Vaticaan is heel goed geïnformeerd, Vanessa. Ik wil zeker niet beweren dat ik na onze korte ontmoeting al een karakterschets van de paus zou kunnen geven, maar hij heeft op mij een bijzonder sympathieke indruk gemaakt. Hij lijkt me een wijs, gereserveerd man, die er bepaald niet op uit is de media met sensationele berichten te overstelpen.'

'Dat heeft hij in mei al gedaan, toen het bericht over zijn genezende krachten de wereld rondging. Merkwaardig overigens dat hij over dezelfde gave beschikt als de kluizenaar, vind je niet?'

'Ik heb daar met de paus over gesproken.'

'En?' vroeg Vanessa nieuwsgierig. 'Wat zegt Custos daarover?'

'Hij kan ook slechts vermoedens uiten. Misschien is Angelo ook een nazaat van Jezus, maar dat valt via een diagnose op afstand niet met zekerheid te zeggen.'

'Dat zou inderdaad iets moois zijn!'

'Wat vind jij als onbevooroordeeld theologe eigenlijk van deze hele kwestie, Vanessa? Geloof je Custos als hij zegt dat hij van Jezus afstamt?'

'Jij bent toch degene die de paus persoonlijk heeft leren kennen, Enrico! Wat geloof jij?'

'Ik kan je wel vertellen wat ik niet geloof, namelijk dat Custos opzettelijk valse beweringen over zijn afstamming doet. Maar ik weet niet hoe je dat in wetenschappelijk opzicht moet inschatten. Is het eigenlijk wel bewezen dat Jezus echt geleefd heeft?'

'Er zijn historici en theologen die dat bewezen achten, anderen beweren het tegendeel.'

'Dat noem ik nog eens een wetenschappelijk verantwoorde mededeling. Wat gelooft een zekere dr. Falk eigenlijk?'

'Ik ben er voor meer dan negentig procent zeker van dat Jezus een historische figuur is. En als hij echt geleefd heeft, dan kan hij ook kinderen grootgebracht hebben.'

'Als hij tenminste niet voor die tijd aan het kruis gestorven is,' wierp Enrico tegen.

'Gestorven en weer opgestaan, zo hebben de gelovigen het twee millennia lang geleerd. Maar wat Custos de wereld heeft verteld over een schijndode Jezus die na zijn zogenaamde wederopstanding over zee is gevlucht, lijkt mij als weldenkend mens waarschijnlijker dan de wederopstanding uit het Nieuwe Testament.'

'Dus je houdt het voor mogelijk dat Custos van Jezus afstamt?'

'Mogelijk wel, maar bewezen is het niet. Het kan best zijn dat er tal van nakomelingen van Cleopatra, Attila of Hannibal onder ons leven, maar dat weten we niet, en zijzelf waarschijnlijk ook niet.'

'Dat klinkt nu nogal geringschattend,' zei Enrico afkeurend.

'Helemaal niet. Ik ontken niet dat Custos over ongewone krachten beschikt. Maar ik kan niet zeggen of die overgeërfd zijn van een voorvader die Jezus heette of dat hij die op een andere manier verkregen heeft.'

'En daarbij dringt zich dan ook de vraag op hoe de historische Jezus aan zijn bijzondere krachten is gekomen.'

'Nu ja, hij was Gods zoon,' zei Vanessa op een toon alsof dat absoluut vanzelf sprak.

'Geloof je dan in de onbevlekte ontvangenis?'

'Geen idee, ik heb het nog niet uitgeprobeerd. Maar als er een God is, dan beschikt hij zeker ook over voldoende mogelijkheden om een mens bijzondere gaven te verlenen. Of je dat als onbevlekte ontvangenis wilt betitelen, is een kwestie van smaak.' Nadat ze met een snelle stuurcorrectie in een bocht een bestelwagen had weten te ontwijken, voegde ze eraan toe: 'In elk geval ben ik benieuwd of Custos en Lucius elkaar toch nog zullen ontmoeten. Dat zou een gesprek tussen twee heel bijzondere mannen worden.'

'Hoezo?'

'Nu ja, ze hebben zich door alle actuele gebeurtenissen niet in de war laten brengen. Onze tegenpaus schijnt over de gave van de goddelijke inspiratie te beschikken. In elk geval beweert hij iets dergelijks. Vanochtend heeft hij Custos in een tv-toespraak opgeroepen Napels zo snel mogelijk te verlaten. God zou er vertoornd over zijn dat Custos zich in de belangen van de Heilige Kerk van het Ware Geloof wil mengen. 's Nachts zou er een engel des Heren aan Lucius verschenen zijn die een grote ramp aankondigde indien Custos in Napels zou blijven. Het noodweer van gisteren zou slechts een voorproefje van het ophanden zijnde ongeluk zijn geweest. Het interessante is dat het noodweer inderdaad losbarstte op het moment dat de helikopter van de paus op de luchthaven van Napels landde. Dat is toch vreemd, niet?'

'Hoe heeft Custos daarop gereageerd?' informeerde Enrico.

'Tot nu toe nog helemaal niet. In elk geval heb ik niet gehoord dat hij uit Napels vertrokken is.'

'Geloof jij in dat visioen van de tegenpaus?'

'Je stelt heel moeilijke vragen! Eerlijk gezegd heb ik geen idee. Misschien heeft hij gewoon een kwade droom gehad.'

'Dat kan soms heel deprimerend zijn,' zei Enrico, terwijl hij aan zijn eigen nachtmerrie dacht, die een diepgelovig persoon misschien ook als visioen bestempeld zou hebben.

Enrico zag nu de open plek waar commissario Massi vier dagen geleden zijn auto geparkeerd had. Hij vroeg Vanessa te stoppen en te voet doken ze het dichte kreupelhout in. 'Weet je zeker dat dit de goede richting is?' vroeg Vanessa na een paar minuten, toen ze rondom hen niets anders dan bomen, struiken en doornige takken zagen.

'Ik hoop het. Zie je die afgebroken takken daar vooraan? Dat is waarschijnlijk gebeurd toen ik met Massi en Pisano hierlangs gelopen ben.'

'Of het is gisteren tijdens de storm gebeurd.'

'Zou kunnen,' gaf Enrico toe.

'Je bent me wel een lekkere padvinder!' zei Vanessa spottend.

'Ik heb rechten gestudeerd, geen cartografie.'

'En wat doen we nu?'

'Verder lopen,' stelde Enrico voor, terwijl hij op het pad met de afgebroken takken af liep. 'Daarom zijn we hier toch?' Het pad was door het slechte weer nog moeilijker begaanbaar dan enkele dagen geleden. Ditmaal moesten ze niet alleen uitwijken voor modderplassen, maar zelfs voor kleine poelen. Vanessa's laarzen kwamen hier goed van pas. Enrico had weliswaar stevige schoenen aan, maar die waren halfhoog, zodat hij al snel natte voeten had.

Op zeker moment vroeg Vanessa: 'Kun je de auto nog wel terugvinden?' Grijnzend haalde Enrico een kompas uit zijn jaszak en hield dat onder Vanessa's neus. 'Ik heet dan wel geen Old Shatterhand, maar echt dom ben ik ook niet. Nu moet je trouwens naar links kijken, achter dat struikgewas daar.'

Vanessa keek in de richting die Enrico aanwees en zei zachtjes: 'Dat lijken wel de restanten van een muur, een heel oude muur.'

'Ja,' zei Enrico triomfantelijk. 'We zijn op de goede weg!' Al snel doken aan weerszijden van hen de ronde graftomben van de Etrusken op, waarvan sommige in de loop der eeuwen zo door planten overwoekerd waren dat ze nog maar moeilijk te herkennen waren. Van enkele graven was vrijwel geen steen meer te zien, zodat ze voor de oppervlakkige toeschouwer precies op natuurlijke heuvels leken.

'Fascinerend,' zei Vanessa, die nieuwsgierig om zich heen keek. 'Een paradijs voor archeologen.'

'Als die hier eenmaal beginnen met graven, blijft het niet lang een paradijs meer.'

'Mogelijk. En in een van deze graven woont die kluizenaar dus?'

'Ja, hoezo?'

Vanessa huiverde. 'Vind je het geen morbide idee om in een graf te wonen? Net zoiets als levend begraven zijn.'

Enrico haalde zijn schouders op. 'Angelo lijkt het hier best naar zijn zin te hebben.'

Ze liepen verder, terwijl hij naar Angelo's onderkomen uitkeek. Het was niet makkelijk te vinden, want alle graven leken op elkaar.

Na twintig minuten zoeken stootte Enrico een juichkreetje uit. 'Hier is het!'

'Zeker weten?' vroeg Vanessa, terwijl ze de stenen heuvel waarvoor hij was blijven staan, nauwkeurig bekeek. 'Deze lijkt precies op alle andere graven.'

'Dan gaan we toch gewoon even kijken!' zei hij, en hij liep langzaam de stenen trap af. 'Wees voorzichtig, want die traptreden kunnen zo onder je voeten afbrokkelen.'

Onderaan gekomen bleven ze voor de donkere gang staan. Enrico riep Angelo's naam. Hij herhaalde dat vier- of vijfmaal, maar kreeg geen antwoord. 'De heer des huizes – of is het heer des graves? – lijkt niet aanwezig te zijn,' zei Vanessa.

'Of hij wil alleen maar dat we dat denken.'

Met ingeschakelde zaklampen doken ze de gang in en zochten alle ruimten zorgvuldig af, wat zelfs langer duurde dan strikt noodzakelijk omdat Vanessa de goed bewaard gebleven Etruskische muurschilderingen wilde bewonderen.

Enrico wees op de vele gevleugelde gedaanten. 'Denk je dat er een verband kan bestaan tussen deze gevleugelde gedaanten en de engelen van het christelijk geloof?'

Op de muurschildering waar ze voor stonden, was een gevleugeld wezen te zien dat voor twee mensen stond en hun iets wat op een schaal leek overhandigde. De mensen, een man en een vrouw, knielden voor de gevleugelde gedaante en strekten vol verwachting hun handen naar hem uit.

Ze hadden kleding aan, maar het wezen met de vleugels niet. Het leek een man, maar er waren geen geslachtsorganen te zien.

'Dat is zeker mogelijk,' zei Vanessa, nadat ze de afbeelding aandachtig bekeken had. 'Misschien zijn de Etruskische engelen, als we die voor het gemak even zo noemen, en die van de christenen op dezelfde voorstellingen van God en het hiernamaals gebaseerd, en misschien zelfs op dezelfde gebeurtenissen in een tijd waarover we niets meer weten dan wat er overgeleverd is door afbeeldingen als deze.'

'Wil je daarmee zeggen dat de mensheid ooit werkelijk door engelen bezocht is?'

'Misschien waren het geen engelen zoals wij ons die voorstellen, maar gewoon vertegenwoordigers van een cultuur die boven de andere culturen op aarde stond en zo ver daarboven verheven was dat de mensen niets anders wisten dan hen af te beelden als engelen, als boodschappers van de goden.'

Enrico schudde half ongelovig, half afkeurend zijn hoofd. 'Dat klinkt mij te veel naar de afgezaagde legende van Atlantis of Erich von Däniken.'

'Waar rook is, is vuur, zeggen ze toch? Ook zonder buitenaardse verschijnselen kunnen mensen een cultuurshock oplopen. Ook in onze tijd bestaan er nog enkele geïsoleerde plaatsen in Afrika, Azië en Zuid-Amerika waar wij met onze gsm's en laptops zo niet als goden, dan toch wel als soortgelijke verschijningen beschouwd zouden worden. Wat de Etrusken ook van deze engelgedaanten geloofd mogen hebben, ze zagen er in elk geval een hogere macht in. Zoals de engelen van het christendom de boodschap van God aan de mensen overbrengen, lijken ook de Etruskische engelen iets overgebracht te hebben.'

'Iets wat er heel tastbaar uitziet en niet als een boodschap,' meende Enrico.

'Dat hoeft niet. Deze schaal zou ook het symbool voor een immateriële gave kunnen zijn. Maar waarvoor?'

'Misschien voor de bijzondere gave andere mensen die ziek zijn te kunnen helpen.'

'Dat zou best kunnen. Dan zou de schaal misschien symbool staan voor de geneeskunde.'

Ze vervolgden de verkenning van het graf en ontdekten een grote ruimte waarin de kluizenaar blijkbaar woonde en sliep. In enkele schalen en potten troffen ze een bescheiden voorraad levensmiddelen zoals fruit, brood en kaas aan. Een grote kan was half met water gevuld. In een hoek op de grond vormden een matras met gaten, een kussentje en twee rafelige wollen dekens Angelo's nachtverblijf. De kluizenaar zelf was echter nergens te bekennen.

'We zijn op het verkeerde tijdstip gekomen,' concludeerde Enrico.

'Het is het verkeerde moment, maar de juiste plek. We hoeven alleen maar te wachten totdat Angelo terugkomt.'

'Dat zou een mogelijkheid zijn,' bromde Enrico, die niet erg enthousiast was over het vooruitzicht misschien vele uren in dit donkere graf te moeten blijven.

Hij wilde Vanessa voorstellen later nog eens terug te komen, maar hoorde opeens een geluid dat zijn aandacht trok. Er klonken voetstappen op de trap, die steeds luider werden. Ze kregen bezoek.

ROME, HET VATICAAN

De jonge Zwitser controleerde Alexanders toegangspasje met een korte blik en gebaarde dat hij door kon rijden. Alexander zag in zijn binnenspiegel hoe de gardist bij de porta Sant'Anna hem nakeek. De aanblik van de Zwitser bezorgde Alexander een steek in zijn hart. Hij moest er weer aan denken wat een enorme flater hij met Werner Schardt had geslagen. Uitgerekend de man die tot over zijn oren in de priestermoorden verwikkeld was, had hij in vertrouwen genomen. Vermoedelijk had Schardt in zijn vuistje gelachen als hij niet zo'n serieus type was geweest. Alexander voelde zich misleid en bedrogen, maar dat was nog niet het ergste. De reputatie van de garde had weer een flinke deuk opgelopen en hij vroeg zich af of herstel daarvan nog mogelijk was. Al na de gebeurtenissen in mei was de garde bijna opgeheven. Eigenlijk had dat Alexander, die er toch al weg was, om het even moeten zijn, maar dat was nu eenmaal niet zo. De Rosins hadden al vele eeuwen lang in de Zwitserse Garde van de paus gediend. Voor hem en zijn voorvaderen was het geen beroep geweest, maar een roeping. Toen zijn vader en later ook zijn oom Heinrich tot gardecommandant benoemd waren, was dat de beloning voor de trouwe dienst van de familie Rosin geweest. Het had Alexander de nodige moeite gekost om afscheid te nemen van de Zwitserse Garde, maar nadat zijn vader zich als verrader en moordenaar ontpopt had, was het naar zijn mening voor de garde het beste als de naam Rosin niet meer op de soldijlijst voorkwam.

De arrestatie van de drie gardisten had in het Vaticaan natuurlijk het nodige opzien gebaard. Vanochtend had hij een telefoontje uit het Vaticaan gekregen dat kardinaal-prefect Lavagnino hem dringend wilde spreken. Nadat Alexander zijn plichten op de redactie had vervuld en een kort bezoek aan Donati op het hoofdbureau van politie had gebracht, was hij naar het Vaticaan gereden. Hij parkeerde zijn huurwagen, een Volkswagen Polo die als vervanging voor zijn Peugeot diende zolang die in de garage stond, op een parkeerplaats tussen de St.-Pieterskerk en de audiëntiezaal en betrad het Paleis van het Heilige Officie. Hij hoefde nog geen vijf minuten te wachten om bij Lavagnino toegelaten te worden. Er zat nog een geestelijke in de kamer van de kardinaal-prefect, een man van rond de zestig wiens ernstige gelaatstrekken door een eenvoudige montuurloze bril benadrukt werden.

'Dat is mijn rechterhand, kardinaal Ferrio,' zei Lavagnino, de ander aan Alexander voorstellend. 'Zolang Zijne Heiligheid en don Luu in Napels verblijven, houden wij ons met deze eh... onverkwikkelijke affaire bezig.'

'U bedoelt de moorden,' zei Alexander. 'Ja, helaas,' verzuchtte Lavagnino, die Alexander verzocht een beschrijving te geven van de gebeurtenissen van de vorige dag aan de Via Appia.

Alexander gaf een volledig verslag, dat eindigde met het vruchteloze verhoor van Schardt en de ontdekking van de littekens. 'Ook de compagnons van Schardt zwijgen als het graf, heeft commissario Donati me zojuist bevestigd. En ook zij hebben dergelijke littekens, de sporen van geselingen.'

'Kunnen die littekens geen andere oorzaak hebben?' vroeg kardinaal Ferrio.

'Het zou wel heel erg toevallig zijn als ze alle drie dezelfde littekens hebben,' meende Alexander. 'Afgezien daarvan weet ik heel goed hoe de sporen van dergelijke geselingen eruitzien. Ik twijfel er niet aan dat het tekenen van rituele tuchtiging of zelfkastijding zijn. Ik had de Zwitserse Garde de schande graag bespaard, maar naar mijn mening heeft Totus Tuus hierbij een grote vinger in de pap. De garde is alweer – of nog steeds – door Totus Tuus geïnfiltreerd.'

Lavagnino vroeg met een bezorgde blik: 'Hebt u dit ook in de *Messaggero* geschreven?'

Alexander schudde zijn hoofd. 'Mijn artikel over de arrestatie van deze drie mannen was erg terughoudend. Ik heb er geen belang bij de Zwitserse Garde in diskrediet te brengen.'

'Daarvoor wil ik u bedanken, signor Rosin, ook namens Zijne Heiligheid.

De kerk zou over meer betrouwbare steunpilaren zoals u moeten beschikken.'

'Wat minder verraders in de eigen gelederen zou ook al helpen,' verzuchtte Alexander, die er snel aan toevoegde: 'Neem me niet kwalijk, eminentie, maar dit ontglipte mij even.'

Lavagnino maakte een wegwerpgebaar. 'U hebt helaas gelijk. In deze woelige tijden heeft onze kerk meer vijanden in de eigen gelederen dan daarbuiten. Daarom wilden kardinaal Ferrio en ik u persoonlijk spreken. Momenteel is het zelfs achter de dikke muren van het Vaticaan verstandiger slechts weinigen in de echt belangrijke zaken in te wijden.'

Ferrio zette zijn bril recht, waarbij hij een licht nerveuze indruk maakte. 'Laten we nog even op Totus Tuus terugkomen. Aangenomen dat deze orde nog actief is, wat zijn dan de doelen ervan?'

'Wat dacht u van macht?' opperde Alexander. 'Als de kerk in diskrediet wordt gebracht, wordt de tegenkerk automatisch sterker.'

'U gelooft dat Totus Tuus met de afvalligen onder één hoedje speelt?' vroeg Ferrio.

'Ik acht dat zeker mogelijk. Totus Tuus vertegenwoordigde altijd al een zeer conservatieve lijn en was het vanaf het begin niet eens met paus Custos. Dan ligt het voor de hand een verband te veronderstellen tussen de orde en de tegenkerk, als er tenminste niet nog meer achter zit.'

Ferrio boog zich nieuwsgierig naar Alexander toe. 'Wat dan, bijvoorbeeld?'

'De zogenaamde geloofskerk heeft razendsnel een bestuursstructuur gevormd en lijkt ook over ruim voldoende financiële middelen te beschikken. Ik krijg de indruk dat dit allemaal lang van tevoren door ervaren lieden gepland is.'

'En wij geloofden dat Totus Tuus vernietigd was en dat de leden ervan zich in alle windrichtingen verspreid hadden!' riep Lavagnino uit.

'Ik heb daar nooit in geloofd,' zei Alexander. 'Daarvoor was de orde gewoon te machtig. We hebben enkele ledematen afgehakt en ook het hoofd, maar dat is niet voldoende gebleken. Evenals de verschrikkelijke Hydra in de Griekse mythologie heeft Totus Tuus vele hoofden en die lijken sneller aan een tegenaanval begonnen dan wij ooit hadden verwacht.'

'Het zal niet meevallen iets tegen Totus Tuus te ondernemen,' meende Ferrio. 'We hebben met niemand in de hoogste kringen van de orde contact.'

'Toch wel,' interrumpeerde Alexander hem. 'We kunnen het aan mijn vader vragen. Hij mag dan een gevangene zijn, hij zou ons toch in de strijd tegen Totus Tuus kunnen helpen en voor een beslissende wending kunnen zorgen.'

Ferrio knikte. 'Misschien kan hij dat inderdaad, gesteld dat hij dat zou willen.'

'Ik kan het hem vragen, als u dat wilt. Ik wilde hem toch al graag spreken vanwege de kwestie van gisteravond.'

'Vanzelfsprekend,' zei Lavagnino instemmend. 'Maar ik kan nauwelijks geloven dat Markus Rosin echt met ons zal samenwerken. Hij lijkt de Heilige Vader en iedereen die hem dient niet alleen af te wijzen, maar zelfs regelrecht te haten.'

'Misschien kan het Vaticaan zelf nog iets doen. Mijn vader is door het verlies van het licht in zijn ogen al zwaar gestraft, en daarbij heeft hij ook nog levenslang gekregen. Een zekere tegemoetkoming zou voor mijn vader aanleiding kunnen zijn eveneens tegemoetkomend te zijn.'

'U denkt aan gratie?' Lavagnino vertrok zijn gezicht in een misprijzende grimas. 'Hij heeft een zware schuld op zich geladen. En bovendien kan alleen Zijne Heiligheid over gratie beslissen.'

'Als mijn vader tot medewerking bereid is, kunnen we het aan paus Custos vragen. En wat zijn schuld betreft, daarin hebt u beslist gelijk, eminentie. Maar moeten we ons hierbij niet afvragen wat zwaarder weegt: de boetedoening voor een schuld of het lot van de kerk?'

Lavagnino wisselde een korte blik met Ferrio en zei: 'Ik ben het helemaal met u eens, signor Rosin. Goed dan, spreekt u met uw vader! Daarna zien we wel verder.'

Een kwartier later liep Alexander ongeduldig in de wachtruimte van de gevangenis te ijsberen en hij vroeg zich af waarom het ditmaal zo lang duurde voordat hij tot zijn vader werd toegelaten. Toen er uiteindelijk een deur geopend werd, kwam er geen eenvoudige gendarme van de Vigilanza binnen, maar een man met een spits vogelgezicht die Alexander goed kende. Aldo Tessari was enkele maanden geleden nog vice-inspecteur en plaatsvervangend hoofd van de Vigilanza geweest. Nadat zijn superieur, Riccardo Parada, zich als lid van de samenzwering tegen Custos ontpopt had en gearresteerd was, had de paus prompt Tessari tot inspecteur-generaal benoemd. Dat Tessari hem ontving, en dan ook nog met een uiterst somber gezicht, leek Alexander geen goed teken. Van het ene op het andere moment maakte zich een onrustige angst van hem meester.

Tessari stak aarzelend zijn hand uit, die door Alexander aangenomen werd. 'Dag signor Rosin. U kunt helaas niet naar uw vader toe.'

'Wat is er dan? Gaat het niet goed met mijn vader?'

Tessari slikte moeizaam, alsof het hem nauwelijks lukte met Alexander te spreken. 'Toen een van de cipiers zojuist de cel in ging om uw vader te halen, heeft hij hem gevonden...'

'Gevonden? Wat betekent dat, signor Tessari? Zegt u me eindelijk eens wat er aan de hand is!'

Tessari knikte driftig en leek nu helemaal op een vogel die ijverig naar graankorreltjes pikte. 'Uw vader heeft zijn polsen doorgesneden. Het spijt me, maar hij is dood.'

Alexander verbaasde zich erover hoe rustig hij onder deze mededeling bleef. Zijn verstand bleef gewoon doorwerken en hij kreeg een cynische ingeving, die hij direct uitsprak: 'Het Vaticaan lijkt mijn familie geen geluk te brengen, hè?'

'Wat bedoelt u daarmee?'

'Eerst zijn mijn oom en tante hier vermoord, en nu ook nog mijn vader.'

'In zijn geval gaat het om zelfmoord.'

'Weet u dat zeker, signor Tessari?'

'Ik zie geen reden daaraan te twijfelen.'

'Maar ik wel,' zei Alexander, die daarop verslag deed van het voorval van de vorige dag en van de striemen op de ruggen van de drie gearresteerden. 'Ik was ook nog zo stom om tegen Schardt te zeggen dat ik voor een hinderlaag gewaarschuwd was. Waarschijnlijk heeft het hem geen enkele moeite gekost te achterhalen van wie die waarschuwing afkomstig was.'

'Maar Schardt zit in een Romeinse politiecel en uw vader zat hier gevangen. Schardt heeft onmogelijk de opdracht kunnen geven hem te vermoorden.'

'Hoe kunt u zo naïef zijn, signor Tessari! Als we hier echt met Totus Tuus te maken hebben, is niemand in het Vaticaan zijn leven nog zeker, en dat geldt ook voor u en zelfs voor de paus. De orde heeft al eens geprobeerd de Heilige Vader te vermoorden.'

'Daar hebt u gelijk in. Ik zal de veiligheidsmaatregelen direct laten verscherpen.'

'Dat is een goed idee. Mag ik naar mijn vader toe?'

'Waarom? Hij is dood.'

'Toch wil ik hem graag zien, al was het maar omdat ik het dan echt kan geloven. Vergeet niet dat ik mijn vader al eerder dood gewaand heb. Hij had toen zijn overlijden voorgewend om zich in alle rust aan zijn taak als ordegeneraal te kunnen wijden.'

'Mij best. Komt u maar mee! Maar ik waarschuw u dat het geen prettig gezicht is.'

Tessari bracht Alexander naar de cel van zijn vader. Het was een kleine ruimte waarin slechts plaats was voor het allernoodzakelijkste. Op een plank stonden enkele boeken in braille, dat Markus Rosin blijkbaar aan het leren was. Op de tafel daaronder stond een transistorradio. Verder zag Alexander geen aanwijzingen voor activiteiten waarmee zijn vader de tijd had doorgebracht. Vermoedelijk bestond er niet veel waarmee een blinde gevangene zich kon bezighouden. Tot de inrichting behoorden verder een tafeltje en een plastic stoel. Markus Rosin zat op de stoel. Zijn bovenlichaam was op het tafelblad gezakt, waarop ook zijn uitgestrekte armen lagen. Doordat de mouwen van de trui omhoog waren geschoven, zag Alexander dat de onderarmen één grote bloedende wond leken. Nog altijd welde het bloed op en liep het over het roodbesmeurde tafelblad. Op de vloer daaronder lag een steeds groter wordende donkere plas. Markus Rosin had ook zijn zonnebril nog op, alsof het belangrijker was dat anderen zijn ogen niet zagen dan zijn opengesneden armen.

'Waarom heeft niemand de wonden verbonden?' vroeg Alexander.

Tessari keek hem verbijsterd aan. 'Waarom? Hij is dood, gelooft u mij nu maar! De dokter is al onderweg, maar die zal slechts een verklaring van overlijden kunnen opstellen.'

'Neemt u me niet kwalijk,' zei Alexander zachtjes, terwijl hij probeerde zich op de hoofdzaak te concentreren. 'Wie heeft het lijk gevonden?'

Tessari wees op een van de mannen die bij hen stonden. 'Dat was signor Bastone hier.'

Alexander draaide zich naar hem toe. 'Signor Bastone, had mijn vader altijd zijn zonnebril op als hij in zijn cel was? Het maakte hem toch zeker niets uit of hij die op had of niet? Hij hoefde zijn blindheid toch niet voor zichzelf te verbergen?'

Bastone, een enigszins gezette veertiger van gemiddelde lengte, dacht even na en zei toen: 'Ik geloof dat hij die bril alleen opzette als hij zijn cel uit moest. Ja, zo was het. Als je in zijn cel kwam, zette hij zijn bril op. Hierbinnen droeg hij die verder niet, volgens mij.'

'En toch heeft hij zijn bril nu op,' zei Alexander met een blik op zijn dode vader.

'Waar wilt u naartoe?' vroeg Tessari.

'Het lijkt erop dat mijn vader niet alleen was toen hij stierf. Of gelooft u dat hij zo attent was aan degenen te denken die zijn lijk zouden vinden?'

'Soms maak je de gekste dingen mee,' merkte de inspecteur-generaal van de Vigilanza op.

'De gekste dingen zijn echter nooit de meest waarschijnlijke,' bracht Alexander daartegen in.

Tessari schonk hem een taxerende blik. 'U wilt hier per se een moord van maken, signor Rosin. Waarom? Uw vader was wanhopig, hij had niets meer te verwachten van het leven. Dat is toch voldoende motief voor een zelfmoord, nietwaar?'

'Een motief is nog geen garantie voor een zelfmoord.'

'En een zonnebril niet voor een moord,' hield Tessari vol.

'Waarmee heeft mijn vader dan zijn polsen doorgesneden?'

Tessari wees op een mes dat half onder Markus Rosins rechterarm op tafel lag. 'Deze messen gebruiken we in de kantine, en ze worden altijd zorgvuldig weer ingezameld. Desondanks is het uw vader gelukt er eentje mee te smokkelen. De messen zijn erg stomp, vandaar dat het uw vader grote moeite kostte zijn werk te voltooien.'

'Denkt u niet dat hij een gemakkelijker methode gebruikt zou hebben om zelfmoord te plegen?'

'Hoezo? U zegt toch zelf dat de leden van Totus Tuus zichzelf uit religieuze overtuiging pijnigen.'

'Maar het behoort eveneens tot hun religieuze overtuiging dat zelfmoord een zonde is.'

'Mijn god, Rosin, accepteert u nu toch eens dat uw vader vrijwillig uit het leven gestapt is! Voelt u zich misschien schuldig omdat hij door uw hulp opgepakt en in de cel gestopt is?'

'Welnee,' antwoordde Alexander, hoewel hij zich stilletjes toch afvroeg of Tessari misschien gelijk had. 'Ik geloof eerder dat u om heel specifieke redenen niets van een moord wilt weten, signor Tessari. Dat zou namelijk betekenen dat uw Vigilanza door Totus Tuus geïnfiltreerd is. Zonder medewerking van uw mannen kan mijn vader niet vermoord zijn. Wilt u hiervoor de verantwoordelijkheid niet nemen? Of wilt u deze moord zelfs verheimelijken?'

Tessari verstijfde. 'Ik ben niet gediend van uw ongefundeerde beschuldigingen. Verlaat u deze gevangenis direct, signor Rosin!

'Ik eis een autopsie op het lijk,' zei Alexander, terwijl hij de cel uit liep.
'U kunt helemaal niets eisen. Hier is niet de Italiaanse justitie bevoegd,
maar uitsluitend en alleen het Vaticaan.'
Alexander verliet de gevangenis en was blij weer in de frisse lucht te komen. Hij voelde zich duizelig worden en zijn knieën begonnen te knik-
ken. Hij ging op een muurtje zitten, sloot zijn ogen en ademde diep in.
Pas nu hij buiten was, realiseerde hij zich dat hij zijn vader wederom verloren had, en ditmaal definitief. Nooit zou Markus Rosin spijt over zijn
daden kunnen betuigen en zich met Alexander kunnen verzoenen. Of had
hij wel degelijk berouw gekregen en een eind aan zijn leven gemaakt
omdat hij de zware last van zijn misdaden niet kon dragen? Nee, hield
Alexander zichzelf voor, niet zo snel en zo definitief. Zijn vader had alles
wat hij voor Totus Tuus gedaan had, vanuit zijn diepste overtuiging gedaan. En een dergelijke overtuiging verwisselde je niet zomaar voor een
andere, alsof het een vuil overhemd was. Alexander geloofde niet in zelfmoord.
Op één punt had Tessari echter gelijk: Alexander maakte zichzelf verwijten. Mogelijk was zijn opmerking tegenover Werner Schardt de aanleiding
geweest voor de moord op zijn vader. Hij voelde zich ellendig en wenste
dat Elena nu bij hem geweest was.

NAPELS

Op het moment dat de telefoon begon te rinkelen, stond paus Custos bij
een van de raampjes over de zee uit te kijken.
Het franciscaner klooster waarin hij ondergebracht was, stond op de Vomero, de heuvel in Napels die de toeristen het liefst per kabelbaan bezochten. Hier bevonden zich bezienswaardigheden zoals de Villa La Flo-
ridiana met het keramiekmuseum, een groot park, het geseculariseerde
kartuizer klooster San Marino met tal van interessante gebouwen en een
museum over de Napolitaanse kunst en geschiedenis. Maar op dit moment waren de nieuwsgierige toeristen en vooral de journalisten, foto-
grafen en cameralieden die de Vomero bezochten, alleen geïnteresseerd in
het onopvallende St.-Franciscusklooster met zijn voorname gast. Buiten
op straat belegerden ze het klooster zo massaal dat de politie het verkeer
moest omleiden. Het verblijf van de paus lag in het achterste deel, zodat

hij van alle drukte verschoond bleef. Hij had het bijna anders gewild, want dan had hij tenminste wat afleiding gehad van de gedachten die hem kwelden.

Nu zat hij voortdurend te piekeren over de tegenkerk en het merkwaardige spel dat de tegenpaus en zijn aanhangers met hem speelden. Tot nu toe had Custos de afvalligen als overtuigde christenen beschouwd en niet als charlatans. Maar door de profetie van de tegenpaus dat Custos' aanwezigheid in Napels tot een ongeluk zou leiden, kwam alles in een ander licht te staan. Was Tomás Salvati, die zich paus Lucius IV noemde, een gewetenloze politicus die slechts op de macht uit was en schaamteloos gebruikmaakte van de goedgelovigheid van zijn aanhangers? Zo ja, dan was Custos' reis naar Napels tot mislukken gedoemd, nog voordat die goed en wel begonnen was. Met een oplichter zou hij nooit tot overeenstemming kunnen komen, want die was niet in het heil van de kerk geïnteresseerd. Natuurlijk was er nog een andere verklaring, die Custos persoonlijk nog minder aanstond: Salvati had werkelijk een visioen gehad. Dat zou betekenen dat er duistere machten aan het werk waren, machten waartegenover Custos wellicht niets kon uitrichten. Het noodweer van gisteren was weliswaar hevig geweest, maar hij beschouwde het toch gewoon als noodweer. Dat het precies losgebarsten was op het moment dat zijn helikopter op de luchthaven landde, was een toevalligheid geweest die Salvati en zijn aanhangers even slim als brutaal hadden uitgebuit.

De storm was weer gaan liggen en het regende ook niet meer, maar de Golf van Napels, waar Custos op uitkeek, lag nog altijd onder een dik wolkendek. De zee was nog ruw, maar het scheepvaartverkeer was inmiddels weer op gang gekomen. Een groot containerschip gleed rustig de haven uit en werd ingehaald door een veerboot, een snelle draagvleugelboot op weg naar Procida, Capri of Ischia. Onheil werd snel vergeten als er geld verdiend kon worden en misschien was dat wel de reden waarom de mensheid op deze planeet had weten te overleven.

'Zal ik de telefoon aannemen, Heilige Vader?'

Custos schrok uit zijn overpeinzingen op door de stem van Henri Luu. Hij draaide zich om en knikte. Hij was helemaal vergeten dat zijn privésecretaris in de kamer aanwezig was. Luu had op een ongemakkelijke stoel de belangrijkste kranten uitgeplozen op artikelen over de aankomst van de paus in Napels. Hij had dat uiterst zorgvuldig gedaan, zoals Custos van hem gewend was.

Luu nam de telefoon op en na enkele seconden werd zijn blik nog ernstiger. Custos kende zijn privésecretaris goed genoeg om te weten dat de beller geen goede berichten overbracht. Luu stelde enkele korte vragen en zei toen: 'Ik zal Zijne Heiligheid inlichten. Hou ons op de hoogte, eminentie!'

'Lavagnino?' vroeg Custos, nadat Luu de hoorn op de haak gelegd had. Luu keek hem verrast aan. 'Hoe weet u dat, Heilige Vader?'

'Dat was niet moeilijk te raden. We zijn zelf in Napels, dus komen de laatste jobstijdingen vermoedelijk uit Rome. Wat is er gebeurd?'

'Markus Rosin is dood.'

'Hoe?' vroeg Custos alleen.

'Ze hebben hem met doorgesneden polsen in zijn cel gevonden.'

'Zelfmoord dus.'

'Dat beweert inspecteur-generaal Tessari tenminste, aldus kardinaal Lavagnino. Maar Alexander Rosin is het daar niet mee eens. Hij denkt dat zijn vader vermoord is. Iets met een zonnebril, ik heb het niet helemaal begrepen.'

'Die zoon van Rosin heeft een goede neus voor zulke dingen. Ik heb hem niet voor niets gevraagd de priestermoorden samen met de politie te onderzoeken. Als hij gelijk heeft, belooft dat niet veel goeds. Ik vermoedde al langer dat er nog altijd duistere machten aan het werk zijn in het Vaticaan.'

'Moet ik de luchthaven bellen om de helikopter gereed te houden, Heilige Vader?'

Custos schudde bedachtzaam zijn hoofd. 'Ik hoop nog altijd dat onze reis niet tevergeefs is geweest. Het is slechts een gevoel, maar ik denk dat hier binnenkort iets cruciaals gebeurt.'

'Ik ben niet zo optimistisch als u, als u mij toestaat eerlijk te zijn.'

'Je moet altijd eerlijk je mening zeggen, Henri, anders zou ik niet veel aan je hebben. Ik weet...'

Plotseling zweeg Custos omdat de grond onder zijn voeten begon te beven. De aarde leek heen en weer te bewegen. Hij verloor zijn evenwicht en wilde zich aan een tafeltje vasthouden, maar dat viel om. Ook Custos viel op de grond en sloeg met zijn voorhoofd tegen de rechtopstaande tafelrand. Een stekende pijn schoot door zijn hoofd heen en hij voelde iets warms op zijn wang. Hij betastte de plek met zijn hand en zag dat er bloed op zijn vingers zat.

Nu werd de kamer getroffen door een nieuwe, zwaardere beving. Er vielen brokstukken op Custos: kalk van het plafond. Toen hij een klap en een kreet hoorde, keek hij in de richting van zijn privésecretaris. Henri Luu lag onder een omgevallen kast op de grond.

IN DE OMGEVING VAN BORGO SAN PIETRO

De voetstappen kwamen dichterbij. Enrico en Vanessa stonden in de onderaardse ruimte waarin de kluizenaar woonde en richtten de lichtbundel van hun zaklampen op de enige deuropening, die naar de gang leidde. Toen hij zijn metgezel even van opzij aankeek, zag Enrico dat zij zich even slecht op haar gemak voelde als hij. De voetstappen in de gang waren vermoedelijk van Angelo afkomstig en die zou vast en zeker niet blij zijn met de twee rustverstoorders op deze intieme plek.

In het licht van de lampen werd nu een magere gestalte met een bebaard gezicht zichtbaar: Angelo. Terwijl hij zijn handen voor zijn ogen bracht, zei hij verwijtend: 'Dat licht verblindt me.'

Enrico en Vanessa schakelden de lampen uit. Enrico hoorde een gekraak, gevolgd door gesis, waarna het vlammetje van een lucifer zichtbaar werd. Angelo stak een kaars aan, die hij in het midden van de ruimte plaatste. De flakkerende vlam ervan wierp onrustige schaduwen op de wanden, alsof de doden die hier begraven lagen opgestaan waren om een spookdans op te voeren.

Het oude, gerimpelde gelaat van de kluizenaar leek in het zwakke licht van een andere wereld afkomstig te zijn. Hij observeerde zijn ongenode gasten met een afwijzende blik. Uiteindelijk richtte hij zich tot Enrico. 'Je hebt je woord gebroken.'

'Daar had ik een goede reden voor.'

'Welke dan?'

'Deze vrouw hier, dr. Vanessa Falk uit Duitsland, was op zoek naar u. Ze is zeer vasthoudend en zou u sowieso gevonden hebben. Daarom achtte ik het verstandiger haar te begeleiden, temeer daar ik ook nog enkele vragen aan u heb, Angelo.'

'Ik had je toch gezegd dat ik niet gestoord wilde worden? En ik wil ook geen vragen beantwoorden!'

Vanessa kwam iets dichter bij hem staan. 'Waarom verstopt u zich voor de wereld, signor Piranesi? Wat hebt u te verbergen? Gaat het om de profetie die u en uw broer is gedaan? Wilt u daar niet over praten?'

Angelo richtte zijn blik op Vanessa en leek haar nu pas goed waar te nemen. In zijn blik lag een mengeling van verbazing, verwarring, onzekerheid en woede.

'Wie ben jij? Hoe ken je die naam?'

'De naam Piranesi, uw naam? Die ben ik tegengekomen in oude verslagen over uw ontmoeting met de engel.'

'Ik weet niet waar je het over hebt. Ga alsjeblieft weg!'

'Waarvoor bent u zo bang, signor Piranesi?' vroeg Vanessa. 'Bent u bang dat u uw bijzondere krachten verliest als u er met onbekenden over spreekt? Is dat de overeenkomst die u met de engel gesloten hebt?'

'Jij weet helemaal niets!' wierp Angelo tegen. 'God stuurt zijn boodschappers niet om overeenkomsten te sluiten. Wat zouden wij de Almachtige ooit te bieden kunnen hebben?'

'Gehoorzaamheid, volgzaamheid, liefde,' opperde Vanessa.

'De Heer kan onze gehoorzaamheid en volgzaamheid afdwingen wanneer hij maar wil. En op onze liefde is hij niet aangewezen, maar wij wel op de zijne.'

'Vertelt u het me dan,' zei Vanessa op dwingende toon. 'Welke boodschap heeft de engel dan overgebracht?'

Angelo keek van haar weg en staarde in de kaarsvlam. 'Daar mag ik niet over praten.'

'Heeft de engel u dat verboden of het Vaticaan?' vroeg Vanessa.

De kluizenaar schudde somber zijn hoofd. 'Jullie slaan geen acht op mijn woorden, net zomin als jullie je eigen woord respecteren dat je aan anderen geeft.'

Enrico voelde zich diep geraakt. En het ergste was dat Angelo gelijk had. Enrico had zijn woord gebroken omdat hij gehoopt had meer over de kluizenaar, over de bijzondere genezende krachten en uiteindelijk over zichzelf te weten te komen. Maar het leek erop dat Enrico en Vanessa met hun uitstapje in de bergen eerder een deur dichtgeslagen dan geopend hadden. 'Het spijt me, Angelo,' zei hij, terwijl hij de oude man diep in zijn ogen keek. 'Ik heb niet met kwade opzet gehandeld. We zullen nu vertrekken. Mocht u zich toch nog bedenken en met ons willen praten, dan vindt u mij in hotel San Lorenzo. Wendt u zich dan tot Ezzo Pisano, die zal u naar mij toe brengen. Neemt u mij niet kwalijk dat wij hier zomaar binnengedrongen zijn.'

Vanessa leek er weinig voor te voelen zo snel op te geven, maar Enrico trok haar met zachte dwang met zich mee. Toen ze weer bovengronds in het daglicht stonden, siste ze: 'Dat was dom van je, Enrico. We zouden hem zonder meer aan het praten hebben gekregen.'

'Daar ben ik lang niet zo zeker van als jij. En kom nu mee, want we hebben ons hier al genoeg belachelijk gemaakt!'

Vanessa keek hem verontwaardigd aan. 'Wie heeft zich hier belachelijk gemaakt? Ik toch zeker niet?'

'Wij allebei.'

Weer pakte hij haar bij de hand en hij trok haar met zich mee. In het begin stribbelde ze tegen, maar even later schikte ze zich toch en volgde ze hem vrijwillig.

Toen ze het grootste deel van de afstand naar de open plek waar Vanessa's auto stond al hadden afgelegd, hoorden ze opeens vreemde geluiden. Eerst hoorden ze alleen voetstappen en het kraken van takken en dachten ze dat Angelo zich misschien toch bedacht had en achter hen aan kwam om met hen te praten. Maar toen hoorden ze ook stemmen, die gedempt met elkaar spraken. Het waren verscheidene mensen, die door het dichte struikgewas voor hen verborgen bleven. Maar de onbekenden kwamen dichterbij en leken erop uit te zijn Enrico en Vanessa in te sluiten.

'Lopen!' riep Enrico in Vanessa's oor, en ze begonnen te rennen.

De open plek met de auto kon volgens Enrico hoogstens tweehonderd meter van hen vandaan liggen. Zo snel mogelijk haastten ze zich door het dichte kreupelhout. Ook hun achtervolgers renden nu, maar Enrico en Vanessa bereikten de open plek het eerst. Ze hadden alleen de pech dat de Fiat verdwenen was. Zwaar hijgend stonden ze op de open plek en keken radeloos in het rond, terwijl rondom hen het kreupelhout kraakte. Ze zaten in de val: de achtervolgers hadden hen omsingeld.

16

'... hebben we zojuist nieuwe informatie binnengekregen over de hevige aardbeving die gisteren de stad Napels en het omliggende gebied heeft getroffen. Uit Napels en bijna alle andere steden tot in een omtrek van honderd kilometer worden zware verwoestingen gemeld. Volgens de laatste officiële cijfers zouden er 478 doden en enkele duizenden gewonden zijn. De materiële schade valt momenteel nog niet te schatten, maar zal zeker in de honderden miljoenen lopen. In Napels zijn hele straten van de aardbodem weggevaagd. Over de oorzaak van de plotselinge aardbeving, die zonder enige waarschuwing plaatsvond, is nog niets bekend. Een verband met de al even onverwachte uitbarsting van de Vesuvius, die tegelijkertijd plaatsvond, ligt echter voor de hand. In het gehele gebied is de noodtoestand afgekondigd. Uit alle delen van het land zijn militaire eenheden onderweg om bij het bergingswerk te helpen en om de veiligheid op straat te garanderen. Uit diverse steden komen meldingen van plunderingen. In Caserta is het tot een vuurgevecht gekomen tussen de politie en een bende plunderaars, waarbij vijf agenten gewond zijn geraakt en vijf plunderaars zijn gedood. De politie wijst erop dat aan de bevelen van politiefunctionarissen direct gevolg gegeven dient te worden. Bovendien wordt gewaarschuwd voor het betreden van beschadigde huizen, omdat deze gemakkelijk kunnen instorten. Er dient rekening te worden gehouden met nieuwe bevingen, en daarom wordt de bevolking in de getroffen gebieden aangeraden gebruik te maken van de provisorische tentenkampen. We schakelen nu over naar onze verslaggever in Napels, die...'

Alexander luisterde nog maar met een half oor naar de autoradio. Hij had al diverse rechtstreekse verslagen uit Napels beluisterd, waarbij de verslaggevers slechts wisten te melden dat ze ook niet meer wisten dan wat iedereen al wist. Hij concentreerde zich liever op de bochtige bergweg. Voor hem dook een T-splitsing op en hij nam gas terug om de verweerde borden te kunnen ontcijferen. De linkerweg ging naar Borgo San Pietro en dus stuurde hij de auto in die richting. Omdat het zachtjes begon te regenen, zette hij de ruitenwissers weer aan hun monotone werk. Alexanders gedachten sprongen heen en weer tussen de ramp in Napels en zijn persoonlijke besognes.

Het was pas een etmaal geleden dat zijn vader overleden was. Veel te weinig tijd om dat ook maar een klein beetje te verwerken. Alexander verbaasde zich erover hoe diep hij door zijn dood getroffen was. Een paar maanden geleden had hij nog gedacht dat hij voorgoed had afgerekend met zijn vader. Maar dat was een verkeerde conclusie geweest, die uit zijn woede en vertwijfeling was voortgekomen. Pas nu begreep hij welke hoop hij diep vanbinnen gekoesterd had, een hoop waarvan hij het bestaan niet had willen erkennen. De hoop ooit toch nog een vader te hebben, en die zou nu nooit meer in vervulling gaan.

Nog altijd was onduidelijk wat er met het stoffelijk overschot van Markus Rosin zou gebeuren. Alexander wilde koste wat kost een obductie laten uitvoeren, hoezeer inspecteur-generaal Tessari zich daartegen ook mocht verzetten. Alexander had er zelfs aan gedacht de paus in Napels op te bellen, maar de aardbeving en uitbarsting van de Vesuvius hadden dat verhinderd. In de eerste opwinding deden er zelfs geruchten de ronde dat paus Custos dood was. Gelukkig werd dat bericht al snel gecorrigeerd. Het St.-Franciscusklooster, waarin Custos logeerde, had weliswaar schade opgelopen, maar het was niet ingestort, zoals aanvankelijk gemeld was. Custos en zijn privésecretaris zouden slechts lichte verwondingen hebben opgelopen. Toen hij dat bericht hoorde, had Alexander een zucht van verlichting geslaakt.

Maar de dood van zijn vader bleef hem zwaar op het hart drukken. Hij wilde dolgraag naar Elena, de enige die hij nog had in het leven. Hij was die ochtend direct in zijn huurwagen gestapt en had de snelweg naar het noorden genomen. Hij wilde Elena verrassen, maar hij was zelf verrast toen hij bij het ziekenhuis in Pescia arriveerde. Een dokter die Addessi heette had hem meegedeeld dat Elena het ziekenhuis de vorige middag had verlaten, tegen het advies van de artsen in. Ze had zich verveeld en meende dat ze niet gezonder meer kon worden. Ze had nog tegen dr. Addessi gezegd dat de kluizenaar die haar geholpen had, haar buitengewoon interesseerde. Alexander was naar Elena's hotel gereden, waar hij hoorde dat ze slechts een uurtje op haar kamer geweest was. Daarna was ze met haar huurwagen weggereden en sindsdien was ze niet meer in het hotel gezien. Het kamermeisje meldde dat Elena's bed die nacht niet beslapen was. Omdat Enrico Schreiber in hetzelfde hotel logeerde, informeerde Alexander ook naar hem. Ook hij was die nacht blijkbaar niet op zijn kamer geweest en hij was gisteren voor het laatst bij de receptie gezien.

Alexander had dat allemaal nogal alarmerend gevonden. Opeens was het verdriet over het verlies van zijn vader naar de achtergrond geschoven; het was verdrongen door de zorgen om Elena. Nu hoopte hij haar in Borgo San Pietro te vinden. Was ze daar niet, dan wist hij het ook niet meer. De extra radio-uitzending over de ramp aan de Golf van Napels wekte zijn interesse weer toen de paus genoemd werd. Hij zette het geluid harder en luisterde gespannen.

'... heeft de man die als tegenpaus Lucius bekend werd en eigenlijk Tomás Salvati heet, in Napels een verklaring voor de pers uitgebracht die direct als uiterst controversieel is geïnterpreteerd. Zijn tegenstanders verwijten hem nu dat hij de ellende van duizenden mensen voor zijn eigen gewin gebruikt en de slachtoffers van de aardbeving bespot. Het standpunt van paus Custos, die bij de aardbeving licht gewond is geraakt, is nog niet bekend. We laten u nu de oorspronkelijke verklaring van Lucius IV horen, maar willen erop wijzen dat we ons niet met de inhoud identificeren...'

De regen begon luider op het dak van de Volkswagen te roffelen. Alexander draaide het geluid nog harder om de toespraak van de tegenpaus niet te missen. In de eerste woorden van Lucius klonk een diepe bezorgdheid door. Het was een stem die Alexander direct fascineerde.

'Beste zonen en dochters, christenen, medemensen, luister naar mijn woorden en neem die ter harte. Maar wees niet bang, want ik spreek tot u om het goede te bewerkstelligen. Een vreselijk onheil heeft deze stad en het omringende gebied verwoest. Wetenschappers gissen nog naar de oorzaak van dit ongeluk, maar hebben nog geen concreet resultaat geboekt. Dat is geen wonder, want God laat zich niet met wetenschappelijke apparaten opmeten. God kan alleen gevoeld worden en men moet in God geloven. Het enige wat we van hem kunnen zien en horen, zijn Zijn tekenen. En een dergelijk teken heeft hij ons gisteren gestuurd. Inderdaad, God heeft ons een groot onheil bezorgd als straf voor de misdaad die de kerk in Rome onder leiding van de man die zich paus Custos noemt, heeft begaan. Nu is deze Custos zelfs hiernaartoe gekomen, naar Napels, om zich tegen onze Heilige Kerk van het Ware Geloof te keren, die nog jong is maar toch de allerhoogste waarden vertegenwoordigt. Waarden die door Custos en de kerk van Rome met voeten getreden worden en die hij hier in Napels definitief de rug wil toekeren. Maar God heeft onze zijde gekozen en keert zich tegen de valse paus. Als waarschuwing heeft hij ons twee dagen geleden het noodweer gestuurd, precies op het moment dat Custos hier aankwam. Die heeft de waarschuwing echter in de wind geslagen, en daarom heeft de Heer een tweede waarschuwing gestuurd. Velen moesten sterven vanwege de toorn des Heren, maar nog altijd verblijft deze Custos hier in Napels. Pas als hij de stad verlaten heeft, zullen rust en vrede weerkeren. En pas als hij ingezien heeft dat hij op een dwaalspoor zit en zijn valse pontificaat neergelegd heeft, zal God zich volledig met ons verzoenen.'

Alexander was zo verbijsterd over deze woorden dat hij bijna een scherpe bocht miste die plotseling voor hem opdook. Op het laatste moment trapte hij op de rem en kon hij voorkomen dat de Polo het dichte struikgewas in reed dat de weg omzoomde. Wat de tegenpaus over de ramp in Napels gezegd had, klonk werkelijk als een bespotting van de slachtoffers van de aardbeving. Het klonk vooral volstrekt absurd: een God die honderden onschuldigen doodde, alleen om Custos ertoe te bewegen te vertrekken? Alexander zou deze toespraak als botte, megalomane propaganda hebben kunnen afdoen als er niet in elke zin van de tegenpaus een dodelijke ernst had doorgeklonken. Salvati leek echt te geloven wat hij daarnet gezegd had of hij was een begenadigd toneelspeler. Als je van de eerste variant uitging, rees de vraag hoe de tegenpaus aan zijn belachelijke theorie over de aardbeving gekomen was. Op de radio leverde een gerenommeerd theologe uit Bologna een uitvoerig commentaar op de toespraak, maar ook zij kon uiteindelijk slechts dezelfde vermoedens uiten als Alexander.

Toen Borgo San Pietro voor hem opdook, dacht Alexander aan Elena's belevenissen in dit dorp. Hij was er vrijwel zeker van dat ze hierheen was gegaan na haar vertrek uit het ziekenhuis. En hij vroeg zich af of ze daarmee een ernstige fout had begaan. De muren van het bergdorp maakten een even ongenaakbare indruk als Elena in een van haar telefoontjes had beschreven. Voor het dorp lag een met struiken omringde parkeerplaats waarop zo'n vijftien auto's stonden. Alexander parkeerde zijn auto aan de rand van de parkeerplaats en stapte uit. De regen en een frisse wind sloegen in zijn gezicht. Hij sloeg de kraag van zijn leren jack op en keek om zich heen op de parkeerplaats, maar kon geen huurwagen ontdekken. Hij liep snel naar het dorp toe en zag nu dat er wel degelijk gaten in de muren zaten, kleine doorgangen die in vroeger tijden gemakkelijk af te sluiten waren geweest als het dorp zich moest verdedigen. Dan kon niemand het dorp meer in, en ook niet meer uit, natuurlijk.

Via een smal straatje bereikte hij een leeg plein. Gezien het onaangename weer was het niet verwonderlijk dat geen enkele dorpsbewoner zich liet zien. Alexander vroeg zich af of het hier bij beter weer drukker geweest zou zijn, of zou zijn verschijning hen dan net zo snel van het plein verdreven hebben als de wind en de regen? Na alle verhalen die hij over de dorpelingen van Borgo San Pietro had gehoord, wist hij dat gastvrijheid bij hen niet hoog in het vaandel stond. Toen zijn blik op de kerktoren viel, dacht hij aan de moord op de burgemeester, een gebeurtenis die voor Elena het begin van alle ellende was geweest.

Door zijn zorgen om Elena voortgedreven liep hij het hele plein rond en bekeek de oude, verroeste straatnaambordjes totdat hij de straat had gevonden die hij zocht. Het leek eerder een steegje, al even smal als de straat waardoor hij het dorp binnen gekomen was. Het huis met nummer 14 stond aan het eind van het steegje en onder de bel stond op een bijna geheel vervaagd bordje de naam Pisano. Alexander drukte met zijn duim op de bel. Er klonk een schelle toon door het huis die ook buiten duidelijk hoorbaar was. Verder gebeurde er niets. Nadat Alexander voor de vijfde of zesde keer had aangebeld, zag hij dat een van de gordijnen op de bovenste verdieping bewoog, hoewel het raam net als alle andere dicht was.

'Ik weet dat u er bent, signor Pisano!' riep Alexander, terwijl hij naar het venster opkeek. 'Doet u alstublieft open! Ik moet u dringend spreken.'

Toen er niets gebeurde, sloeg hij hard met zijn vuist tegen de huisdeur en riep: 'Als het niet anders kan, trap ik de deur in!'

Dat werkte. Hij hoorde voetstappen en vervolgens de klik van een sleutel die in het slot gestoken werd, waarna de deur op een kier openging. Een oud, gerimpeld gezicht loerde bang door de spleet en een schorre stem vroeg: 'Wie bent u? Wat wilt u?'

'Ik heet Alexander Rosin en ben de vriend van Elena Vida. Mag ik binnenkomen? Hier buiten in de regen is het niet bepaald aangenaam.'

Aarzelend ging de oude man twee passen achteruit. Alexander glipte het huis binnen en sloot de deur achter zich.

'Signor Pisano, neem ik aan.'

De oude man knikte. 'Wat wilt u van mij?'

'Elena heeft gisteren het ziekenhuis verlaten en is sindsdien verdwenen. Weet u waar ik haar kan vinden?'

Pisano schudde driftig zijn hoofd, hetgeen wat overdreven leek. 'Nee, signore, ik heb geen idee. Waarom vraagt u dat uitgerekend aan mij?'

'Omdat Elena meer over die vreemde kluizenaar te weten wilde komen, ene Angelo. U hebt signor Schreiber enkele dagen geleden nog naar hem toe gebracht. Misschien heeft ook Elena u gevraagd haar naar Angelo te brengen?'

Pisano leek bang en wellicht ook verrast. In elk geval voelde hij zich helemaal niet op zijn gemak. Zijn onrustige blik schoot steeds heen en weer tussen de deur en Alexander, alsof hij erop rekende dat er elk moment iemand kon binnenkomen die hij liever niet in zijn huis zag, althans niet nu Alexander daar ook was.

'Uw vriendin is niet bij mij geweest. Het spijt me, maar ik kan u niet helpen. En wilt u nu vertrekken, want ik heb enkele dringende zaken te regelen.'

'Dringende zaken in zo'n rustig dorpje als Borgo San Pietro? Mag ik vragen waarom het gaat?'

'Nee, dat mag u niet! Ik moet u vragen mijn huis direct te verlaten. Anders zal ik de politie moeten bellen.'

'Het kan wel een tijdje duren voordat die uit Pescia hier is. Wat is er toch met u, signor Pisano? Waarvoor bent u zo bang? Kunt u me echt niet helpen, of wilt u het gewoon niet?'

'Ik... kan het niet. En vertrekt u nu toch!'

'Jammer,' zuchtte Alexander, en hij draaide zich naar de deur toe. 'Ik weet niet waardoor u zo geïntimideerd bent, signor Pisano, maar hopelijk kunt u voor uw eigen geweten verantwoorden dat u niets zegt.'

Toen Alexander weer op straat stond, kwam Pisano naar de deur toe. Voordat hij die sloot, zei hij zacht maar op dringende toon: 'Wees voorzichtig, signor Rosin!'

Een merkwaardige waarschuwing, dacht Alexander, terwijl hij door de regen naar de parkeerplaats terugliep. Hij geloofde niet dat Pisano dat als algemene waarschuwing bedoeld had. Pisano's hele gedrag duidde op een concreet gevaar en Alexander twijfelde er niet aan dat dat met de verdwijning van Elena in verband stond. Wat dat betrof hadden Pisano's laatste woorden Alexanders gedachten bevestigd. Toch was hij nog niet tevreden. Hij had zich meer voorgesteld van zijn bezoek aan Borgo San Pietro. Hij had ook nog geen enkele concrete aanwijzing over wat er met Elena gebeurd was of waar hij haar moest zoeken.

De parkeerplaats was nog even verlaten als enkele minuten geleden. Ontstemd startte hij de Volkswagen en hij reed de smalle bergweg weer terug naar beneden, terwijl hij aan weerszijden rondkeek of hij Elena's huurauto misschien ergens tussen de struiken zag staan. Daardoor zag hij de boomstam te laat die in een bocht dwars op de rijbaan lag. Hij trapte direct op de rem, maar zijn auto gleed toch tegen de boom aan. Het daaropvolgende gerinkel maakte duidelijk dat een van de koplampen de botsing niet overleefd had. Het was geen harde klap en de veiligheidsgordel voorkwam dat Alexander naar voren schoot.

Vloekend maakte hij zijn gordel los en hij opende het portier. Twintig minuten geleden had de boomstam hier nog niet gelegen. Het waaide weliswaar stevig, maar lang niet hard genoeg om een boom te ontwortelen. Toen Alexanders alarmbellen begonnen te rinkelen, was het al te laat. Aan weerszijden van de weg sprongen vijftien tot twintig mannen uit het struikgewas tevoorschijn. Ze waren allemaal gewapend met bijlen, ijzeren staven en zelfs geweren. Alexander was omsingeld en bleef doodstil naast de auto staan om de vijandig ogende mannen niet uit te dagen. Hij had er een jaarsalaris om willen verwedden dat het inwoners van het bergdorp waren.

'Nu weet ik waarom het in Borgo San Pietro zo leeg was,' zei hij toen ze bij hem gearriveerd waren. 'En ik dacht nog wel dat jullie niet met mij wilden praten.'

'Hou je mond!' snauwde een kalende man met een blozend gezicht hem toe. Hij hield een jachtgeweer in zijn enorme handen. 'Omdraaien en handen op de rug, snel!'

De twee op zijn borst gerichte zwarte lopen van het wapen gaven Alexander voldoende aanleiding het bevel te gehoorzamen. Iemand pakte hem van achteren vast en duwde hem tegen zijn auto aan, terwijl een andere man Alexanders handen op zijn rug vastbond. Ze gingen niet bepaald zachtjes met hem om en het touw sneed pijnlijk in zijn polsen. Ze fouilleerden hem op wapens en vonden zijn P225 in zijn schouderholster. De man met het blozende gezicht stak het pistool en ook Alexanders gsm bij zich. Geroutineerd schakelde hij de gsm uit, zodat elke poging Alexander te traceren tot mislukken gedoemd was.

'Lorenzo, zorg jij voor de auto!' zei de blozende man, die het commando leek te voeren. 'Breng hem naar de anderen toe.' Hij draaide zich naar Alexander toe. 'Kom mee, jij!'

Er restte Alexander ook nu weer niets anders dan hem te gehoorzamen. Twee mannen namen hem resoluut tussen zich in, pakten zijn bovenarmen vast en leidden hem het struikgewas in. De blozende man en de andere dorpelingen volgden hen direct. Elke gedachte aan vluchten was volstrekt onzinnig. Bovendien wilde Alexander helemaal niet vluchten, althans niet nu. Hij hoopte dat de mannen hem naar Elena brachten.

Ze liepen ongeveer twintig minuten door dicht struikgewas over een door de regen modddrig geworden pad vol verraderlijke plassen, totdat ze bij een open plek met een ruïne kwamen. Aan de oppervlakte te zien moest het een imposant gebouw geweest zijn, maar er was niet meer van over dan enkele muurrestanten en afgebroken zuilen. Alexander was dan wel geen archeoloog, toch zag hij dat het om een bijzonder oud gebouw ging. De muren en zuilen stonden hier waarschijnlijk al vele honderden en misschien wel duizenden jaren.

'Wat is dat?' vroeg hij spontaan.

'Je gevangenis,' zei de blozende man, terwijl hij hem een duw gaf. Alexander struikelde en viel op de grond. Doordat zijn handen vastgebonden waren, kon hij zijn val niet opvangen, en hij sloeg met zijn voorhoofd tegen een stuk muur aan. Er schoot een stekende pijn door zijn hoofd en hij voelde een warme straal bloed langs zijn rechterwang lopen.

'Niet zo hardhandig, Livio!' zei een van de mannen. 'We willen hem niet doodmaken.'

'Dat zou misschien wel het beste zijn,' bromde de leider. 'Sta op! Zo erg was het nou ook weer niet.'

Een van de mannen hielp Alexander met opstaan, waarna ze hem tussen de steenhopen en muren door voerden. Voor een kleine steenhoop bleven ze staan. Enkele mannen ruimden de stenen routineus weg. De steenhoop diende slechts als camouflage voor een houten luik, waaronder een houten trap de diepte in voerde. Toen iemand een zaklamp aanknipte, werd er een gemetselde muur zichtbaar. Alexander vermoedde dat deze onderaardse ruimte of gang uit de tijd stamde waarin de ruïne nog een schitterend gebouw geweest was. Het luik en de houten trap waren van recenter datum en waarschijnlijk door de dorpelingen aangebracht. Was dit de toegang tot een onderaardse kerker?

De meeste dorpelingen bleven achter, terwijl de leider, die ze Livio noemden, met een handjevol mannen de gevangene de diepte in voerde. Onder aan de gammele houten trap begon een smalle gang die na een meter of twintig voor een stevige houten deur eindigde. Voor de deur zat een magere man op een stoel die in het vage schijnsel van een lamp een autotijdschrift zat te lezen. Naast de man stond een jachtgeweer tegen de muur.

'Alles in orde hier beneden, Ugo?' vroeg Livio.

Ugo knikte vermoeid en wees met zijn rechterduim op de deur. 'Ze zijn zo stil, het lijkt wel of ze dood zijn.'

'Wie hebben jullie daarbinnen opgesloten?' vroeg Alexander bezorgd, hoewel hij het antwoord al meende te weten.

'Dat zul je zo wel zien,' zei Livio, die een sleutel uit zijn broekzak haalde en het zware hangslot van de houten deur openmaakte.

Toen hij de deur opentrok klonk er een luid gepiep. In de ruimte daarachter brandde eenzelfde lamp als op de gang, maar deze leek nog minder licht te geven. Alexander zag diverse veldbedden en een grote rechthoekige tafel met daaromheen enkele krukken en stoelen. Op een van de stoelen zat een roodharige vrouw die hem nieuwsgierig aankeek. Het was dr. Vanessa Falk. Er waren nog twee mensen opgesprongen toen de deur geopend werd. Enrico Schreiber stond naast de theologe en keek al even nieuwsgierig naar de deur. De derde persoon was Elena. Ze rende Alexander tegemoet, omarmde hem en kuste hem. Even sloot hij zijn ogen, vergat hij alle ellende waarin hij zich bevond en genoot hij puur van de hereniging met Elena.

Met een scherp jachtmes sneed Livio Alexanders boeien door. Hij sloeg de deur weer achter zich dicht en de gevangenen hoorden hoe de sleutel tweemaal omgedraaid werd. De mannen bleven nog enkele minuten voor de deur staan praten en liepen daarna weg, aan de voetstappen te horen. Vermoedelijk bleef er slechts één bewaker achter: Ugo. Alexander ging bij de deur staan en bekeek die nauwkeurig.

'Vergeet het maar!' zei Enrico. 'We hebben die deur allang bekeken. Met de spullen die we hier hebben, kunnen we die onmogelijk openbreken. En als we het toch zouden proberen, zouden we altijd geluid maken en zou de bewaker gealarmeerd worden. We moeten hier beneden blijven zitten totdat de dorpelingen van Borgo San Pietro besluiten ons eruit te halen.'

'Niet zonder meer,' zei Alexander. Hij trok zijn leren jack uit en vervolgens ook zijn overhemd.

'Wat doe je nu?' vroeg Elena geïrriteerd.

'Wist je niet dat ik eigenlijk nudist ben?' antwoordde hij met een knipoog terwijl hij zijn T-shirt omhoogschoof. Er kwam een bedraad apparaatje tevoorschijn dat met pleisters op zijn borst bevestigd was. 'Gelukkig heeft onze vriend Livio zich met mijn pistool en gsm tevredengesteld toen hij me fouilleerde. Daar had ik al op gerekend. Dit hier mocht hij niet vinden.'

'Een zender?' vroeg Elena verbaasd.

'Ja, een peilzender. Zie je dat hendeltje aan de zijkant? Zodra ik dat omzet, zal de politie in Pescia een zoektocht naar ons op touw zetten.'

'Functioneert dat ding hier dan ook, onder de grond?' vroeg Vanessa Falk.

'Ik denk het wel, want volgens mij zitten we hier niet erg diep,' antwoordde Alexander. 'Commissario Massi in Pescia heeft me verzekerd dat het een heel sterke zender is. Normaal gesproken wordt die gebruikt om geld op te sporen bij een afpersingszaak.'

'Het verbaast me dat de politie in Pescia over zo'n ding beschikt,' zei Enrico.

'Ik weet niet waar ze de zender vandaan hebben. Ik heb met Rome gebeld en commissario Donati heeft zijn relaties gebruikt. Daarna kostte het me geen enkele moeite de gewenste ondersteuning van de politie te krijgen.' Alexanders duim zweefde boven het hendeltje. 'Zal ik het doen?'

'Toe maar!' zei Vanessa Falk. 'Ik heb geen zin hier nog een nacht door te brengen.'

Alexander zette het hendeltje om en... begon te vloeken.

'Wat is er?' vroeg Elena.

'Dat groene lampje hier moet gaan knipperen als de zender in werking is.'

'En waarom doet het dan niks?'

In plaats van te antwoorden bewoog Alexander het hendeltje diverse malen heen en weer, maar er gebeurde niets. De peilzender werkte niet.

Woedend trok hij de pleisters van zijn borst en legde het apparaat op tafel. 'Ik ben daarnet hard op de grond gevallen. Daarbij is de zender blijkbaar kapotgegaan. Niemand van ons is toevallig instrumentenmaker, zeker?'

Iedereen zweeg bedremmeld, totdat Vanessa Falk vroeg: 'Wat doen we nu?'

Alexander keek haar aan. 'Hetzelfde wat jullie drieën hier tot nu toe gedaan hebben, mevrouw Falk: afwachten.'

Ze knikte. 'Zeg maar gewoon Vanessa tegen me. Onder deze omstandigheden kunnen we beter afzien van al te veel vormelijkheid.'

Ze namen aan de tafel plaats en vertelden elkaar wat ze meegemaakt hadden.

Elena, Vanessa en Enrico reageerden ontzet op de zware aardbeving in de Golf van Napels en toen Alexander over de dood van zijn vader vertelde, legde Elena stevig haar hand op de zijne. Het deed hem goed haar nabijheid te voelen. Maar de zorgen om hun welzijn temperden de vreugde over het weerzien.

'Hebben Livio en zijn mensen jullie verteld wat ze met ons van plan zijn?' vroeg hij.

'Nee, we hebben geen concrete informatie,' zei Elena. 'Die kerels scholden ons uit omdat we rondgesnuffeld hadden. Toen ze me gevangennamen, zei een van hen tegen mij dat er nu voorgoed een eind aan dat gesnuffel was gekomen.'

'Ik geloof dat ze helemaal geen concreet plan hebben,' meende Enrico. 'Misschien breken ze zich er momenteel het hoofd over wat ze met ons moeten beginnen.'

Vanessa trok een somber gezicht. 'Als ze voorgoed een eind willen maken aan ons gesnuffel, zoals ze het noemen, dan moeten ze ons doden.'

'Of ze sluiten ons levenslang hier beneden op,' zei Elena.

'Dat zijn weinig aanlokkelijke vooruitzichten, maar gelukkig is dat ook niet erg waarschijnlijk,' antwoordde Alexander. 'Die mannen uit Borgo San Pietro zijn niet bepaald fijngevoelige typen, maar het lijken me ook geen keiharde moordenaars. Ik vermoed dat ze in dezelfde situatie zitten als professor Marcus en zijn kompanen.'

'Wie?' vroeg Vanessa.

'Ken je die leuke Engelse film *Ladykillers* niet? Professor Marcus en zijn kompanen hebben de oude mevrouw Wilberforce zonder dat ze het weet medeplichtig gemaakt aan een geldroof. Als de lady dat ontdekt, zouden ze haar eigenlijk moeten vermoorden, maar dat kan geen van deze ruwe bolsters over zijn hart verkrijgen. Livio en zijn mensen zouden waarschijnlijk ook het liefst van ons af zijn, maar ze weten niet hoe ze dat moeten doen.'

'We zouden hun kunnen beloven over dit voorval te zwijgen,' stelde Enrico voor. 'Dan worden ze niet aangeklaagd wegens ontvoering.'

'We kunnen het proberen, zodra we de kans ertoe hebben,' zei Alexander instemmend.

Hij keek de ruimte rond en zag nu tot zijn verrassing de kleurige muurschilderingen waarop taferelen uit het leven in de oudheid afgebeeld werden. Mannen en vrouwen bij het eten, een vrouw met een waterkruik bij een bron, twee fluit spelende jongens en met speren bewapende mannen die op wilde zwijnen joegen.

'Oude Romeinse schilderingen?' vroeg hij zich af.

'Etruskisch, lijkt me,' zei Elena. 'Gezien de belevenissen van Fabius Lorenz Schreiber hier bevinden we ons vermoedelijk in de restanten van een Etruskisch gebouw.'

Alexander keek haar perplex aan. 'Wie is Fabius Lorenz Schreiber?'

'Een man die tweehonderd jaar geleden al allerlei opwindende avonturen in Borgo San Pietro beleefde en die in een interessant dagboek opgetekend heeft. Maar dat kan Enrico je beter vertellen. Hij heeft het dagboek diepgaander bestudeerd dan ik.'

Alexander luisterde sprakeloos naar Enrico's verslag over de belevenissen van Fabius Lorenz Schreiber en over de genezende krachten van de dorpelingen van Borgo San Pietro.

'Is dat misschien wat ze voor ons willen verbergen?' vroeg Alexander toen Enrico alles verteld had. 'Willen de mensen hier voorkomen dat ze bij het grote publiek als wonderdoeners bekend worden?'

'Dat is mogelijk,' zei Enrico bedachtzaam. 'Misschien zit er nog meer achter. Fabius Lorenz Schreiber heeft het over een grote machtsbron die hier verborgen zou zijn. Een macht die ooit tot de ondergang van deze Etruskische stad heeft geleid.'

'Maar wat voor macht kan dat dan zijn?'

'Ik heb geen idee,' antwoordde Enrico. 'Ik weet niet genoeg van de Etrusken af.'

'De Etrusken zijn dan ook een geheimzinnig volk,' zei Vanessa. 'Niemand kan met zekerheid zeggen waar ze vandaan kwamen. De oorsprong van hun cultuur is al even mysterieus als de oorsprong van hun ras en hun taal. Er bestaan diverse theorieën over, maar die zijn uiterst omstreden onder historici en taalkundigen. Interessant is dat men al in de oudheid van mening was dat de taal van de Etrusken met geen enkele andere verwant was. Het gebied waar we nu zijn, Toscane dus, wordt algemeen als hun vaderland beschouwd. Maar waar hun eigenlijke oorsprong ligt, is nog niet opgehelderd. Ze hebben zich tot in Zuid-Italië verspreid, maar daarna werden ze door de agressieve Romeinen verdreven. Hun cultuur is vrijwel volledig in de Romeinse opgegaan.'

'Opmerkelijk,' meende Alexander. 'Wat weet je nog meer over de Etrusken?'

'Sorry, maar dat is zo'n beetje alles. Ik wilde daarmee alleen zeggen dat als er een volk in de oudheid is geweest dat over ons onbekende krachten beschikte, de Etrusken daarvoor het meest in aanmerking kwamen.'

'Wat de genezende krachten betreft, ook paus Custos en de uitverkorenen beschikken daarover,' zei Elena. 'Het lijkt dus niet om een typisch Etruskische verworvenheid te gaan.'

'Misschien behoorde Jezus tot de Etrusken,' opperde Enrico, waarmee hij enig halfslachtig gelach oogstte. 'Serieus, misschien hebben de gaven van de historische Jezus en die van de Etrusken een gemeenschappelijke oorsprong.'

Vanessa knikte hem goedkeurend toe. 'Dat is een interessante gedachte, maar gezien onze huidige kennis kan dat niet anders dan speculatie zijn.'

Ze discussieerden nog een tijd lang door, totdat ze opeens voetstappen en stemmen op de gang hoorden.

'Onverwacht bezoek?' vroeg Elena zachtjes.

Alexander tuurde naar de peilzender. 'Misschien werkt de zender toch en is alleen de lamp kapot!'

'We zullen het zo meteen weten,' zei Vanessa toen ze de klik van het slot hoorden.

Enrico was al even teleurgesteld als zijn drie medegevangenen toen er geen politieagenten binnenkwamen, maar Livio, vergezeld van enkele van zijn mannen. Livio hield zijn jachtgeweer dreigend voor zich uit en Enrico vroeg zich af of er nu een executiecommando voor hen stond. De mannen uit Borgo San Pietro stapten echter opzij en maakten bijna eerbiedig plaats voor de kluizenaar Angelo. Deze liet zijn blik door de onderaardse ruimte zweven voordat hij de gevangenen uitvoerig van top tot teen opnam.

'Het spijt me wat er hier met jullie gebeurd is,' zei hij uiteindelijk. 'Ik heb hierover pas gehoord toen Ezzo Pisano naar me toe kwam en me over jullie lot verslag deed.'

Livio schraapte zijn keel. 'We hebben dat ook voor jou gedaan, Angelo, om je te beschermen.'

'Dat weet ik, maar toch hebben jullie niet juist gehandeld. Jullie hadden het me moeten vragen voordat jullie eraan begonnen. Wat moet er nu gebeuren? De politie zal in jullie dorp komen en daardoor zal alles alleen maar erger worden.'

'Misschien kunnen we voorkomen dat de politie komt,' zei Enrico snel. 'Geen van ons is iets overkomen.' Zijn blik viel op de bloedige schram op Alexanders voorhoofd. 'In elk geval niets ernstigs. We zouden de politie in

Pescia kunnen vertellen dat we vrijwillig van de gastvrijheid van de dorpelingen van Borgo San Pietro geprofiteerd hebben. Ik denk dat mijn vrienden daarmee wel akkoord gaan.'

Met een korte blik in de rondte bevestigde hij de juistheid van zijn veronderstelling.

Angelo keek Livio aan en vroeg: 'Wat vind jij daarvan?'

'Ik weet het niet precies. Ze kunnen ons zo veel beloven.'

'Jullie kunnen ons niet eeuwig hier vasthouden,' hield Enrico hun voor. 'Als de politie ons met geweld bevrijdt, ziet het er veel slechter voor jullie uit. Vertrouwen jullie ons toch!'

Angelo knikte Livio bemoedigend toe, waarna de blozende man zijn jachtgeweer liet zakken.

'Goed dan,' zei hij zuchtend. 'Jullie zijn vrij om te gaan waar je wilt.'

'Het liefst naar onze auto's,' zei Vanessa. 'Maar waar zijn die?'

'Ze staan in een oude schuur. We zullen ze naar de parkeerplaats bij het dorp brengen.'

'Goed,' zei Vanessa bijna vrolijk, 'wegwezen dan hier!' Ze wilde de ruimte verlaten, maar Angelo maakte een afwerend handgebaar zodat ze bleef stilstaan.

'Ik wil graag nog even met jullie praten,' zei de kluizenaar. 'Ik alleen. Livio en de anderen, vertrekken jullie alsjeblieft!'

'Natuurlijk, Angelo,' antwoordde Livio ongewoon gedwee, waarna de bewapende dorpelingen zich uit de ruimte en de onderaardse gang terugtrokken.

De kluizenaar ging op een kruk zitten en zuchtte. 'Wat hier gebeurd is, is deels mijn schuld, ook al wist ik hier niets van. Ik had met de menselijke nieuwsgierigheid rekening moeten houden, met de drang het onbekende te leren kennen en het duister te verlichten. Dat heb ik onderschat, en bijna had dat mensenlevens gekost. Bovendien heeft een van jullie het recht hier te zijn en vragen te stellen.' Terwijl hij de laatste zin uitsprak, bleef zijn blik op Enrico rusten.

'Waarom heb ik dat recht?' vroeg Enrico. 'Is het soms omdat ik aan jullie verwant ben? Omdat mijn moeder uit dit dorp afkomstig was?'

Angelo knikte. 'Jij hebt de kracht in je, je bent een engelenzoon.'

Enrico schrok toen hij het laatste woord hoorde en dacht aan de gevleugelde gedaante in zijn droom. 'Wat betekent dat, een engelenzoon?'

'Zo werden vroeger degenen genoemd uit wier handen de genezende kracht stroomde. De engelen zouden deze gave aan de voorvaderen hebben over-gebracht omdat ze door hen zo vriendelijk onthaald waren.'

'Beschikken dan niet alle mensen in Borgo San Pietro over deze gave?'

'Het worden er steeds minder. Bij sommigen is de gave nog heel zwak aan-wezig, maar lang niet zo sterk als bij jou of mij. Dit is geen tijd voor en-gelen. Ook niet op deze plek, die lange tijd als uitverkoren gold.'

'Zelfs in uw jeugd nog, nietwaar, signor Piranesi?' kwam Vanessa tussen-beide. 'Het was toch een engel die u en uw broer de profetie heeft ge-bracht?'

De kluizenaar zweeg lange tijd met een in zichzelf gekeerde blik, alsof het hem moeite kostte zich zijn jeugd, die al zo lang achter hem lag, te herin-neren. Toen hij zijn lippen opende, zei hij langzaam: 'Het was een licht-gevende gestalte, een wonderschone gedaante met regelmatige gelaatstrek-ken, zoals ik die nog nooit bij een mens gezien heb. Haar huid glinsterde als gouden zijde en ze leek over de grond te zweven. De vleugels op haar rug verleenden haar het uiterlijk van een engel, maar er zaten geen veren op. Ik kan niet zeggen hoe deze vleugels precies in elkaar zaten.'

'Was het een man of een vrouw?' vroeg Enrico.

'Misschien allebei, misschien geen van beiden, ik weet het niet.'

'Mogelijk hebben engelen geen geslacht,' overwoog Elena, en ze vroeg aan Angelo: 'Waren u en uw broer niet bang?'

'In het begin wel. We wilden wegrennen, maar het leek wel of we door een reusachtige vuist tegengehouden werden. Er klonk een stem in ons hoofd, hoewel de lichtgevende gedaante de lippen niet bewoog. De stem vertelde ons dat we vertrouwen moesten hebben en niet bang moesten zijn. Er zou ons geen leed berokkend worden. Wij waren uitverkoren om een belang-rijke boodschap te ontvangen.'

'Uitverkoren door wie?' wilde Vanessa weten.

'Dat zei de stem niet. Maar Fabrizio en ik geloofden dat alleen God deze engel gestuurd kon hebben.'

'En toen heeft de engel u en Fabrizio zijn boodschap overgebracht?' vroeg Enrico.

'Ja en nee. We zagen de engel wederom niet spreken en we hoorden ook geen stem. Het was anders en valt nauwelijks te beschrijven. Een beleve-nis zoals ik die daarvoor en ook daarna nooit meer ervaren heb. Het leek wel alsof we iets beleefden dat op een andere plek en in een ander tijdperk plaatsvond, hoewel we daar niet waren.'

'Wat hebt u meegemaakt?' vroeg Enrico.

Angelo haalde zijn knokige hand door zijn lange baard. 'We moesten de kerk beloven daarover het stilzwijgen te bewaren. Maar er is veel gebeurd en zelfs de kerk is niet meer dezelfde en is inmiddels verdeeld geraakt. Misschien is het goed als ik mijn kennis doorgeef, want ik zal mijn broer spoedig volgen.' Hij richtte zijn blik op Alexander. 'Jij bent degene aan wie paus Custos zijn leven te danken heeft.'

Het was eigenlijk geen vraag, maar toch zei Alexander: 'Ja, dat ben ik.'

'Jij moet horen wat de engel mij heeft laten zien. Misschien zul je de paus nogmaals moeten redden. Luister, de grond onder me bewoog en de hemel rondom me was vol vuur en rook. De mensen beklaagden de vele doden en van hun huizen resteerde niets dan ruïnen. Tussen de doden en gewonden, de weeklagenden en de moedelozen schreed de Heilige Vader met gebogen hoofd voort, terwijl de tranen hem over de wangen stroomden. Hij liep een steile weg op, die eindigde bij een groot kruis. Degenen die de moed nog niet geheel verloren hadden, keken de Heilige Vader vol nieuwe hoop aan en wachtten tot hij het kruis zou aanraken om hun van hun smart te verlossen. Opeens waren rook en vuur echter niet alleen in de hemel te zien, maar ook overal rondom de Heilige Vader en degenen die hem volgden. De hel leek van plan te zijn degene te verbranden op wie de mensheid haar hoop had gevestigd.'

Angelo zweeg en ademde hevig, alsof hij van nabij had meegemaakt waarover hij verhaalde. De angst stond in zijn gezicht te lezen.

'En verder?' vroeg Alexander. 'Wat gebeurde er met de Heilige Vader?'

'Meer weet ik niet,' zei de kluizenaar bijna toonloos. 'Heeft de adem van de hel de Heilige Vader echt verbrand? Ik weet het niet. Binnen in mij was slechts leegte en ik voelde me zwak, alsof ik al dagen niets gegeten had. Ik ging op de grond zitten en toen ik weer opkeek, was de engel verdwenen.'

'Een merkwaardig visioen,' verzuchtte Alexander.

'Nee, helemaal niet,' sprak Vanessa hem tegen. 'Er is juist angstwekkend veel overeenstemming met de derde profetie van Fátima, die in hetzelfde jaar plaatsvond als waarin ook Angelo Piranesi en zijn broer Fabrizio de engel zagen. In de derde profetie van Fátima is eveneens sprake van grote verwoestingen en van een steile berg met een hoog kruis. Wat Angelo als een plotselinge manifestatie van vuur en rook heeft afgeschilderd, zou de aanslag kunnen zijn waarvan in de profetie van Fátima sprake is.'

De kluizenaar knikte. 'Ik voel dat het leven van de Heilige Vader gevaar loopt. Mijn visioen zal binnenkort in vervulling gaan. Misschien kunnen jullie dat nog verhinderen.'

Alexander liet zijn hoofd in zijn handen zakken, alsof het in het licht van al deze onthullingen te zwaar was geworden. 'Als het een profetie is, een boodschap van God, hoe kunnen wij dan als eenvoudige mensen iets veranderen wat van hogerhand besloten is?'

'Als er mensen zijn die iets kunnen veranderen, dan zijn het de eenvoudige mensen wel,' merkte Vanessa op, terwijl ze Alexander aankeek. 'Vergeet niet dat God de mensen een vrije wil gegeven heeft waarmee ze zelf over hun lot kunnen beschikken. Volgens Gods plan kan iedereen zelf beslissen of hij zich schikt in wat voorbestemd is of niet. Als God de mensen een boodschap stuurt, dan kan dat ook de aansporing zijn iets te ondernemen tegen dat wat te gebeuren staat. Het kan een waarschuwing en tegelijk een beproeving zijn.'

'Dat is wel heel veel keer "kan" na elkaar,' verzuchtte Elena. 'Aangenomen dat dit visioen werkelijk van God afkomstig is, dan maakt hij het de mensen niet bepaald gemakkelijk het juiste te herkennen.'

Vanessa glimlachte begrijpend. 'Dat zou ook geen bijzondere beproeving zijn, hè?' Ze wendde zich tot de kluizenaar. 'Heeft uw broer hetzelfde gezien of meegemaakt als u?'

'Nee. Toen we erover spraken wat de engel ons had laten zien, bleek dat Fabrizio iets heel anders had gezien.'

Vanessa boog zich naar Angelo toe en keek hem vol verwachting aan. 'Wat dan?'

'Hij zag een wereld waarin de kerk in tweeën gedeeld was. Een tweede paus probeerde de gelovigen van de Heilige Vader weg te kapen. Maar slechts één paus volgde de juiste weg. De andere was verblind en verkeerde in de ban van de vervloekte, van de engelenvorst.'

'Wie is dat, de engelenvorst?' vroeg Enrico.

'Degene aan wie de gevallen engelen gehoorzamen. Degene op wie de engelenvloek rust.'

'Spreekt u nu over Lucifer, over Satan?'

'Ik ken zijn naam niet,' zei Angelo. 'En ook Fabrizio heeft zijn naam nooit gekend. Maar in zijn visioen was de engelenvorst onder de mensen gekomen en bedreigde zijn vloek de wereld. Slechts een verenigde kerk zou aan die dreiging weerstand kunnen bieden.'

De kluizenaar zweeg twintig of dertig seconden, geheel in beslag genomen door de gebeurtenis van tientallen jaren geleden, en voegde er toen zachtjes aan toe: 'Dat was de boodschap aan mijn broer.'

'Een verenigde kerk,' mompelde Alexander. 'De kern van dit visioen is dus dat de kerk de opsplitsing weer ongedaan moet maken.'

'Daar lijkt het op,' viel Vanessa hem bij. 'Twee pausen is er eentje te veel. Angelo, heeft uw broer u verteld welke paus de echte en welke de valse is?'

De kluizenaar schudde zijn hoofd. 'Ik weet niet of de mensen dat kunnen weten. Misschien weten de Heilige Vader en zijn tegenstrever dat niet eens.'

'Vermoedelijk niet, als ze beiden zichzelf als de rechtmatige paus beschouwen,' meende Elena.

Ze discussieerden nog een poosje over de visioenen van de beide broers, zonder dat er nieuwe ideeën of inzichten naar boven kwamen. Uiteindelijk wendde Enrico zich tot Angelo met een heel andere vraag, die hem op de lippen brandde: 'Kunt u iets meer over mijn vader vertellen?'

De kluizenaar aarzelde met zijn antwoord. 'Ik weet niet wie hij is.'

'Uit de manier waarop u dat zegt, blijkt echter dat u wel een vermoeden hebt,' drong Enrico aan.

'Iets vermoeden en iets weten zijn twee verschillende dingen.'

Enrico keek Angelo smekend aan. 'Hoe moet ik achter de waarheid komen als ik geen enkele aanwijzing heb?'

Angelo keek hem nu zo indringend aan, dat Enrico bijna vergat dat er nog drie mensen in de onderaardse ruimte aanwezig waren. 'De macht van de engel is sterk bij je aanwezig, zo sterk als die alleen nog bij mij aanwezig is. Ik heb dat direct gemerkt toen ik je zag. En door onze gezamenlijke krachten hebben we Elena kunnen redden.'

Enrico keek hem ongelovig aan. 'U wilt daarmee toch niet zeggen dat u misschien mijn vader bent?'

Voor het eerst zag hij een brede glimlach op Angelo's gezicht. 'Ik ben niet je vader, zeker niet. Maar vele jaren geleden was er nog een andere engelenzoon in Borgo San Pietro bij wie deze kracht zeer sterk aanwezig was. Hij was nog jong en er was een tijd dat hij en jouw moeder elkaar verliefde blikken toewierpen. Er werd al geroddeld in het dorp, maar niemand sprak er hardop over.'

'Waarom niet? Was die andere man soms al getrouwd?'

'Ja, met God.'

'Een priester?' vroeg Enrico ongelovig.

Angelo zweeg, maar beantwoordde de vraag met een kort knikje.

'Nu wordt me het een en ander duidelijk,' zei Enrico. 'Dat was inderdaad een schande voor een katholiek dorp als Borgo San Pietro, waardoor het in de ogen van de mensen gerechtvaardigd en misschien zelfs noodzakelijk was mijn moeder weg te sturen. Nu begrijp ik ook waarom mijn moeder me nooit verteld heeft wie mijn vader is. Ze wilde hem beschermen. Angelo, waar is hij nu?'

'Hij heeft het dorp vele jaren geleden al verlaten. Het verhaal gaat dat het Vaticaan hem dat ten stelligste aangeraden had, wilde hij zijn priesterschap niet verliezen.'

'Vanwege mijn moeder, en vanwege mij? Maar wij waren toch een heel eind weg?'

'Nee, daarom ging het niet. De engelenzoon had gebruikgemaakt van zijn macht om ernstig zieke mensen te helpen. En de mensen hier in de bergen begonnen hem meer te vereren dan een eenvoudig priester paste. Daarom zou hij naar het uiterste zuiden van het land gestuurd zijn en daarna heeft pastoor Umiliani zijn taak overgenomen.'

Enrico dacht aan de schoenendoos van zijn oudtante, waarin behalve artikelen over de wonderbaarlijke krachten van paus Custos ook krantenknipsels over de tegenpaus hadden gezeten. 'Tomás Salvati, de paus van de tegenkerk, is uit Borgo San Pietro afkomstig en is hier ooit priester geweest. Is hij de man over wie u spreekt, Angelo?'

'Ja, hij is de engelenzoon over wie ik gesproken heb.' Dat was een openbaring die hen alle vier enige tijd deed zwijgen. Ieder dacht na over de consequenties die deze mededeling had.

'Tomás Salvati beschikt dus over soortgelijke krachten als paus Custos,' zei Elena uiteindelijk. 'Angelo, stammen de engelenzonen, zoals u ze noemt, van Jezus af?'

'Daar weet ik niets van. Ik heb daar nooit iets over gehoord. Ik weet alleen dat onze krachten ons door engelen, onze vaders, gegeven zijn.'

'Wat betekent dat, door "onze vaders"?' vroeg Elena.

Enrico, die aan zijn gesprek met paus Custos moest denken, antwoordde voor Angelo en vertelde over de legende van de gevallen engelen die zich met de vrouwen op aarde verenigd hadden.

'Is dat het?' wilde Elena weten. 'Geloven de mensen in Borgo San Pietro dat ze van gevallen engelen afstammen?'

'Ik weet niet of het de gevallen engelen zijn,' antwoordde Angelo. 'Maar het verhaal gaat dat er ooit engelen uit de hemel neerdaalden en naar Borgo San Pietro kwamen, waar de mooiste dochters van het hele land woonden, om zich met hen te verenigen. Als dank voor de vriendelijke ontvangst schonken de engelen de mensen hier de gave van de genezende krachten.'

'En blijkbaar tegelijk de gave om in de toekomst te kijken,' voegde Vanessa eraan toe.

Elena keek twijfelend in de rondte. 'Ik zou gezegd hebben dat dit allemaal behoorlijk ongeloofwaardig klinkt en op een uit bijgeloof voortgekomen kindersprookje lijkt als ik deze helende kracht niet zelf ervaren zou hebben.'

'Als er al iets van waar is, dan gaat het om een mengeling van waarheid en verdichting,' meende Vanessa. 'Wat de mensen hier lang geleden ook meegemaakt mogen hebben, enkelen van hen beschikken zonder twijfel over bijzondere krachten. We kunnen nu eigenlijk niet meer zeggen waar die krachten vandaan komen. Misschien waren de Etrusken echt een bijzonder volk en leeft een deel van hun kennis en macht in hun nazaten voort, in de dorpelingen van Borgo San Pietro. Maar mensen hebben altijd de neiging verklaringen te zoeken, en zo zou de legende over de giften van de engel ontstaan kunnen zijn.'

'Een legende die vermoedelijk al heel oud is en ten tijde van de Etrusken al bestond,' vulde Enrico aan, de vele afbeeldingen van engelen bij de Etrusken in herinnering brengend.

Alexander was opgestaan en liep onrustig in de ruimte heen en weer. Hij bleef plotseling staan en zei: 'Ik moet voortdurend aan de tegenpaus denken. Als hij over zulke bijzondere krachten beschikt, waarom heeft niemand daar dan ooit over gelezen? Voor de pers zou dat toch sensationeel nieuws zijn!'

'Blijkbaar zijn zijn wonderdaden nog niet publiekelijk bekend geworden,' antwoordde Elena. 'Ook in het archief van de *Messaggero* was daarover niets te vinden.'

'Het Vaticaan wilde niet dat het bekend werd,' zei Angelo. 'Maar daar wist men er wel degelijk van.'

'Zeker,' zei Vanessa. 'Anders hadden ze hem vast niet uit het dorp weggehaald. Maar had paus Custos er dan ook niet van moeten weten?'

'Niet per se,' meende Elena. 'Hij is pas enkele maanden in functie. Merkwaardig is wel dat hij na de benoeming van Salvati tot tegenpaus geen volledig dossier over deze engelenzoon heeft gekregen. Misschien zijn er bepaalde machten aan het werk die dat verhinderd hebben. Er zou een verband met de priestermoorden kunnen zijn. Weet u daar iets van, Angelo?'

'Vele jaren nadat Salvati uit het dorp vertrokken was, kwamen twee geestelijken uit het Vaticaan naar Borgo San Pietro om vragen over de genezingen te stellen,' zei Angelo. 'Ze zeiden dat het voor hun dossiers was.'

'Wanneer?' vroeg Elena.

'Zo'n vijf of zes jaar geleden, als ik het me goed herinner. Kort daarop werd Tomás Salvati tot kardinaal benoemd.'

'De gebruikelijke gang van zaken,' zei Elena. 'Het Vaticaan wilde zich ervan vergewissen dat Salvati niet nog meer lijken in de kast had staan.'

'Lijken?' vroeg de kluizenaar.

'Geheimen die een kerkelijk hoogwaardigheidsbekleder niet passen,' legde Elena uit. 'Herinnert u zich nog wie deze twee mannen uit het Vaticaan waren? Hoe heetten ze?'

'Hun namen was ik vergeten. Maar toen hoorde ik ze onlangs uit de mond van Ezzo Pisano, toen hij mij over de priestermoorden in Rome en Ariccia vertelde.'

'U doelt op de moorden op de priesters Dottesio en Carlini?' wilde Elena weten.

'Precies. Zo heetten de beide geestelijken uit het Vaticaan die naar Borgo San Pietro waren gekomen om vragen te stellen. Ze zijn niet veel wijzer geworden. De mensen hier zijn niet zo dol op vreemdelingen, en al helemaal niet als ze ook nog vragen stellen.'

'Zeg dat wel!' flapte Alexander eruit, terwijl hij over zijn polsen wreef, die nog altijd pijnlijk waren van de boeien. 'Maar waarom hebben ze zo'n hekel aan vreemdelingen?'

'In de loop der eeuwen zijn er telkens weer vreemdelingen naar ons toe gekomen die geloofden dat ze de engelenmacht voor hun eigen doeleinden konden aanwenden. Sommige engelenzonen zijn met hen meegegaan, waardoor de macht van de engelen steeds zwakker werd. Ook Tomás Salvati is ons door de kerk ontnomen, en nu ben ik de laatste die over deze kracht beschikt. Er zijn nog enkele anderen met deze gave, maar bij hen is die te zwak om werkzaam te zijn.'

'Ik snap het,' bromde Alexander. 'De mensen zijn bang dat u ook nog bij hen weggehaald wordt. Vandaar de afwijzende houding tegenover vreemdelingen. En daarom zijn ze er ook toe bereid mensen te ontvoeren en op te sluiten.'

De ergernis die in Alexanders woorden doorklonk, was Angelo niet ontgaan. Hij richtte zijn blik op Alexander en zei: 'Vergeet niet wat je de mensen beloofd hebt!'

'Maakt u zich geen zorgen. Tegenover de politie zullen we het woord ontvoering niet in de mond nemen.' Hij keek in de onderaardse ruimte rond en begon te grijnzen. 'Officieel zijn we hier op vakantie geweest, en wel een uiterst verhelderende vakantie. Het verband tussen Borgo San Pietro en de vermoorde priesters is uiterst interessant. Vooral als je weet dat Dottesio en Carlini korte tijd na hun onderzoek de Geloofscongregatie en het Vaticaan verlaten hebben. Alsof iemand zijn best heeft gedaan om hen uit de vuurlinie te halen.'

'Toentertijd was nog helemaal niet te voorzien dat er een kerkscheuring zou komen en dat Salvati tot tegenpaus gekozen zou worden,' bracht Elena daartegen in.

'Echt niet?' vroeg Alexander. 'Totus Tuus beraamt zijn plannen altijd lang van tevoren. Misschien werd er in de orde toen nog niet aan een kerkscheuring gedacht, maar wel aan de mogelijkheid dat Salvati op een dag paus zou zijn.'

'Dat zou betekenen dat de tegenpaus tot deze orde behoort,' concludeerde Vanessa.

'Niet per se,' zei Alexander. 'Misschien vertegenwoordigt hij simpelweg een richting die Totus Tuus sympathiek is en weet hij zelf niet wie hij in de kaart speelt. Maar ondertussen hebben we nog steeds geen plausibele verklaring waarom Dottesio en Carlini juist nu vermoord zijn.'

'Jawel, die hebben we wel,' meende Elena. 'Nu hij tot tegenpaus is gekozen, is Salvati over de hele wereld een bekende persoonlijkheid geworden. Degenen die achter hem staan, zijn bang dat zijn wonderdaden nu aan het licht komen, ook al hebben die jaren geleden in een eenzaam bergdorp plaatsgevonden. Bovendien is ook Vanessa er nog, die contact met beiden heeft opgenomen.'

'Maar niet daarom,' zei Vanessa. 'Ik wilde alleen voor mijn boek toegang tot de werkelijke geheimen van het Vaticaanse geheime archief hebben.'

'Dat wisten de moordenaars of hun opdrachtgevers niet,' vervolgde Elena. 'Ze vreesden dat Dottesio en Carlini hun mond voorbij zouden praten, ook al deden ze dat niet met opzet. De profetie van Borgo San Pietro is nog altijd een belangrijk onderwerp in het boek dat je wilt uitgeven. Het gevaar kon alleen definitief geëlimineerd worden door de dood van de priesters.'

'Zou dat werkelijk ergens goed voor zijn?' vroeg Enrico, die het er moeilijk mee had dat zijn vader mogelijk met de priestermoordenaars samenzwoer. 'Waarom zouden de wonderdaden van Salvati niet openlijk bekend mogen worden? Paus Custos is toch ook met zijn bijzondere gaven in de openbaarheid getreden?'

'Wat hem niet slechts lof, maar ook een hoop kritiek heeft opgeleverd. Velen van zijn tegenstanders beschouwen zijn bewering dat hij van Jezus afstamt, als ketterij en godslastering. Een tegenpaus die met soortgelijke wonderen komt aanzetten zou aan het publiek nauwelijks te verkopen zijn geweest, of zijn krachten nu van Jezus komen of van een of andere engel. Als Totus Tuus deze man als nieuwe paus wilde steunen, moest de orde alle sporen uitwissen die op zijn genezende krachten zouden wijzen.'

Het onderwerp van gesprek verplaatste zich van de tegenpaus naar het visioen van de beide broers Piranesi. Ze hadden alleen deze ene engelverschijning gehad, waarvan ze enkele weken later aan een bisschop verslag deden, vertelde Angelo. Deze had hun opgedragen er met niemand over te praten. Sinds die dag in mei 1917, toen de engel aan hen verscheen, was het leven voor Angelo en Fabrizio nooit meer hetzelfde geweest. Beiden voelden zich op bijzondere wijze tot God aangetrokken en Fabrizio koos daarom voor een beschouwelijk leven in het klooster. Angelo werd daarop door de dorpelingen van Borgo San Pietro bestormd met het verzoek de plaats niet te verlaten, omdat hij een van de laatst overgebleven engelenzonen met een sterk ontwikkelde genezende kracht was. Angelo voldeed aan de wens, maar werd al snel kluizenaar en trok zich in de afgelegen Etruskische dodenstad terug. Hij zocht de nabijheid van de engel, zoals hij het zei, en vluchtte van de mensen weg.

Veel meer kon Angelo hun niet vertellen en uiteindelijk begeleidde hij hen naar de parkeerplaats, waar de auto's van de ontvoerden naast elkaar geparkeerd stonden. Op de stoelen lagen de gsm's die hun afgenomen waren, evenals Alexanders automatische pistool. Van de dorpsbewoners was geen spoor te bekennen. Angelo waarschuwde de vier vreemdelingen nogmaals zich aan hun belofte te houden.

'Maakt u zich geen zorgen,' bezwoer Elena hem. 'We zullen de politie alleen over een onschuldig uitstapje naar de bergen vertellen, meer niet.'

'Gewoon een onschuldig uitstapje naar de bergen? Willen jullie me in de maling nemen?' vroeg een woedende Fulvio Massi twee uur later toen ze

hem op het politiebureau van Pescia verslag deden. 'Drie mensen verdwijnen spoorloos, zijn niet te bereiken en doen dan net alsof er niets gebeurd is? En signor Rosin, waarom heb ik u dat dure apparaat meegege-
ven? Waar is het trouwens?'

Alexander zocht in zijn jaszak en legde de peilzender op Massi's bureau.
'Alstublieft, commissario. Helaas is hij kapotgegaan.'

Massi stond van zijn zware draaistoel op en riep met een stem die zonder
enige moeite boven het tv-toestel uit kwam waarop een reportage over de
ramp in de Golf van Napels te zien was: 'Ik weet niet wat er allemaal gebeurd is in de bergen, maar één ding weet ik zeker: jullie verzwijgen niet
een paar kleinigheden, maar een heleboel. Ik zou jullie maar al te graag
wegens belemmering van het politiewerk in de cel gooien.'

'Twee journalisten van de *Messaggero di Roma* door de Toscaanse politie
onrechtmatig vastgehouden,' zei Elena met een instemmend knikje. 'Daar
zal de Italiaanse pers blij mee zijn. U zult de nodige krantenkoppen tegemoet kunnen zien, commissario, maar die zullen geen aanwinst zijn voor
uw cv.'

Massi draaide zich met een ruk naar haar toe. 'Wilt u me bedreigen, signorina?'

'Niet meer dan u ons bedreigt, signor Massi.'

Elena en de commissario bleven elkaar aanstaren in een zwijgend duel.
Uiteindelijk wendde de commissaris van Pescia zich van haar af en keek
hij Enrico aan. 'Waarom vertrouwt u me niet? Heb ik u allen niet naar
beste vermogen geholpen?'

Het speet Enrico dat ze kat en muis speelden met Massi. Zonder de steun
van de commissario was het misschien niet gelukt Elena te redden. Aan
de andere kant wilde hij zijn belofte aan Angelo niet nogmaals verbreken,
temeer omdat hun schuld aan Angelo naar zijn mening aanzienlijk groter
was. Aarzelend zei Enrico: 'Borgo San Pietro is een bijzondere plaats; dat
zou u toch moeten weten, commissario. Het dorp herbergt vele geheimen,
en slechts weinige ervan geeft het prijs. Niet elk geheim is voor ieders oren
bestemd. Denkt u maar aan de zwijgzaamheid van uw eigen zus! Ze heeft
vast niet voor haar plezier haar mond gesloten gehouden. Misschien moet
u met haar praten, commissario. Wat de geheimen van Borgo San Pietro
betreft, moet eenieder zijn eigen weg zoeken.'

Massi ging weer zitten, alsof hij over Enrico's woorden wilde nadenken.
In de stilte die korte tijd in zijn kantoor heerste, klonk opeens de stem van

een tv-presentator: 'In het kader van onze extra berichtgeving over het rampgebied in het zuiden van het land schakelen we nu over naar onze correspondent in Napels, Luigi Pericoli. Hij heeft interessant nieuws over de onenigheid tussen de paus en de tegenpaus.'

Achter de presentator werd nu de correspondent zichtbaar, die voor de dom van Napels stond. Het gebouw had zware schade opgelopen en was met gekleurd lint afgezet. De lucht boven Napels was bijna zwart, wat vermoedelijk met de uitbarsting van de Vesuvius verband hield.

'Luigi, wat voor nieuws heb je voor ons?' vroeg de presentator.

'Morgenochtend zal tegenpaus Lucius IV op de Monte Cervialto ten oosten van Salerno een mis opdragen om God met de mensen te verzoenen en een eind te maken aan de algemene ellende, zo heeft de tegenkerk bekendgemaakt.'

'Waarom uitgerekend op deze berg?' vroeg de presentator.

'Daar staat een beroemd kruis, het zogenaamde Kruis van de Grote Genade. Veel grote zondaars zouden daar al berouw getoond hebben over hun daden en zich weer met God verzoend hebben.'

De correspondent maakte nu plaats voor de foto van een groot, kaal houten kruis dat op een heuvel naar de hemel oprees.

'En wat vindt de kerk van Rome daarvan, Luigi?' wilde de presentator weten.

De correspondent kwam weer in beeld en zei: 'Paus Custos, die nog altijd in Napels verblijft, heeft aangeboden de mis samen met de tegenpaus op te dragen, wat bepaald een sensatie te noemen is. Direct gingen er stemmen op dat de kerk van Rome daarmee de kerkscheuring als voldongen feit zou erkennen. De tegenpaus heeft het aanbod van paus Custos echter afgewezen. In de opvatting van deze kerk heeft Custos de natuurramp door zijn verschijning in Napels namelijk zelf teweeggebracht.'

'Zijn er intussen al wetenschappelijke bewijzen over de werkelijke oorzaak van de ramp?'

De correspondent schudde zijn hoofd. 'Nog niet. Alle onderzoekers zijn het er echter over eens dat de aardbeving en de vulkaanuitbarsting een natuurwetenschappelijke verklaring hebben en geen theologische.' Luigi Pericoli keek verrast, drukte met zijn vinger tegen zijn oortje en zei toen: 'Ik hoor net een interessant nieuwtje. Ondanks het verzoek van de tegenkerk om de verzoeningsmis niet te bezoeken, zal paus Custos morgenochtend toch naar het Kruis van de Grote Genade klimmen. Naar verluidt zal hij dat blootsvoets doen om te tonen dat hij tot elke boetedoening bereid is, mocht hij toch schuld op zich geladen hebben.'

Enrico, Vanessa, Alexander en Elena keken elkaar ongelovig aan en ieder dacht hetzelfde: morgenochtend zou het visioen van Angelo Piranesi en de derde profetie van Fátima in vervulling gaan.

17

Al urenlang reden Enrico, Vanessa, Elena en Alexander door een troosteloos landschap, wat niet alleen aan de verwoestingen door de zware aardbeving te wijten was. De Vesuvius braakte met regelmatige tussenpozen gigantische zwarte rookwolken uit waarachter de ochtendzon geheel schuilging. Ten zuiden van de Abruzzen lag het land onder een donkere sluier, waardoor het zelfs op plaatsen waar geen verlaten dorpen en ingestorte gebouwen van de aardbeving getuigden, verdord en doods leek. Ze waren met twee auto's uit Pescia vertrokken, omdat vliegen op dit moment geen betrouwbare optie was. Ten zuiden van Rome bleven alle verkeersvliegtuigen aan de grond en zelfs de vluchten naar Rome waren wegens de talrijke wijzigingen door de ramp zeer onbetrouwbaar.

Voorop reden Alexander en Elena in de huurwagen van de Zwitser, gevolgd door Enrico met Vanessa in zijn gehuurde Fiat. Ze hadden gisteravond tot aan Rome goed kunnen opschieten, maar daarna was het steeds drukker geworden op de weg en al snel hadden ze alleen nog stapvoets kunnen rijden, als ze al niet stilstonden. Grote colonnes vluchtelingen uit het zuiden, hulpkonvooien naar het zuiden en een ware volksverhuizing aan ramptoeristen hadden het wegennet volkomen verstopt. In een hotel bij Latina hadden ze nog vrije kamers gevonden. Nadat ze enkele uren geslapen hadden, waren ze vanochtend vroeg om halfzes alweer vertrokken. Ondertussen waren ze uitgeweken naar secundaire wegen, die de enige mogelijkheid waren nog enigszins op te schieten.

Enrico was blij dat Vanessa naast hem zat. Niet alleen omdat de autorit wat minder vervelend werd als hij met haar kon kletsen. Hij mocht Vanessa graag en hoe langer hij in haar gezelschap verkeerde, des te minder dacht hij aan Elena en des te minder werd de pijn over het verlies van iets wat hij in werkelijkheid nooit had bezeten.

'Waarom doe je dit jezelf aan?' vroeg hij zijn passagier, terwijl ze eindeloos lang voor een gesloten spoorwegovergang stonden te wachten. 'Alexander wil de paus redden, Elena zal op de Monte Cervialto stof voor een mooi verhaal vinden en ik zal mijn vader misschien terugvinden. Maar waarom ben jij op deze reis meegegaan, Vanessa?'

'Ik wil ook delen in de feestvreugde,' zei ze glimlachend. 'Het is toch logisch dat het conflict tussen de paus en de tegenpaus mij als theologe bijzonder interesseert? Bovendien is de profetie van Borgo San Pietro een belangrijk onderwerp in het boek dat ik wil schrijven. En wanneer heb je werkelijk de kans de vervulling van een profetie van heel dichtbij mee te maken?'

'Ik hoop echt niet dat de profetie over de aanslag op paus Custos in vervulling gaat. Hij is een zeer bijzonder man.'

'Natuurlijk niet. Hoewel...'

'Wat?' vroeg hij snel, terwijl Vanessa op haar lippen beet.

'Ach, niets, zomaar een gedachte.'

'Waar dacht je aan? Ik zie aan je gezicht dat het belangrijk is.'

'Ken je me al zo goed?'

'Als je samen gegijzeld bent, ontstaat er verbondenheid. Vertel het me dus liever!'

'Ik wil je niet ongerust maken, Enrico, maar waarom gaan we er eigenlijk allemaal van uit dat Custos het slachtoffer van de aanslag is? Ook de tegenpaus zou de Heilige Vader kunnen zijn om wie het in de profetieën van Borgo San Pietro en Fátima gaat.'

Enrico begreep direct dat Vanessa deze mening voor zich had willen houden. Ze wilde hem niet met de gedachte lastigvallen dat hij zijn vader wel eens zou kunnen verliezen nog voordat hij die had gevonden.

Maar het was een belangrijke overweging en met lichtsignalen dwong hij Alexander tot stoppen. De twee auto's kwamen langs de berm tot stilstand en de vier inzittenden stapten uit. Het was erg benauwd en het ademen viel hun niet bepaald gemakkelijk. Er reed een konvooi vrachtwagens met hulpgoederen langs, en het gedreun van de zware dieselmotoren maakte elke conversatie korte tijd onmogelijk. Toen de laatste vrachtwagen de bocht om was, vertelde Enrico aan de anderen wat Vanessa hem zojuist verteld had.

Elena knikte Vanessa goedkeurend toe. 'De mogelijkheid dat de tegenpaus het doelwit van de aanslag is, mag zeker niet uitgesloten worden. We moeten een enorm bord voor onze kop gehad hebben dat we daaraan niet eerder gedacht hebben. Maar persoonlijk denk ik dat paus Custos in groter gevaar verkeert. Zijn overlijden zou Totus Tuus goed uitkomen, dat van Tomás Salvati niet.'

'Met speculeren komen we niet verder,' zei Alexander ongeduldig, terwijl hij zijn gsm pakte. 'Ik zal nog eens proberen Donati te bereiken.'

Maar het resultaat was hetzelfde als de vorige dag en die ochtend, toen

Alexander tevergeefs geprobeerd had de commissario of een invloedrijke functionaris in het Vaticaan aan de lijn te krijgen. Er was helemaal niemand te bereiken geweest en met Napels kregen ze al helemaal geen verbinding, noch mobiel, noch via het vaste net.

'We kunnen alarm slaan bij de eerste politieagent die we zien,' stelde Vanessa voor. 'Bij alle grote kruisingen staan patrouillewagens.'

'Tijdverspilling,' zei Alexander hoofdschuddend, terwijl hij zijn gsm weer in zijn zak stopte. 'Ze zullen geen woord van ons verhaal geloven, wat ik in hun plaats ook niet zou doen. Waarschijnlijk mogen we blij zijn als ze ons niet stapelgek verklaren en ons oppakken. Laten we liever doorrijden, want elke seconde telt!'

Ze stapten weer in de auto's en zetten hun reis via het bochtige netwerk van secundaire wegen en weggetjes voort. Enrico dacht aan de vorige dag, aan zijn ontmoeting met Angelo en de woordenwisseling met Fulvio Massi. Hij verbaasde zich er nog altijd over dat Massi hen zomaar had laten gaan. Vermoedelijk had de commissario ingezien dat hij van hen niets wijzer zou worden. Een andere rechercheur zou wellicht vasthoudender zijn geweest, maar Massi kende de mensen van Borgo San Pietro en wist dat ze geheimen voor hem hadden. Misschien stelde hij zich tevreden met het besef dat Borgo San Pietro niet alle geheimen prijsgaf. Zo niet, dan zou hij zijn zus waarschijnlijk duchtig onder handen nemen.

Na een volgende bocht stond de weg vol met auto's, die ook al rechts en links van de rijbaan op de akkers stonden. De weg was door militairen afgesloten en enkele met mitrailleurs en machinepistolen gewapende soldaten zorgden ervoor dat niemand de versperring doorbrak. Vlakbij doemde aan de duistere hemel de Monte Cervialto op, een berg van meer dan achttienhonderd meter hoog.

'Het feest is afgelopen,' zei Enrico, terwijl hij de Fiat naar de kant van de weg stuurde en de motor uitzette, evenals Alexander voor hem in zijn Volkswagen Polo.

Ze stapten uit en vroegen een jong stel dat in de buurt stond, wat er aan de hand was.

De man wees naar voren, waar de soldaten stonden. 'De paus komt daar langs, weet u dat niet? Daarom is iedereen hier.'

'Paus Custos?' vroeg Elena.

De man grijnsde. 'Dat klopt, dat moet je er tegenwoordig bij zeggen. Ja, ik bedoel paus Custos. We verwachten hem over enkele minuten.'

Enrico en zijn medereizigers liepen een stukje van hen weg tot ze alleen stonden en hielden krijgsraad.

'De soldaten laten ons nooit door,' meende Alexander.

'En als we terugrijden, bij de volgende kruising afslaan en het op een andere manier proberen?' vroeg Vanessa.

Alexander schudde zijn hoofd. 'Dat duurt te lang en levert waarschijnlijk niets op. Het beste is hier het veld in te gaan en een gat in de bewaking te zoeken. We moeten Custos waarschuwen!'

Alexanders voorstel werd aangenomen. Ze liepen dwars over de akker naar een hoog hek langs de rand ervan en begonnen langs het hek te lopen.

'Het geluk is met de dommen!' zei Alexander zachtjes toen hij een gat in het hek ontdekte waar ze doorheen konden glippen.

Nu zagen ze een kronkelend pad voor zich dat de berg op leek te gaan.

'Deze weg zal Custos nemen,' zei Elena.

Alexander was het met haar eens en wees op enkele bomen en struiken, zo'n vijfhonderd meter voor hen. 'Dat is een goede plek om ons te verstoppen voor het geval hier bewakers patrouilleren.'

Ze liepen naar de bomen toe en hadden zich nog maar net in het kreupelhout verborgen, toen er een groep soldaten verscheen. Ze maakten zich zo klein mogelijk tussen de varens en de struiken en zagen hoe de tien tot twaalf soldaten achter een muurtje tussen twee akkers positie kozen.

'Wat doen die daar?' vroeg Elena. 'Dat ziet er niet bepaald als een patrouille uit.'

Alexander kneep zijn ogen toe en tuurde ingespannen naar de soldaten. 'Ze brengen hun wapens in stelling. Ze hebben machinegeweren en zelfs twee raketwerpers die bij tankbestrijding gebruikt worden. Ik...' Hij maakte zijn zin niet af en keek Vanessa aan. 'De profetie van Fátima! Daarin is toch sprake van vuurwapens en pijlen, nietwaar?'

'Ja, maar Custos is nog lang niet bij het kruis op de heuvel aangekomen. Hij moet nog kilometers daarvandaan zijn.'

'Je hebt zelf gezegd dat je de profetieën niet letterlijk moet nemen. Custos is onderweg naar het kruis en de raketten die je met dergelijk oorlogstuig daar wegschiet, hebben de vorm van een pijl. Een kind dat een dergelijk wapen in 1917 heeft gezien, moet zonder twijfel aan pijlen gedacht hebben.'

Vanessa keek hem ongelovig aan. 'Maar dat zijn toch Italiaanse soldaten!'

'Ze dragen legeruniformen, maar dat hoeft niets te betekenen,' zei Alexander. 'Het kunnen trouwens best echte soldaten zijn. Als Totus Tuus de Zwitserse Garde kan infiltreren, waarom dan niet het Italiaanse leger?'

Terwijl hij nog aan het praten was, werd op het bergpad links van hen een lange processie zichtbaar die langzaam dichterbij kwam. Vooraan liep een geheel in het wit geklede man: paus Custos.

'Het is te laat,' zei Enrico, die zag hoe de beide soldaten met de raketwerpers hun wapens op de schouders namen.

'We kunnen niets meer ondernemen.'

'Toch wel!' meende Alexander, die zijn automatische pistool uit zijn schouderholster trok.

'Een pistool tegen tien zwaarbewapende soldaten?' vroeg Enrico twijfelend. 'Is dat geen zelfmoord?'

'Wat moet ik anders?' vroeg Alexander. 'Toekijken hoe de paus vermoord wordt?'

Elena legde haar hand op zijn schouder. 'Schiet, Alex!'

Geknield maakte hij het pistool met beide handen schietklaar, hij richtte kort en drukte af. Een van de twee soldaten met de raketwerpers zakte getroffen opzij en verdween achter de muur. Voordat Alexander een tweede schot had kunnen afvuren, draaide een soldaat zijn machinegeweer naar de struiken toe en vuurde hij enkele salvo's af. Hij leek slechts op goed geluk in het kreupelhout te schieten, maar dat was gevaarlijk genoeg. Rondom hen versplinterden stammen en vlogen afgerukte takken en twijgen door de lucht. Enrico werd door een splinter in zijn linkerwang getroffen en voelde een stekende pijn. Hij liet zich plat op de grond vallen en trok Vanessa met zich mee. Ook Alexander en Elena gingen plat op de grond liggen.

Bij het geratel van de machinegeweren voegde zich nu het lawaai van andere wapens. Er klonken schoten en explosies. Het lawaai was heviger dan bij het zwaarste onweer. De meeste schoten waren vermoedelijk op Custos en zijn begeleiders gericht. Enrico voelde zich ellendig omdat hij besefte dat ze slechts enkele minuten te laat gekomen waren. Het was hun op een haar na gelukt de paus te waarschuwen. Maar nu moesten ze hulpeloos toekijken hoe de deelnemers aan de processie op de grond vielen; of ze gewond waren of slechts op zoek naar dekking, was niet te zien.

Enrico deed zijn best om de paus in het oog te krijgen, maar hij zag Custos niet. De paus moest ergens in het hoge gras liggen, misschien wel gewond of zelfs dodelijk getroffen. Het lawaai van de schoten en angstkreten werd opeens overstemd door een harde klap, waarna de resten van de processie in een dichte rookwolk verdwenen.

'Wat is dat?' vroeg Enrico.

'Een rookgranaat,' antwoordde Alexander. 'Ze hebben de processie in rook gehuld. Maar waarom? Dan kunnen ze toch alleen maar moeilijker richten?' Er klonk nog een doffe knal, vlak bij hen in de buurt, gevolgd door een luid gesis. Een merkwaardige scherpe geur drong in Enrico's neus, die zijn zintuigen verwarde. Er klonk een stem – die van Alexander? – die 'Gas!' riep. Tevergeefs probeerde Enrico zich te herinneren wat dat woord betekende. Hij was veel te moe en van nadenken werd hij misselijk.

Hij zag nog hoe enkelen van de aanvallers in gebukte houding naar het bergpad toe renden. Wilden ze zich ervan verzekeren of Custos echt dood was, door hun kogels doorzeefd?

De beelden vervaagden voor Enrico's ogen. Direct voor hem opende zich een zwart gat, een steeds groter wordende tunnel die hem van zijn misselijkheid en vermoeidheid zou verlossen. Enrico liet zich maar al te graag in dat gat vallen.

Het licht keerde terug, maar daarmee ook de vermoeidheid en de misselijkheid. Enrico voelde zich hondsberoerd en de stem die tegen hem sprak leek door een dikke prop watten te praten. Iemand hield zijn hand vast en keek hem aan. Hij wist dat hij dat gezicht kende, maar kon het niet duidelijk zien. Zij ogen traanden vreselijk en hij kon alles om hem heen slechts wazig zien. De persoon naast hem was een vrouw, die zijn ogen met een witte doek depte. Hij kon nu weer beter zien en zag het lange rode haar rond een mooi gezicht met een ernstige blik.

'Hoe gaat het met je?' vroeg Vanessa, terwijl hij zich er slechts heel kort over verbaasde dat ze hem tutoyeerde.

Opeens zag hij alles weer voor zich, de zwaarbewapende soldaten en de processie met de paus voorop. In plaats van Vanessa's vraag te beantwoorden, wilde hij weten: 'Hoe is het met Elena en Alexander? En met de paus?'

'Custos is hoogstwaarschijnlijk dood. Alexander en Elena hebben slechts enkele schrammen opgelopen. Zij zijn ook hier.'

Hij lag in een soort veldbed en rondom hem zag hij dunne scheidingswanden. Pas nu hoorde hij de vele stemmen van andere patiënten en hun bezoekers achter de scheidingswanden. Er moesten heel wat mensen in deze ruimte liggen.

'Waar zijn we?' vroeg Enrico.

Evenals daarnet kostte het hem enige moeite de woorden duidelijk te formuleren. Zijn tong was zwaar en gehoorzaamde slechts met tegenzin aan de bevelen van zijn hersenen.

'In een noodlazaret van het leger, ongeveer vijf kilometer van Salerno vandaan. Deze barakken zijn oorspronkelijk voor slachtoffers van de aardbeving ingericht. Maar nu liggen hier ook veel mensen die bij de aanslag gewond geraakt zijn.'

'Vertel me alles wat je weet!'

Vanessa knikte en pakte weer zijn rechterhand vast. 'Hoewel Alexanders schot de paus niet heeft kunnen redden, heeft het waarschijnlijk wel enkele begeleiders die achter hem liepen gespaard. Ze hebben gelijk dekking gezocht en velen van hen liggen hier nu met verwondingen. De kerkelijke hoogwaardigheidsbekleders die vlak bij Custos liepen, zijn echter merendeels dood. Velen van hen zijn nog niet eens geïdentificeerd omdat ze door de afgevuurde raket uit elkaar zijn gereten. Ook Custos is nog niet geïdentificeerd, maar omdat de daders het op hem voorzien hadden, gaat men ervan uit dat hij dood is.'

Enrico dacht aan zijn gesprek met de paus op het dakterras van het Apostolisch Paleis en werd overmand door verdriet. De wereld had met de dood van de zogeheten engelenpaus een groot man verloren.

'Wij vieren hebben echt enorm veel geluk gehad,' vervolgde Vanessa. 'Nadat de aanvallers ons met een verdovingsgranaat uitgeschakeld hadden, lieten ze ons met rust. Gelukkig maar, want anders zouden we het er niet levend afgebracht hebben.'

'En waren die aanvallers nu echte soldaten?'

'Volgens het leger niet. Kennelijk waren het mannen die zich als Italiaanse soldaten verkleed hadden. Maar niemand kan zeggen waar ze vandaan zijn gekomen en waarheen ze gevlucht zijn.'

'Ze zijn dus spoorloos?'

'Ja, en bij alle chaos die momenteel in het aardbevingsgebied heerst, is dat geen wonder.'

Een vrouw met kort blond haar in een witte jas stak haar hoofd om de scheidingswand. 'Aha, de patiënt is alweer vol goede moed. Voelt u zich in staat een bezoeker te ontvangen, signore?'

'Ja, zeker,' zei Enrico, die tot zijn verrassing de privésecretaris van de paus op hem toe zag komen.

Don Luu had een grote pleister midden op zijn voorhoofd en zijn linker-arm stak in een mitella. Hij knikte Vanessa en Enrico toe en zei: 'Vandaag is een zwarte dag voor de kerk en de hele mensheid. We hebben de Heilige Vader verloren en mijn hart is vervuld van droefenis. Desondanks moet ik u beiden bedanken. Zonder uw hulp waren er nog meer mensen gestorven.'

'We hebben niets gedaan,' antwoordde Enrico.

'Dankzij u en Alexander Rosin, die op de aanvallers geschoten heeft, konden in elk geval degenen die verder achteraan in de processie meeliepen, nog dekking zoeken. Ikzelf gelukkig ook. Ik ben momenteel nog niet goed ter been. Doordat er bij de aardbeving in Napels een kast boven op me is gevallen, heb ik problemen met mijn linkerbeen. Als ik vooraan bij Zijne Heiligheid had gelopen, had ik nu niet voor u gestaan.'

'Ik weet echt niet of u ons moet bedanken,' zei Enrico. 'Eigenlijk wilden we iedereen redden. Maar we wilden vooral verhinderen dat de paus zou sterven.'

'Ik weet zeker dat u gedaan hebt wat in uw macht lag,' zei don Luu vol begrip. 'U moet later uw verhaal nog maar eens gedetailleerd vertellen. Nu is daarvoor te weinig tijd.' Hij keek op zijn horloge. 'Over vijf minuten moet ik het Vaticaan bellen. Mijn vijfde of zesde telefoontje sinds de aanslag.'

Hij nam afscheid, waarna Enrico hem met een bewonderende blik na-keek. Don Luu leek over een grote kracht te beschikken om kort na de dood van de paus alweer zo hard aan het werk te gaan. Waarschijnlijk vond hij die kracht in zijn geloof. Het moest wel een heel sterk geloof zijn als Luu daar gezien de recente gebeurtenissen toch troost in vond. Enrico dacht aan paus Custos en vroeg zich af waarom God het toeliet dat zo'n bijzondere man, die nog zoveel voor de mensheid en de kerk had kunnen betekenen, moest sterven.

Enrico en zijn metgezellen zagen don Luu de volgende dag pas in de avond terug.

In de tussentijd hadden ze hun verhaal herhaaldelijk aan hoge officieren en twee regeringsfunctionarissen moeten vertellen. Niemand wilde echt geloven dat ze op basis van twee profetieën op de plaats van de aanslag op-gedoken waren. Maar als Enrico eerlijk was, moest hij toegeven dat hij zijn eigen verhaal ook vreemd zou hebben gevonden als hij het zelf niet meegemaakt had. Ze bevonden zich nog altijd in het militaire complex dat bij Salerno uit de grond gestampt was om de slachtoffers van de aardbeving en de aanslag op te vangen. Twee kamertjes in een barak aan de rand van het kamp waren hun onderkomen. Toen don Luu hen op kwam zoeken, maakte hij een uitgeputte indruk.

'Is er nog nieuws over de paus?' vroeg Alexander.

'Is zijn stoffelijk overschot inmiddels geïdentificeerd?'

Luu ging dankbaar op de stoel zitten die Elena hem aanbood. 'Nee, vermoedelijk is het lichaam van Zijne Heiligheid door brisantgranaten uiteengereten.'

Alexander wilde iets zeggen, maar bedacht zich en staarde somber naar de muur.

Enrico kon zich voorstellen wat er in de Zwitser omging. In mei had hij Custos van de dood gered toen die door Totus Tuus aangevallen was, maar nu moest hij meemaken hoe de paus enkele maanden later toch aan zijn eind kwam. In Alexander borrelden allerlei gevoelens op: verdriet, woede en verbittering.

Luu keek in de rondte. 'Is u nog iets opgevallen wat u me wilt vertellen? Ik rij vanavond naar Rome om in het Vaticaan verslag te doen. Dat is geen gemakkelijke opgave, neemt u dat van mij aan!'

'U bent vermoedelijk beter geïnformeerd dan wij, don Luu,' meende Vanessa. 'Hoe is er in het Vaticaan gereageerd op het vreselijke bericht?'

'Natuurlijk was het een schok, maar ons werk gaat verder en er is weinig tijd om te treuren. De belangrijkste vraag is nu: wat komt er na paus Custos?'

'Wat of wie?' vroeg Elena. 'Zijn de voorbereidingen voor het kiezen van een nieuwe paus al begonnen?'

'Zo snel gaat dat niet. Bovendien staat nog helemaal niet vast of we echt een paus moeten kiezen.'

'Nu spreekt u in raadselen, don Luu.' Elena sprak uit wat ze allemaal dachten.

'Er is al een paus, Lucius namelijk. In het Vaticaan zijn heel wat invloedrijke geestelijken van mening dat hij het meest geschikte hoofd van een herenigde kerk is.'

Alexander staarde Luu verbluft aan. 'Maar dat zou het einde betekenen van alle hervormingen die Custos de afgelopen maanden op gang gebracht heeft. Dan zou het bijna zijn alsof er nooit een paus Custos geweest is.'

'Sterker nog,' meende Elena, 'onder paus Lucius zou de kerk misschien zelfs conservatiever dan ooit zijn. Dan zou het Vaticaan bestuurd worden door machten die een vernietigende invloed kunnen hebben.'

Enrico, Vanessa en Alexander wisten wat ze bedoelde: de invloed van Totus Tuus.

'Dat zou het nadeel van deze oplossing zijn,' erkende Luu. 'Maar het voordeel zou zijn dat het schisma dan beëindigd is.'

'Maar tegen welke prijs!' riep Alexander op luidere toon dan hij bedoeld had.

'Er zijn mensen die menen dat de hereniging van de kerk tot elke prijs dient plaats te vinden.'

Elena keek de geestelijke strak aan. 'En wat vindt u, don Luu?'

De privésecretaris haalde diep adem en leek zich slecht op zijn gemak te voelen. 'Ik voelde me nauw verbonden met paus Custos en ook met zijn visie, anders had hij me niet in deze functie benoemd. Maar intussen weet ik niet meer of hij altijd wel de juiste weg gevolgd heeft. Hij kende zijn doel en is daar recht op afgestevend. Maar anderen konden hem niet volgen, in elk geval niet zo snel. Wat in tweeduizend jaar kerkgeschiedenis gegroeid is, kun je niet zomaar in enkele maanden veranderen. Misschien hebben we nu een conservatieve paus nodig om de kerk het stevige fundament terug te geven waaraan het de afgelopen tijd leek te ontbreken.'

'En wat is de mening van de tegenkerk?' wilde Vanessa van Luu weten.

'Daarover hebben we nog niet met de afvalligen gesproken. Daarom moet ik nu ook naar Rome. Morgen vindt in het Vaticaan een conferentie plaats die het nemen van een besluit moet vergemakkelijken.'

Toen Henri Luu vertrokken was, uitte Alexander een krachtige vloek. 'Wat had ik graag gezien dat die Lucius in plaats van Custos te grazen was genomen!'

Enrico keek de Zwitser aan en antwoordde: 'Ik niet.'

18

Het landgoed lag zo vredig in het kleine dal, dat met steeneiken en dennenbomen was begroeid, dat de zware aardbeving en de uitbarsting van de Vesuvius nooit plaatsgevonden leken te hebben. Hier leek niets verwoest te zijn; het huis leek van buiten volledig intact. Vermoedelijk, dacht Enrico, had Tomás Salvati er daarom zijn voorlopige hoofdkwartier in gevestigd. Na de mis op de Monte Cervialto had hij zich hier teruggetrokken en hij had zich sindsdien niet meer in het openbaar laten zien, wat de media overigens heel wat stof tot speculatie gaf. Er waren geen nabevingen meer geweest en ook de vulkaan aan de Golf van Napels was tot rust gekomen. Overal vroeg men zich af of God zich door de mis op de Monte Cervialto werkelijk met de mensheid verzoend had of dat het om puur toeval ging. Enkele boulevardbladen speculeerden er zelfs over of de dood van Custos het offer was geweest dat Gods genade weer had teruggebracht.

In het Vaticaan vonden felle discussies plaats over de vraag of er een nieuwe paus gekozen moest worden of dat Lucius het ambt van opperherder moest gaan bekleden. Pas gisteren had Enrico met Elena gebeld, die op zaterdag met Alexander naar Rome teruggereden was. Ze had gezegd dat ze voortdurend als een razende aan het tikken was omdat er zoveel nieuws tegelijk uit het Vaticaan kwam.

Enrico en Vanessa waren in de buurt van Napels gebleven en hadden onderdak gevonden in Aversa, dat van de aardbeving verschoond was gebleven. Enrico had het gevoel dat de hele kwestie voor hem toch nog niet voorbij was. Elke nacht werd hij gekweld door zijn droom, en wel zo hevig dat hij nauwelijks nog kon slapen. Hij zou wellicht compleet vertwijfeld zijn geraakt als Vanessa niet naast hem had gelegen en hem had getroost. Ze was een geweldige vrouw en als deze droom hem niet had geplaagd, had hij heel gelukkig kunnen zijn.

Nu was het middag. De zon scheen en het groene dal in de buurt van Napels kwam Enrico in het licht van alle verwoestingen in de omgeving als een paradijs voor. Ze hadden de huurwagen onder de uitnodigende kroon van een pijnboom geparkeerd en Enrico tuurde door een kleine maar sterke verrekijker naar het grote huis in de verte.

'Het is al drie uur geweest,' zei Vanessa, die naast hem stond. 'Misschien komt hij vandaag niet.'

'Hij maakt elke dag een wandeling in dit dennenbos, gisteren en eergisteren in elk geval wel. Waarom zou hij dat vandaag niet doen?'

'Misschien heeft hij dringende bezigheden.'

Enrico slaakte een zucht van verlichting. 'Nee, hij is alleen wat later. Hier, kijk zelf maar!'

Hij gaf Vanessa de verrekijker, zodat ze zelf het groepje mensen kon zien dat het huis uit kwam en in kalm tempo op het dennenbos toe liep. Voorop liep een in het wit geklede gedaante: Tomás Salvati, de tegenpaus.

'En jij wilt hem nu echt spreken?' vroeg Vanessa, terwijl ze de verrekijker liet zakken.

'Daarom ben ik hier. Denk je dat ik de afgelopen twee dagen anders hier had doorgebracht? Zijn middagwandelingetje biedt me de enige kans bij Salvati te komen.'

'Maar zelfs als hij met je praat, kun je nog teleurgesteld worden.'

'Dat zien we dan wel weer. Wens me geluk, Vanessa!'

'Natuurlijk, en van ganser harte!'

Nadat ze hem op de mond gekust had, dook hij in gebukte houding het dennenbos in om de groep met de tegenpaus zo onopvallend mogelijk te naderen.

Terwijl hij door het kreupelhout sloop, bedacht hij dat hij wel een klein kind leek dat zijn vader een poets wilde bakken. In feite was dat niet ver bezijden de waarheid. Tegelijk bonsde zijn hart in zijn keel en hij was bang voor het moment waar hij zo naar uitgekeken had. Het zou zo'n moment zijn waaraan je je hele leven terugdacht, of het nu positief of negatief was. Hij onderdrukte de sterke aandrang om te keren en zijn kinderachtige indianenspelletje te laten voor wat het was. Hij was niet helemaal hierheen gekomen om er nu nog vandoor te gaan. En misschien zou hij nooit meer de gelegenheid hebben zijn vader te ontmoeten of zelfs maar bij hem in de buurt te komen.

Hij hoorde de stemmen al van de mannen, die geanimeerd met elkaar converseerden. Toen hij wilde blijven staan om te bedenken wat hij zou doen, klonk er gekraak van een brekende tak onder zijn rechtervoet. Instinctief hield Enrico zijn adem in en luisterde. Het lawaai leek niemand opgevallen te zijn. Hij besloot niet langer verstoppertje te spelen en zich te laten zien. Hij was dichtbij genoeg om zijn vader recht in de ogen te kijken. Juist op het moment dat hij dit besluit genomen had, stormden twee gedaanten door het kreupelhout op hem af, wierpen zich op hem en drukten hem tegen de grond. Hij belandde op zijn rug en mocht van geluk spreken dat de bosbodem redelijk zacht was. Een grote man met blond haar met zulke dikke spierbundels dat zijn grijze jasje leek te knappen, was op Enrico gaan zitten en hij richtte de loop van een automatisch pistool op zijn voorhoofd.

De tweede lijfwacht stond wijdbeens naast hen, hield eveneens zijn automatische pistool op hem gericht en riep luid: 'We hebben de aanvaller! Maar mogelijk hebben zich nog meer schurken hier verstopt. Breng Zijne Heiligheid in veiligheid!'

Van de ene op de andere seconde realiseerde Enrico zich hoe grotesk deze situatie was. Enkele dagen geleden nog had hij tevergeefs geprobeerd een aanslag op paus Custos te verijdelen. En nu werd hij zelf voor iemand aangezien die de tegenpaus wilde vermoorden, ook al had hij niet eens een wapen bij zich. Enrico kon niets anders dan hard lachen.

Nu baanden diverse andere gedaanten zich een weg door het kreupelhout. Het waren geestelijken in donkere pakken en een forse man in een lang wit gewaad.

De lijfwacht die daarnet geroepen had, draaide zich ontzet naar de man in het wit om. 'Maar Heilige Vader, u mag hier helemaal niet komen! U bent hier in groot gevaar!'

Tomás Salvati alias Lucius IV keek eerst de lijfwacht en toen Enrico met gefronst voorhoofd aan. 'Deze man lijkt mij in het geheel niet gevaarlijk. Hoe weten jullie dat hij een aanslag wil plegen?'

De lijfwacht keek de tegenpaus perplex aan. 'Waarom zou hij zich anders hier verstopt hebben?'

Enrico gaf zelf het antwoord: 'Omdat ik met de man wil spreken die zich paus Lucius noemt.'

'Met mij?' vroeg de in het wit geklede man. 'Hoezo? Wie bent u?'

Enrico keek hem recht in zijn ogen, haalde diep adem en zei: 'Ik ben de zoon van Maria Baldanello!'

Terwijl het buiten al schemerde, zat Enrico nog altijd met zijn vader te praten. Ze zaten in het hoofdgebouw in een ruime bibliotheek, stelden elkaar vragen, vertelden elkaar over hun leven en probeerden daarbij de ander vooral niet te kwetsen. Enrico kwam te weten dat zijn vader na Mariella's verdwijning uit Borgo San Pietro diverse malen geprobeerd had contact met haar op te nemen.

'Niet om onze liefde nieuw leven in te blazen,' zei Tomás Salvati. 'Ik hield weliswaar heel veel van je moeder, maar ik had mijn fout ingezien. Mijn leven moest aan God gewijd zijn. Ik wilde me echter niet aan mijn verantwoordelijkheden onttrekken en was bereid voor Maria en mijn kind te zorgen. Maar Maria's familie zweeg als het graf. Ik wist niet waar ze heen gestuurd was en kwam ook niet te weten of ze het leven had geschonken aan een zoon of een dochter. Tot op de dag van vandaag weet ik niets over hun bestaan, Enrico.'

'En nu kom ik zomaar langs wandelen en doorkruis je mooie plannen.'

Zijn vader hield zijn hoofd schuin en nam Enrico nieuwsgierig op. 'Hoe bedoel je dat?'

'Wel, nu Custos dood is kun jij elk moment ook door de kerk van Rome als paus erkend worden. Een bastaardzoon is dan geen aanbeveling. Maar wees niet bang, pa, ik ben niet hierheen gekomen om je te chanteren. Niemand zal iets van mij te weten komen, en Vanessa zal ook zwijgen.'

Vanessa was naar Enrico toe gekomen toen de lijfwachten hem overmeesterd hadden. Na een verhelderend gesprekje was ze naar Aversa teruggereden om in het hotel op Enrico te wachten.

'Ik schaam me niet voor je, Enrico. Ik zal je erkennen, als je dat wilt.'

Enrico schudde zijn hoofd. 'Niet nodig, daarom ben ik niet hier. Ik wilde je alleen zien en met je praten. Er is zoveel wat ik nooit heb kunnen verklaren.'

'Wat dan?'

'De genezende krachten en de droom waarover ik je zojuist vertelde.'

'De oude kluizenaar Angelo heeft al een hoop uitgelegd, ook al lijkt dat voor jou misschien vreemd of zelfs deels ongeloofwaardig. Wij zijn werkelijk engelenzonen, Enrico. Hij, ik en jij ook.'

'Paus Custos heeft me over de gevallen engelen verteld die zich met de vrouwen op aarde verenigd hebben. Stammen wij van die duivelse vereniging af?'

'Nee, dat denk ik niet. Zou een genezende kracht als de onze, die juist goede dingen bewerkstelligt, aan iets slechts ontsproten kunnen zijn? Er is een goede en een kwade macht, en beide liggen dicht bij elkaar. Zoals de gevleugelde gedaante in je droom, die nu eens als engel en dan weer als duivel verschijnt. Veel van wat ik je vertel, Enrico, is beslist geen vaststaande kennis. Het zijn vermoedens, de resultaten van tientallen jaren onderzoek. Ik heb tal van bronnen bestudeerd, getuigenissen met elkaar vergeleken, onwaarschijnlijke zaken verworpen ten gunste van aannemelijker verklaringen, en toch kan ik helemaal niets ervan bewijzen.'

'Waarvan?' vroeg Enrico nieuwsgierig.

Tomás Salvati pakte de karaf water die voor hen op een tafeltje stond, vulde zijn lege glas en nam een grote slok. Hij zette het glas weer neer, ging achterover in zijn stoel zitten en zei: 'God was niet principieel tegen een vereniging van de engelen met de mensen. De goede krachten die de engelen bezaten, moesten op de mensen overgaan. Maar dat moest zorgvuldig geregeld worden, volgens Gods plan. Niet alle engelen leken de Heer geschikt. Onder degenen die niet door hem uitverkoren waren, ontstond misnoegen. Ze kwamen onder Lucifers leiding in opstand en eigenden zich toch toe wat de Heer hun ontzegde. Daarop is de legende van de gevallen engelen gebaseerd en hun vereniging met de dochters van de mensheid. Wij engelenzonen zijn echter volgens Gods plan op de wereld gekomen, toen de engelen zich met een uitverkoren volk verenigden.'

'Met de Etrusken?'

'Met de voorvaderen van het volk dat we nu als de Etrusken kennen, inderdaad. De talrijke afbeeldingen van engelen op de overblijfselen van hun beschaving zijn mij ook opgevallen.'

'De gevleugelde gedaante in mijn droom, is dat Lucifer?' vroeg Enrico.

'Misschien. Mogelijk dat hij de macht over jou wil verkrijgen, over een van de laatste engelenzonen. Maar jij ziet niet alleen de demon, maar ook de schitterende Uriël.'

'Wie?'

'Het wezen dat je ziet als je niet in de duivelstronie staart. Dat is ons beider stamvader Uriël, de vierde aartsengel.' Enrico probeerde zich te herinneren wat hij lang geleden in de godsdienstles geleerd had. 'Het spijt me, maar ik ken slechts drie aartsengelen: Michaël, Gabriël en Rafaël.'

'Dat zijn de drie aartsengelen die met naam en toenaam in de Heilige Schrift genoemd worden. De kerk heeft aanvankelijk ook Uriël als aartsengel vereerd, maar daar later van afgezien omdat zijn naam niet in de Bijbel staat.'

'Maar hij bestaat dus wel?'

'Misschien verbaast het je dat juist uit mijn mond te horen, maar niet alles wat in de Heilige Schrift staat, is juist. En niet alles wat juist is, staat in de Bijbel. Henoch, de zoon van Seth, die weer een zoon van Adam was, maakt melding van Uriël, maar Henochs geschriften maken geen deel uit van de Bijbel zoals wij die kennen. De Ethiopische kerk beschouwt deze boeken echter wel als een onderdeel van de Bijbel en viert het feest van Uriël op 15 juli. Kan de waarheid afhankelijk zijn van de omstandigheid of je toevallig in Ethiopië bent of niet?'

'Nauwelijks,' zei Enrico. 'Vertel me meer over Uriël! Uiteindelijk kwelt hij me sinds mijn vroegste kindertijd al in mijn dromen.'

'De naam Uriël betekent "licht van God". Dat is ook mijn motto, en daarom heb ik mijzelf als paus de naam Lucius gegeven, "hij die het licht brengt". Ik wil de harten van de mensen naar het woord van God verlichten, zoals ook Uriël dat doet. Hij wordt als eerste onder de zeven aartsengelen vermeld, als heerser over de wereld van de mensen en de Hades, en in enkele oude geschriften wordt hij de engelenvorst genoemd.'

Enrico schrok op en stootte een waterglas om. Het water liep over de glazen plaat en droop op de vloer.

'Wat is er?' vroeg zijn vader bezorgd.

'Ook Angelo noemde de engelenvorst toen hij over het visioen van zijn broer sprak.'

'Hoe dan?'

'Volgens Angelo's woorden zag zijn broer Fabrizio een wereld waarin de kerk zich opgesplitst had en er twee pausen waren. Maar slechts een van de pausen volgde de juiste weg. De andere was verblind door de vervloekte, de engelenvorst. Zo heeft Angelo het ongeveer verteld.'

Tomás Salvati was bleek geworden en schudde zijn hoofd. 'Dat kan niet waar zijn! Enrico, dat kan niet waar zijn!'

'Ik heb geen enkele reden om tegen u te liegen, pa. En ik zou ook geen reden weten waarom Angelo gelogen zou hebben.'

Salvati maakte een geagiteerde indruk. 'Heeft Angelo nog iets gezegd over de engelenvorst en de kerkscheuring?'

'Ja, de boodschap aan zijn broer zou geweest zijn dat slechts een herenigde kerk de bedreiging die de engelenvorst met zijn vloek heeft opgelegd, kan weerstaan.'

'Weet je dat zeker?'

Enrico knikte. 'Dat waren Angelo's woorden.'

'Maar dat klopt niet! Het tegendeel is waar. De kerk moet zich juist op-splitsen om haar ware bestemming terug te vinden. Alleen dan zal ze de kracht hebben het kwaad af te weren. Dat is toentertijd aan Fabrizio ge-openbaard.'

'Hoe weet je dat zo zeker, pa?'

19

Bijna exact achtenveertig uur nadat Enrico zijn vader ontmoet had, passeerde een grote zwarte limousine de bewaakte toegang tot het landhuis ten noorden van Napels. De Mercedes reed over de bochtige, door cipressen omzoomde weg naar het hoofdverblijf en werd daar al door een ongeveer vijftigjarige geestelijke in zwarte kledij opgewacht. Deze man, die met zijn gedrongen, tonvormige lichaam eerder het uiterlijk van een worstelaar dan van een kerkelijk hoogwaardigheidsbekleder had, heette Francesco Buffoni en was de privésecretaris van Lucius IV. Toen de limousine op het onverharde voorplein stopte, wierp die een stofwolk op, waardoor Buffoni moest hoesten. De chauffeur en een lijfwacht stapten uit om de achterportieren te openen. Er stapten twee geestelijken uit, die op Buffoni toeliepen. Deze begroette hen op vormelijke wijze en leidde hen het huis in. Hij bracht hen naar de bibliotheek waarin Tomás Salvati twee dagen geleden lang met zijn zoon gesproken had. Nu stond Salvati voor een van de vele boekenkasten in een dik boek te lezen, dat hij terugzette toen de drie mannen binnenkwamen.

'Kerkelijk recht,' zei de tegenpaus, terwijl hij zich naar hen omdraaide. 'De vloek van elke geëngageerde geestelijke. Maar ik heb de indruk dat de huidige toestand uniek is. Ik heb helemaal niets gevonden over de situatie dat een concurrerende paus na de dood van een paus het ambt van de ander als het ware overneemt. Waarschijnlijk moeten de commentaren met betrekking tot het kerkelijk recht binnenkort herschreven worden.'

Hij wilde zijn bezoekers met een handdruk begroeten, maar ze knielden voor hem neer en kusten de vissersring aan zijn rechterhand, waarvan het zegel de heilige apostel Petrus bij de visvangst toonde.

'U kust de ring van een paus die niet de uwe is,' zei Salvati verbaasd.

'In ons hart bent u nu al onze Heilige Vader,' antwoordde kardinaal-prefect Renzo Lavagnino, terwijl hij zich weer oprichtte. 'Zoals u daarnet zei, zal het kerkelijk recht herzien moeten worden.'

'Betekent dat dat het Vaticaan instemt met de hereniging van onze kerken, met mij aan het hoofd?' Kardinaal Araldo Ferrio stond eveneens op en knikte. 'Er zal nog enige overredingskracht voor nodig zijn, maar dat is eerder een kwestie van dagen dan van weken.'

'Verbazingwekkend,' meende Salvati. 'Ik had gedacht dat Custos meer aanhangers in het Vaticaan had.'

'Die had hij zonder twijfel, maar met de dood van hun paus zijn deze mensen helemaal de kluts kwijt,' verklaarde Lavagnino. 'Er is inderdaad een vertwijfelde poging geweest een andere man uit de kringen van de uitverkorenen op de Heilige Stoel te plaatsen. Het probleem voor de uitverkorenen is echter dat ze niet over een geschikte kardinaal beschikken. Custos was hun joker, en die hebben ze voorgoed verspeeld. Zijn dood was het beste wat ons kon overkomen.' Salvati keek de leider van de Geloofscongregatie streng aan. 'Keurt u die aanslag dan goed, eminentie?'

'Nee, natuurlijk niet,' zei Lavagnino snel. 'Maar wat er gebeurd is, kunnen we niet meer veranderen. Ook al was het een afschuwelijke misdaad, de gevolgen zijn gunstig voor ons.'

'Daar hebt u gelijk in,' meende Salvati, maar uit zijn gezichtsuitdrukking bleek duidelijk dat hij slechts met tegenzin erkende dat hij profijt trok van de aanslag. 'Laten we gaan zitten en rustig over het nieuws uit het Vaticaan praten. Ik heb wat te eten laten klaarmaken. Na de lange reis zult u beiden wel trek in iets lekkers hebben.'

Ze namen plaats, waarna een bediende een plateau met belegde witte broodjes op tafel zette. Een tweede bediende bracht rode wijn en water.

Toen Salvati weer alleen was met zijn gasten, zei hij: 'De aanslag op Custos zou de vervulling van de derde profetie van Fátima kunnen zijn en tegelijkertijd het visioen dat de kluizenaar van Borgo San Pietro ten deel viel.'

'Heel juist, Heilige Vader,' bevestigde Ferrio, die net een broodje pakte. 'We leven in een belangrijk tijdperk, een tijdperk van ingrijpende veranderingen en een nieuw begin. Maar precies daarom mogen we de juiste weg niet verlaten, precies daarom heeft de kerk een paus als u nodig.'

'Het andere visioen, dat de broer van de kluizenaar had, wijst ons de juiste weg,' vulde Lavagnino aan. 'Alleen door de kerkscheuring was het mogelijk u, Heilige Vader, op de stoel van de paus te brengen.'

'Wat mooi dat uitgerekend u beiden de Heilige Kerk van het Ware Geloof ondersteunt,' zei Salvati. 'Anders hadden mijn medestrijders en ik de inhoud van dit visioen nooit vernomen. Het moet een heel oud handschrift zijn. Bestaat de mogelijkheid dat ik het eens bekijk?'

'Vanzelfsprekend,' antwoordde Lavagnino. 'Zodra u de paus van alle gelovigen bent, staat het gehele geheime archief tot uw beschikking.'

'Hebt u het handschrift niet bij u? Ik had er toch om gevraagd?'

'Dat was te riskant geweest,' zei de kardinaal-prefect met een verontschuldigend lachje. 'Als iemand het gemerkt zou hebben, zou dat argwaan hebben kunnen wekken. Maar ik heb u vrijwel letterlijk over de inhoud geïnformeerd, Heilige Vader.'

'Werkelijk?' vroeg Salvati, terwijl hij opeens een scherpe toon aansloeg die zijn gasten deed opschrikken. 'Staat er echt in de profetie dat de kerk zich moet splitsen om haar ware bestemming terug te vinden?'

'Jazeker, dat heb ik u toch gezegd!'

'Misschien hebt u zich toch niet zo goed aan de letterlijke tekst gehouden, eminentie. Zou dat kunnen? Is het niet eerder zo dat in de profetie voor een splitsing van de kerk gewaarschuwd wordt, evenals voor een paus die de valse weg volgt? Voor een paus die in de ban van de engelenvorst verkeert?'

Lavagnino verstijfde en greep met zijn rechterhand in de stoelleuning. 'Wat wilt u daarmee zeggen?'

'Dat u mij vanaf het begin hebt voorgelogen en mij voor uw doeleinden gebruikt hebt, waarover ik heel graag meer bijzonderheden zou vernemen!' De kardinaal-prefect trok een geïrriteerd gezicht. 'Dat is volstrekt absurd! Waar haalt u dergelijke beschuldigingen vandaan?'

'Ik heb de afgelopen twee dagen enkele interessante gesprekken gevoerd die me nieuwe inzichten hebben gegeven.'

'Met wie?'

'Dat zult u zo meteen zien,' antwoordde Salvati, en nog geen vijf seconden later betraden Enrico, Vanessa, Elena en Alexander de bibliotheek. 'Ik achtte het nuttig dat deze vier mensen hier ons gesprek zouden aanhoren. Dan zijn ze gelijk op de hoogte. En, eminentie, wilt u nu nog steeds beweren dat ik me vergis?'

De leider van de Geloofscongregatie nam de vier nieuwe bezoekers verbazend kalm op. 'Een samenzwering dus, wat grappig.'

'U durft wel, zeg, om over een samenzwering te klagen!' beet Elena hem toe. 'Wie heeft er aan de touwtjes getrokken bij de kerkscheuring, bij de priestermoorden en ook bij de aanslag op paus Custos? Niemand anders dan u, kardinaal Lavagnino! En dit bedrog zou misschien nooit uitgekomen zijn als Enrico zijn vader niet over de profetie verteld had die de broers Piranesi ten deel is gevallen. Die bleek niet te kloppen met de tekst die u verspreid hebt.'

Lavagnino ontweek haar woedende blik niet. 'En nu zijn jullie hier zeker allemaal naartoe gekomen om mij te vonnissen? Of heeft jullie komst een ander doel?'

'Dus u ontkent de beschuldigingen niet, Lavagnino?' vroeg Salvati. 'Ook niet de beschuldiging dat u voor de moorden en de aanslag op Custos verantwoordelijk bent?'

'Waarom zou ik? Dat is de waarheid. En toch heb ik een schoon geweten. Alles wat ik heb gedaan, heb ik in het belang van de kerk gedaan.'

'Welke kerk?' wilde Salvati weten.

'De ware kerk, die ooit bestond en weer zal bestaan als verraders als die Custos geen macht en invloed meer hebben.'

Alexander ging voor Lavagnino staan en keek hem minachtend aan. 'Moeten we daar werkelijk blij mee zijn, met een kerk die haar priesters vermoordt?'

'Ik betreur de dood van deze mensen, maar het was onvermijdelijk,' beweerde de kardinaal-prefect. 'Toen Dottesio en Carlini voor de Geloofscongregatie werkten, zijn ze in Borgo San Pietro geweest om de wonderbaarlijke genezingen van onze nieuwe paus Lucius te onderzoeken. Die zou toen namelijk tot kardinaal benoemd worden. Ze hadden ook over de verschijning van de engel gehoord die in 1917 in Borgo San Pietro plaatsgevonden had. Het gevaar dat ze de voor de hand liggende conclusie zouden trekken en onze plannen zouden verijdelen, was te groot. We hebben het pontificaat van kardinaal Salvati langdurig en nauwgezet voorbereid. Dwaze geruchten over zijn wonderdaden, die hem in de nabijheid van Custos gebracht zouden hebben, hadden alles kunnen bederven.'

'Vooral toen dr. Falk contact met de twee opnam, nietwaar?' vroeg Alexander. 'En toen ze naar Marina reed, was dat het doodvonnis voor Leone, de neef van Giorgio Carlini.'

'Het is zoals u zegt, signor Rosin,' bevestigde Lavagnino, die nog altijd een uiterst kalme indruk maakte.

'En de burgemeester van Borgo San Pietro?' vroeg Enrico. 'Waarom moest die sterven?'

'Om dezelfde reden natuurlijk. Hij stond op het punt u de waarheid over uw vader te vertellen. Gelukkig was de dorpspastoor ons trouw. Hij had de opdracht er koste wat kost voor te zorgen dat het geheim bewaard bleef. Hij heeft kardinaal Ferrio toevertrouwd dat het tot een handgemeen met de burgemeester kwam waarin pastoor Umiliani de man uiteindelijk neersloeg. Dat gebeurde in de hitte van het gevecht en was geen vooropgezette moordaanslag. Maar dit was zo'n zware last voor Umiliani's geweten, dat hij de dood boven het leven verkoos.'

'Nadat kardinaal Ferrio bij hem was geweest,' zei Enrico met een blik op de geestelijke die hij in de St.-Franciscuskerk ontmoet had. 'Hij zal Umiliani beslist niet ontraden hebben zelf een eind aan zijn leven te maken.'

Ferrio toonde geen enkel teken van berouw, maar maakte evenmin een triomfantelijke indruk. Met een onverschillige blik, alsof het hem allemaal niet aanging, zei hij: 'Umiliani was een zeer eenvoudig man, zelfs voor een dorpspastoor. Hij zou zich nooit met die misdaad hebben kunnen verzoenen. Zijn dood was voor hem de beste oplossing.'

'En voor u ook!' verweet Enrico hem. 'U hoefde niet langer bang te zijn dat alles uit zou komen als Umiliani zijn geweten zou ontlasten.'

Salvati was opgestaan en begon door de kamer te ijsberen. 'Dat zijn allemaal ernstige zaken, zeer ernstige zaken zelfs. En dan nog de moord op Markus Rosin, waarover signor Rosin me verteld heeft. Dat was toch moord, nietwaar?'

'We hebben een verrader het zwijgen opgelegd,' zei Lavagnino.

'De aanslag op Custos, waarbij hij zelf en vele andere hoge geestelijken om het leven kwamen, overtreft alles. Ik kan volstrekt niet begrijpen hoe u zoiets ooit op touw hebt kunnen zetten, Lavagnino!'

'Het was een doelmatige actie, evenals alle andere. We konden daarmee de engelenpaus en velen van zijn naaste volgelingen in één klap het zwijgen opleggen. We móésten het gewoon doen. En bovendien was het niets anders dan de vervulling van een profetie. We voerden de wil van God uit.'

Salvati ging voor Lavagnino staan en balde zijn vuisten, alsof hij de kardinaal een klap wilde toedienen. 'Hoe durft u de Here God tot medeplichtige aan uw misdaden te maken! Dat u op de stoel van kardinaal-prefect zit, is een schande voor de kerk!'

'Voor welke?' vroeg Lavagnino, die rustig bleef zitten. De kalmte waarmee hij en Ferrio de tegen hen geuite verwijten opnamen, was ronduit verbazingwekkend.

In tegenstelling tot hen leek de redetwist Vanessa bijzonder aan te grijpen. Ze liet zich in een stoel vallen en hapte naar adem. Enrico knielde naast haar neer en stelde vast dat ze over haar hele lichaam beefde. Het zweet parelde op haar voorhoofd. Hij schonk snel een glas water voor haar in en gaf haar dat aan. Ze dronk het met gulzige slokken leeg, alsof ze uitgedroogd was.

'Laten we een eind aan deze schertsvertoning maken,' zei Salvati nadat hij een blik op Vanessa geworpen had. Hij trok de bovenste lade van het dressoir open, waarin een bandrecorder liep. 'Ik denk dat we alle belangrijke zaken wel besproken hebben, genoeg om de openbare aanklager en de hoogste kerkelijke instanties van voldoende materiaal te voorzien. Ik zal vandaag nog in de openbaarheid treden en mijn aftreden als paus aankondigen. Ook al wist ik niets van uw misdaden af, Lavagnino, toch voel ik me er medeschuldig over.'

Nu stond ook de kardinaal-prefect op, gevolgd door Ferrio, en hij zei: 'Het verbaast me hogelijk hoe naïef u bent. Gelooft u echt dat u onze plannen met zo'n belachelijk bandje kunt doorkruisen?'

Hij liep naar het dressoir, maar Alexander versperde hem met een snelle actie de weg. Op dat moment riep Ferrio luid een naam en enkele seconden later stormden vier bewapende mannen de bibliotheek binnen. Het waren de chauffeur en de lijfwacht van de twee kardinalen, en twee mensen van de bewakingsdienst van het landhuis.

Toen ze de pistolen op hen gericht zagen, restte Alexander en zijn metgezellen niets anders dan toe te kijken hoe Lavagnino de bandrecorder uit het dressoir pakte en op de grond kapot liet vallen. Hij trok de band eruit, maakte er een prop van en stak die in de zak van zijn soutane.

'Wat dom van u om te geloven dat ik me zomaar in het hol van de leeuw zou begeven. Natuurlijk wordt dit landhuis door onze mensen gecontroleerd.'

'Totus Tuus is machtig,' zei Elena.

Lavagnino draaide zich om. 'Zeg dat wel, signorina. En hoe machtig we echt zijn, zult u allemaal nog wel zien!'

Lavagnino's gewapende assistenten pakten de gsm's van Enrico en zijn metgezellen af en verder alles wat als wapen gebruikt kon worden en sloten hen in een kelderruimte zonder ramen op, die ze van buiten afsloten. Er was nauwelijks licht in de kelder. Alleen door de deursplaten viel een zwak schijnsel, waardoor nog net de omtrekken van de kleine ruimte en alles wat zich erin bevond zichtbaar waren. Behalve de gevangenen bevonden zich hier alleen een paar kisten waarin papieren bewaard werden.

Wat voor papieren dat waren, was door het slechte licht niet vast te stellen. Ze gebruikten de kisten om op te zitten.

Enrico ging naast Vanessa zitten en nam haar handen in de zijne. Haar handen beefden nog altijd en ze ademde onregelmatig.

'Wat is er?' vroeg hij bezorgd.

'Ik voel me niet goed, maar ik weet niet waarom,' antwoordde ze zacht.

'Het is je hier misschien allemaal wat te veel geworden.'

'Vermoedelijk wel. Het spijt me dat ik het niet meer aan kan hier. Maar noch bij de studie theologie, noch bij de studie psychologie word je erop voorbereid voor James Bond te spelen.'

'En zelfs de beste voorbereiding is soms zinloos,' merkte Alexander misnoegd op. 'Ons leuke plannetje om Lavagnino buitenspel te zetten is als een zeepbel uit elkaar gespat.'

'Hij en Ferrio waren de hele tijd al opvallend kalm,' stelde Elena vast. 'Het leek alsof ze vermoedden waarom Salvati hen ontboden had.'

'Ik geloof dat ze het niet alleen vermoedden, maar gewoon wisten,' zei Alexander. 'Anders hadden ze die *pistoleros* vast niet bij de hand gehad.'

'Maar dat zou betekenen dat wij verraden zijn,' merkte Elena op.

'Precies,' bromde Alexander. 'Of Salvati heeft ons een poets gebakken, of de verrader is een van ons!'

Enrico zei tegen Alexander: 'Ik zie Salvati niet voor een verrader aan. Ik zeg dat niet omdat hij mijn vader is, maar hij heeft op mij een eerlijke indruk gemaakt. Bovendien heeft hij helemaal geen reden om ons zo voor de gek te houden.'

'Die heeft hij zeker wel,' sprak Alexander hem tegen. 'Elena en ik schrijven voor een belangrijke krant. Er zou Salvati veel aan gelegen kunnen zijn dat zijn reputatie in de media niet geschaad wordt.'

'Dan had hij ons ook onschadelijk kunnen maken zonder met Lavagnino dat toneelstukje op te voeren,' meende Enrico. 'Bovendien kan de verrader ook uit de omgeving van Salvati komen. Als de bedienden hier min of meer volledig op de loonlijst van Lavagnino staan, kan een van hen ons bespioneerd hebben.'

'Mogelijk,' gaf Alexander toe. 'In elk geval was het fout om niet meteen naar de politie te lopen. We hadden in elk geval commissario Donati moeten inlichten toen dat nog mogelijk was.'

'We waren het er toch over eens dat we eerst bewijzen wilden hebben,' bracht Enrico hem in herinnering. 'Ook voor mijn vader en zijn geloofskerk staat er veel op het spel. Als we met lege handen naar de politie waren gegaan, dan hadden de media alleen maar domme geruchten over Salvati's mogelijke betrokkenheid bij de aanslag op Custos verspreid.'

'Ondanks alle consideratie met je vader hadden we nooit mogen proberen op eigen houtje licht in de zaak te brengen,' zei Alexander somber. 'Nu zitten we hier vast en kunnen we niets doen.'

'Er zal ons vast en zeker niets worden aangedaan,' zei Vanessa, maar erg overtuigend klonk het niet.

Alexander keek haar kant uit. 'We moeten onszelf niets wijsmaken. Lavagnino heeft openlijk bekend dat hij over lijken gaat. En bij de aanslag op Custos heeft hij bewezen dat een paar doden meer of minder hem niets uitmaken. Ik ben bang dat onze situatie uiterst precair is. Wie een idee heeft hoe we hieruit kunnen komen, hoe avontuurlijk dat ook mag zijn, moet dat beslist ter sprake brengen.'

'We kunnen proberen het papier in de kisten in brand te steken,' stelde Elena voor. 'Als de bewakers de deur openen vanwege de brand, kunnen we misschien vluchten.'

'Dat is inderdaad een avontuurlijk idee,' vond Alexander. 'Maar wel een idee dat vooral in de bioscoop succesvol is. In werkelijkheid kunnen we verbranden of in de rook stikken voordat er buiten ook maar iemand op het idee komt het slot van de deur te halen.'

Ze spraken nog een tijdje verder over vluchtplannen, maar geen enkel voorstel bleek uitvoerbaar. Het kwam erop neer dat ze geheel aan Lavagnino overgeleverd waren.

Toen er enkele uren verlopen waren, hoorden ze voetstappen en stemmen op de gang. De grendel werd met een roestig klinkend gekraak weggetrokken en opeens viel er fel licht de kelderruimte binnen. Er kwamen gewapende mannen binnen die de gevangenen onder controle hielden. Na hen kwam een man aan wie alles grijs was: zijn haar, zijn baard en zijn driedelig pak.

Hij zette een zwarte leren koffer op een van de kisten. 'Ik ben arts en wil ieder van u een spuitje geven.'

'Dank u, we zijn al ingeënt,' zei Alexander sarcastisch.

De arts glimlachte vaag. 'Ik ga u niet inenten. Het is een kalmerend spuitje. Het zal u allen beslist goeddoen om wat uit te rusten.'

Alexander ging voor hem staan. 'Als u iets goeds voor ons wilt doen, dottore, zorgt u er dan voor dat we hier wegkomen. Dan kan ik ook weer rustig slapen.'

De arts opende zijn koffer en zei quasi terloops: 'O, dat kunt u na dit spuitje zeker, daar hoeft u niet aan te twijfelen.' De wapens van zijn begeleiders lieten de gevangenen geen keus. Ze moesten hun bovenarmen ontbloten en stilhouden terwijl de arts de lange naald in hun huid duwde.

Voor Enrico duurde de pijn slechts kort, en het onaangename stekende gevoel in zijn arm maakte snel plaats voor een weldadige loomheid die zich over zijn hele lichaam uitbreidde. Duurde het enkele minuten of slechts seconden voordat hij geen enkele andere wens meer koesterde dan zijn ogen te sluiten en te slapen? Alles rondom hem verdween in een dichte mist. De stemmen die hij hoorde klonken onduidelijk en merkwaardig vervormd, en ze leken uit de verte te komen. Al heel vaak was Enrico bang geweest om in slaap te vallen, maar nu was zijn enige verlangen in Morfeus' armen uit te rusten. Hij sloot zijn ogen en merkte nauwelijks nog hoe sterke, zeer aardse armen zijn verslappende lichaam opvingen en de gang op droegen.

20

Enrico zat in het stenen labyrint gevangen. Achter hem waren alle bruggen ingestort en gaapte er een onmetelijk diepe zwarte afgrond. Voor hem lag het meer. Het oppervlak was nog altijd kalm en vlak, maar Enrico wist wat er zo meteen zou gebeuren. Het kwam niet alleen door de ongewone hitte die het meer leek te verspreiden, dat het zweet uit al zijn poriën gutste. Panisch van angst keek hij naar alle kanten om zich heen, maar alle vluchtwegen waren afgesneden. Er restte hem niets dan te wachten op wat het meer zou uitspuwen.

Wees niet bang, mijn zoon, ik ben bij je!

Steeds weer die stem in zijn hoofd! De stem probeerde hem tot rust te brengen, maar zonder succes. De angst voor wat komen ging nam steeds verder toe.

Enrico keek naar het meer, waarvan de waterspiegel nu veranderde. Er ontstonden rimpelingen en even later golven, waarna dampend schuim de hoogte in spoot. De gevleugelde gedaante verhief zich uit het water en bewoog zich naar Enrico toe, alsof hij zweefde. Enrico staarde in het gelijkmatige gezicht, dat spoedig in de lelijke duivelstronie zou veranderen. Tegelijkertijd wenste hij vurig dat dat niet zou gebeuren.

Concentreer je op je wens! Gezamenlijk zijn we sterk en kunnen we het voor elkaar krijgen!

Enrico volgde de aansporing op. Uit alle macht probeerde hij zich voor te stellen dat er een goed wezen tegenover hem stond, geen duivel of demon. Dit alles was zeer vermoeiend en al snel ademde hij alleen nog met korte, snelle stoten. Het zweet liep in stralen over zijn gezicht en brandde in zijn ogen. Hij voelde zich zwak, volkomen uitgeput. Het liefst had hij zich gewoon laten vallen en aan niets meer gedacht. Maar hij hield vol en opeens werd het gemakkelijker voor hem om de gedaante aan te kijken. Voor hem stond de gevleugelde gedaante, zonder in een demon te veranderen, die tegen hem glimlachte.

Je doet het goed, ik ben trots op je.

'Ik ben trots op je, Enrico, je hebt je angst overwonnen.'

Dit was niet de stem in zijn hoofd. Hij hoorde de stem echt, met zijn eigen oren. Toen Enrico zijn ogen opende, waren het meer en de gevleugelde gedaante verdwenen. Maar hij leek zich nog altijd in het rotslabyrint te bevinden. Het plafond bestond uit ruw gesteente. De wanden waren daarentegen met schilderingen opgesierd, zoals Enrico al vaker gezien had. Dit waren wandschilderingen van de Etrusken, en hij vroeg zich af of hij weer in Borgo San Pietro was.

'Hoe gaat het met je, Enrico?'

Dit was een andere stem dan de stem die zojuist tegen hem gesproken had. Het was de bezorgde stem van een vrouw. Naast het lage veldbed waarop hij lag, zat Vanessa geknield op de grond en ze keek hem vragend aan. Zijn blik dwaalde verder af naar Tomás Salvati, zijn vader. Het was voor Enrico bepaald niet gemakkelijk dat te accepteren nadat hij zovele jaren zonder vader geleefd had. De mannenstem die zojuist tegen hem gesproken had, was van Salvati. Maar er stond nog een tweede man aan zijn bed. Een man bij wiens aanblik Enrico zichzelf voorhield dat dit niet de werkelijkheid kon zijn. Droomde hij alleen maar dat hij uit zijn droom ontwaakt was? Was dit alles slechts een drogbeeld, hem voorgetoverd door de demon uit de zee, om hem schijnzekerheid te bieden?

'Je kijkt alsof ik een spook ben,' zei de man die hier niet mocht zijn, die hier niet kón zijn. 'Ik ben het echt.'

Ongelovig nam Enrico de ander van top tot teen op. Voor het eerst zag hij hem in een donker kostuum. Het was weliswaar het kostuum van een priester, maar niet het pausgewaad dat Custos gewoonlijk droeg en dat hij gedragen had toen Enrico hem in het Vaticaan ontmoet had. Custos leek afgemat. Zijn wangen waren ingevallen en zijn gezicht was asgrauw. Maar hij leefde en hij had geen zichtbare verwondingen.

'Dat begrijp ik niet,' mompelde Enrico. 'Ik heb toch gezien dat u neergeschoten werd!'

'Bij dat verschrikkelijke bloedbad zijn velen om het leven gekomen, maar zelf raakte ik slechts lichtgewond,' zei Custos. 'Ik dacht dat de Heer zijn beschermende hand boven me had gehouden, maar dat was slechts de halve waarheid. De soldaten hadden opdracht mij te sparen en hierheen te brengen. Alleen de buitenwereld moest geloven dat ik dood was.'

Enrico herinnerde zich de rookgranaten en de aanvallers die op Custos en zijn begeleiders af renden. Dat was het laatste beeld wat hem bijgebleven was voordat hij door het verdovingsgas buiten bewustzijn was geraakt. Pas nu begreep hij het doel ervan: het was geen moordaanslag geweest, maar een ontvoering. De ontvoerders hadden de processie in dichte mist gehuld om hun ware bedoelingen te verbergen. En ze waren er daarbij niet voor teruggeschrokken vele onschuldigen uit het gezelschap van de paus te doden. Deze nieuwe inzichten waren allerminst bevredigend voor Enrico, want ze wierpen talloze nieuwe vragen op.

'Waar zijn we hier?' luidde de eerste vraag, en direct daarna de volgende: 'Wie heeft u en ons hierheen gebracht?'

'We zijn hierheen gebracht door Totus Tuus, door de assistenten van Lavagnino,' antwoordde de engelenpaus. 'Je hebt daarvan niets gemerkt omdat je met een spuitje verdoofd was.'

Enrico keek weer de ruimte rond, die door een lamp waaraan een lange zwarte kabel zat, provisorisch verlicht werd. 'Ik mis Elena en Alexander.'

'Zij zitten in een andere cel,' zei Custos. 'Er zijn hier een groot aantal grotten die tot onderaardse kamers omgebouwd zijn en heel geschikt zijn als gevangenis. Maar het zijn wel gevangeniscellen met een exclusief design,' voegde de paus er met een blik op de wandschilderingen aan toe. 'Eigenlijk moest dit hier een museum zijn, om de artistieke talenten van de Etrusken aanschouwelijk te maken.'

'De Etrusken,' herhaalde Enrico zachtjes. 'Zijn we in de buurt van Borgo San Pietro?'

Custos schudde zijn hoofd. 'Als je op de landkaart ongeveer vijfhonderd kilometer zuidwaarts gaat, zit je in de buurt.'

'Naar het zuiden?' Enrico dacht even na. 'Dus dan zitten we nog altijd aan de Golf van Napels.'

'Zo ongeveer. Als je het precies wilt weten: we bevinden ons in de Monte Cervialto.'

'Zitten we ín de berg?'

'Ja, Er is hier een oude gewijde plaats van de Etrusken die bij de buitenwereld onbekend is. Deze plek is bij toeval door enkele monniken ontdekt toen ze een bedevaart naar het Kruis van de Grote Genade ondernamen. Ze hadden nauwe banden met Totus Tuus, dat de ontdekking vervolgens geheimgehouden heeft. En dat terwijl het een zeer belangrijke ontdekking is.'

Terwijl Enrico verward rondkeek, nam Vanessa het woord: 'De machtsbron waarover je in het reisdagboek gelezen hebt, Enrico.'

'Wat is daarmee?'

'Zou het mogelijk zijn dat die helemaal niet in de omgeving van Borgo San Pietro te vinden is, maar hier?'

'Geen idee. Ik weet nog niet eens om wat voor macht het gaat. Maar iets moet de oude Etruskische stad bij Borgo San Pietro toch verwoest hebben.'

'De Etrusken zijn een mysterieus volk dat nog tal van geheimen voor ons bewaart,' zei Tomás Salvati. 'Misschien was er bij Borgo San Pietro net zoiets als dit hier. Misschien bestaat het daar nog altijd, ergens diep onder de grond verborgen.'

'Maar wat bevindt zich dan hier in de berg?' vroeg Enrico.

Salvati keek hem langdurig aan alvorens hij antwoordde: 'Het meer.'

'Het meer?'

'Het meer uit onze dromen, Enrico. Heb je niet gemerkt dat je droom intenser werd naarmate je dichter bij deze plek kwam?'

'Ja, zeker,' luidde Enrico's antwoord. Het kwam aarzelend over zijn lippen, want hij was in gedachten alweer met iets anders bezig. 'Je had het over "onze dromen". Betekent dat dat jij ook over het meer en de gevleugelde gedaante gedroomd hebt?'

'Ja, Enrico. Ook ik ben jarenlang bang geweest voor die droom, totdat ik besefte dat Uriël me op de proef stelde. Hij verscheen in mijn dromen als het licht en het duister, en pas toen ik me tot het licht bekeerde, verdween Lucifer voorgoed uit mijn dromen.'

'Uriël en Lucifer? Je spreekt over hen alsof het om dezelfde persoon gaat.'

'Misschien komt dat nog het meest in de buurt van de waarheid,' zei Salvati. 'Maar we moeten ervoor oppassen over personen te spreken en daarbij aan op mensen lijkende wezens te denken. Zeker, als je in de Heilige Schrift of in andere bronnen over engelen leest, worden die afgeschilderd als een soort mensen, misschien nog met vleugels, zoals ook Uriël in onze dromen bezit. Maar dat zijn allemaal hulpmiddelen die wij mensen gebruiken om ons de engelenmacht, die voor ons eigenlijk onbegrijpelijk is, nog enigszins te kunnen voorstellen. Ik geloof dat Uriël en Lucifer werkelijk slechts twee tegengestelde exponenten van dezelfde kracht zijn. En dat geeft hun toch weer iets menselijks. Ook wij hebben in ons doen en laten altijd de keuze ons door het licht of door het duister te laten leiden.'

'De eeuwige strijd tussen goed en kwaad,' voegde Custos eraan toe.

Salvati knikte en leek tegelijkertijd pijnlijk getroffen. 'Een strijd en een beproeving die we telkens weer opnieuw moeten aangaan. Ook mij verging het niet anders toen ik de bijzonderheden vernam van het ware visioen dat Fabrizio Piranesi in de bergen van Borgo San Pietro had. Ik bedoel de verblinde paus, die in de ban van de vervloekte verkeert, de engelenvorst. Toen ik dat hoorde, twijfelde ik aan mezelf en aan alles wat ik tot op dat moment geloofd en gedaan had. Sterker nog, ik twijfelde aan de aartsengel Uriël zelf, aan onze stamvader de engelenvorst.'

'Toch lijkt het erop dat je je twijfels overwonnen hebt,' meende Enrico.

'Zeker. Dit was de beproeving die ik moest doorstaan.'

'Dus je gelooft niet dat Fabrizio Piranesi de waarheid heeft gesproken.'

'Ik beschouw Fabrizio Piranesi en zijn broer Angelo zeker niet als leugenaars. Maar visioenen dienen nu eenmaal geïnterpreteerd te worden, zoals ook signorina Falk kan beamen. Dezelfde verschijning zal op een kind een ander effect hebben dan op een volwassene, op een man anders inwerken dan op een vrouw en op een gelovige anders dan op een atheïst. Zo is het toch, signorina?'

'Ja, antwoordde Vanessa. 'Ik had het niet treffender kunnen zeggen.'

'Ik heb lang over de profetie van Fabrizio Piranesi nagedacht,' vervolgde Salvati. 'De afgelopen dagen heb ik daarvoor ruim voldoende tijd gehad. Gezien alles wat ik over Lavagnino en zijn intriges te weten ben gekomen, moet ik wel de verblinde paus zijn die de valse weg gevolgd heeft. Maar ik weiger Uriël te verdoemen. Er is niets wat tegen de hoogste der engelen spreekt, maar des te meer wat tegen mij spreekt. Ik had de dialoog met onze aartsvader meer moeten opzoeken, dan had ik dit rampzalige pad niet hoeven gaan. Ja, ik verkeerde daadwerkelijk in de ban van de vervloekte, maar dat was niet Uriël, maar Lucifer. In tegenstelling tot jou, mijn zoon, heb ik de duivelstronie niet gezien toen het erop aankwam. Dat is het grote gevaar als je je angst overwint: je twijfelt dan niet meer aan jezelf.'

'Het kan snel gebeuren dat je in je goedgelovigheid het verkeerde doet,' erkende Vanessa. 'En als je je dat dan realiseert, kun je er alleen nog maar berouw over tonen. Ongedaan maken kun je het niet meer.'

Enrico keek haar aan en bedacht hoe ze in het landhuis ingestort was toen Lavagnino zijn misdaden openlijk bekende. Een gedachte die al eerder bij hem opgekomen was, nam hem opnieuw in beslag. Het was een gedachte die hij het liefst voorgoed ver van zich afgeworpen had, maar hoe langer hij over Vanessa nadacht, des te overtuigder raakte hij van de juistheid ervan.

Hij keek Vanessa somber aan. 'Heb jij ook berouw? Betreur je het dat je voor Lavagnino hebt gespioneerd en hem bij zijn moordaanslagen geholpen hebt? Of was het voor jou als lid van Totus Tuus niets anders dan je christelijke plicht?'

Vanessa slikte enkele malen voordat ze kon antwoorden. 'Ik ben geen lid van Totus Tuus. Maar dat andere klopt. Ik beschouwde het werkelijk als mijn christelijke plicht kardinaal Lavagnino te helpen.'

'En de moorden die hij beraamd heeft, deden je helemaal niets?' vroeg Enrico met een luide, bevende stem.

'Daar wist ik niets van! Toen ik hem opzocht om hem om hulp te vragen bij mijn onderzoek, wist hij mij handig tot een gesprek over mijn geloof te verlokken. Misschien heeft hij gemerkt dat ik al lang twijfelde of de kerk nog wel voor God staat. Misschien had hij ook andere informatie over mij verzameld, dat weet ik niet. Hij wist mijn vertrouwen te winnen en me ervan te overtuigen dat hij slechts het beste met de kerk en de gelovigen voorhad. Daarom heb ik hem informatie gegeven. Maar ik had geen idee waarvoor hij die wilde misbruiken. Toen de moordenaars in Marino opdoken en Leone Carlini vrijwel voor mijn ogen ombrachten, werd ik voor het eerst wantrouwend. De volledige waarheid drong echter pas tot me door toen Lavagnino zijn daden openlijk toegaf.' Ze zweeg even, voordat ze vroeg: 'Sinds wanneer weet jij ervan, Enrico?'

'De waarheid begon veel te laat tot mij door te dringen. Eergisteren pas, toen jij instortte terwijl Lavagnino zo vrijmoedig bekende wat hij had misdaan. Op dat moment werd me duidelijk dat jij altijd in de buurt was als er iets belangrijks gebeurde. Je geheimzinnige informant in het Vaticaan, over wie je me verteld hebt, is niemand anders dan de kardinaal-prefect. Die is echt heel goed geïnformeerd! Wist Lavagnino van jou dat hij bij het bezoek in het landhuis van mijn vader in een hinderlaag zou lopen?'

Vanessa ontweek Enrico's verwijtende blik en knikte slechts.

'Vanessa's schuld is niet groter dan de mijne,' zei Tomás Salvati. 'Je mag je weliswaar met recht gekwetst en verlaten voelen, Enrico, maar bedenk dat Vanessa niet uit kwade wil handelde, maar zelf ook verleid en verraden is.'

Enrico wilde dat graag geloven. Hij voelde zich nog altijd tot Vanessa aangetrokken. Juist daarom betekende haar verraad zoveel voor hem. De afgelopen dagen waren ze geliefden geweest, en nu moest hij zich afvragen of ze hem daarmee eveneens voor de gek gehouden had. Hij zocht het antwoord in haar ogen, maar ze wendde haar blik van hem af.

De stalen deur van de onderaardse cel werd geopend, wat met een metaal-achtig, echoënd geluid gepaard ging. Enrico zag een bewaker met een uzi om zijn schouder en een man in de kleding van een kardinaal, die de cel binnen ging. Het was Lavagnino's rechterhand Araldo Ferrio. Hij bleef midden in de cel staan, zette zijn montuurloze bril recht en keek Enrico aan.

'Mooi dat u weer hersteld bent. De goede dr. Brusio begon al aan zijn eigen kunnen te twijfelen en dacht dat hij u een te hoge dosis van het slaapmiddel had toegediend.'

Tomás Salvati nam het woord: 'Doorslaggevend was niet het slaapmiddel, maar deze plek. De kracht van het meer heeft mijn zoon in zijn ban pro-beren te dwingen. Hij was echter sterk genoeg om die te weerstaan.'

Ferrio maakte een tevreden indruk. 'Hij reageert dus op de engelenmacht, heel goed. Dan zal die ook bij hem aanslaan. Ik had ook niet anders ver-wacht, want hij is tenslotte uw zoon.'

'De engelenmacht?' herhaalde Salvati. 'Dat heb ik tot voor kort ook ge-loofd, maar nu ken ik de waarheid: het is de engelenvloek die de wereld in het verderf kan storten!'

'Welnee. De hemelse krachten zullen juist terugkeren,' sprak Ferrio hem tegen. 'Daar is Zijne Eminentie kardinaal-prefect Lavagnino van over-tuigd.'

'Hij vergist zich,' antwoordde Enrico's vader, terwijl hij een bezwerende toon aansloeg. 'Of hij brengt u opzettelijk op een dwaalspoor, zoals hij ons allemaal om de tuin heeft geleid. Hij brengt de gehele christenheid, het gehele mensdom in gevaar. De engelenvloek mag nooit ontketend worden!'

Ferrio keek Salvati volstrekt onaangedaan aan. 'Het is jammer dat u ons niet verder wilt ondersteunen, Salvati. U zou een goede paus geweest zijn. Blijft u dus rustig nog een tijdje hier bij uw zoon en de andere verrader-lijke paus! We laten u wel ophalen als we u nodig hebben.'

Hij vertrok en de bewaker sloot de deur weer.

'Wat is die engelenvloek?' vroeg Enrico. Custos ging op het enige krukje in de cel zitten en vertrok zijn gezicht even. Blijkbaar had hij pijn, waar-schijnlijk door zijn verwondingen. 'Herinnert u zich ons gesprek over de gevallen engelen nog?'

'Ja, heel goed zelfs.'

'Zoals u weet heb ik toen ook de geschriften van Henoch genoemd, die niet in onze Bijbel zijn opgenomen.' Enrico knikte. 'Met uitzondering van Ethiopië.'

Custos glimlachte. 'Inderdaad. Henoch bericht over de straf van God voor alle gevallen engelen die zich met de mensendochters inlieten. Deze gevallenen moesten zeventig geslachten lang onder de heuvelen der aarde vastgebonden blijven tot de dag van hun berechting, als het vonnis definitief voltrokken wordt. In die dagen, zo gaat het verder, zal men de gevallenen in de diepten van het vuur wegvoeren, waar ze voor eeuwig smartelijk in een kerker opgesloten zullen blijven.'

'Ik geloof niet dat ik dat begrijp,' bekende Enrico.

'Deze berg hier met zijn geheime grotten zou de voorlopige gevangenis van de gevallenen kunnen zijn waarover Henoch spreekt. De plaats waarop ze op het hellevuur wachten, dan wel tot ze vrijkomen en hun kwade macht over de wereld kunnen laten gelden. Er zijn andere, vaak fragmentarische overleveringen die voor de macht van de gevallen engelen waarschuwen en voor de mogelijkheid dat de engelenvloek de wereld in het verderf zal storten.'

'Hoe zou dat moeten gebeuren?'

'Misschien is onze kracht, de kracht van de engelenzonen, noodzakelijk om de boeien van de gevallenen te verbreken.'

Het begon Enrico te duizelen bij al deze onthullingen. Misschien waren het slechts de nawerkingen van het slaapmiddel en zijn intense droom die hem het denken bemoeilijkten. Hij probeerde moeizaam zich te concentreren en vroeg: 'Bent u dan ook een nazaat van de engelen?'

'Voor zover ik kan nagaan wel. Ik had altijd al een antwoord op de vraag gezocht waar Jezus zijn ongewone krachten vandaan had. Ook hij moet een nazaat van de engelen geweest zijn, de engelenzoon. Als we ervan uitgaan dat de engelen niets anders zijn dan een deel van de goddelijke macht, is Jezus werkelijk, dus niet alleen symbolisch, Gods zoon geweest. We weten het niet precies, maar het staat vast dat hier in de Monte Cervialto een macht sluimert die we met onze natuurwetenschappelijke kennis zelfs niet bij benadering kunnen verklaren. Jouw dromen, Enrico, en de verschrikkelijke aardbeving bewijzen dat.'

'Hoezo ook de aardbeving?'

'Ik heb die zien aankomen,' zei Tomás Salvati. 'Mijn waarschuwing aan Custos om niet naar Napels te komen, was geen bluf of tactiek. Ik had een droom waarin Custos naar Napels kwam en de aarde onder zijn voeten begon te beven. Ik beschouwde dat toen als een waarschuwing van God, maar ik heb me vergist. En misschien heb ik de catastrofe al evenzeer opgewekt als Custos, zij het onvrijwillig.'

'Omdat de engelenmacht op je aanwezigheid in deze omgeving gereageerd heeft?'

'Dat vermoeden we,' antwoordde Salvati.

'Maar nu is het weer rustig,' zei Enrico. 'Of zijn er nog bevingen geweest terwijl ik buiten bewustzijn was?'

'Nee, godzijdank niet. Maar ik ben bang dat de aardbeving en de uitbarsting van de Vesuvius slechts een voorproefje waren van wat er nog komen gaat. Hetzelfde kan tweeduizend jaar geleden het geval geweest zijn, toen de Etruskische stad bij Borgo San Pietro verwoest werd. Zowel daar als hier waren er Etruskische gewijde plaatsen, waar ook de Etruskische priesters onderwezen werden.'

'Ik ben vandaag een beetje traag van begrip,' verontschuldigde Enrico zich bij voorbaat. 'Ik kan het al weer niet volgen. Als de gevallen engelen hier in Monte Cervialto gevangenzitten, hoe kunnen ze dan voor het ongeluk in Borgo San Pietro verantwoordelijk zijn?'

'Vermoedelijk is er niet slechts één plaats waar de gevallenen opgesloten zitten. Wellicht moesten ze zelfs op diverse plaatsen opgesloten worden om hun kracht te verzwakken. Mogelijk zijn er op de hele wereld plaatsen als deze, bijzondere plekken met een bepaalde uitstraling die oude volkeren zoals de Etrusken ertoe gebracht hebben daar hun gewijde plaatsen in te richten.'

Enrico keek zijn vader ongelovig aan. 'Bedoel je dat de piramiden in Egypte en Zuid-Amerika, de reusachtige stenen gedaanten op het Paaseiland, de rotsstad Petra en de steencirkel van Stonehenge allemaal op de gevallen engelen terug te voeren zijn?'

'Dat is slechts een theorie. Misschien geldt het niet voor al dergelijke plaatsen, maar alleen voor sommige ervan.'

Nog altijd lag er grote twijfel in Enrico's blik toen hij zijn vader vroeg: 'Ik ben bang dat dit mijn verstand allemaal ver te boven gaat.'

'Dat geldt voor ons allemaal, Enrico. Alles wat we hier bespreken, zijn slechts vermoedens en pogingen tot verklaringen. We kunnen slechts de oppervlakte beroeren van wat wel voor altijd een geheim zal blijven. En misschien is het ook beter zo. Want wij zijn slechts mensen en niet toegerust voor de macht die in het verborgene ligt. Mogelijk heeft God er daarom zo streng op gelet dat de engelen zich niet tegen zijn wil met de mensen verenigden.'

De gewapende troep kwam de gevangenen een of twee uur later ophalen. Tijd was in de onderaardse kerker zonder enige betekenis. Het waren vijf mannen met automatische pistolen en uzi's. Gezien hun vuurkracht, waar de vier gevangenen niets tegenover konden stellen, was elke gedachte aan vluchten verspilde moeite.

De gang waar hun bewakers hen doorheen voerden, was al even provisorisch verlicht als de ruimte waarin Enrico wakker geworden was. Overal zagen ze wandschilderingen van de Etrusken, en hier waren op vrijwel elke afbeelding gevleugelde gedaanten te zien. Na een splitsing eindigde de gang voor de doorgang naar een grote rotskamer, die door twee levensgrote beelden van engelen bewaakt werd. Een van de gevleugelde wezens glimlachte en wees met een uitnodigend handgebaar op de grote, hoge ruimte. De blik van de tweede engel was echter ernstig. Een zwaard in zijn rechterhand moest misschien de bezoekers afschrikken die de rotskamer wilden betreden. De bewakers lieten Enrico en zijn gezelschap geen keuze.

Tientallen grote kaarsen langs de wanden verlichtten de ruimte en wierpen dansende schaduwen op het rotsgesteente. Ook hier waren de Etruskische wandschilderingen met het engelenmotief te zien, maar de ruimte werd ook door christelijke symbolen opgesierd. Achterin stond een zeker drie meter hoog houten kruisbeeld tussen de wandtapijten, waarop het kindje Jezus in de wieg stond en de gebukt lopende Jezus die zijn kruis naar Golgotha droeg. Voor het kruisbeeld stond een met kaarsen en bloemen versierde tafel, zonder twijfel een altaar.

Het grootste deel van de ruimte werd ingenomen door zorgvuldig op rij geplaatste stoelen, waarvan het merendeel bezet was. Op de voorste rijen hadden veel geestelijken plaatsgenomen, onder wie ook Ferrio en andere kardinalen, en achter hen zaten mannen en vrouwen die vermoedelijk in dit onderaardse complex werkten. Helemaal achteraan zaten Alexander en Elena, bewaakt door een man die zijn uzi weliswaar losjes over zijn schouder droeg, maar de twee geen seconde uit het oog verloor. Enrico, Vanessa, Tomás Salvati en Custos moesten naast de twee gaan zitten, terwijl de gewapende mannen achter hen bleven staan.

'Welkom bij de heilige mis,' fluisterde Alexander. 'Of althans wat de Totus Tuus-aanhangers daaronder verstaan.'

Er klonk orgelmuziek, hoewel er nergens een orgel te zien was. Vermoedelijk was het een bandje. Twee misdienaren liepen tussen de rijen stoelen door naar voren. Het waren halfvolwassen jongens, die hun wierookvaten elegant in het rond zwaaiden. Al snel was de gehele ruimte in een zware wierookgeur gehuld. Na de misdienaren volgde Renzo Lavagnino, die met nog vier misdienaren statig binnenschreed. Hij bleef voor het altaar staan om de heilige mis te celebreren. Hij deed dit in het Latijn, een oud gebruik dat door de kerk van Rome allang afgeschaft was, maar door conservatieve geestelijken tegen de orders van Rome in toch nog gehandhaafd werd.

'Wat heeft dit te betekenen?' vroeg Vanessa zacht, terwijl ze huiverde. 'Het maakt een macabere indruk op me.'

'Weet je echt niet wat hier gebeurt?' vroeg Enrico. Voor het eerst sinds uren keek Vanessa hem weer aan. 'Nee. Ik heb met Lavagnino gebroken. Ook ik ben slechts een gevangene.'

Enrico geloofde haar, maar hij voelde zich nog altijd door haar bedrogen en gekwetst.

'Wat dit ook mag voorstellen, het bewijst in elk geval één ding,' meende Alexander. 'Lavagnino is niet alleen verblind, hij is volkomen krankzinnig!'

Na het eind van de mis ging de kardinaal-prefect op het Italiaans over en zei: 'Broeders en zusters, na deze eredienst zijn we gereed om voor de Heer en zijn hemelse macht aan te treden, die al veel te lang in deze berg rust. We zullen de engelenschare uit de slaap opwekken, opdat die ons bijstaat in onze strijd het ware geloof weer in de kerk terug te brengen. En als de kerk verenigd is en onder een nieuwe paus floreert, zal ook datgene lukken wat tot nu toe mislukt is: we zullen Gods woord over de gehele aardbol verbreiden totdat er geen ongelovigen meer op deze planeet zijn.'

'Een waanzinnige missionaris,' fluisterde Alexander. 'Dit is zo ongeveer de ergste mens die je je kunt voorstellen.'

'Volg me nu naar het engelenmeer!' riep Lavagnino hen op, waarna hij geflankeerd door misdienaren met wierookvaten naar de uitgang schreed. De kardinalen, clerici en anderen sloten zich bij hem aan, evenals de gevangenen, die onder de hoede van de bewakers bleven.

Hoe langer ze onderweg waren, des te warmer werd het, en Enrico herinnerde zich nu de hitte die het meer in zijn droom verspreid had. Pas nu viel hem op dat het in het gehele grottenstelsel, voor zover hij daar geweest was, warm was, hoewel hij nergens verwarming had gezien. Hij begon al snel te zweten, evenals de anderen.

Maar de hitte was niet het echt verontrustende. Hij voelde een vreemde beklemming, die met elke stap groter werd, en in zijn hoofd klonk een gefluister dat op de stem uit de droom leek. Hij kon de woorden niet verstaan, maar had de indruk dat het om een groot aantal stemmen ging. Waren dit de stemmen van de gevallen engelen die hun bevrijder begroetten?

Toen hij zijn vader aankeek, zei hij: 'Ook ik hoor ze. Wees niet bang, Enrico! Denk aan de engel uit onze droom! Als we sterk zijn, kan hij nooit een demon worden.'

Tomás Salvati leek sterk en vol zelfvertrouwen. Enrico hoopte dat zijn vader hem niet alleen maar moed wilde inspreken.

Custos raakte Enrico's elleboog aan. 'We zijn met zijn drieën, en we kunnen elkaar steunen.'

De processie eindigde in een gigantische rotsspelonk, waarin het bijna even heet was als in een sauna. Binnen enkele seconden kleefden Enrico's kleren aan zijn lichaam. De ruimte werd verlicht door grote schijnwerpers, die echter nauwelijks de oorzaak van de grote hitte konden zijn.

De grot werd bewaakt door meer dan levensgrote stenen engelen, maar geen ervan lachte. Hun gezichten stonden ernstig en ze droegen zwaarden, lansen of fakkels en keken in de richting van de afgrond waar Lavagnino nu bij ging staan. Enrico meende dat de gedaanten bewakers van de gevallenen waren.

De menigte verdeelde zich in de spelonk alsof er een geheim plan bestond. Ferrio en de kardinalen liepen naar voren en stelden zich aan weerszijden van Lavagnino op. Ferrio draaide zich om en gaf de bewakers een wenk. Drie bewakers voerden Enrico, zijn vader en Custos naar voren, terwijl de overige bewapende lijfwachten bij Vanessa, Elena en Alexander bleven.

Elke stap kostte Enrico moeite. Hij wilde blijven staan, maar werd voortgeduwd door de harde loop van een machinepistool in zijn rug. Door de hitte en vooral door het gevoel van beklemming kon hij nauwelijks ademen. Zijn vader en Custos leken fitter, maar ook bij hen liep het zweet in straaltjes over het gezicht.

Toen ze bij de afgrond kwamen, keken ze in de diepte. Ongeveer honderd meter onder hen lag het meer, dat in het licht van de schijnwerpers nu eens smaragdgroen, dan weer staalblauw oplichtte. Verder was het oppervlak volmaakt rimpelloos. Geen zuchtje wind beroerde het meer, laat staan dat het opgewoeld werd. Maar Enrico maakte zich geen illusies. Uit zijn droom wist hij dat het meer van de ene op de andere seconde onstuimig kon worden en dampend schuim in het rond kon sproeien.

Zijn vader pakte Enrico's rechterhand en kneep er bemoedigend in. Enrico keek hem met een verkrampt lachje aan en probeerde uit alle macht de opkomende paniek te onderdrukken. Hij mocht zich niet door de herinnering aan zijn droom, door de angst uit al die nachten laten meeslepen. Misschien, zo hield hij zichzelf voor, was dit vreemde oord, het engelenmeer, helemaal niet het meer uit zijn droom. In zijn droom had het meer een andere vorm gehad en waren de rotsen veel grilliger geweest. Maar dromen waren zelden precies gelijk aan de werkelijkheid.

Custos wendde zich tot Lavagnino. 'Hou ermee op, nu het nog kan! U bewandelt de verkeerde weg, Lavagnino! Als u de gevallen engelen werkelijk wilt opwekken, zult u groot onheil over de wereld afroepen. Is de aardbeving dan geen waarschuwing voor u geweest?'

'De macht die in dit meer slaapt, is geen kwade macht,' zei de kardinaalprefect. 'In de juiste handen kan die veel goeds bewerkstelligen. Maar men dient over een sterk geloof te beschikken om ermee om te kunnen gaan.'

'En hebt u dat, Lavagnino? Hebt u een sterk geloof?'

Zonder iets te zeggen trok het hoofd van de Geloofscongregatie zijn gewaad uit. Daaronder droeg hij een boetekleed van ruwe wol, dat hij omhoogschoof tot zijn blote rug te zien was. Er was nauwelijks een gaaf stukje huid te zien. Overal zaten wonden, zowel oude littekens en korsten als verse, zoals de bloedsporen op zijn boetekleed bewezen.

'Ik gesel mezelf elke nacht tot bloedens toe,' verklaarde hij, waarna hij zich weer aankleedde.

Custos keek hem vol walging aan. 'U bent niet sterk, maar slechts afgestompt, en u verwisselt standvastigheid met hoogmoed. Misschien hebt u ooit uit edele motieven gehandeld, maar op het moment dat mensenlevens niets meer voor u betekenden, hebt u de weg van de Heer verlaten. U bent allang het werktuig van het kwaad geworden, kardinaal. U hebt de engelenmacht allerminst onderworpen, integendeel: de gevallenen hebben zich meester gemaakt van uw ziel en u bent hun slaaf geworden. De engelenvloek is over u gekomen. Keer om zolang het nog kan!'

Lavagnino liet een superieure glimlach zien. 'U spreekt uit pure angst. U bent bang voor uw pontificaat, dat nu aan zijn eind dreigt te komen.'

'Ik ben bang voor het heil van de wereld. In de paar maanden dat ik als paus in functie ben, heb ik al vaak gewenst dat ik het ambt niet aangenomen had. U gelooft toch zeker niet dat het een voortdurend genoegen is de opperherder van het christendom te zijn? U, kardinaal Lavagnino, denkt waarschijnlijk alleen aan de macht die aan de functie verbonden is. U wilt die macht graag zelf uitoefenen, nietwaar? En de gevallenen moeten u daarbij helpen.'

'U bent in elk geval niet de juiste man op de stoel van Petrus en ook Salvati heeft aangetoond niet sterk genoeg te zijn. Als u meent dat het christendom door een werkelijk sterke man geleid dient te worden, dan hebt u gelijk.'

'U bent niet sterk,' sprak Custos hem tegen. 'U bent de zwakste van iedereen hier, want u hebt u laten verleiden!'

Lavagnino maakte een wegwerpgebaar. 'Nu is het afgelopen met dat zinloze gezwets! We moeten met de ceremonie beginnen.'

Ferrio gaf een teken met zijn hand, waarop de spelonk zich met opgetogen koorgezang vulde. De muziek hier stond vermoedelijk eveneens op een bandje, net als in de rotskapel.

Lavagnino viel met zijn blik op het engelenmeer gericht op zijn knieën, gevolgd door de overige kardinalen. Ze begonnen vurig in het Latijn te bidden. Het weinige Latijn dat bij Enrico was blijven hangen uit zijn tijd op school en de universiteit, was nog net voldoende om de belangrijkste Romeinse rechtsregels te begrijpen, maar van dit gebed verstond hij geen woord. Dat was ook niet nodig. Het was hem duidelijk dat Lavagnino en zijn gevolg de gevallen engelen aanriepen. De kracht van Enrico, zijn vader en Custos, de engelenzonen, moest de katalysator zijn die de onzichtbare ketenen van de gevallenen moest verbreken. Toen Enrico een blik over zijn schouder wierp, zag hij dat alle geestelijken en ook de andere aanwezigen op de knieën waren gevallen. Alleen de gevangenen en hun bewakers stonden nog.

Het gebed van de kardinalen klonk nu zachter, althans voor Enrico. Een ander geluid trok zijn aandacht: het gefluister in zijn hoofd dat een luid geroep werd en zelfs geschreeuw. Het leek op het geweeklaag van duizenden gepijnigde zielen. Hoorde hij de gevallen engelen, die onder een oneindig lange gevangenschap van pijn kreunden? Voor zijn ogen begon het oppervlak van het meer te vervagen, zoals de hete lucht in de woestijn begint te zinderen. Hij kon niet zeggen of het inbeelding of werkelijkheid was, maar hij zag iets uit het meer opstijgen, een grote gedaante die hem aan het wezen in zijn droom herinnerde.

Enrico wist dat hij zich nu sterk moest tonen. In de droom was hij erin geslaagd de demon te bedwingen. Zijn vader had hem daarbij geholpen. Ook nu stond zijn vader aan zijn zijde, evenals Custos. Samen moesten ze in staat zijn de boze macht uit te bannen, of die nu Lucifer heette of een andere naam droeg.

Het wezen glinsterde even fel als het meer. Hoezeer Enrico ook probeerde de engel Uriël in hem te zien, het lukte hem niet. Steeds weer vervaagden de vormen en namen ze een andere gedaante aan. De inspanningen putten Enrico uit. Zijn krachten en concentratievermogen begonnen af te nemen. Hij voelde zich leeggezogen. Hij schrok hevig door wat er nu boven het meer gebeurde: het wezen nam nu toch een vaste gedaante aan, maar niet de gedaante die hij gehoopt had. Wat zojuist nog vleugels waren, veranderde in vleermuisachtige vlerken, en het gelijkmatige gezicht werd een rimpelige tronie vol littekens.

'Nee!' schreeuwde Enrico, terwijl hij probeerde zich af te wenden.

Hij moest tegen een onzichtbare kracht vechten die hem vasthield. Toen hij probeerde zich los te rukken, struikelde hij en viel op de rand van de afgrond op de rotsbodem. In elk geval hoefde hij nu niet meer naar het meer te kijken. Hij keek naar zijn handen en zag de bloedrode tekenen op de rug en palm van zijn handen.

Opeens zag hij in zijn ooghoek een gedaante die snel op hem afkwam. Vanessa! Terwijl ze naar de afgrond liep, sprong ze plotseling opzij, alsof ze ogen in haar achterhoofd had. Het salvo uit de uzi van een bewaker miste haar op een haar na, en de kogels verspreidden zich over de afgrond. Enrico keek Vanessa aan en zag in haar ogen dat ze om vergeving vroeg. Het was hem duidelijk wat ze van plan was. Hij wilde haar toeroepen het niet te doen, maar van schrik en uitputting wist hij slechts een hees gekras voort te brengen.

Vanessa had nu het groepje kardinalen bereikt. De bewakers konden niet meer op haar schieten zonder de kerkelijke hoogwaardigheidsbekleders in gevaar te brengen. Lavagnino wilde zich oprichten, vermoedelijk om Vanessa aan te vallen. Maar ze omhelsde hem met beide armen en trok hem met zich mee, de afgrond in.

De aanblik van de twee gedaanten die over de rotsrand vielen, brandde zich voor altijd op Enrico's netvlies en deed hem uit zijn verstijving ontwaken. Hij overwon zijn angst voor de demon en tuurde weer naar het meer in de diepte. Het lugubere wezen, waarvan hij nog altijd niet wist of het werkelijk bestond of slechts ingebeeld was, was verdwenen. Ook van Vanessa en Lavagnino was geen spoor te zien. Het meer, dat weer volkomen rustig was, leek hen gewoonweg opgeslokt te hebben.

Zijn hart kromp ineen en hij betreurde elke seconde in de afgelopen uren waarin hij Vanessa met een misnoegde en zelfs met een verachtelijke blik gestraft had. Dat was verloren tijd geweest, en nu was het ook een verloren leven, zowel voor Vanessa als voor hem.

Rondom hem had de plechtige stilte plaatsgemaakt voor druk geroezemoes. De mensen sprongen op, riepen door elkaar en staarden naar de rotsrand waar hun leider overheen was gevallen. Er werden vragende blikken op Ferrio en de andere kardinalen gericht, maar die waren al even verrast en radeloos als alle anderen. Enrico keek naar zijn vader en naar Custos. De laatste was door zijn knieën gezakt, alsof hij een enorme inspanning had geleverd. Hij ademde zwaar en tuurde onafgebroken naar het meer. Tomás Salvati stond nog, maar ook hij leek afgemat. Enrico hoefde hun niet te vragen of zij de demon eveneens gezien hadden. Hij wist dat het zo was. Vermoedelijk hadden alleen de drie engelenzonen hem kunnen zien, en dat was maar goed ook, want waarschijnlijk waren zij de enigen die zijn aanblik konden verdragen.

Alexander en Elena hadden van de chaos gebruikgemaakt om naar Enrico en de twee pausen te vluchten. De bewakers, die door deze onverwachte wending al even perplex stonden als alle anderen, hadden hen laten gaan. 'Waarom heeft Vanessa dat gedaan?' vroeg Elena.

'Ze heeft het voor ons allemaal gedaan,' antwoordde Enrico zachtjes en met trillende stem. 'Ze wilde het weer goedmaken met ons.' Hij vertelde in het kort over Vanessa's verraad.

Opeens begon de grond onder hen te beven. Velen verloren hun evenwicht en vielen. Custos zou in het meer gevallen zijn als Enrico en zijn vader hem niet vastgehouden hadden. Kleine en grote steenblokken maakten zich van het rotsplafond los, vielen in het meer of kwamen tussen de in paniek rakende menigte terecht. De smartelijke kreten van de gewonden weerklonken in de reusachtige rotsspelonk.

Custos vermande zich en zei tegen Ferrio: 'De hele grot stort in! We moeten zo snel mogelijk de berg uit, anders zijn we er allemaal geweest!'

Ferrio keek aarzelend van Custos naar het meer en weer terug naar de paus. Het leek wel of hij helemaal niet begreep wat Custos zei en wat er zich om hem heen afspeelde. De schok over Lavagnino's dood was kennelijk nog te groot.

'Lavagnino zal niet terugkomen en u zult nooit het bevel over de gevallen engelen voeren!' riep de paus hem toe. 'Uw spel is uit, begrijpt u dat niet? Wilt u al deze mensen de dood in jagen?'

Ferrio schudde zijn hoofd en leek uit zijn geestelijke verlamming te ontwaken. 'Ik zal u de weg naar buiten tonen!' Steeds weer beefde de aarde en vielen er kleine en grote brokken steen naar beneden. Het rotsgesteente trilde en beefde alsof de gevallenen protesteerden tegen het afbreken van de ceremonie waarin hun de bevrijding uit de kerker beloofd was. Misschien wilden ze de mensen bestraffen, door wie ze zich in de steek gelaten voelden. Enrico vroeg zich af of tweeduizend jaar geleden in de bergen van Borgo San Pietro hetzelfde gebeurd was, toen de oude Etruskische stad tegelijk met het heiligdom ten onder gegaan was.

Velen van de vluchtenden werden door de stenenregen getroffen en vielen onder luide kreten van pijn gewond op de grond. Er speelden zich afschuwelijke taferelen af terwijl de vluchtenden probeerden zichzelf in veiligheid te brengen. De meesten van hen hadden de christelijke naastenliefde geheel uit het oog verloren nu ze in acuut levensgevaar verkeerden. Ze duwden elkaar opzij en wie op de grond viel, werd door de anderen gewoon vertrapt.

Ingesloten door de massa moest Enrico hulpeloos toekijken hoe een tienjarige jongen, een van de misdienaren, doodgetrapt werd. Binnen enkele seconden veranderde het hoofd van de jongen in een brij van botsplinters, bloed en hersenen. Meegesleurd door de anderen, verloor hij de jongen uit het oog. Hij kon zich troosten met de gedachte dat elke hulp voor de jongen te laat zou zijn gekomen.

Diverse malen kwamen ze bij splitsingen, en Enrico kreeg het idee dat er geen eind aan de vlucht zou komen. Hij probeerde in de buurt van zijn vrienden te blijven, maar eerst verloor hij Alexander en Elena uit het oog en later ook zijn vader en Custos. Het was volstrekt onmogelijk te blijven staan en naar hen op zoek te gaan. De meute rende verder en hij kon daar onmogelijk aan ontsnappen. Het elektrische licht viel uit, waardoor de mensen zich korte tijd in volledige duisternis bevonden. Er werden enkele zaklampen aangeknipt, en bij de onrustige lichtbundels daarvan werd de vlucht vervolgd.

Na twintig of dertig minuten dook er eindelijk een licht voor hen op, dat steeds groter en feller werd. Daglicht, dat met luid gejuich begroet werd. De mensen liepen naar buiten en lieten zich meteen uitgeput in het gras vallen. Toen Enrico weer in de openlucht stond, keek hij bezorgd naar de berg om. Hij zag stenen van een helling rollen.

'Het gevaar is nog niet voorbij!' riep hij. 'We moeten zo snel mogelijk wegrennen. Als we pech hebben, stort de hele berg in!'

Vlak bij hem stond een kardinaal. Hij had Enrico's waarschuwing gehoord en riep de mensen eveneens op niet zo dicht bij de berg te blijven. Weer zette de menigte zich in beweging, maar ditmaal niet zo dicht op elkaar gedrukt. Enrico kon nu even blijven staan en zich omdraaien. Hij ontdekte Alexander en Elena en een eind achter hen ook Custos. Alleen zijn vader leek verdwenen te zijn. Enrico's hart begon sneller te kloppen en hij wilde al naar de uitgang van het grottenstelsel terugrennen, toen Tomás Salvati in het daglicht opdook. Hij ondersteunde een uitgeputte vrouw die uit een wond op haar voorhoofd bloedde. Enrico rende naar hen toe en ondersteunde de vrouw aan de andere zijde. Ze behoorden tot de laatsten die uit de rotsopening kwamen, die zo'n twee bij twee meter groot was.

Precies op tijd. Achter hen stortte de ene na de andere steenklomp naar beneden. Enrico, zijn vader en de vrouw werden door een hevige beving op de grond geworpen. Een lawaai als van duizend donderslagen trof hun trommelvliezen. Enkele seconden later werden ze door een dichte stofwolk omhuld die hun het zicht en de adem benam.

Toen het stof optrok, kwam ook de aarde weer tot rust. Enrico veegde met zijn handen over zijn met stof bedekte ogen en zag dat het gat in de rotsen onder een massa stenen verdwenen was. Zijn vader begon te hoesten en keek eveneens naar de neergekomen steenblokken die de ingang van de grot versperden. Hij maakte een tevreden indruk.

EPILOOG

De Monte Cervialto was niet ingestort en aan de Golf van Napels was het niet tot een tweede zware aardbeving gekomen. Maar de ingang tot het oude heiligdom van de Etrusken was bedolven door de steenlawine. Paus Custos en Tomás Salvati wilden er alles aan doen om deze ingang voor altijd afgesloten te houden. Waarschijnlijk was het aan Custos' inspanningen te danken dat het betreffende gebied bij de Monte Cervialto een dag later tot verboden militair gebied verklaard werd.

'We zijn ternauwernood aan de engelenvloek ontkomen,' zei Salvati tegen Enrico. 'En we moeten ervoor zorgen dat het gevaar niet nogmaals wordt opgeroepen!'

De terugkeer van de dood gewaande paus zorgde voor een enorme sensatie in de media, niet alleen in Italië maar over de hele wereld. Elena en Alexander schreven voor de *Messaggero di Roma* een dagelijks feuilleton over hun belevenissen, waarin ze echter slechts een deel van de waarheid publiceerden. Elke verwijzing naar het engelenmeer en het geheim ervan ontbrak, zoals ze de paus beloofd hadden. In de media werd Renzo Lavagnino als een ijskoude machtswellusteling geportretteerd die over lijken was gegaan om een putsch in het Vaticaan te forceren en uiteindelijk zelf de macht in de kerk te grijpen. Daarmee werd weliswaar een deel van zijn karakter omschreven, meende Enrico, maar elke verwijzing naar het veel gevaarlijker deel, namelijk het onvoorwaardelijke geloof van Lavagnino in de engelenmacht, ontbrak.

Voor de tweede keer dat jaar vond er een grondige zuivering in het Vaticaan plaats en Custos hoopte dat ditmaal alle aanhangers van Totus Tuus verwijderd waren. Maar de kerk was nog altijd in tweeën gedeeld en de wereld vroeg zich af hoe het verder zou gaan.

Ruim een week na de gebeurtenissen bij het engelenmeer zou paus Custos volgens een aankondiging van het Vaticaan bij het zondagse angelusgebed een belangrijke mededeling doen over de toekomst van de kerk. Meer bijzonderheden waren niet bekend, behalve dat Custos de afgelopen dagen intensief met Tomás Salvati overlegd had. Mediavertegenwoordigers uit de gehele wereld hadden zich op deze zonnige oktoberdag op het St.-Pietersplein verzameld en wachtten naast duizenden gelovigen op het verschijnen van de paus. Ook Enrico was aanwezig. Dankzij Elena en Alexander had hij een plaatsje op de perstribune gekregen.

Eindelijk werd de balkondeur geopend en toonde Custos zich aan de mensen. Tot hun verbazing was hij niet alleen. Naast hem stond een tweede man in het gewaad van de Heilige Vader: Tomás Salvati, de tegenpaus. Er ging een verbaasd geroezemoes door de menigte, dat slechts door een bezwerend gebaar van de paus ingedamd kon worden. Vervolgens spraken hij en Salvati gezamenlijk het onzevader uit. Aan het eind van dit gebed sloegen ze een kruis, een gebaar dat door de meeste mensen opgevolgd werd.

'Onze almachtige Here God en zijn zoon Jezus Christus hebben ons tot eendracht en vergeving gemaand!' begon Custos zijn toespraak. 'De afgelopen tijd heeft de kerk het gebod tot eendrachtige samenwerking zeker niet opgevolgd. Haar is het grootst denkbare ongeluk overkomen, een schisma. Nu hebben we twee kerken en ook de gelovigen hebben zich in twee partijen verdeeld, waarbij eenieder er vast van overtuigd is dat zijn weg de juiste is. Maar wat betekent dat? Maakt de helft van de gelovigen nu een enorme vergissing? Ik geloof dat de waarheid in het midden ligt. We vergissen ons allemaal en hebben tegelijk ook gelijk. Ik heb met de kerkhervormingen misschien ook het nodige overboord geworpen wat goed en juist was, alleen maar om snel voortgang te kunnen maken. De Heilige Kerk van het Ware Geloof daarentegen heeft mijn hervormingen zo radicaal afgewezen dat ook zij tegelijk met het verkeerde ook het goede uitbande. Hoewel er veel over de onfeilbaarheid van de paus gesproken wordt, ben ook ik slechts een mens en maak ik zoals iedereen fouten. Als iemand in zijn eentje over het lot van een dergelijke schare gelovigen beslist, kunnen ongerechtigheden en fouten niet uitblijven. Om dat in de toekomst uit te sluiten, heb ik Lucius IV, mijn broeder in het geloof, verzocht zijn gelovigen in de schoot van onze kerk terug te voeren en samen met mij op de stoel van Petrus plaats te nemen.' Custos wendde zich tot de andere paus. 'Ik vergeef je elke schuld die je op je hebt geladen, broeder, en vraag jou eveneens om vergeving.'

Het verbijsterde publiek hing aan de lippen van Tomás Salvati, van Lucius IV, toen deze antwoordde: 'Ik dank jou voor jouw genade, broeder Custos, en ik vergeef jou. Mogen de gelovigen en onze kerken weer herenigd zijn in het geloof zoals wij dat ook zijn!'

Ze omhelsden elkaar langdurig en hartelijk en onder hen brak op het St.-Pietersplein een dolenthousiast gejuich los.

'Dat is me een knaller!' zei Elena op de perstribune, terwijl ze probeerde boven het gejuich en het applaus uit te komen. 'Een herenigde kerk met twee gelijkwaardige pausen aan het hoofd, dat is nog nooit voorgekomen!'

'Misschien wel de grootste hervorming die Custos tot nu toe gerealiseerd heeft,' meende Alexander.

Enrico zei niets, maar keek glimlachend naar het balkon op waar Custos en Lucius gearmd naast elkaar stonden.

Elena kneep hem in zijn zij. 'Je wist hiervan, geef het maar toe!'

'Ik wist het niet echt.' Enrico grijnsde. 'Maar ik vermoedde wel zoiets, gezien de hints die mijn vader af en toe gaf.'

'Het heeft dus toch voordelen om een paus als vader te hebben,' zei Elena. 'We moeten met elkaar in contact blijven, Enrico, want jij bent voor elke Vaticaanjournalist een uitstekende bron! Maar jammer genoeg zal dat wel niet gaan. Ik heb van Alex gehoord dat je morgen naar Duitsland terugvliegt.' In haar laatste zin klonk oprechte teleurstelling door.

'Dat hoeft niet,' mengde Alexander zich in het gesprek. 'Ik heb gisteren iets interessants van Stelvio Donati gehoord. In het kader van de Europese samenwerking bij de criminaliteitsbestrijding zal er in Rome een internationale opsporings- en coördinatie-eenheid voor zware misdrijven gevestigd worden. Er worden niet alleen politiefunctionarissen, maar ook juristen uit de gehele Europese Unie voor gezocht. Donati denkt dat onze vriend Enrico een echte verrijking voor deze eenheid zou zijn.' Hij gaf Enrico een knipoog. 'Als je solliciteert, maak je een goede kans op de baan. Donati zal namelijk hoofd van de nieuwe eenheid worden.'

Enrico keek hem dankbaar aan. Alexander was voor hem niet langer een rivaal, maar een goede vriend. Hoewel ze elkaar nog niet lang kenden, was er door de gevaren die ze samen doorstaan hadden, een hechte band ontstaan. En ook de gezamenlijke zorgen om Elena speelden daarbij een rol.

'Mooi dat ik hier welkom ben,' zei Enrico lachend. 'Misschien zal ik op een dag op het aanbod ingaan. Maar alleen als commissario Donati en de Europese Unie me dan nog hebben willen.'

'En in de tussentijd, Enrico?' vroeg Elena met een ernstige ondertoon.

'Eerlijk gezegd weet ik dat zelf niet precies. Na alles wat ik de afgelopen weken meegemaakt heb, moet ik eerst tot rust komen en mezelf terugvinden. Een paus als vader hebben is al bijzonder genoeg, en om dan ook nog te horen dat ik een nazaat ben van de wezens die we engelen noemen...'

Enrico maakte zijn zin niet af, maar dat was ook niet nodig. Elena en Alexander wisten toch wel wat hem bewoog.

De afgelopen weken waren uiterst enerverend geweest. Enrico had zijn nieuwe ervaringen nog volstrekt niet kunnen verwerken. Hij wist op dit moment nog niet eens hoe hij daarmee moest beginnen. Maar één ding stond vast: hij zou veel tijd nodig hebben om na te denken en te lezen. Boeken over de Etrusken, over de engelen, over Jezus en over het christendom. Hij zou weer gaan studeren, maar ditmaal niet voor een staatsexamen en een carrière, maar voor zichzelf.

En hij moest over Vanessa nadenken, over het offer dat ze gebracht had. Nog altijd voelde hij zich schuldig aan haar dood. Als hij haar niet zo consequent afgewezen had nadat hij van haar verraad vernomen had, dan had ze zich misschien niet met Lavagnino in het meer gestort. Maar zou dan de engelenvloek over de wereld gekomen zijn? Enrico vond het ongelooflijk moeilijk het voor en tegen af te wegen als het om de dood van een mens ging, een geliefde zelfs. En nu het te laat was, wist hij dat hij Vanessa had vergeven. Hij hunkerde naar het onmogelijke, naar een gelegenheid om het haar te vertellen. Het zou veel tijd vergen voordat hij weer met zichzelf in het reine zou zijn, wat Vanessa betrof.

Elena voelde blijkbaar aan waarover hij zo somber zat te peinzen. Ze streelde hem zachtjes over zijn schouder en schonk hem een betoverende glimlach. 'Hoe je plannen er ook uit mogen zien, Enrico, hier in Rome zal er altijd plek voor je zijn. Alex en ik verheugen ons al op ons weerzien.'

'Ik ook,' zei Enrico. Zijn blik dwaalde van Elena naar het balkon met de twee pausen af. 'Het is goed om te weten dat je niet alleen bent.'

NAWOORD VAN DE AUTEUR

In mijn eerdere roman *De Christus-smaragd* heb ik de waargebeurde moord op de commandant van de pauselijke Zwitserse Garde en zijn vrouw als basis genomen voor een fictief verhaal, waarin ik in het kader van een verzonnen handeling ook enig inzicht in de werkelijke machtsstructuur van het Vaticaan wilde bieden. Inmiddels heeft de moeder van de vermeende moordenaar, die na de moord zelfmoord gepleegd zou hebben, via haar advocaten geprobeerd te bewijzen dat alle drie de doden slachtoffer van een complot zijn geworden, waarin diverse geheime organisaties verwikkeld waren, van streng christelijke orden tot de voormalige Oost-Duitse Stasi. Alles wijst erop dat deze beschuldigingen juist zijn en daarmee duiden deze in dezelfde richting als de verklaring in mijn boek, waarin de geheime orde Totus Tuus voor de moorden verantwoordelijk is.

In dit verband wil ik benadrukken dat deze geheime orde, die ook in dit boek een rol speelt, een schepping van de auteur is. Organisaties die in werkelijkheid deze naam dragen, hebben geen enkele relatie met de orde in mijn boeken en elke gelijkenis berust op toeval. Hetzelfde geldt voor alle andere namen en beschrijvingen in mijn boeken *De engelenburcht* en *De Christus-smaragd*.

Vermoedelijk dringt zich bij de lezer de vraag op in hoeverre *De engelenburcht* een vervolg op het eerste boek is. Weliswaar komen vele personages uit *De Christus-smaragd* ook in *De engelenburcht* voor, maar de handeling in het tweede boek is volledig nieuw en ook zonder kennis van het eerste boek te volgen. Ik heb me beziggehouden met de vraag hoe de katholieke Kerk en het christendom met een paus omgaan die enerzijds beweert van Jezus af te stammen, maar anderzijds radicale hervormingen nastreeft om de kerk het nieuwe millennium in te voeren. Het resultaat van deze overwegingen is de kerkscheuring die het begin van dit boek vormt. Het zou buiten het kader van dit boek vallen om op deze plek op de fascinerende en geheimzinnige cultuur van de Etrusken in te gaan. Literatuur over dit onderwerp is in elke goede boekhandel verkrijgbaar. Ook D.H. Lawrence heeft zijn gedachten over het erfgoed van de Etrusken opgeschreven, welke notities later tot het boek *Etruskisch Testament* hebben geleid. Nog indrukwekkender is het natuurlijk zelf naar de betreffende plaatsen af te reizen, zoals ik dankzij goede vrienden zelf mocht vaststellen. Om met hen de Etruskische necropolissen van Cerveteri en Tarquinia te bezoeken, was niet alleen interessant, maar zelfs een waar genoegen, waarin het verleden voor mij tot leven kwam. Wie zich ter plekke met de Etruskische nalatenschap bezighoudt, zal verbaasd vaststellen hoe vaak er op afbeeldingen of sculpturen gevleugelde wezens – door ons engelen genoemd – opduiken.

Tot slot nog een toeristische opmerking. Ik wil alle bezoekers aan Toscane aanraden naast de toeristische attracties zoals Florence en Pisa ook het kleine Pescia te bezoeken, waar een prachtig dorpsplein en interessante kerken te bewonderen zijn. Bovendien verrijzen achter de stad de ruige bergen die door de Zwitserse historicus Carlo Sismondi in de negentiende eeuw de *Pesciatiner Schweiz* werden gedoopt. Hier liggen enkele zeer afgelegen dorpen. En ook al zal de lezer daar geen Borgo San Pietro vinden, de avonturierzin zal er zeker bevredigd worden. Een goed vertrekpunt voor dergelijke verkenningen is hotel San Lorenzo, dat tussen de stad en de bergen in ligt. Maar pas op, de straatjes zijn er echt heel smal.

Jörg Kastner, www.kastners-welten.de